DE ZWARTE MAGIËRS

MAGIËRS

TWEEDE BOEK - DE MAGIËRSLEERLING

Trudi Canavan bij Uitgeverij M:

DE ZWARTE MAGIËRS

Boek een – het magiërsgilde

www.fantasyfan.nl

De website van Uitgeverij-M bevat nieuwtjes, achtergronden bij auteurs en boeken, voorpublicaties en vele extra's, zoals het FantasyFanForum en WARP-on line.

TRUDI CANAVAN
DE ZWARTE MAGIËRS

TWEEDE BOEK - DE MAGIËRSLEERLING

UITGEVERIJ M

*Dit boek draag ik op aan mijn moeder, Irene Canavan, die me
altijd voorhield dat ik door inzet en hard werken alles kon worden
wat ik wilde*

Oorspronkelijke titel *The Novice*
Vertaling Jet Matla
Omslagontwerp Rudy Vrooman

Eerste druk januari 2005

© 2002 Trudi Canavan
© 2005 voor de Nederlandse taal: De Boekerij bv, Amsterdam
Uitgeverij M is een imprint van De Boekerij bv, Amsterdam

ISBN 90 225 40499 /NUR 334

Dankwoord

Behalve de mensen die ik al bedankte in *Het Magiërsgilde,* zou ik hier graag mijn dank willen uitspreken aan mijn vrienden en familieleden die zo vriendelijk zijn geweest dit boek te lezen en hun commentaar op tijd te leveren: Pa en Ma, Yvonne Hardingham, Paul Marshall, Anthony Mauriks, Donna Johansen, Jenny Powell, Sara Creasy, Paul Potiki.

Verder aan Jack Dann, omdat hij zich vol vuur gestort heeft op *Het Magiërsgilde.* Justin Ackroyd omdat ik zijn boekhandel een dag over mocht nemen, en Julian Warner en de andere medewerkers van Slow Glass Books voor al hun hulp.

Fran Bryson, mijn agente en heldin. Les Petersen voor het maken van weer zo'n schitterende omslagillustratie. En het team van HarperCollins omdat ze mijn verhaal weer in zo'n fantastisch, aantrekkelijk boek hebben omgetoverd.

De eerste helft van *De Magiersleerling* schreef ik in een huisje op het Varuna Writer's Centre, mij aangeboden door de Eleanor Dark Foundation. Ik bedank Peter Bishop en het team van Varuna voor de inspirerende en productieve drie weken.

Tot slot wil ik iedereen bedanken die me in hun mailtjes zoveel lof hebben toegezwaaid voor *Het Magiërsgilde!* De wetenschap dat ik jullie een paar ontspannen of plezierige uurtjes heb bezorgd maakt alles de moeite waard.

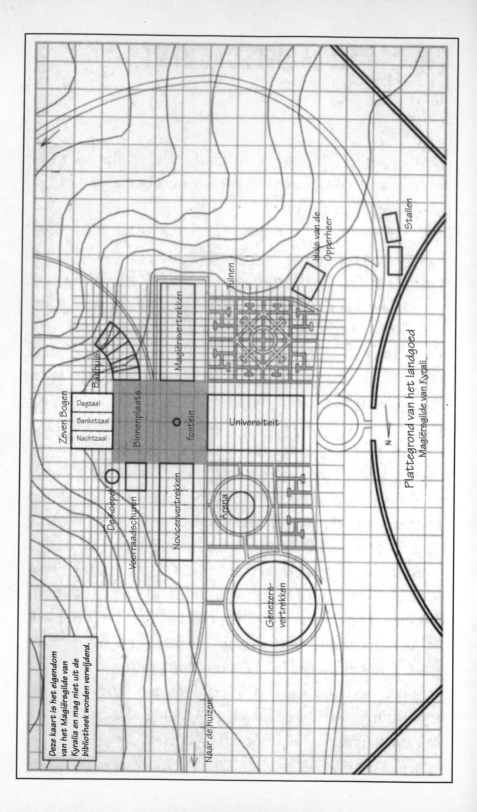

Plattegrond van het landgoed
Magiërsgilde van Kyrali.

Deze kaart is het eigendom
van het Magiërsgilde van
Kyralia en mag niet uit de
bibliotheek worden verwijderd.

Stallen

Huis van de
Opperheer

Tuinen

Magiërsvertrekken

Badhuis

Zeven Bogen

Dagzaal
Banketzaal
Nachtzaal

Binnenplaats

fontein

Universiteit

De Koepel

Voorraadschuren

Novicenvertrekken

Arena

Genezers-
vertrekken

Naar de huizen

N

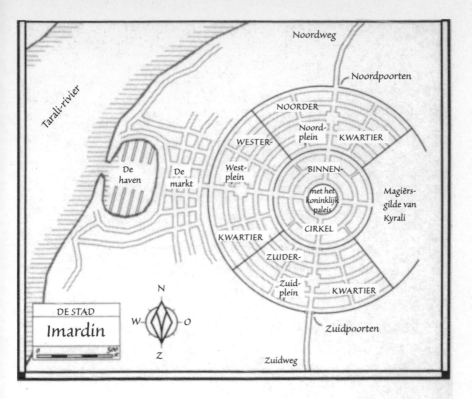

Tarali-rivier

Noordweg

Noordpoorten

NOORDER

Noord-
plein

KWARTIER

WESTER-

West-
plein

BINNEN-

De
haven

De
markt

met het
koninklijk
paleis

Magiërs-
gilde van
Kyrali

KWARTIER

CIRKEL

ZUIDER-

Zuid-
plein

KWARTIER

Zuidpoorten

DE STAD
Imardin

N
W   O
Z

Zuidweg

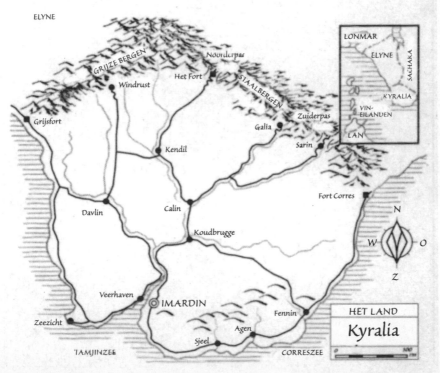

ELYNE

GRIJZE BERGEN

Noorderpas

Het Fort

STAALBERGEN

Windrust

Grijsfort

Zuiderpas

Galia

Sarin

Kendil

Fort Corres

Davlin

Calin

Koudbrugge

N
W   O
Z

Veerhaven

IMARDIN

Zeezicht

Fennin

Agen

Sjeel

HET LAND
Kyralia

TAMJINZEE

CORRESZEE

LONMAR

ELYNE

SACHAKA

KYRALIA

VIN-
EILANDEN

LAN

Deel Een

1

De toetredingsceremonie

Elke zomer kleurde de hemel boven Kyralia een paar weken lang felblauw en scheen de zon meedogenloos. In de stad Imardin waren alle straten stoffig en de masten van de schepen in de haven kronkelden achter het waas van hitte, terwijl mannen en vrouwen zich naar huis spoedden om zich er koelte toe te wuiven en gekoelde vruchtensappen te drinken of – in de gevaarlijke delen van de sloppenwijk – zich vol te laten lopen met grote kroezen bol.

Maar in het Magiërsgilde van Kyralia werd in deze verzengende periode uitgezien naar een belangrijke gebeurtenis: het afnemen van de eed van de zomerlichting magiërsleerlingen.

Sonea maakte een grimas en trok aan de kraag van haar jurk. Hoewel ze dezelfde eenvoudige, maar goed gemaakte kleren had willen dragen die ze aanhad toen ze in het Gilde logeerde, had Rothen erop gestaan dat ze iets chiquers aan moest voor de toetredingsceremonie.

Rothen grinnikte. 'Maak je geen zorgen, Sonea. Het is voorbij voor je het weet en dan krijg je een gewaad aan – en ik weet zeker dat je daar nog sneller een hekel aan krijgt.'

'Ik maak me geen zorgen,' zei Sonea kribbig.

Zijn ogen fonkelden geamuseerd. 'Heus niet? Ben je niet een heel klein beetje zenuwachtig?'

'Het is toch geen tweede hoorzitting? Dat was klote.'

'Klote?' Hij fronste zijn wenkbrauwen. 'Je bent wél nerveus, Sonea. Je hebt in geen weken zo'n woord gezegd.'

Ze zuchtte even van ergernis. Sinds de hoorzitting vijf maanden geleden, waarbij Rothen het mentorschap over Sonea toegewezen had gekregen, had hij haar de opleiding gegeven die alle magiërsleerlingen moeten volgen voor zij aangenomen worden op de universiteit. Ze kon de meeste boeken nu zonder hulp lezen, en ze had schrijven geleerd, op een manier die Rothen 'net voldoende om je mee te redden' noemde. Wiskunde was moeilijker te vatten geweest, maar geschiedenis was weer fascinerend.

Gedurende die maanden had Rothen haar taalgebruik gecorrigeerd, en had hij geëist dat ze elk woord uit de dieventaal of sloppenspraak onmiddellijk verving door Algemeen Beschaafd Kyraliaans, tot ze kon spreken als een vrouwe van een machtig Kyraliaans Huis. Hij waarschuwde haar dat de andere magiërsleerlingen haar verleden niet zonder meer zouden accepteren zoals hij gedaan had, en ze zou het zichzelf alleen maar moeilijker maken als ze elke keer de aandacht trok door haar platte tongval. Op dezelfde wijze had hij haar ervan overtuigd om een jurk aan te trekken voor de toetredingsceremonie, en hoewel ze wel inzag dat hij gelijk had, voelde ze zich nog steeds slecht op haar gemak.

Een kring van rijtuigen kwam in zicht toen ze de hoofdingang van de universiteit naderden. Naast elk rijtuig stond een stel tot in de puntjes geklede bedienden, in de kleuren van het Huis waar zij dienden. Toen Rothen verscheen wendden ze zich naar hem toe en maakten een buiging.

Sonea staarde naar de rijtuigen en voelde een knoop in haar maag. Ze had ze vaak genoeg gezien, maar nooit zoveel tegelijk. Ze waren allemaal vervaardigd van blinkend gepoetst hout, versierd met houtsnijwerk en beschilderd met ingewikkelde patronen, en in het midden van ieder portier bevond zich een vierkant symbool dat aangaf aan welk Huis dit rijtuig toebehoorde – het incal van het Huis. Ze herkende de incals van Paren, Arran, Dillan en Saril, die tot de meest invloedrijke Huizen in Imardin behoorden.

De zonen en dochters van die Huizen zouden dus haar toekomstige klasgenoten zijn.

Bij die gedachte begonnen haar knieën te knikken. Wat zouden ze wel niet van haar denken, de eerste eenvoudige Kyraliaanse die sinds eeuwen toetrad tot de positie van de machtige Huizen? Op zijn slechtst zouden ze het eens zijn met Fergun, de magiër die geprobeerd had haar toetreding tot het Gilde te verhinderen. Hij huldigde het idee dat alleen nakomelingen van de Huizen mocht worden toegestaan magie te leren. Door haar vriend, Cery, gevangen te nemen, chanteerde hij Sonea en dwong hij haar zijn spelletje mee te spelen. En dat spelletje bestond eruit het Gilde te laten geloven dat Kyralianen van de lagere standen geen normen en waarden kenden en niet te vertrouwen waren met magie.

Maar Fergun was op tijd ontmaskerd en hij was naar een verafgelegen fort gestuurd. Sonea vond het niet bepaald een zware straf voor het feit dat hij gedreigd had haar vriend te vermoorden, en ze vroeg zich af of het anderen zou weerhouden nogmaals over te gaan tot chantage om iets gedaan te krijgen.

Ze hoopte maar dat er een paar leerlingen de instelling van heer Rothen zouden hebben, die het niets kon schelen dat ze eens gewoond en geleefd had in de sloppenwijk. Sommige leden van andere volkeren zouden ook toleranter kunnen zijn tegenover een meisje van de lagere standen. De Vindo's waren een vriendelijk volk; ze had ze meer dan eens in haar wijk ontmoet, wanneer ze op weg waren om in haar land als seizoensarbeiders in de wijngaarden en boomgaarden aan de slag te gaan. De mensen uit Lan schenen geen hogere en lagere standen te kennen. Ze leefden in stamverband en verkregen daar een bepaalde rang door zowel mannen als vrouwen aan wedstrijden te laten meedoen, waarin hun moed, wijsheid en slimheid op de proef werden gesteld. Sonea had er echter geen idee van op welk niveau zij in hun maatschappij terecht zou komen.

Ze keek naar Rothen en bedacht wat hij allemaal voor haar over had gehad, en haar hart vloeide over van affectie en dankbaarheid. Eens zou ze van zichzelf gewalgd hebben als ze wist dat ze nu zo afhankelijk van iemand zou zijn, en dan nog wel van een magiër! Eens had ze alleen haat voor het Gilde gevoeld, en had ze haar magische kracht onbedoeld gebruikt toen ze in haar woede een steen naar een magiër gooide. Toen er een zoektocht naar haar werd ingesteld wist ze haast zeker dat ze haar zouden doden als ze haar vonden, en ze had het aangedurfd de Dieven te vragen haar te helpen, al vroegen die altijd een hoge prijs voor hun gunsten.

Toen haar krachten onbeheersbaar werden, hadden de magiërs de Dieven ervan overtuigd dat ze haar beter aan hen konden toevertrouwen. Rothen was degene die haar gevangen had en haar leraar werd. Hij had daarmee bewezen dat magiërs – nou ja, de meeste dan – niet de wrede, egoïstische monsters waren waar de sloppenbewoners hen voor hielden.

Twee wachters stonden aan beide kanten van de open deuren naar de universiteit. Hun aanwezigheid was alleen vereist wanneer belangrijke bezoekers het Gilde aandeden. Ze bogen stijfjes terwijl Rothen Sonea de ingangshal binnen leidde.

Hoewel ze de hal al een paar maal had gezien, verwonderde ze zich nog altijd. Duizenden onmogelijk dunne draden van een glasachtige substantie stegen op uit de vloer en vormden de steunpilaren voor de wenteltrappen die zich om elkaar heen naar de hogere verdiepingen slingerden. Sierlijke draden van wit marmer vervlochten zich als kronkelende wijnranken tussen reling en treden. De trappen leken te fragiel om het gewicht van een volwassen man te dragen – en dat was misschien ook wel zo, ware het niet dat ze versterkt waren door magie.

Ze liepen langs de wenteltrappen naar een korte gang. Verderop lag de Gildehal van ruw, grijs steen, een zeer oud gebouw dat omgeven en beschermd werd door een enorme witte ruimte die de Grote Zaal heette. Er stonden verschillende mensen bij de deuren van de Gildehal en Sonea voelde hoe droog haar mond werd toen ze hen bekeek. Mannen en vrouwen draaiden zich om om te zien wie er naderde en hun ogen begonnen te glimmen toen ze Rothen ontwaarden. De magiërs die al stonden te wachten, knikten beleefd. De anderen maakten een buiging.

Toen hij de Grote Zaal binnenstapte, bracht Rothen Sonea naar een kleine groep mensen. Sonea merkte op dat iedereen ondanks de grote hitte

13

gekleed was in vele lagen weelderige kleding. De vrouwen droegen druk geborduurde gewaden, de mannen lange jassen waarvan de mouwen versierd waren met hun incal. Toen ze wat nauwkeuriger keek, stokte de adem haar in de keel. Elke zoom was versierd met flintertjes rode, groene en blauwe edelstenen. Grote gesneden stenen dienden als knopen van de jassen. Kettingen van edelmetalen hingen om nek en polsen, en edelstenen glinsterden op ringen die over de handschoenen heen gedragen werden.

Met een blik op de jas van een van de heren, bedacht ze hoe een professionele dief hen in een wip van zijn knopen zou kunnen ontdoen. In de sloppen waren heel kleine sikkeltjes verkrijgbaar voor dat werk. Je hoefde maar 'per ongeluk' tegen zo'n man op te botsen, je te verontschuldigen en je snel uit de voeten te maken. De man zou waarschijnlijk pas als hij thuiskwam merken dat hij bestolen was. En die armband van die dame...

Sonea schudde haar hoofd. *Hoe kan ik ooit vrienden worden met deze mensen als ik er alleen maar aan kan denken hoe makkelijk ze te bestelen zijn?* Maar toch kon ze een glimlach niet onderdrukken. Net zoals haar vroegere vriendjes en vriendinnetjes was ze bijzonder gehaaid in zakkenrollen en sloten open peuteren – al kon niemand Cery de baas – en hoewel haar tante Jonna haar uiteindelijk had weten te overtuigen dat stelen slecht was, was Sonea het vak niet verleerd.

Ze verzamelde moed en keek de jongeren binnen de groep aan, maar de meeste gezichten werden snel afgewend. Vrolijk vroeg ze zich af wat ze dan verwacht hadden – dat ze er als een bedelmeisje uit zou zien? Een werkster, kromgebogen en vol rimpels en kloven van het harde werken? Een ordinair opgemaakt hoertje?

Als dan geen van hen haar blik wilde beantwoorden, had zij tenminste de vrijheid hen in alle rust te bekijken. Slechts twee families hadden het typische Kyraliaanse zwarte haar en de lichte huid. Een van de moeders was gekleed in het groene gewaad van de Genezers. Een ander hield de hand van een mager meisje vast dat dromerig het glinsterende glazen plafond van de zaal bekeek.

Er stonden drie gezinnen bij elkaar die kort van stuk waren en het rossige haar hadden dat karakteristiek was voor het volk van Elyne. Ze praatten rustig, en af en toe weerklonk er gelach door de zaal.

Een Lonmarische familie met een donkere huidskleur stond stil te wachten. Zware gouden talismannen van de Mahga-godsdienst hingen over het purperen alchemistengewaad van de vader, en zowel vader als zoon waren kaalgeschoren. Een ander gezin uit Lonmar stond helemaal aan de andere kant van de groep. De huid van de zoon was wat lichter bruin van kleur, wat aangaf dat de moeder waarschijnlijk van een ander ras was. Ook deze vader droeg een gewaad, maar dit was een rood krijgersgewaad en hij droeg ook geen sieraden of talismannen.

Vlak bij de gang stond een gezin van de Vin-eilanden. Hoewel de vader kostbare kleding droeg, bleek uit de steelse blikken die hij op de anderen wierp dat hij zich niet zo op zijn gemak voelde in hun gezelschap. De zoon was een bonenstaak met een ziekelijk gelige tint.

Toen de moeder van de jongen haar hand op zijn schouder legde, moest Sonea plotseling aan haar tante Jonna en oom Ranel denken en ze kreeg een bekend gevoel van teleurstelling. Al waren ze haar enige familie, en hadden ze haar grootgebracht nadat haar moeder stierf en haar vader met de noorderzon vertrokken was, ze voelden zich te zeer geïntimideerd door het Gilde om haar hier op te zoeken. Toen ze hun gevraagd had de toetredings-ceremonie te komen bijwonen, hadden ze het afgeslagen, omdat ze hun onlangs geboren zoontje niet aan de zorgen van iemand anders wilden overdragen en omdat ze een huilend baby'tje natuurlijk niet mee konden nemen naar zo'n belangrijke ceremonie.

Voetstappen echoden in de gang en Sonea draaide zich om en zag nog een rijk uitgedost trio van Kyralianen binnenkomen dat zich bij de andere bezoekers voegde. De jongen van het drietal bekeek de aanwezigen met een hooghartige blik. Bij Rothen bleef zijn blik steken, vervolgens richtte hij zijn ogen op Sonea.

Hij keek haar strak in de ogen en trok zijn mondhoeken op tot een vriendelijke glimlach. Verrast wilde ze terugglimlachen, maar toen ze dat deed kreeg zijn mond langzaam een smalende trek.

Sonea kon enkel maar ontzet terugstaren. De jongen draaide zich om, maar zo traag dat ze nog net zijn zelfgenoegzame grijns kon zien. Sonea kneep haar ogen halfdicht en volgde zijn blik naar de andere bezoekers.

Blijkbaar kende hij de andere Kyraliaanse jongen al, want ze knipoogden naar elkaar. De meisjes werden bedolven onder betoverende glimlachjes; het magere Kyraliaanse meisje beantwoordde dat met minachting, maar haar ogen bleven toch op hem rusten. Andere gasten werden beleefd door de knaap toegeknikt.

Een luid, metalig geluid verbrak het sociale spel. Alle hoofden wendden zich naar de Gildehal. Er volgde een lange, doodse stilte tot de enorme deuren langzaam openzwaaiden. Hoe wijder de deuropening, hoe groter de gouden gloed die de zaal binnen stroomde. Het licht was afkomstig van duizenden magische bollichtjes die een paar voet onder het plafond zweef-den. Een warme geur van geboend hout heette hen welkom.

Men fluisterde en sommigen hielden bewonderend hun adem in toen ze de hal in staarden. Sonea glimlachte toen ze besefte dat de andere toekom-stige novicen, en een deel van de volwassenen, de Gildehal nog nooit eerder hadden gezien. Alleen de magiërs en de ouders die al een ouder kind hadden begeleid bij de toetredingsceremonie waren hier binnen geweest. En zij.

Ze kwam weer met beide benen op de grond toen ze zich haar vorige bezoek herinnerde, toen de opperheer haar vriend Cery de Gildehal binnen-leidde, waardoor Fergun zijn macht over haar verloor. Ook voor Cery ging die dag een deel van zijn droom in vervulling. Haar vriend had gezworen dat hij alle grote gebouwen van de stad ten minste één keer zou bezoeken. Dat hij maar een arme straatjongen was maakte de uitdaging des te groter voor hem.

Maar Cery was niet langer het avontuurlijke jongetje met wie ze in haar jeugd had rondgehangen, of de sluwe tiener die haar zo lang uit handen van het Gilde had weten te houden. Elke keer dat ze hem zag, wanneer hij haar op kwam zoeken in het Gilde of wanneer zij langsging in het krot waar hij woonde, leek hij ouder en bezorgder. Als ze hem vroeg wat hij zoal deed, en of hij nog altijd voor de Dieven werkte, glimlachte hij ongemakkelijk en veranderde van onderwerp.

Maar ongelukkig leek hij niet. En als hij inderdaad voor de Dieven werkte, was het maar beter dat ze zo min mogelijk van zijn zaken afwist.

Een man in een lang gewaad kwam in de deuropening staan. Sonea herkende heer Osen, de secretaris van de administrateur. Hij hief zijn hand op en schraapte zijn keel.

'Het Gilde heet u van harte welkom,' zei hij. 'We zullen nu met de toetredingsceremonie beginnen. De nieuwe studenten zullen eerst achter elkaar binnentreden; de ouders volgen hen en mogen plaatsnemen op het laagste niveau.'

Toen de andere nieuwelingen haastig naar voren drongen, voelde Sonea een hand op haar schouder. 'Geen zorgen, het is zo weer voorbij,' stelde haar leraar haar gerust.

Ze grijnsde terug. 'Ik maak me ook geen zorgen, Rothen.'

'Ja, ja!' en hij gaf haar een duwtje. 'Vooruit dan maar. Laat niet op je wachten.'

Een druk groepje stond voor de drempel. Heer Osens lippen knepen zich samen. 'In een rij opstellen, alstublieft.'

Terwijl de nieuwelingen gehoorzaamden, keek heer Osen Sonea aan. Er gleed een klein glimlachje over zijn lippen en Sonea knikte ten antwoord. Ze kwam helemaal achteraan te staan. Links van haar klonk gesis.

'Ze weet in elk geval haar plaats,' mompelde iemand. Sonea keek onopvallend naast zich waar twee Kyraliaanse vrouwen stonden.

'Dat is dat achterbuurtkind toch?'

'Ja,' antwoordde de eerste. 'Ik heb Bina gezegd bij haar uit de buurt te blijven. Je moet er toch niet aan denken dat ze slechte gewoonten aanleert – of enge ziektes krijgt.'

Het antwoord van de tweede vrouw hoorde Sonea niet meer, want de rij zette zich in beweging. Ze drukte haar hand tegen haar borst, en was verbaasd haar hart zo snel te voelen bonzen. *Wen er maar aan,* zei ze in zichzelf, *je krijgt nog wel meer te horen.* Ze hield zich in om weer naar Rothen te kijken, rechtte haar rug en volgde de andere studenten die achter Osen aan over het lange pad in het midden van de hal liepen.

Toen ze eenmaal over de drempel waren, werden ze omringd door de hoge muren van de Gildehal. De banken rondom hen waren maar half gevuld, al waren haast alle magiërs die binnen het Gilde of in de stad leefden aanwezig. Aan haar linkerkant ving ze de koele blik van een bejaarde magiër op. Op zijn gerimpelde gezicht verscheen een frons en hij zond haar een brandende blik.

Ze richtte haar blik snel op de grond, maar Sonea voelde dat ze een kleur kreeg. Geërgerd merkte ze dat haar handen trilden. Kreeg ze nu al de bibbers van de blik van een oude man? Ze deed haar best om haar gezicht in een kalme, waardige plooi te trekken en liet haar ogen over de rijen mensen glijden –

– en struikelde haast over haar voeten toen bleek dat elke magiër in de hal naar haar keek. Ze slikte en richtte haar ogen op de rug van de jongen voor haar.

Toen de nieuwelingen het eind van het pad bereikten, stuurde Osen de eerste naar links, de tweede naar rechts en vervolgde dit patroon tot ze in een rij in de breedte van de hal stonden. Zo kwam zij in het midden te staan, vlak voor heer Osen. Hij stond doodstil, met zijn blik op het geroezemoes achter haar. Ze hoorde geschuifel en getinkel van sieraden en nam aan dat het de ouders waren die een plek zochten op de rij stoelen achter hen. Toen de zaal bedaarde, draaide Osen zich om en boog naar de hoofdmagiërs die op de hogere plaatsen voor hen zaten.

'Ik stel u voor aan de zomerlichting van nieuwe novicen van de universiteit.'

'Dit is een stuk interessanter nu er daar beneden iemand staat die ik ken,' merkte Dannyl op toen Rothen ging zitten.

Rothen richtte zijn blik op zijn kameraad. 'Maar vorig jaar zat jouw neefje er toch bij.'

Dannyl haalde zijn schouders op. 'Die ken ik nauwelijks. Maar Sonea ken ik goed.'

Tevreden keek Rothen de hal in. Dannyl kon heel charmant zijn als hij wilde, maar hij maakte niet makkelijk vrienden. Dat was grotendeels te wijten aan een incident van jaren geleden, toen Dannyl nog leerling was. Hij werd beschuldigd van 'onoorbare' interesse in een oudere jongen, en zowel magiërsleerlingen als magiërs keken hem daarna met de nek aan. Hij werd geschuwd en beschimpt en dit was waarschijnlijk de reden dat Dannyl zelfs nu nog maar weinig mensen vertrouwde, laat staan vriendschap met hen sloot.

Rothen was al die jaren Dannyls enige echte vriend geweest. Als leraar had Rothen Dannyl al snel als veelbelovend bestempeld. Toen hij merkte dat het schandaal een slecht effect had op Dannyls cijfers, besloot hij mentor van Dannyl te worden. Met wat aanmoediging en veel geduld had hij Dan-

17

nyls gedachtewereld van het geroddel en geklets weer naar magie en kennis omgebogen.

Er waren magiërs geweest die hun twijfel uitten over Rothens vaardigheden om Dannyl weer 'op het rechte pad' te krijgen. Rothen glimlachte. Daarin was hij niet alleen geslaagd, maar Dannyl was onlangs ook tot Tweede Gildeambassadeur in Elyne benoemd. Met een blik op Sonea vroeg Rothen zich af of zij hem ook op een dag reden zou geven zich trots op zijn pupil te voelen.

Dannyl leunde voorover. 'Wat een kinderen zijn het nog vergeleken bij Sonea, vind je niet?'

Rothen haalde zijn schouders op. 'Ik weet niet precies hoe oud ze zijn, maar gemiddeld zijn ze een jaar of vijftien. Zij is bijna zeventien. Een paar jaar maakt niet zoveel uit.'

'Volgens mij wel,' mompelde Dannyl, 'maar hopelijk in haar voordeel.'

Beneden hen liep heer Osen langzaam langs de rij nieuwe universiteitsstudenten, en riep hun naam en titel af op de wijze die gebruikelijk was in hun vaderland.

'Alend uit de familie Genard.' Osen liep twee stappen verder. 'Kano van de familie Temo, Scheepsbouwersgilde.' Nog een stap. 'Sonea.'

Osen wachtte even en liep verder. Toen hij de volgende naam bekendmaakte, leefde Rothen met haar mee. Zonder titel of huis was ze voor alle aanwezigen een buitenbeentje. Maar er was niets aan te doen.

'Regin van de familie Winar, Huis Paren,' sloot Osen de introductie af.

'Dat is toch het neefje van Garrel?' vroeg Dannyl.

'Ja.'

'Ik heb gehoord dat zijn ouders gevraagd hadden of hij nog met de vorige winterlichting mee kon doen, drie maanden nadat die begonnen was.'

'Vreemd. Waarom zouden ze dat gewild hebben?'

'Geen idee.' Dannyl haalde zijn schouders op. 'Dat kon ik net niet horen.'

'Heb je weer lopen afluisteren?'

'Ik luister niet áf, Rothen. Ik luister gewoon.'

Rothen schudde het hoofd. Hij had Dannyl-de-novice dan wel kunnen afhouden van streken om zich te wreken op lieden die hem dwarsgezeten hadden, maar het was hem nog steeds niet gelukt om Dannyl-de-magiër te weerhouden overal zijn oor te luisteren te leggen om de laatste roddels op te vangen. 'Ik weet niet wat ik moet beginnen wanneer je vertrekt. Wie houdt me dan op de hoogte van alle kleine intriges binnen het Gilde?'

'Dan moet je gewoon zelf maar beter opletten,' antwoordde Dannyl droog.

'Ik heb me wel eens afgevraagd of de hoofdmagiërs juist jou hebben uitgekozen voor een buitenlandse positie om af te zijn van dat "gewone luisteren" van jou.'

Dannyl glimlachte. 'Ach, je weet toch dat je, om te weten te komen wat zich afspeelt in Kyralia, het best een paar dagen de roddels in Elyne kunt volgen...'

De echo van voetstappen richtte hun aandacht weer op het gebeuren in de hal. Universiteitsdirecteur Jerrik had zijn plaats te midden van de hoofdmagiërs verlaten en liep de trap af. Hij ging tegenover de rij nieuwe leerlingen staan, die hij allemaal even scherp aankeek, met zijn gebruikelijke zure gezicht.

'Vandaag neemt ieder van jullie de eerste stap om een magiër van het Gilde van Kyralia te worden,' sprak hij streng. 'Als novice zullen jullie de regels van de universiteit moeten gehoorzamen. In de verdragen die de Geallieerde Landen onderschrijven, worden deze regels aangehouden door alle heersers, en alle magiërs worden geacht op de naleving ervan toe te zien. Al studeer je niet af, dan nog ben je gedwongen je aan de regels te houden.' Hij zweeg en keek de nieuwe toetreders ernstig aan. 'Om tot het Gilde toe te treden moeten jullie een eed zweren, en die eed bestaat uit vier delen.

Ten eerste moeten jullie zweren om nooit een man of vrouw opzettelijk kwaad te berokkenen, tenzij het gebeurt om de Alliantie te verdedigen. Deze regel geldt voor mensen van elke stand, positie, criminele status en leeftijd. Alle bloedwraak, of die nu persoonlijk of politiek getint is, zal vandaag beëindigd worden.

Ten tweede: jullie moeten zweren je aan de regels van het Gilde te houden en de wetten van de koning te gehoorzamen. Als je de regels nog niet kent, dan is het je eerste taak als novice die te achterhalen. Onwetendheid is geen excuus.

Op de derde plaats moeten jullie zweren de bevelen van welke magiër dan ook op te volgen, tenzij die bevelen inhouden dat er een wet of een regel overtreden zou moeten worden. We zijn redelijk flexibel in deze regel. Je hoeft niets te doen dat je moreel onjuist vindt of waartegen je godsdienst of cultuur bezwaar maakt. Maar bepaal nooit van tevoren hoe flexibel wij moeten zijn in jouw zaak. Twijfel je, kom dan naar mij toe, en ik zal het zo goed mogelijk afhandelen.

Tot slot moeten jullie zweren nooit magie te gebruiken tenzij je toestemming krijgt van een magiër. Dit is voor jullie eigen veiligheid. Gebruik geen magie zonder toezicht, tenzij je mentor of leraar daartoe toestemming gegeven heeft.'

Jerrik zweeg weer, en in de stilte die volgde kon je een speld horen vallen. Zijn expressieve wenkbrauwen schoten omhoog en hij rechtte zijn schouders.

'Zoals de traditie het wil, is het een Gildemagiër toegestaan mentor over een novice te worden, om zijn of haar opleiding aan de universiteit te begeleiden.' Hij wendde zich naar de hoge zitplaatsen achter zich. 'Opperheer Akkarin, wenst u mentor te worden over een van deze nieuwe leerlingen?'

'Nee,' klonk de koele, zware stem.

19

Terwijl Jerrik dezelfde vraag aan alle andere hoofdmagiërs stelde, wierp Rothen een blik naar de in het zwart gehulde leider van het Gilde. Zoals de meeste Kyralianen was Akkarin lang en slank; zijn hoekige gezicht werd benadrukt door zijn ouderwetse haardracht, waarbij het lange haar tot een paardenstaart in de nek was samengebonden.

Zoals gewoonlijk keek Akkarin nogal afstandelijk naar het gebeuren. Hij had nooit interesse getoond in het mentorschap of de opleiding van een novice, en de meeste families hadden de hoop opgegeven dat hun zoon of dochter in de gunst zou vallen bij de opperheer.

Hoewel hij vrij jong was voor een opperheer, dwong Akkarin toch respect af bij zelfs de meest conservatieve en invloedrijke magiërs. Hij was bedreven, geleerd en intelligent, maar hij had ontzag bij allen verworven door zijn fenomenale magische kracht. Sommigen schatten dat zijn kracht groter was dan de krachten van alle leden van het Gilde tezamen.

Maar dankzij Sonea was Rothen een van de twee magiërs die de ware oorzaak van de opmerkelijke kracht van de opperheer kenden.

Voordat de Dieven haar aan de magiërs hadden overgedragen, waren Sonea en haar Dievenvriendje Cery op het terrein van het Gilde op onderzoek uit geweest. Door magiërs aan het werk te zien hoopte ze controle over haar kracht te leren krijgen. Maar in plaats daarvan had ze de opperheer bezig gezien met een vreemd ritueel. Ze begreep niet wat hij precies deed, maar toen administrateur Lorlen haar herinneringen las om te bevestigen dat ze door Fergun gedwongen was te liegen op de hoorzitting aangaande haar mentorschap, was hij ook op de herinnering aan die nacht gestuit en hij had het ritueel herkend.

Opperheer Akkarin, leider van het Gilde, bedreef zwarte magie.

Gewone magiërs wisten niets van zwarte magie af, behalve dat het verboden was. De hoofdmagiërs wisten er voldoende van om het te kunnen herkennen. Zelfs *weten* hoe je zwarte magie moest bedrijven werd als misdaad beschouwd. Uit wat Sonea Lorlen in haar gedachten had laten zien, wist Rothen nu dat zwarte magie een magiër in staat stelde zichzelf krachtiger te maken door kracht te onttrekken aan anderen. Als alle kracht weggezogen was, stierf het slachtoffer.

Rothen kon zich geen voorstelling maken wat het betekende voor Lorlen om niet alleen te weten dat zijn beste vriend Akkarin alles wist over zwarte magie, maar dat hij dat zelfs gebruikte. Dat moest een enorme schok zijn geweest. Maar tegelijkertijd begreep Lorlen dat hij niets over Akkarin bekend kon maken zonder het Gilde en de stad in gevaar te brengen. Als Akkarin aan zou vallen, kon hij makkelijk winnen, en met elke dode zou zijn kracht toenemen. Dus moesten Lorlen, Rothen en Sonea geheimhouden wat zij wisten. Wat zou het moeilijk zijn voor Lorlen, dacht Rothen, om net te doen of alles nog koek en ei was, terwijl hij wist waartoe zijn vriend Akkarin in staat was...

20

Ondanks die wetenschap had Sonea besloten tot het Gilde toe te treden. Daar was Rothen eerst nogal verbaasd over, tot ze uitlegde dat als ze vertrok met een blokkade op haar kracht – zoals de wet voorschreef voor magiërs die niet tot het Gilde wilden toetreden – zij een aanlokkelijke krachtbron zou kunnen worden voor de opperheer. Vol magie, maar niet in staat zich te verdedigen. Rothen rilde. Binnen het Gilde zou het tenminste worden opgemerkt wanneer ze onder vreemde omstandigheden stierf.

Maar hoe dan ook, het was een moedige beslissing geweest, nu ze wist wat in de kern van het Gilde besloten lag. Nu hij zo naar haar keek, te midden van de zonen en dochters van de rijkste families van de Geallieerde Landen, voelde hij zowel trots als genegenheid. Tijdens de afgelopen zes maanden was ze eigenlijk meer een dochter dan een student voor hem geweest.

'Wil er een andere magiër mentor worden over een van deze nieuwe leerlingen?'

Rothen schrok op toen hij besefte dat het zijn beurt was om het woord te nemen. Hij deed zijn mond open, maar voor hij iets kon zeggen sprak er al een ander de rituele woorden uit.

'Ik heb een keuze gemaakt, directeur.'

De stem kwam van de andere kant van de hal. Alle toetreders rekten hun nek uit om te zien wie op zou staan.

'Heer Yarrin,' begroette Jerrik hem. 'Van welke toetreder eist u het mentorschap op?'

'Gennyl. Van de familie Randa en het Huis van Saril, en de Clan van Alaraya.'

Een zacht geroezemoes steeg op uit de magiërsgelederen. Toen Rothen naar beneden keek zag hij de vader van de knaap op het puntje van zijn stoel zitten.

Jerrik wachtte tot het weer stil was in de zaal en hief zijn hoofd verwachtingsvol naar Rothen. 'Zijn er andere magiërs die het mentorschap van een van deze nieuwelingen opeisen?'

Rothen stond op. 'Ik heb een keuze gemaakt, directeur.'

Sonea keek op, met opeengeklemde lippen om niet te glimlachen.

'Heer Rothen,' antwoordde Jerrik, 'van welke toetreder eist u het mentorschap op?'

'Ik wil mentor van Sonea worden.'

Geen gemompel volgde op deze verklaring, en Jerrik knikte alleen om dit verzoek in te willigen. Rothen ging weer zitten.

'Dat was het dan,' fluisterde Dannyl. 'Je laatste kans verspeeld. Nou zit je er aan vast. Ze heeft je voor de komende zes jaar stevig bij de kladden.'

'Ssst,' fluisterde Rothen.

'Zijn er andere magiërs die het mentorschap van een van deze nieuwelingen opeisen?' herhaalde Jerrik.

'Ik heb een keuze gemaakt, directeur.'

De stem kwam van Rothens linkerkant en men draaide zich om of verschoof zijn stoel om te zien wie er gesproken had. Er werd opgewonden gefluisterd toen heer Garrel opstond.

'Heer Garrel,' – Jerrik kon de verrassing in zijn stem niet geheel onderdrukken – 'van welke toetreder eist u het mentorschap op?'

'Regin, van de familie Winar en het Huis van Paren.'

Het gefluister veranderde in begrijpend knikken. Rothen zag dat de jongen aan het eind van de rij breeduit grijnsde. Het geroezemoes en gekraak van stoelen hield nog even aan, tot Jerrik zijn hand opstak en om stilte verzocht.

'Ik zou die twee novicen en hun mentors maar in de gaten houden,' mompelde Dannyl. 'Vrijwel niemand eist mentorschap over een novice in zijn eerste jaar. Ze hebben het waarschijnlijk alleen maar gedaan om te vermijden dat Sonea een hogere status zou hebben dan de rest van haar klasgenoten.'

'Nooit geweten dat ik zo'n trendsetter was,' mijmerde Rothen. 'En Garrel kende het potentieel van zijn neefje waarschijnlijk. Dat zou kunnen verklaren waarom zijn familie hem eerder wilde laten starten.'

'Geen andere magiërs die mentorschap opeisen?' riep Jerrik. Hij liet zijn armen zakken toen er geen reactie volgde. 'Dan verzoek ik alle magiërs die een mentorschap opeisen naar voren te komen.'

Rothen stond op en schoof langs de rij plaatsen tot hij de trap bereikte, die hij afdaalde. Hij ging bij heer Garrel en heer Yarrin staan en wachtte naast Jerrik tot een jonge novice, blozend van opwinding dat hij deze belangrijke taak in de ceremonie mocht vervullen, aan kwam lopen met een dik pak roodbruine stof. De magiërs namen er ieder een bundeltje af.

'Wil Gennyl nu naar voren treden?' vroeg Jerrik.

Een van de jongens uit Lonmar haastte zich naar voren en maakte een buiging. Hij sperde zijn ogen open toen hij heer Jerrik aankeek, en toen hij de Eed van de Magiërsleerlingen zwoer, trilde zijn stem. Heer Yarrin overhandigde de jongen zijn gewaad, en de mentor en novice deden een stap terug.

Heer Jerrik richtte zich tot de andere toetreders. 'Zou Sonea nu naar voren willen komen?'

Ze liep wat stijfjes naar Jerrik toe. Hoewel ze er bleek uitzag boog ze sierlijk en sprak ze de eed uit met een heldere, vaste stem.

Rothen stapte naar voren en overhandigde haar het gewaad. 'Hierbij neem ik jouw mentorschap op me, Sonea. Het is mijn taak op de voortgang van je studie toe te zien tot je afstudeert aan deze universiteit.'

'Ik zal u gehoorzamen, heer Rothen.'

'Mogen jullie beiden de vruchten plukken van deze regeling,' besloot heer Jerrik.

Toen ze achteruit stapten en naast heer Yarrin en Gennyl gingen staan, richtte Jerrik zich tot de nog steeds grijnzende knaap aan het eind van de rij. 'Zou Regin nu naar voren willen treden?'

De jongen liep zelfbewust naar Jerrik, maar zijn buiging kwam slordig en gehaast over. Terwijl de rituele woorden werden gesproken, keek Rothen naar Sonea en vroeg zich af wat ze dacht. Ze was nu een lid van het Gilde en dat was geen kattenpis.

Ze keek naar de jongen rechts van haar en Rothen volgde haar blik. Gennyl stond met rechte rug en een blos op zijn wangen naast zijn mentor. *Hij barst straks nog van trots*, dacht Rothen. Om al zo vroeg een mentor te krijgen betekende dat een nieuwe novice uitzonderlijk begaafd was.

Maar dat dat ook voor Sonea gold, betwijfelde haast iedereen. Hij vermoedde dat de meeste magiërs aannamen dat hij alleen maar haar mentor geworden was om iedereen eraan te herinneren dat hij essentieel was geweest tijdens de zoektocht naar het sloppenmeisje. Ze zouden hem nooit hebben geloofd als hij hun verteld had over haar kracht en talent. Maar ze zouden het nog wel merken, en hij verheugde zich nu al op de verbazing die zich op hun gezichten zou aftekenen.

Toen Regin en heer Garrel klaar waren met het ritueel gingen ze links naast Rothen staan. De jongen bleef naar Sonea gluren, met een berekenende blik. Ze merkte het niet, of ze negeerde hem. Ze keek geboeid naar Jerrik, die de andere novicen naar voren riep en hun de eed afnam. Uiteindelijk stonden ze met hun gewaad in handen naast de mentors met hun novicen opgesteld.

Toen ook de laatste jongen toegetreden was en in de rij stond, wendde heer Jerrik zich tot de nieuwe leerlingen. 'Jullie zijn nu novicen van het Magiërsgilde,' deelde hij hun mee. 'Mogen de komende jaren u allen voorspoed schenken.'

Als één man bogen de leerlingen voor hem. Heer Jerrik knikte en stapte terzijde.

'Ik heet onze nieuwe magiërsleerlingen van harte welkom en wens ze alle succes van de wereld.' Sonea schrok op toen heer Lorlens stem opeens achter haar opklonk. 'Ik verklaar de toetredingsceremonie hiermee voor beëindigd.'

De Gildehal begon te echoën van alle stemmen die door elkaar heen praatten. De rijen van de in gewaden geklede mannen en vrouwen bewogen alsof er een wind was opgestoken. Ze liepen naar beneden en de voetstappen weerkaatsten tegen de wanden. Toen de nieuwe magiërsleerlingen zich realiseerden dat alle formaliteiten achter de rug waren, begonnen ze alle kanten op te lopen. Sommigen renden naar hun ouders, anderen bekeken de stof in hun handen of sloegen het gewemel van al die mensen gade. De grote deuren van de Gildehal gingen nu langzaam weer open.

Sonea keek op naar Rothen. 'Dat was het dan. Ik ben magiërsleerling.'

Hij glimlachte. 'Blij dat het voorbij is?'

Ze haalde haar schouders op. 'Ik heb eerder het gevoel dat alles nu pas moet beginnen.' Haar ogen tuurden over zijn schouder. 'Hier is die schaduw van je.'

Rothen keerde zich om en zag Dannyl met lange passen op hen af komen.

'Welkom in het Gilde, Sonea,' zei hij.

'Dank je, *ambassadeur* Dannyl,' zei Sonea met een buiging.

Dannyl lachte. 'Nog niet, Sonea, nog niet helemaal.'

Met het gevoel dat er nog iemand verscheen, draaide Rothen zich om, en daar stond de universiteitsdirecteur.

'Heer Rothen,' zei Jerrik, en glimlachte vermoeid naar Sonea toen ze ook voor hem een buiging maakte.

'Ja?' antwoordde Rothen.

'Wilt u Sonea in de novicenvertrekken haar intrek laten nemen? Ik denk er nu pas aan om dat te vragen.'

Rothen schudde het hoofd. 'Ze blijft bij mij. Ik heb tenslotte ruimte genoeg.'

Jerriks voorhoofd rimpelde. 'Juist ja. Ik zal het heer Ahrind vertellen. Excuseert u mij.'

Rothen keek de oude man na, die naar een broodmagere magiër met ingevallen wangen wandelde. Heer Ahrind fronste zijn voorhoofd en keek naar Sonea terwijl Jerrik met hem sprak.

'Wat doen we nu?' vroeg Sonea.

Rothen knikte naar het pakket in haar handen. 'We gaan eens zien of dat gewaad je wel past.' Hij keek naar Dannyl. 'En eigenlijk is een klein feestje wel op zijn plaats. Kom je ook?'

Dannyl glimlachte. 'Dat zou ik voor geen goud willen missen.'

2

De eerste dag

e zon scheen warm op zijn rug terwijl Dannyl het rijtuig in stapte. Met wat magie tilde hij de eerste van zijn zware hutkoffers op het dak. Toen de tweede ernaast terechtkwam zuchtte hij en schudde het hoofd. 'Ik ben bang dat ik er spijt van krijg dat ik zoveel meegenomen heb,' mompelde hij. 'En toch blijf ik maar piekeren over welke belangrijke dingen ik allemaal vergeten ben.'

'Ik weet zeker dat je in Capia alles kunt kopen wat je maar nodig hebt,' zei Rothen. 'Lorlen heeft je genoeg meegegeven voor je onkosten.'

'Ja, dat was een aangename verrassing,' grijnsde Dannyl. 'Misschien heb je toch gelijk met je vermoeden waarom ze mij gekozen hebben om het land uit te sturen.'

Rothen trok zijn wenkbrauwen op. 'Hij zou toch moeten weten dat er meer voor nodig is dan een post in het buitenland om te zorgen dat je je niet in de nesten werkt!'

'Toch zal ik het missen om jou te helpen met al je probleempjes.' Toen de koetsier het portier voor Dannyl opende, keek hij zijn vroegere mentor aan. 'Ga je mee naar de haven?'

Rothen schudde het hoofd. 'Over een uurtje beginnen de lessen al.'

'Voor jou en Sonea.' Dannyl knikte. 'Dan moesten we nu maar afscheid nemen.'

Even keken ze elkaar ernstig aan, toen greep Rothen Dannyls schouder vast en grijnsde. 'Kijk een beetje uit. En val niet overboord.'

Dannyl grinnikte en sloeg de oude magiër op de schouder. 'Het beste, oude vriend. Laat dat jonge ding je niet uitputten. Ik ben over een jaar of zo terug om te zien wat je geleerd hebt.'

'Oude vriend, ja ja!' Rothen duwde Dannyl het rijtuig in. Hij klom naar binnen en zag de peinzende uitdrukking op het gelaat van zijn vriend. 'Wie had kunnen denken dat jij je ooit in zo'n geweldig avontuur zou storten. Je leek altijd zo tevreden hier. Je hebt nauwelijks een voet buiten de poort gezet sinds je afstuderen!'

Dannyl haalde zijn schouders op. 'Ik wachtte waarschijnlijk op het beste aanbod.'

Rothen snoof luidruchtig. 'Leugenaar! Je bent gewoon lui. Ik hoop dat de Eerste Ambassadeur dat weet, of hij zal nog lelijk op zijn neus kijken!'

'O, daar komt hij snel genoeg achter,' zei Dannyl lachend.

'Daar twijfel ik niet aan.' Rothen glimlachte en deed een stap achteruit. 'Nou, wegwezen jij.'

Dannyl knikte. 'Vaarwel.' Hij klopte op het dak van het rijtuig. Hortend kwam het in beweging en hij vertrok. Snel gleed hij naar de andere kant van de bank, trok het gordijn dat het zicht blokkeerde opzij en zag nog net hoe Rothen hem nakeek voor het rijtuig afsloeg om de Gildepoort door te gaan.

Hij leunde achterover in de kussens en zuchtte. Al was hij blij dat hij eindelijk vertrokken was, hij wist dat hij zijn vrienden en de vertrouwde omgeving zou missen. Rothen had altijd Sonea nog en het oude echtpaar Yaldin en Ezrille, maar Dannyl zou voortaan alleen vreemden als gezelschap hebben.

Al had hij veel zin in zijn nieuwe baan, hij zag wel een beetje op tegen de taken en verantwoordelijkheden die hij op zich had genomen. Sinds de jacht op Sonea echter, waarbij hij de Dieven gevonden had en met hen had onderhandeld, vond hij zijn oude, eenzame leventje met zijn neus in de boeken eigenlijk bar vervelend.

Hij wist niet eens hoe saai zijn leven was tot Rothen hem vertelde dat men hem in gedachten had als Tweede Ambassadeur. Tegen de tijd dat Dannyl gevraagd werd zich te melden bij het kantoor van de administrateur, kon hij naam en positie van elke man en vrouw aan het hof van Elyne opdreunen – en tot vermaak van de verraste Lorlen ook ontelbare roddels en schandaaltjes.

Ver in de Binnencirkel draaide het rijtuig de weg op die om de paleismuren heen liep. Van hieraf kon je maar weinig zien van de hoge paleistorens, dus keek Dannyl door het andere raam naar de sierlijk gedecoreerde huizen van de rijken en machtigen. Op een hoek van een straat werd net een nieuw herenhuis gebouwd. Hij herinnerde zich nog wat een oud bouwvallig krot daar gestaan had, een aandenken aan de tijd van vóór de magische architectuur. De toepassing van magie op steen en metaal had magiërs in staat gesteld fantastische gebouwen te bouwen die normaal gesproken de beperkingen van constructie en structuur te boven gingen. Terwijl hij het huis in aanbouw passeerde, zag Dannyl nog net twee magiërs naast een nieuwe zijmuur staan, een van hen met een grote bouwtekening in zijn hand.

Weer sloeg het rijtuig af en weer reden ze langs voorname huizen voor ze de Binnenpoort passeerden en in het Westerkwartier aankwamen. De wachters zagen het Gildesymbool en bekeken het rijtuig verder nauwelijks. Ze reden stapvoets door de wijk, tussen hoge huizen door die wat eenvoudiger van stijl waren dan die binnen de Binnencirkel. De meeste behoorden toe aan kooplieden en handwerkslieden, die de voorkeur gaven aan deze kant van de stad, in de nabijheid van de haven en de markt.

Toen het rijtuig door de Westpoort reed, kwamen ze in een wirwar van stalletjes en kraampjes terecht. Mensen van allerlei slag hadden de wegen aan beide kanten vol gezet met hun waren. Om boven het lawaai van de stemmen, fluitjes, bellen en geblaat, geloei en gegak uit te komen prezen de kooplui oorverdovend luid hun waren aan. Al was de weg breed, klanten, marskramers, straatartiesten en bedelaars bevolkten beide kanten van de straat in dikke drommen, zodat rijtuigen moeite hadden elkaar te passeren. De lucht was zwaar van allerlei geuren. Een briesje dat het zoete aroma van beurs fruit meevoerde werd gevolgd door een windvlaag met de stank van rotte groente. De van vezeltjes zwangere geur van de mattenvlechters werd verdreven door een zure, bedwelmende lucht van iets heel ongezonds uit een vat met een blauwe, vettige substantie dat twee mannen naar de haven droegen. En eindelijk bereikte de zilte geur van de zee en de zompige lucht van riviermodder Dannyl, en zijn hart begon sneller te kloppen. Het rijtuig sloeg een hoek om en de haven kwam in zicht.

Een woud van masten en touwen lag voor hem, en verdeelde de lucht in reepjes blauw. Aan beide zijden van de straat stroomden de mensenmassa's voorbij. Gespierde sjouwers en bootslieden tilden kisten, manden en zakken op hun rug en versleepten ze naar een eindje verderop. Karren van groot tot klein, getrokken door allerlei trekdieren, ratelden langs. De kreten van de marktkooplui werden vervangen door geschreeuwde bevelen van bemanningsleden.

En het rijtuig reed maar verder en verder, langs de grote schepen, tot het bij de gedrongen koopvaardijschepen aankwam die aan een lange pier voor anker lagen. Daar hield de koetsier zijn paarden in en stopte de wagen, wiebelend op zijn veren.

Het portier ging open en de koetsier boog beleefd. 'We zijn er, heer.'

Dannyl gleed van zijn bank en klom naar buiten. Een getaande man met een witte haardos stond in de buurt. Ook zijn armen waren donkerbruin van de zon. Achter hem stonden een paar jongere mannen, allemaal stevig gebouwd.

'U bent heer Dannyl?' vroeg de man met een onhandige buiging.

'Jazeker. En u bent...?'

'Piermeester,' zei hij en knikte naar het rijtuig. 'Van u?'

Dannyl nam aan dat hij op de hutkoffers bovenop doelde. 'Ja.'

'We halen ze d'r wel af.'

'Nee, bespaar u de moeite.' Dannyl draaide zich om en richtte zijn wilskracht. Terwijl de beide kisten zacht naar de grond zweefden, kwam een stel sjouwers naar voren die de bagage uit de lucht plukten. Ze waren blijkbaar gewend aan het gebruik van magie voor dit soort karweitjes. Ze liepen naar de pier met de rest van de mannen achter zich aan.

'Zesde schip, heer,' zei de piermeester terwijl het rijtuig keerde en weg-reed.

Dannyl knikte. 'Dank u.'

Toen hij de pier op stapte begonnen zijn voetstappen hol te echoën onder het houten plankier. Hij keek naar beneden en zag glimpjes water tussen de brede planken schitteren. Hij volgde de sjouwers rond een hoge stapel kisten die op een schip geladen werden, toen langs een stapel van waarschijnlijk goed ingepakte, opgerolde tapijten. Overal liepen mannen rond. Ze liepen snel de loopplanken op en af met lasten op hun schouders, deden kalm aan op het dek met een dobbelspelletje, of beenden rond terwijl ze bevelen schreeuwden. Boven de herrie uit merkte Dannyl de subtielere geluiden van de haven op: het onophoudelijke piepen en schuren van planken en touwen, en het geklots van water tegen scheepsrompen en de pier. Hij zag de kleinste details: het houtsnijwerk op masten en het stiksel op de zeilen, de namen fraai geschilderd op de romp en de hutten, het water dat uit een gat aan de zijkant van een schip stroomde. Dat laatste verontrustte hem enigszins. Het was toch de bedoeling dat het water *buiten* het schip bleef?

Toen ze bij het zesde schip kwamen, stommelden de sjouwers een smalle loopplank op. Dannyl keek omhoog en zag twee mannen die hem vanaf het dek bekeken. Hij stapte voorzichtig de plank op en liep wat zelfverzekerder verder toen hij merkte dat de plank stevig genoeg was, al boog hij ietsje door. Bij het betreden van het dek begroetten de twee mannen hem met een buiging. Ze leken precies op elkaar. Hun gebronsde huid en gedrongen postuur waren typisch voor Vindo's. Beiden hadden stevige kleding van ongeverfde stof aan. Een stond echter iets rechterop dan de ander en hij sprak Dannyl aan.

'Welkom op de *Fin-da*, heer. Ik ben kapitein Numo.'

'Dank u, kapitein. Ik ben heer Dannyl.'

De kapitein gebaarde naar de hutkoffers, die een stukje verder op het dek stonden, met de sjouwers in de buurt. 'Geen plek voor bagage in hut, heer. Zetten ze in het ruim. Als u iets nodig hebt, vraagt u het mijn broer, Jano.'

Dannyl knikte. 'Uitstekend. Laat me even één ding pakken voor de kof-fers meegenomen worden.'

De kapitein knikte. 'Jano laat hut zien. We vertrekken zo.'

Toen de kapitein wegbeende, raakte Dannyl het slot van de kleinste koffer aan. Het sprong open. Dannyl pakte een leren zak vol reisbenodigdheden, sloot het deksel weer en keek de sjouwers aan. 'Dit is alles wat ik nodig heb – hoop ik.'

Ze bukten zich en droegen de hutkoffers weg. Dannyl wendde zich met vragende blik tot Jano. De man knikte en gebaarde hem te volgen.

Ze gingen door een smal deurtje en liepen een klein trapje af naar een flinke ruimte. Het plafond was zo laag dat zelfs Jano moest bukken om zijn hoofd niet te stoten. Ruw geweven lappen hingen met beide kanten aan haken die aan het plafond vastzaten. Dit moesten de kooien zijn waarvan hij had gehoord in verhalen en reisverslagen.

Jano leidde hem een smal gangetje in en opende even later een deurtje. Een laag bed zo breed als zijn schouders vulde zijn hut. Aan het hoofdeind bevond zich een kastje, en twee dekens van goede kwaliteit reberwol lagen erbovenop.

'Klein, ja?'

Dannyl keek Jano aan, die hem toegrijnsde. Hij glimlachte wrang, want zijn teleurstelling zou wel van zijn gezicht te lezen zijn geweest.

'Ja,' stemde Dannyl in. 'Nogal.'

'Kapitein heeft hut twee keer zo groot. Als we hebben grote boot, krijgen we grote hutten, ja?'

Dannyl knikte. 'Lijkt me redelijk.' Hij gooide zijn tas op het bed en draaide zich om, zodat hij kon gaan zitten, met zijn benen in de gang. 'Meer heb ik niet nodig.'

Jano klopte op de deur tegenover de zijne. 'Mijn hut. Gezellig, niet? Kan zingen?'

Voordat Dannyl hem antwoord kon geven werd er boven een bel geluid en Jano keek op. 'Moet gaan. Vertrekken nu.' Hij keerde zich om. 'Jij hier blijven. Niet in weg lopen.' Zonder op antwoord te wachten ging hij ervandoor.

Dannyl keek rond in zijn hut die voor de komende twee weken zijn privé-vertrek zou zijn, en grinnikte. Nu begreep hij waarom zoveel magiërs bij voorkeur niet over zee reisden.

Bij de ingang van haar klaslokaal zonk Sonea de moed in de schoenen. Ze was vroeg bij Rothen weggegaan, in de hoop het lokaal binnen te komen voor de andere leerlingen er waren, zodat ze tijd had om de knoop in haar maag kwijt te raken voor ze binnenkwamen. Maar een aantal banken was al bezet. Toen ze aarzelde keek iedereen haar kant op en de kramp in haar buik werd erger. Ze keek snel naar de magiër die voor de klas zat.

Hij was jonger dan ze had verwacht, in de twintig waarschijnlijk. Een haakneus gaf zijn gezicht een neerbuigende uitdrukking. Toen ze een buiging maakte, keek hij op, richtte een scherpe blik op haar gezicht, gleed toen af naar haar nieuwe laarzen, en terug naar haar gezicht. Tevredengesteld richtte hij zijn ogen weer op een vel papier en zette een kruisje op de lijst.

'Kies maar een plaats, Sonea,' zei hij.

Het lokaal bevatte twaalf tafels en stoelen die netjes in rijen stonden opgesteld. Zes leerlingen zaten op het puntje van hun stoel te kijken welke plaats ze zou nemen.

Niet te ver van de anderen gaan zitten, zei ze in zichzelf. *Ze moeten niet denken dat je onvriendelijk bent – of bang voor hen.* Er waren nog wat lege plekken in het midden, maar ze had ook weinig zin om in het centrum van de aandacht te staan. Aan de raamkant was nog een plaats vrij tegen de muur, in de rij ernaast zaten al drie novicen. Dat leek de beste optie.

Ze voelde hoe de ogen van de anderen haar volgden toen ze naar de stoel liep. Toen ze ging zitten dwong ze zichzelf hen aan te kijken.

Meteen zochten de kersverse magiërsleerlingen andere zaken om zich mee bezig te houden. Sonea zuchtte van opluchting. Ze had zich ingesteld op meer honende blikken. Misschien was alleen die jongen die ze gister ontmoet had – Regin – openlijk onvriendelijk.

Een voor een druppelden ook de anderen het lokaal binnen, bogen naar de leraar en gingen ergens zitten. Het verlegen Kyraliaanse meisje schoof op de eerste de beste lege stoel die ze tegenkwam. Iemand vergat haast te buigen voor de leraar en struikelend kwam hij bij het tafeltje voor Sonea terecht. Hij zag haar niet voor hij zijn stoel pakte en na haar ontzet aangekeken te hebben ging hij met tegenzin zitten.

De laatste die binnenkwam was de hooghartige jongen, Regin. Hij kneep zijn ogen samen en keek het lokaal door. Hij koos zonder aarzelen een plaats in het midden van het lokaal.

Een verre gongslag weerklonk, en de leraar stond op. Een aantal novicen, Sonea ook, schrok van de plotselinge beweging. Voor hun leraar een woord kon zeggen, verscheen er echter een bekend gezicht in de deuropening.

'Allemaal aanwezig, heer Elben?'

'Ja, directeur Jerrik,' antwoordde de leraar.

De directeur stak zijn duimen in het bruine koord om zijn middel en keek de klas rond.

'Welkom,' sprak hij, met een stem die eerder ernstig dan warm klonk, 'en gefeliciteerd. Ik feliciteer jullie niet omdat jullie allemaal het geluk hadden geboren te worden met de zeldzame en felbegeerde gave om met magie om te gaan. Ik feliciteer jullie omdat jullie allen aangenomen zijn op de universiteit van het Magiërsgilde. Sommigen van jullie komen uit verre landen en zullen pas over jaren naar huis terugkeren. Anderen zullen besluiten hier niet meer weg te gaan. Maar allemaal zitten jullie hier vast voor de komende vijf jaar. Waarom? Om een magiër te worden. Maar wat is een magiër eigenlijk?' Hij lachte grimmig. 'Er zijn veel eigenschappen die je nodig hebt om een magiër te worden. Sommige hebben jullie al, andere ontwikkel je, weer andere zul je hier leren. Sommige zijn belangrijker dan andere.'

Hij zweeg even en liet zijn ogen over de leerlingen glijden. 'Wat is de belangrijkste eigenschap van een magiër?'

Uit haar ooghoek zag Sonea dat sommige leerlingen rechtop gingen zitten. Jerrik liep voor het bureau langs en kwam haar kant op. Hij staarde naar de jongen die voor haar zat.

'Vallon?'

Sonea zag dat de jongen ineendook alsof hij onder zijn tafeltje wilde verdwijnen.

'H-hoe goed hij iets uitvoert, heer.' Het zwakke stemmetje was maar net verstaanbaar. 'Dat hij veel, eh... oefent en zo.'

'Nee.' Jerrik draaide zich om en wandelde naar de andere kant van het lokaal. Hij keek koeltjes naar een van de jongens die gretig rechtop waren gaan zitten. 'Gennyl?'

'Kracht, heer,' antwoordde de jongen.

'Beslist niet!' beet de directeur hem toe. Hij deed een stap naar voren, tussen de rijen door en stopte bij het verlegen meisje.

'Bina?'

Het meisje knipperde alleraardigst met haar wimpers en hief haar hoofd om de magiër aan te kijken. Hij keek haar zo strak aan dat ze haar hoofd meteen weer liet zakken.

'Eh...' Ze zweeg, maar haar gezicht verhelderde plotseling. 'Goedheid, heer. Hoe hij zijn magie toepast.'

'Nee.' Zijn toon was iets zachter. 'Hoewel het een zeer belangrijke eigenschap is, die we van al onze magiërs verwachten.'

Jerrik liep het gangpad verder op. Sonea draaide zich om om hem te zien, hoewel alle anderen recht voor zich uit bleven kijken. Wat ongemakkelijk deed ze hetzelfde, en luisterde naar de voetstappen van de magiër die dichterbij kwamen.

'Elayk?'

'Talent, heer?' Hij had een vet Lonmarees accent.

'Nee.'

De voetstappen naderden. Sonea voelde iets prikken in haar nek. Wat moest ze zeggen als hij het haar vroeg? Alle mogelijke antwoorden waren toch al gegeven. Ze ademde diep in en liet de lucht langzaam ontsnappen. Hij zou het haar toch niet vragen. Zij was dat oninteressante meisje uit de–

'Sonea?'

Haar maag draaide zich om. Toen ze opkeek zag ze Jerrik naar haar voorovergebogen staan. Zijn ogen werden killer toen ze aarzelde.

Toen schoot haar het antwoord te binnen. Het was makkelijk. En juist zij zou het moeten weten, want ze was er bijna aan onderdoor gegaan toen haar krachten onbeheersbaar waren geworden. Jerrik wist dat, en daarom vroeg hij het haar.

'Beheersing, heer.'

'Nee.'

De magiër zuchtte en liep naar voren. Ze staarde met een rood hoofd naar het tafelblad.

De directeur stopte voor het bureau en sloeg zijn armen over elkaar. Weer keek hij de klas rond. De klas wachtte, vol verwachting maar beschaamd.

'De belangrijkste eigenschap van een magiër is kennis.' Hij zweeg en keek alle novicen aan die hij de vraag gesteld had. 'Zonder kennis is kracht waardeloos, heeft hij niets aan zijn talent, al heeft hij er het beste mee voor.' De

31

ogen van de magiër schitterden toen hij Sonea aankeek. 'Zelfs al komen zijn gaven uit eigen beweging naar boven, dan zal hij spoedig sterven als hij niet de *kennis* verzamelt van hoe hij die moet beheersen.'

De klas ademde tegelijkertijd uit.

'Het Gilde is de grootste en meest uitgebreide opslagplaats van kennis ter wereld,' vervolgde Jerrik en er klonk iets van trots door in zijn stem. 'Gedurende de jaren die je hier doorbrengt, zal die kennis, of op zijn minst een deel ervan, jullie worden aangereikt. Als jullie opletten, luisteren naar wat jullie leraren jullie vertellen en gebruikmaken van de bronnen zoals de gigantische bibliotheek, dan zal je slagen. Maar' – zijn stem versomberde – 'als jullie niet opletten, je ouders niet respecteren, geen gebruikmaken van de kennis die door jullie voorgangers is verzameld, heb je alleen jezelf ermee. De komende jaren zullen niet gemakkelijk zijn. Toewijding, discipline en plichtsbetrachting worden van jullie verwacht als jullie alles uit jezelf wilt halen als magiër van het Gilde.'

De spanning steeg weer in de klas. De magiërsleerlingen waren zo stil dat je een speld kon horen vallen. Jerrik ging nog wat rechterop staan en sloeg zijn handen op zijn rug ineen.

'Jullie weten waarschijnlijk,' zei hij op iets warmere toon, 'van de drie niveaus van beheersing die de basis vormen van jullie universitaire opleiding. De eerste – het ontsluiten van je kracht – zullen jullie vandaag al leren. De tweede – toegang krijgen tot en het in je omhoog brengen en intomen van je kracht – zal de rest van deze ochtend jullie taak zijn en zullen jullie elke ochtend moeten doen tot je ze alle drie zonder erbij na te denken kunt uitvoeren. Het derde – inzicht in de vele manieren waarop je kracht kan worden gebruikt – zullen jullie leren in de jaren tussen nu en je afstuderen – al zul je, wat voor specialisatie je ook kiest na je afstuderen, het derde niveau nooit af kunnen sluiten. Wanneer je eenmaal afgestudeerd bent, is het aan jullie of je de kennis die wij je gegeven hebben nog verder uitbreidt, maar je zal natuurlijk nooit alles weten wat er te weten valt.' Hij glimlachte nauwelijks merkbaar.

'Het Gilde omvat meer kennis dan jullie in je hele leven kunnen opnemen, waarschijnlijk meer dan je in vijf levens kunt opnemen. De drie hoofdvakken zijn Geneeskunst, Alchemie en Krijgskunst. Om een nuttig en vaardig magiër te worden, hebben jullie leraren die informatie verzameld die het meest relevant en belangrijk is.' Hij tilde zijn kin op. 'Gebruik die kennis op de juiste wijze, novicen van het Magiërsgilde van Kyralia.'

Weer liet hij zijn blik over de studenten glijden. Toen draaide hij zich om en met een knikje naar heer Elben verliet hij het lokaal.

De klas was muisstil. De leraar bekeek tevreden glimlachend de uitdrukking op hun gezichten. Toen ging hij achter zijn bureau staan en begon te spreken.

'Jullie eerste les in Beheersing zal nu beginnen. Ieder van jullie heeft een leraar toegewezen gekregen voor dit vak. Ze wachten op jullie in het lokaal hiernaast. Ga staan en zoek hen op.'

Stoelpoten schraapten over de houten vloer toen de novicen enthousiast overeind kwamen. Sonea deed het kalmer aan. De leraar keek haar koel aan. 'Jij niet, Sonea,' zei hij. 'Jij blijft hier.'

Alle novicen die al bij de deur waren staarden haar aan. Ze keek van de een naar de ander en voelde zich een beetje schuldig toen ze zag hoe het hen begon te dagen.

'Loop maar door,' drong de leraar aan.

De leerlingen liepen de gang op. Sonea liet zich weer op haar stoel zakken. De laatste die de klas verliet keek haar nog een keer aan voor hij doorliep. Om zijn lippen lag een spottende glimlach. Regin.

'Sonea.'

Ze keek geschrokken naar de leraar; ze was vergeten dat hij niet vertrokken was. 'Ja, heer.'

Zijn ogen keken wat minder kil en hij kwam naast haar tafeltje staan. 'Aangezien je de eerste twee niveaus van Beheersing al behaald hebt, heb ik het eerste boek meegenomen dat we zullen bestuderen.' Sonea keek naar het kleine boekje met stofomslag dat hij in zijn hand had. 'Er zitten een paar oefeningen in het boek, maar die wilde ik met de hele klas doen. Maar van het theoretische gedeelte kan je ook heel wat opsteken.' Hij legde het boek op haar tafeltje en draaide zich om.

'Dank u, heer Elben,' zei ze tegen zijn rug.

Hij stopte en keek haar verrast aan, maar liep toen verder naar buiten.

Het lokaal was leeg en stil nu ook hij weg was. Ze keek naar de andere tafeltjes en stoeltjes. Ze telde negen kapotte zittingen.

Ze keek naar het boekje voor zich en las. *Zes lessen voor nieuwe novicen,* door heer Liden, en een jaartal. Het boek was meer dan een eeuw oud. Hoeveel nieuwe novicen hadden zich door deze lessen heen gewerkt? Ze bladerde snel de pagina's door. Gelukkig was het schrift erg goed leesbaar.

Magie is een nuttige kunst, maar kent zijn beperkingen. Invloed heeft een magiër allereerst binnen zijn of haar lichaam, waarvan de huid de grens vormt. Er is weinig moeite voor nodig om magie uit te oefenen binnen dit natuurlijke gebied. Het is andere magiërs niet toegestaan dit gebied te betreden, tenzij er Genezing op wordt toegepast, hetgeen huidcontact noodzakelijk maakt.

Om invloed uit te oefenen op hetgeen buiten het lichaam ligt is meer inspanning vereist. Hoe verder het met magie te bewerken object van het lichaam verwijderd is, hoe meer inspanning vereist is. Dit geldt eveneens voor mentale communicatie, al is dit veel minder belastend dan de meeste andere magische opdrachten.

Iets dergelijks had Rothen haar ook al geleerd, maar toch las ze verder. Een tijd later, nadat ze drie hoofdstukken doorgewerkt had en met het vierde wilde beginnen, kwamen er twee novicen terug in het lokaal. De eerste was Gennyl, de half-Lonmarische jongen die ook een mentor gekregen had tijdens de ceremonie. Zijn metgezel was de andere Lonmariaan, de lange. Ze keken even naar haar voor ze hun plaatsen halverwege het lokaal innamen. De twee begonnen zacht te praten, in de zoetvloeiende taal van hun vaderland. Sonea voelde vaag dat er een verandering in hen had plaatsgevonden, alsof hun aanwezigheid versterkt was. Ze nam aan dat hun kracht dus ontsloten was. Nu zouden ze ook spoedig leren dit te verbergen, zoals zij had geleerd. Dat eerste niveau was niet zo zwaar, maar het tweede, wist ze, kostte meer moeite.

Een andere novice kwam binnen – een Kyraliaanse jongen met donkere kringen rond zijn ogen. Nadat hij plaats genomen had bleef hij stil zitten staren naar zijn tafelblad. Er ging iets vreemds van hem uit. Ook hij had een aura van magie om zich heen, maar in plaats van krachtig te stralen, kwam het met horten en stoten. Soms was het sterk, en soms was er nauwelijks een sprankje van over. Ze wilde niet dat hij nog meer overstuur raakte door haar starende blik en keek weer naar haar boek. Tot de novicen zowel het eerste als het tweede niveau van Beheersing hadden gehaald, kon ze allerlei vreemde dingen bij hen opmerken.

Er werd gelachen bij de deuropening en ze keek even op voor ze zich weer op haar boek richtte. Deze keer kwamen er vijf novicen tegelijk het lokaal in, en dus ontbrak alleen Regin nog. Nu er geen toezicht was, hingen de leerlingen wat rond, gingen op de tafels zitten en kletsten honderduit. Haar zintuigen zinderden van de magische uitstraling in de ruimte.

Niemand kwam naar Sonea toe. Ze was zowel opgelucht als teleurgesteld. Ze wisten niet wat ze van haar konden verwachten, bedacht ze, dus bleven ze uit haar buurt. Zij zou de eerste stap naar vriendschappelijke omgang moeten zetten. Deed ze dat niet, dan zouden ze wel eens kunnen denken dat ze niet met hen wilde omgaan.

Het knappe meisje uit Elyne zat vlakbij en wreef over haar slapen. Toen ze zich herinnerde dat Rothen ook zo'n hoofdpijn kreeg van Beheersingslessen, bedacht ze dat het meisje een beetje medeleven misschien wel zou waarderen. Langzaam, met een zelfverzekerde uitdrukking op haar gezicht, stond ze op en liep naar het tafeltje van het meisje.

'Het is niet makkelijk, hè?' probeerde Sonea.

Het meisje keek verrast naar haar op, haalde haar schouders op en richtte haar ogen weer op het tafelblad. Toen ze niet antwoordde, kreeg Sonea het idee dat ze haar negeerde, en haar maag begon weer op te spelen.

'Ik mag haar helemaal niet,' zei het meisje opeens, met een sterk Elynees accent.

Sonea knipperde verward met haar ogen. 'Wie niet?'

'Vrouwe Kinla,' zei het meisje geërgerd. Ze sprak de naam uit als 'Kienlaar'.

'Die jou Beheersing leert? Hm, dan heb je het inderdaad niet makkelijk.'

'Niet dat vrouwe Kinla een kreng is,' zuchtte het meisje. 'Ik wil alleen niet dat ze in mijn geest zit te wroeten. Ze is zo...' De rode krullen van het meisje zwierden heen en weer toen ze haar hoofd schudde.

'Je wilt niet dat ze sommige dingen in je geest kan zien?' probeerde Sonea. 'Gedachten die niet verkeerd of slecht zijn, maar waar niemand iets mee te maken heeft?'

'Ja, dat bedoel ik,' zei het meisje en ze keek haar met opengesperde ogen aan. 'En ik hóéf ze haar toch ook niet te laten zien?'

Sonea fronste haar voorhoofd. 'Nee, dat hoeft niet... Nou ja, ik weet natuurlijk niet wat je voor haar te verbergen hebt, maar... nou ja... die gedachten kan je verstoppen.'

Het meisje staarde Sonea aan. 'Hoe dan?'

'Je stelt je gewoon een soort kastdeur voor en verstopt ze daarachter,' legde Sonea uit. 'Vrouwe Kinla zal waarschijnlijk zien wat je gedaan hebt, maar ze zal er niet bij kunnen, net als Rothen niet bij de mijne kon komen.'

Het meisje zette nog grotere ogen op. 'Heeft heer Rothen jou Beheersing geleerd? Zat hij in je geest?' zei ze naar adem happend.

'Ja,' knikte Sonea.

'Maar hij is een mán!'

'Nou, toch heeft hij het me geleerd. Heb je daarom een lerares gekregen? Moet je van een vrouw les krijgen?'

'Natúúrlijk.' Het meisje staarde haar vol afschuw aan.

Sonea schudde langzaam haar hoofd. 'Dat wist ik niet. Ik zie ook niet dat het verschil maakt of je het nu van een vrouwelijke of een mannelijke magiër leert. Misschien...' Ze fronste haar voorhoofd weer. 'Als ik mijn geheime gedachten niet had kunnen verbergen zou het inderdaad beter geweest zijn als ik een vrouw had gehad.'

Het meisje was iets naar achter geschoven op haar tafeltje. 'Voor een meisje van jouw leeftijd is het heel slecht je gedachten te delen met een man.'

Sonea haalde haar schouders op. 'Het zijn maar gedachten. Net als praten, alleen wat sneller. Je mag toch zeker wel práten met een man?'

'Ja...'

'Alleen praat je niet over bepaalde dingen.' Sonea keek haar betekenisvol aan.

Er verspreidde zich langzaam een glimlachje over het meisjesgezicht. 'Nee... behalve bij speciale gelegenheden dan.'

'Issel!' Een scherpe stem sneed door de herrie in het lokaal. Sonea keek op en zag een vrouw van middelbare leeftijd in een groen gewaad in de deuropening.

'Nu heb je wel lang genoeg gepauzeerd. Kom je mee?'

'Ja, vrouwe,' zuchtte het meisje.

'Veel succes,' wenste Sonea haar toen ze wegholde. Ze wist niet zeker of

Issel het had gehoord, en het meisje verdween door de deur zonder om te kijken.

Sonea keek naar het boek in haar handen en glimlachte even. Het begin was er. Misschien zou ze straks weer even met Issel praten.

Ze liep terug naar haar tafel en ging door met lezen.

Projectie:
Een voorwerp verplaatsen gaat sneller en makkelijker als je het ziet.
Een voorwerp verplaatsen dat buiten het blikveld valt kan worden gedaan door de geest uit te strekken naar de locatie. Dit kost veel inspanning en tijd.

Verveeld bekeek Sonea de komende en gaande novicen. Ze pikte wat namen op en probeerde zich voor te stellen wat hun karakter was. Shern, de jongen met de donkere kringen om zijn ogen, was ineengekrompen toen zijn leraar terugkwam en zijn naam riep. Hij had de magiër met gekwelde blik aangekeken en de weerzin sprak uit elke beweging die hij maakte, van het achteruitschuiven van zijn stoel, tot zijn geschuifel naar de deur.

Regin was bevriend geraakt met twee jongens, Kano en Vallon. Het verlegen Kyraliaanse meisje luisterde aandachtig naar hun gesprek en de jongen uit Elyne tekende poppetjes in een boek. Toen Issel terugkwam plofte ze neer in haar stoel en legde haar hoofd op haar armen. Sonea had ook anderen horen klagen over hoofdpijn en besloot haar nu niet lastig te vallen.

Toen de gong weerklonk om aan te geven dat het middagpauze was, liet Sonea een zucht van opluchting ontsnappen. Ze had alleen maar wat lesjes gelezen die ze al kende, en had gekeken naar komende en gaande magiërsleerlingen. Niet bepaald een interessante eerste les.

Heer Elben beende het lokaal in, waarop de novicen snel hun stoel opzochten. Hij wachtte tot ze allemaal zaten en schraapte zijn keel.

'Morgenochtend, zelfde tijd, vervolgen we de Beheersingslessen,' zei hij. 'De volgende les is Gildehistorie, in het tweede geschiedenislokaal boven. Jullie kunnen gaan.'

Meer opgelucht gezucht in het lokaal. De novicen stonden op, bogen voor de leraar en gingen naar de deur. Vanaf haar plek zag ze dat de jongen uit Elyne nu bij Regins groepje liep. Ze volgde hen rustig, en gaf de leraar het boek terug terwijl ze langs hem kwam. Ze liep iets sneller om Issel bij te benen.

'Ging het een beetje beter, de tweede keer?'

Issel keek Sonea aan en knikte. 'Ik heb gedaan wat je zei. Het werkte niet, maar de volgende keer waarschijnlijk wel.'

'Mooi. Dan wordt alles makkelijker.'

Ze liepen zwijgend verder. Sonea zocht naarstig naar iets om te zeggen.

'Jij bent Issel van Fonden, niet?' vroeg iemand.

Issel draaide zich om naar Regin en zijn vrienden. 'Ja,' zei ze en glimlachte. 'Is je vader dan adviseur van koning Marend?' vroeg Regin met een verbaasde blik.

'Klopt.'

'Ik ben Regin van Winar,' zei hij en maakte een overdreven buiging. 'Van het Huis Paren. Mag ik je naar de Eetzaal begeleiden?'

Ze glimlachte nog liever. 'Ik voel me vereerd.'

'Nee.' Regin glimlachte gladjes. 'Het is míj een eer.'

Hij drong zich tussen Sonea en Issel in, duwde Sonea naar achter en bood Issel zijn arm aan. Regins kameraden sloten zich vlak achter hen aan en zo liepen ze de gang door. Niemand keek om naar Sonea, en zo kwam ze weer achter de rest te lopen. Toen ze de trappen van de universiteit waren afgedaald bleef ze staan en zag hen verdwijnen zonder één keer om te kijken.

Issel had haar niet eens bedankt. *Niet verwonderlijk,* zei Sonea in zichzelf. *Allemaal verwende rijkeluiskindjes zonder manieren.*

Nee, gaf ze zichzelf op haar kop. *Dat is niet eerlijk. Als mij gevraagd zou zijn om een van hen te accepteren toen ik in Harrins bende zat, zou ik dat ook niet meteen gedaan hebben. Over een tijdje vergeten ze wel dat ik anders ben. Het kost alleen wat tijd.*

3

Allemaal verhaaltjes

Toen Rothens huishoudster, Tania, het ontbijt op tafel zette, liet Sonea zich met een zucht in een stoel vallen. Rothen keek op, zag de gelaten en terneergeslagen uitdrukking op haar gezicht en wilde dat hij gisteren meteen na school naar huis had kunnen gaan, in plaats van nog uren na te praten met heer Peakin over de lesopzet voor Alchemie van het komende jaar.

'Hoe ging het gisteren?' vroeg hij.

Sonea aarzelde voor ze antwoord gaf. 'Niemand van die leerlingen kan magie gebruiken. Ze zijn net begonnen met Beheersing. Heer Elben gaf me een boek om te lezen.'

'Geen enkele novice kan overweg met magie als ze bij ons beginnen. We ontwikkelen die niet voor ze de eed hebben afgelegd. Ik dacht dat je daar wel op gerekend had.' Hij glimlachte. 'Er zitten uiteraard voordelen aan een natuurlijke ontwikkeling van je kracht.'

'Maar het duurt nog wéken voor ze mee kunnen doen aan een les. Ik heb alleen maar dat ene boekje gelezen, en iets nieuws stond er trouwens niet in.' Ze keek op, en haar ogen stonden hoopvol. 'Kan ik niet hier blijven tot ze weer bij zijn?'

Rothen moest zijn best doen om niet in lachen uit te barsten. 'We houden een novice niet thuis als hij of zij wat sneller leert dan de anderen. Je moet er maar zo veel mogelijk van profiteren. Vraag maar een ander boek om vast te bestuderen, of informeer of je leraar een paar oefeningen met je wil doornemen.'

Ze trok een vies gezicht. 'Dat zien de anderen vast niet zitten.'

Hij klemde zijn lippen op elkaar. Natuurlijk had ze helemaal gelijk, maar hij wist ook dat Jerrik zou weigeren als hij hem zou vragen haar thuis te houden tot de anderen net zo ver waren als zij.

'Novicen worden geacht met elkaar te wedijveren,' zei hij tegen haar. 'Je klasgenoten zullen altijd proberen beter te worden dan jij. Het maakt niet uit of jij jezelf inhoudt voor hen. Ze zullen zelfs eerder hun respect voor je verliezen als je je kennis wegstopt uit angst dat je hen daardoor van hun stuk brengt.'

Sonea knikte en keek naar de tafel. Hij voelde weer eens hoe graag hij haar mocht. Hoe hij haar ook probeerde te begeleiden, het bleef verwarrend en frustrerend voor haar om zich vanaf nu alleen maar te bewegen in dat kleine, bekrompen wereldje van de magiërsleerlingen.

'En dan, zoveel lig je nu ook weer niet op hen voor,' zei hij tegen haar. 'Het heeft me weken gekost om jou Beheersing te leren omdat je me eerst moest leren vertrouwen. De snelsten uit je klas zullen tegen het eind van de week klaar zijn, de anderen over een week of twee. Ze zijn sneller op jouw niveau dan je denkt, Sonea.'

Ze knikte. Ze pakte een lepel vol poeder uit een pot en roerde het door een beker heet water. De scherpe geur van raka drong Rothens neus binnen. Hij trok een vies gezicht terwijl ze het opdronk en vroeg zich af hoe ze dat prikkelende goedje binnen kon houden. Hij had haar overgehaald om sumi te proberen, maar ze was er niet weg van geweest.

Sonea trommelde met haar vingernagels op de zijkant van haar beker. 'Issel zei zoiets vreemds. Ze zei dat leraren meisjes geen les hoorden te geven.'

'Is Issel een Elynese?'

'Ja.'

'Aha,' zuchtte hij. 'De mensen uit Elyne. Nog moeilijker dan Kyralianen wat betreft de omgang tussen meisjes en jongens. Ze staan erop dat hun dochters alleen les krijgen van leraressen en ze griezelen er gewoon van als meisjes van welk volk dan ook een man voor de klas krijgen. Daarom hebben we deze "regel" maar ingevoerd voor alle vrouwelijke magiërs-leerlingen. Ironisch genoeg zijn ze heel ruimdenkend over omgang tussen volwassenen, van welk geslacht dan ook.'

'Griezelen,' zei Sonea. 'Ja, ze griezelde alleen al bij het idee.'

Rothen fronste zijn wenkbrauwen. 'De Elyneeërs kunnen behoorlijk wat vooroordelen krijgen door zoiets. Het was misschien handiger geweest als je haar wijs had gemaakt dat ik een lerares voor jou had aangesteld.'

'Ik wou dat je me dat wat eerder verteld had. Eerst leek ze zo aardig, maar later...' Sonea schudde haar hoofd.

'Ach, ze vergeet het wel,' stelde hij haar gerust. 'Dat kost een beetje tijd. Over een paar weken heb je een stel vrienden en vriendinnen, en vraag je je af waarover je je zo druk hebt gemaakt.'

Ze keek strak naar haar beker raka. 'Eentje zou ik al mooi vinden.'

In het grote, vaag verlichte kantoor van de Gildeadministrateur zweefde een bol magisch licht heen en weer, waardoor er bewegende schaduwen over de muren gleden. Toen Lorlen de brief helemaal gelezen had, hield hij op met ijsberen en vloekte zacht.

'Twintig goudstukken per fles!'

Hij beende terug naar zijn stoel, ging zitten, deed een doos open en haalde een vel dik papier te voorschijn. Het zelfverzekerde gekras van zijn ganzenveer klonk luid door de kamer terwijl hij schreef. Nu en dan hield hij zijn pen stil en kneep hij zijn ogen samen om op de juiste formulering te komen. Tot slot ondertekende hij de brief met een zwierige handtekening, waarna hij de brief nog eens overlas.

Zuchtend liet hij hem vervolgens in de afvalbak onder zijn schrijftafel verdwijnen.

Leveranciers van het Gilde maakten al eeuwen misbruik van het geld van de koning. Elk artikel kostte ruim twee of drie keer zoveel als het door het Gilde werd gekocht. Dat was een van de redenen dat het Gilde zijn eigen tuin met geneeskrachtige planten bezat.

Hij zette zijn ellebogen op tafel en rustend met zijn kin op zijn handen overdacht hij de prijslijst van de wijnhandelaar. Hij kon voortaan verzuimen nog een bestelling te plaatsen bij de man. Dat zou natuurlijk politieke consequenties hebben, maar die konden tenietgedaan worden door andere goederen bij dat Huis te bestellen.

Maar die wijn was toevallig wel net Akkarins lievelingswijn. Zoet en rijk van smaak omdat hij van de kleinste soort varenbessen werd vervaardigd. De opperheer had standaard een fles in zijn ontvangstkamer staan, en zou onaangenaam verrast zijn als de voorraad op was.

Lorlen trok een gezicht en pakte een nieuw vel papier. Toen stopte hij even. Hij hoefde toch niet altijd aan Akkarins grillen toe te geven? Dat had hij vroeger ook nooit gedaan. Hij moest op dezelfde voet doorgaan, anders zou het Akkarin gaan opvallen. Hij zou zich afvragen waarom Lorlen zo anders dan anders deed.

Net als het Akkarin opgevallen moest zijn dat Lorlen tegenwoordig nauwelijks meer langskwam voor een babbeltje. Lorlen probeerde zich te herinneren wanneer hij voor het laatst de moed had gehad eens bij de opperheer langs te gaan. Het was te lang geleden.

Zuchtend liet hij zijn voorhoofd in zijn handen rusten en sloot zijn ogen. *Ach Sonea, waarom moest je zijn geheim toch aan me verklappen?* De herinnering schoot door zijn geheugen. Het was Sonea's geheugen, niet dat van hem, maar de details waren net zo levendig...

'Het is gebeurd,' had Akkarin gezegd, en had zijn mantel losgemaakt, waarbij zijn met bloed bevlekte kleren te voorschijn waren gekomen. Hij bekeek zichzelf. 'Heb je mijn gewaad voor me?'

Toen de bediende iets terugmompelde had Akkarin zijn bedelaarstuniek uitgetrokken. Rond zijn middel droeg hij een leren riem met een schede voor een dolk. Hij boende zichzelf schoon, verdween uit het zicht en kwam terug in een zwart gewaad. Hij haalde een glinsterende, met edelstenen bezette dolk te voorschijn en begon hem aan een doek af te vegen. Toen hij klaar was keek hij de bediende aan.

'Het gevecht heeft me verzwakt. Ik heb je kracht nodig.'
De bediende was op één knie gevallen en had zijn arm uitgestoken. Akkarin liet de
dolk licht over de huid van de man glijden en legde meteen zijn hand over de wonde.
Lorlen huiverde. Hij wilde dat hij Sonea's herinnering kon zien als de
verkeerde interpretatie van iets onschuldigs, omdat ze magiërs altijd als wrede en slechte wezens had beschouwd, maar een herinnering die zo helder
was kon niet verkeerd zijn – en hoe had ze het bij elkaar kunnen verzinnen
als ze niet wist wat ze had gezien? Hij moest weer even glimlachen om haar
veronderstelling dat de magiër in het zwart misschien een sluipmoordenaar
van het Gilde was geweest. De waarheid was nog veel erger, en hoezeer
Lorlen het ook wilde, negeren kon hij het verhaal niet.

Akkarin, zijn beste vriend en opperheer van het Gilde, beoefende Zwarte
Magie.

Lorlen was er in stilte altijd trots op geweest dat hij behoorde tot, en nu
bestuurder was van, het grootste verbond van magiërs dat ooit bestaan had.
Diep in zijn hart was hij razend dat de opperheer, die alles wat goed en
respectabel was in het Gilde zou moeten vertegenwoordigen, zich bezig-
hield met verboden, kwade magie. En nog dieper in zijn hart wilde hij die
misdaad bekendmaken om deze mogelijk gevaarlijke man van zijn invloedrijke en gezaghebbende plaats te verstoten.

Maar hij zag natuurlijk ook wel in hoe riskant het was om de opperheer
daarmee te confronteren. Het moest met de grootste omzichtigheid gebeuren. Lorlen huiverde opnieuw toen de dag, heel lang geleden, hem weer te
binnen schoot – de dag waarop hij de beproevingen om een nieuwe opperheer te selecteren had bijgewoond. Tijdens een krachttest had Akkarin niet
alleen de machtigste magiërs binnen het Gilde verslagen, maar hij had ook,
in een test die zijn beperkingen moest aangeven, de gecombineerde kracht
van twintig van die machtige magiërs makkelijk weerstaan.

Akkarin was niet altijd zo sterk geweest. Lorlen wist dit maar al te goed.
Sinds hun eerste dag op de universiteit waren ze vrienden geweest. Tijdens
hun opleiding hadden ze natuurlijk vele malen in de arena gevochten en ze
waren steeds even sterk gebleken. Akkarins kracht was echter langzaam
toegenomen, zodat hij, toen hij terugkeerde van zijn reizen, sterker was dan
welke andere magiër dan ook.

Nu vroeg Lorlen zich af of die groei wel natuurlijk was geweest. Akkarin
had een reis gemaakt die tot doel had meer te weten te komen over magie
uit vroeger tijden. Hij had vijf jaar in de Geallieerde Landen doorgebracht,
maar toen hij terugkeerde, mager en moedeloos, deelde hij mee dat de
kennis die hij in die tijd verzameld had allemaal verloren was gegaan gedurende het laatste deel van zijn reis.

Als hij nu eens iets belangrijks had ontdekt? Als hij nu eens zwarte magie
had ontdekt?

En dan had je Takan nog, de assistent die Sonea ook in die ondergrondse ruimte had gezien. Akkarin had Takan als hulpje aangenomen tijdens zijn reizen, en had hem als bediende aangehouden toen hij was teruggekeerd naar het Gilde. Wat was de rol van Takan in het hele verhaal? Was hij Akkarins slachtoffer of handlanger?

De gedachte dat de bediende misschien ongewild slachtoffer was, was pijnlijk, maar Lorlen kon de man niet ondervragen zonder zijn eigen kennis van Akkarins praktijken te onthullen. En dat was te gevaarlijk.

Lorlen wreef over zijn slapen. Maandenlang draaiden zijn gedachten nu al in kringetjes rond over wat hem te doen stond. Het was natuurlijk mogelijk dat Akkarin alleen uit nieuwsgierigheid een beetje met zwarte kunst gespeeld had. Er was maar weinig over bekend, en er waren ongetwijfeld methoden om het te gebruiken zonder erbij te hoeven doden. Takan leefde immers nog steeds en kweet zich trouw van zijn taken. Lorlen zou zijn vriend verraden als Lorlen Akkarins misdaad bekendmaakte en er de oorzaak van werd dat hij uit het Gilde gestoten werd, of ter dood gebracht, terwijl alles alleen maar een experiment was geweest...

Maar waarom had Akkarin dan om zijn zwarte gewaad gevraagd toen Sonea hem aan het bespieden was?

Lorlen beet zich op zijn lippen. Er had die nacht iets vreselijks plaatsgevonden. *'Het is gebeurd,'* had Akkarin gezegd. Een taak volbracht. Maar welke taak – en waarom?

Misschien was er een heel plausibele verklaring. Lorlen zuchtte. *Misschien had ik er wel bij willen zijn.* Aarzelde hij zo omdat hij bang was dat hij erachter zou komen dat zijn vriend schuldig was aan een gruwelijk misdrijf, of omdat hij bang was dat hij zou ontdekken dat de man die hij jarenlang vertrouwd en bewonderd had eigenlijk een bloeddorstig monster was?

Hoe dan ook, hij kon het Akkarin niet rechtstreeks vragen. Hij zou een andere manier moeten bedenken.

In de afgelopen maanden had hij bedacht welke informatie hij nodig zou hebben. Waarom beoefende Akkarin zwarte magie? Hoe lang was hij hier al mee bezig? Wat kon Akkarin met zijn zwarte kunst allemaal bewerkstelligen? Hoe sterk was hij en hoe kon hij worden verslagen? Hoewel het tegen de wet was om informatie over zwarte magie te verzamelen, moest het Gilde antwoord op deze vragen hebben om Akkarin aan te klagen.

Hij had inlichtingen gezocht in de Gildebibliotheek maar was er weinig mee opgeschoten, en dat verbaasde hem niets. De hoofdmagiërs wisten voldoende over zwarte magie om het te kunnen herkennen; de rest van het gilde wist alleen dat het verboden was.

Hij moest dus buiten de grenzen van het Gilde zoeken. Lorlen had meteen aan de Grote Bibliotheek van Elyne gedacht, een opslagplaats van kennis die nog groter was dan de Gildebibliotheek. Toen hij zich herinnerde dat de Grote Bibliotheek de eerste stop op Akkarins reis geweest was, begon hij zich af te vragen wat het zou opleveren wanneer hij de gangen van zijn vriend na zou lopen. Maar hij kon het Gilde niet zomaar verlaten. Zijn positie als administrateur vroeg om constante aandacht, en een langdurige reis zou beslist Akkarins aandacht trekken. En dat betekende dus dat er een ander in zijn plaats zou moeten gaan.

Lorlen had lang gepeinsd wie zo'n taak kon worden toevertrouwd. Het moest iemand zijn die slim genoeg was om de waarheid te verbloemen als dat nodig mocht zijn. Het moest ook iemand zijn die handig was in het ontfutselen van geheimen.

De keuze was dus eigenlijk heel makkelijk.

Heer Dannyl.

Toen de magiërsleerlingen de Eetzaal binnenkwamen was Sonea weer eens de laatste. Regin, Gennyl en Shern waren tegen het eind van de ochtendles niet in de klas teruggekomen, dus liep Sonea maar achter de rest aan. De zaal was een grote ruimte met een allegaartje van tafels en stoelen. Bedienden renden af en aan vanuit een keuken die ernaast lag, en droegen dienbladen vol gerechten aan waaruit de novicen een keuze konden maken.

Geen van de andere leerlingen protesteerde toen Sonea aan hun tafel plaatsnam. Sommigen keken haar wantrouwend aan toen ze haar bestek pakte, maar de rest negeerde haar gewoon.

Net als de vorige dag verliep het gesprek tussen de novicen nogal stroef. De meesten waren wat verlegen en onzeker, en ze wisten niet wat ze aan elkaar hadden. Toen vertelde Alend dat hij een jaar in Vin had gewoond en de anderen vroegen hem honderduit over dat land. Het gesprek breidde zich uit naar de woonplaatsen en familieomstandigheden van de anderen, en toen keek Alend Sonea aan.

'Jij bent dus in de sloppenwijk opgegroeid?'

Alle ogen richtten zich op Sonea. Ze at haar mond leeg en slikte de hap door, zich ervan bewust dat ze opeens in het centrum van de aandacht stond.

'Een jaar of tien maar,' zei ze. 'Ik woonde bij mijn oom en tante. We kregen uiteindelijk een kamer in het Noorderkwartier.'

'En je ouders dan?'

'Moeder stierf toen ik heel klein was. Mijn vader...' Ze haalde haar schouders op. 'Hij is ervandoor gegaan.'

'En hij liet je achter in de sloppen. Wat afschuwelijk!' riep Bina uit.

'Mijn oom en tante verzorgden me verder.' Sonea produceerde een glimlachje. 'En ik had veel vrienden daar.'

'Zie je je vrienden nu ook nog?' vroeg Issel.

Sonea schudde haar hoofd. 'Niet vaak.'

'En die vriend van je, die heer Fergun toen onder de universiteit had opgesloten? Is die niet een paar keer op bezoek geweest?'

Sonea knikte. 'Ja.'

'Hij is een van de Dieven, hè?' vroeg Issel.

Sonea aarzelde. Ze kon het natuurlijk ontkennen, maar zouden ze haar geloven? 'Ik weet het eigenlijk niet. Er kan veel veranderen in zes maanden.'

'Was jij ook een Dief?'

'Ik?' Sonea lachte zacht. 'Niet iedereen die in de sloppen leeft werkt voor de Dieven.'

De anderen schenen zich een beetje te ontspannen. Er knikten er zelfs een paar. Issel keek hen aan en vroeg toen spottend aan Sonea: 'Maar je hebt wel dingen gestolen, toch? Jij was een van die zakkenrollers op de Markt.'

Sonea voelde dat ze bloosde en wist meteen dat die reactie haar verraden had. Ze zouden vast aannemen dat ze loog als ze het ontkende. Misschien zou ze hun sympathie winnen als ze de waarheid vertelde.

'Ja, ik heb als kind wel eens eten en geld gejat,' gaf ze toe en dwong zichzelf Issel recht in de ogen te kijken. 'Maar alleen als ik stierf van de honger of wanneer het winter werd en ik kleren en schoenen nodig had.'

Issel keek iedereen in triomf aan. 'Dus ben je wél een dief.'

'Maar ze was een kind, Issel,' protesteerde Alend zwakjes. 'Jij zou ook stelen als je niks te eten had.'

De anderen keken Issel fronsend aan, maar ze wierp haar hoofd nuffig in de nek, boog zich toen weer over naar Sonea en keek haar strak aan. 'Zeg nou eens eerlijk,' zei ze uitdagend. 'Heb je ooit iemand vermoord?'

Sonea keek Issel aan en voelde dat ze kwaad werd. Misschien zou Issel eens ophouden als ze de waarheid wist.

'Ik weet het niet.'

De anderen keken Sonea aan.

'Wat bedoel je?' zei Issel snerend. 'Je hebt iemand vermoord of niet.'

Sonea richtte haar blik op de tafel, kneep haar ogen samen en keek Issel aan. 'Oké dan, als je het zo nodig moet weten. Op een avond, een jaar of twee geleden, werd ik aangevallen door een man. Hij trok me een steegje in. Hij wilde... nou ja, je kan er donder op zeggen dat hij me niet de weg wilde vragen. Toen ik een hand los wist te krijgen stak ik hem met mijn mes en vluchtte. Ik ben daar niet rond blijven hangen, dus weet ik niet of hij nog leefde of niet.'

Het was een paar minuten stil.

'Je had toch kunnen gillen,' meende Issel.

'Denk je nou heus dat iemand zijn leven zal wagen om een of ander sloppenkind te redden?' antwoordde Sonea koeltjes. 'De man zou mijn keel doorgesneden hebben om me het zwijgen op te leggen, of ik had nog meer vuilakken op mijn dak gekregen.'

Bina huiverde. 'Wat afschuwelijk.'

Sonea voelde een greintje hoop omdat het meisje haar sympathie uit-sprak, maar dat vervloog bij de volgende vraag.

'Had je een més bij je?'

44

Ze hoorde het Lonmarese accent en keek Elayk in zijn groene ogen. 'Iedereen heeft er een. Om pakjes te openen, fruit schoon te maken –' 'Beurzen los te snijden,' vulde Issel aan.

Sonea keek het meisje effen aan. Issel staarde koeltjes terug. *Het lijkt me duidelijk dat ik met haar mijn tijd heb verspild,* dacht Sonea.

'Sonea,' hoorde ze iemand roepen. 'Kijk eens wat ik voor je bewaard heb.'

De novicen draaiden zich om en zagen een bekende persoon op de tafel afkomen met een bord in zijn handen. Regin grijnsde, en zette het bord met een klap voor Sonea neer. Ze werd knalrood toen ze zag dat het vol lag met broodkorsten en andere voedselresten.

'Wat ben je toch een gulle, goedgemanierde jongen, Regin.' Ze schoof het bord van zich af. 'Dank je wel, maar ik heb al gegeten.'

'Maar je lust vast nog wel een hapje,' zei hij quasi teleurgesteld. 'Kijk nou toch eens. Je bent vel over been. Je ziet eruit alsof je nog wel een goede maaltijd kan gebruiken. Geven die ouders van je je niet genoeg te eten?' Hij schoof het bord weer voor haar neus.

Sonea schoof het van zich af. 'Nee, dat deden ze inderdaad niet.'

'Ze zijn dood,' vulde iemand aan.

'Nou, waarom neem je het dan niet mee voor het geval je weer trek krijgt?' Met een snelle beweging kieperde hij de inhoud van het bord op haar schoot. Onderdrukt gegiechel ontsnapte aan tafel terwijl het zompige eten op haar kleren en de vloer kletste, en beide bedekte met een vettige bruine laag. Sonea vloekte, hoewel Rothen haar gewaarschuwd had dat niet te doen, en Issel maakte een afkeurend geluid.

Ze wilde erop reageren, maar op dat ogenblik klonk de gongslag.

'O jee!' riep Regin uit. 'De les begint weer. Sorry dat we niet kunnen blijven tot je uitgegeten bent, Sonea.' Hij wendde zich tot de anderen. 'We mogen niet te laat komen.'

Regin banjerde weg met de anderen achter zich aan. Spoedig was Sonea als enige in de Eetzaal over. Zuchtend stond ze op, de smerigheid met haar handen bijeenhoudend om het weer op tafel te schuiven. Met een blik op de kleffe bruine saus die haar jurk besmeurde, ontsnapte haar weer een vloek.

Wat moest ze nu beginnen? Ze kon zo niet bij de volgende les verschijnen. De leraar zou haar ongetwijfeld terugsturen om wat schoons aan te trekken, en dan zou Regin helemaal niet meer bijkomen. Nee, ze kon beter als een haas naar Rothens kamers gaan en een goed excuus bedenken waarom ze te laat was.

In de hoop dat ze niet te veel mensen tegen zou komen onderweg, liep ze snel naar de Magiërsvertrekken.

Toen Dannyl de zeelieden samen hoorde komen in de gemeenschappelijke hut, onderdrukte hij een kreunend geluid. Het zou weer een lange nacht worden, want weer haalde Jano Dannyl van zijn bed. De bemanning juichte toen hij verscheen. Er werd een fles uit een hoek getoverd en die ging rond zodat iedereen een slok van dat behoorlijk sterke Vindodrankje, siyo, kon nemen. Toen de fles hem in handen werd geduwd, gaf hij hem meteen aan Jano door, onder teleurstellend gemompel van de anderen.

Toen ze allemaal een paar slokken op hadden, begonnen de mannen vrolijk te bekvechten in hun snelle taaltje. Toen ze het eindelijk eens waren, begonnen ze te zingen, en spoorden Dannyl aan mee te doen. Hij had zich eerder wel laten overhalen, maar deze keer keek hij Jano ernstig aan.

'Je had me beloofd het te vertalen.'

De man grijnsde. 'Dan vind je lied niet mooi.'

'Dat wil ik liever zelf beslissen.'

Jano begon aarzelend te vertalen: 'In Capia mijn lief heeft rood, rood haar – en tieten als watermeloenen. In Tol-gan mijn lief heeft sterke, sterke lippen – en daarmee kan ze me uren zoenen. In Kiko mijn lief heeft een lekkere... ach, dat woord ik niet ken in jouw taal,' zei Jano schouderophalend.

'Ik kan het wel raden,' zei Dannyl droog. 'Genoeg vertaald. Ik wil geloof ik liever niet weten wat ik zing.'

Jano lachte. 'Nu zeg, waarom jij niet drinkt siyo, ja?'

'Siyo ruikt zo sterk dat je ervan achterover slaat.'

'Siyo is ook sterk!' zei Jano trots.

'Het is geen goed idee een magiër dronken te voeren,' merkte Dannyl op.

'Waarom niet?'

Dannyl klemde zijn lippen op elkaar en probeerde te bedenken hoe hij het Jano moest uitleggen zodat hij het kon begrijpen. 'Als je dronken bent – heel dronken – dan spreek je dingen slecht uit en word je onhandig, ja?'

Jano haalde zijn schouders op en klopte Dannyl op de schouder. 'Maak geen zorgen. Zeggen het niemand.'

Dannyl glimlachte en schudde het hoofd. 'Het is niet al te best om slordig met magie om te gaan, of per ongeluk. Kan gevaarlijk worden.'

Jano fronste zijn voorhoofd, maar kreeg plotseling een idee. 'Dan wij geven jou béétje siyo, ja?'

Dannyl lachte. 'Prima.'

Jano gebaarde dat de fles zijn kant moest opkomen. Hij veegde de mond met zijn mouw af en bood hem Dannyl aan.

Met de ogen van de bemanning op zich gericht zette Dannyl de fles aan de lippen en nipte van de drank. Een aangename nootachtige smaak verspreidde zich in zijn mond, maar zijn keel vloog in brand toen hij het doorslikte. Hij zoog lucht naar binnen en liet hem langzaam ontsnappen, maar genoot van de warmte die door zijn lichaam trok. De matrozen juichten toen hij glimlachte en goedkeurend knikte.

Jano gaf de fles aan de anderen terug en sloeg Dannyl weer op de schouder. 'Ik blij ik niet magiër ben. Om drank lekker te vinden maar niet mogen.' Hij schudde het hoofd. 'Heel droef.'

Dannyl haalde zijn schouders op. 'Ik hou ook van magie, tenslotte.'

De matrozen zetten een nieuw lied in en zonder dat Dannyl erom hoefde te vragen, vertaalde Jano de tekst. Dannyl moest lachen om de absurde, onbehouwen woordkeus.

'Wat betekent *eyoma?*'

'Zeebloedzuiger,' antwoordde Jano. 'Slecht beest. Ik vertel jou verhaaltje.'

De anderen waren ogenblikkelijk stil en keken met glinsterende ogen naar Jano en Dannyl.

'Zeebloedzuiger is ongeveer zo groot als onderarm.' Jano stak hem op en wees naar zijn elleboog. 'Hij zwemt meestal in kleine groepjes, behalve wanneer ze paren, dan komen veel veel bloedzuigers samen. Is heel gevaarlijk. Klimmen op schip, denken dat is rots en bemanning moet doodmaken, doodmaken, doodmaken, anders eyoma klimt op mannen en zuigt hun bloed op.'

Dannyl keek de anderen aan en zij knikten nadrukkelijk. Hij kreeg meteen het vermoeden dat het verhaal een zeemansverzinsel was of minimaal overdreven – een griezelverhaal om landrotten op stang te jagen. Hij kneep zijn ogen samen, maar Jano ging zo op in zijn verhaal dat hij het niet merkte.

'Zeebloedzuigers zuigen bloed van alle grote vissen in zee. Als schip zinkt, alle mannen zwemmen naar kust, maar als eyoma hen vinden zijn ze snel doodop en verdrinken. Als man valt overboord in paringsseizoen, verdrinkt hij van al die bloedzuigers die op hem zitten.' Hij keek Dannyl met grote ogen aan. 'Niet leuke dood.'

Ondanks zijn sceptische benadering moest Dannyl even rillen bij dat beeld.

Jano klopte hem goedmoedig op de arm. 'Jij niet bang zijn. Zeebloedzuiger woont in warm water. Meer naar het noorden. Neem nog wat siyo. Vergeet verhaal.'

Dannyl nam de fles aan en nipte eraan. Een van de zeelieden begon te neuriën en spoedig was iedereen weer in een pittig lied verwikkeld. Dannyl liet zich overhalen om mee te zingen, maar zweeg toen de deur naar het dek openging en de kapitein binnenkwam. Terwijl hij het trapje afdaalde, zong de bemanning gewoon verder, zij het wat zachter.

Numo knikte naar Dannyl. 'Ik heb iets voor u, heer.' Hij gebaarde dat Dannyl hem moest volgen en liep het gangetje in naar zijn hut.

Dannyl stond op en liep de gang in, waar hij met beide handen tegen de wanden van de gang moest steunen om niet om te vallen op de deinende boot. Toen hij Numo's hut binnenstapte zag hij dat die, in tegenstelling tot Jano's bewering, minstens viermaal zo groot was als Dannyls hut.

Kaarten lagen opengespreid op de tafel in het midden van de hut. Numo had een kastje opengemaakt en er een kistje uitgenomen. Hij haalde een sleutel vanonder zijn hemd te voorschijn, maakte het deksel open en nam er een opgevouwen vel papier uit.

'Vroegen of ik u dit wilde geven voor aankomst in Capia.' Numo gaf Dannyl het papier, en gebaarde naar een stoel.

Terwijl hij ging zitten bekeek Dannyl het zegel. Er zat een afdruk van het Gildesymbool in en het papier was van de beste kwaliteit.

Hij verbrak het zegel, vouwde de brief open en herkende onmiddellijk het handschrift van heer Lorlen.

Aan de Tweede Gildeambassadeur van Elyne, Dannyl, van de familie Vorin, Huis Tellen.

Je moet me maar vergeven dat ik geregeld heb dat je deze brief pas na je vertrek ontvangt. Ik heb een opdracht die ik je graag wil geven, naast je plichten als ambassadeur uiteraard. Die opdracht is vertrouwelijk, voorlopig in elk geval, en de wijze waarop je hem gekregen hebt hangt daarmee samen.

Zoals je weet heeft opperheer Akkarin tien jaar geleden een tijdlang onderzoek verricht naar oude magie, een onderzoek dat niet voltooid is. Je opdracht behelst in zijn voetstappen te treden, om alle plaatsen die hij bezocht heeft ook te bezoeken, uit te zoeken wie hem bij zijn onderzoek geholpen hebben en zo veel mogelijk informatie over dit onderwerp te verzamelen.

Stuur alle informatie alsjeblieft per koerier naar me toe. Neem nooit direct contact met me op. Ik zie ernaar uit van je te horen.

Met mijn dank, administrateur Lorlen.

Dannyl las de brief een paar keer door en vouwde hem toen op. Wat wilde heer Lorlen met die informatie? Akkarins reis nogmaals maken? Geen direct contact, alleen per koerier?

Hij vouwde de brief weer open en las hem nogmaals vluchtig door. Misschien vroeg Lorlen alleen om geheimhouding omdat hij niet wilde dat het bekend werd dat hij misbruik maakte van Dannyls positie om hem met deze privé-kwestie te belasten.

Die privé-kwestie betrof echter *Akkarins* onderzoek. Wist de opperheer wel dat Lorlen zijn zoektocht naar oude magie liet herleven?

Hij overdacht de mogelijke antwoorden op die vraag. Als Akkarin het wist, dan had hij er waarschijnlijk toestemming voor gegeven. En als hij het niet wist? Dannyl glimlachte wrang. Misschien was er een zeebloedzuiger-achtig verhaal bij het materiaal dat Akkarin onderzocht had, en wilde Lorlen weten of het waar was.

Of misschien wilde Lorlen slagen waar zijn vriend had gefaald. Als novicen hadden ze altijd gewedijverd. Natuurlijk kon Lorlen niet zelf op onderzoek uitgaan, dus had hij een ander aangesteld om dat in zijn plaats te doen. Dannyl glimlachte. En dat was hij geworden.

Hij vouwde de brief voor de tweede keer op, stond op en bereidde zich voor op het schommelen van het schip. Lorlen zou hem vroeg of laat beslist wel vertellen waarom dit allemaal zo geheimzinnig moest. In de tussentijd verheugde Dannyl zich erop gelegitimeerd te mogen rondsnuffelen in iemands verleden, zeker als die iemand zo raadselachtig was als de opperheer.

Hij knikte naar Numo, verliet de hut, deed de brief in zijn leren reistas en ging terug naar Jano en zijn zingende maten.

4

Plicht roept

Terwijl Sonea langzaam de gangen van de universiteit doorslenterde, voelde ze zich min of meer opgelucht. Morgen zou het Vrijdag zijn, wat inhield dat er geen lessen waren, en dus zou ze een hele dag lang geen last hebben van Regin en haar andere klasgenoten.

Het verbaasde haar hoe moe ze zich voelde, in aanmerking genomen hoe weinig ze deze week gedaan had. De meeste lessen hielden in dat ze wat boekjes doorlas of keek naar de anderen die van en naar de Beheersingslessen gingen. Er was eigenlijk niets gebeurd, en toch had ze het gevoel dat er weken, nee maanden, voorbij waren gegaan.

Issel deed net of Sonea niet bestond, en aangezien dit makkelijker was dan openlijke vijandigheid hadden ook de anderen besloten dat deze houding de beste was. Niemand deed een mond tegen haar open, zelfs niet als ze een normale vraag over hun lessen stelde.

Desondanks leerde ze de magiërsleerlingen wel kennen. Elayk klopte precies bij de beschrijving die ze ooit van een jongen uit Lonmar had gehad. Hij was opgegroeid in een wereld waarin vrouwen gescheiden van mannen leefden, weliswaar in alle luxe, maar zonder vrijheid. Hij was dus niet gewend met vrouwen te praten en behandelde Bina en Issel net zo onverschillig als Sonea. Faren, de Dief die haar vorig jaar uit handen van het Gilde had gehouden, was heel anders geweest, maar ja, Faren was dan ook geen typische Lonmariaan!

Gennyls vader kwam ook uit Lonmar, maar zijn moeder was Kyraliaanse en hij ging wel normaal met Bina en Issel om. Hij negeerde Sonea, maar ze had hem een paar keer naar haar zien kijken met half samengeknepen ogen.

Shern sprak zelden met de andere magiërsleerlingen en zat meestal maar wat voor zich uit te staren. Ze voelde nog steeds zijn vreemde magische aanwezigheid, al was dat onregelmatige gevoel van aanzwellen en afnemen verdwenen.

Bina was heel stil, en Sonea vermoedde dat het meisje gewoonweg te verlegen was om aan welk gesprek dan ook mee te doen. Toen Sonea eens had geprobeerd haar te benaderen, was ze achteruitgedeinsd en had ze gezegd: 'Ik mag niet met je praten.' Sonea herinnerde zich het commentaar van haar moeder voor de toetredingsceremonie, dus het verbaasde haar niets.

Kano, Alend en Vallon gedroegen zich als kleine jongetjes, lachten zich rot om de kleinste dingetjes en schepten op over hun veroveringen van willige meisjes. Aangezien ze dit soort gebluf kende van de jongens in Harrins bende, wist ze vrij zeker dat die laatste verhalen verzonnen waren. Alleen zouden de jongens die ze gekend had al jaren geleden met dit soort opschepperij zijn opgehouden en echt ervaring hebben opgedaan.

Regin had alle sociale contacten onder controle. Hij bedolf de anderen onder complimenten, grapjes en een deskundig klinkend commentaar zo nu en dan. Iedereen knikte ernstig wanneer hij een mening te berde bracht. Dit was tot op zekere hoogte nog amusant geweest, totdat hij, wanneer hij de kans maar kreeg, laatdunkende opmerkingen over Sonea's verleden begon te maken. Zelfs Alend, die in het begin enigszins voor Sonea was opgekomen, lachte mee om die spottende taal. En na haar mislukte poging om Bina tot een gesprekje te verlokken, had Regin het meisje bijzonder charmant weten in te palmen.

'Sonea!'

Iemand liep buiten adem achter haar aan. Het was Alend.

'Ja?'

'Het is vanavond jouw beurt,' zei hij hijgend.

'Mijn beurt? Voor wat?' Ze fronste haar voorhoofd.

'Keukencorvee.' Hij keek haar onderzoekend aan. 'Hebben ze je niks verteld?'

'Nee...'

Hij schudde zijn hoofd. 'Natuurlijk niet. Regin heeft het rooster. Eén avond per week hebben we om de beurt keukencorvee. En nu was het jouw beurt.'

'O.'

'Ik zou me maar haasten,' zei hij. 'Je kunt beter niet te laat komen.'

'Bedankt,' zei Sonea.

Hij haalde zijn schouders op en beende weg.

Keukencorvee? Sonea zuchtte. Het was bloedheet geweest en ze had uitgezien naar een verkoelend bad voor het avondeten. Maar ze zouden waarschijnlijk geen zware of tijdrovende taken aan magiërsleerlingen geven, dus misschien was er daarna nog wel tijd voor.

Ze liep snel de wenteltrap naar de begane grond af en liet zich door de geur van eten naar de Eetzaal leiden. Het was er druk en de magiërsleerlingen stroomden nog steeds binnen. Ze liep achter een van de dienblad dragende bedienden aan de keuken in, waar lange banken stonden opgesteld. Stoom steeg op uit kokende pannen, vlees siste op roosters en overal klonk het slaan van metaal op metaal. Bedienden renden door elkaar en riepen elkaar dingen toe boven het kabaal uit. Sonea stopte bij de deur, overweldigd door de sterke geuren en de algehele chaos. Een jonge vrouw keek op van het roeren in een ketel. Ze blikte Sonea bevreemd aan en riep een andere, oudere vrouw met een wit schort aan. Die liet haar ketel in de steek, veegde haar handen af en boog voor Sonea.

'Waarmee kan ik u van dienst zijn, vrouwe?'

'Keukencorvee,' meldde Sonea. 'Ze zeiden dat ik jullie moest helpen.'

De vrouw zette grote ogen op. 'Keukencorvee?'

'Ja,' glimlachte Sonea. 'Nou, daar ben ik dan. Waar moet ik beginnen?'

'Er komen nooit magiërsleerlingen hier,' zei de vrouw tegen haar. 'Er bestaat helemaal geen keukencorvee.'

'Maar...' Haar tong weigerde plotseling dienst. Het drong tot haar door dat ze beetgenomen was. Woede laaide in haar op. Ze had het kunnen weten! Alsof er ooit van de zonen en dochters van de Huizen verwacht zou worden dat ze in een keuken kwamen!

De vrouw keek Sonea meewarig aan maar zei niets.

'Het spijt me dat ik u heb lastiggevallen,' zuchtte Sonea. 'Ik denk dat ze een grap met me hebben uitgehaald.'

Opeens hoorde ze uitbundig gelach opstijgen. Sonea draaide zich om en haar maag kromp ineen. Vijf bekende gezichten bij de keukendeur staken grijnzend hun tong naar haar uit en barstten toen weer hikkend in lachen uit.

De herrie in de keuken bedaarde en Sonea zag dat iedereen keek waar die vrolijkheid vandaan kwam. Ze werd vuurrood, maar zette haar tanden op elkaar en liep naar de deur.

'O nee. Jij mag hier nog niet weg,' zei Regin. 'Jij mag hier bij de bedienden blijven, waar je thuishoort. Maar nu ik erover nadenk klopt dat niet helemaal. Zelfs bedienden zijn beter dan sloppenvolk.' Hij wendde zich tot de kokkin. 'Ik zou maar uitkijken als ik u was. Ze is een dievegge – en dat geeft ze nog toe ook als je het vraagt. En let op je messen, want als je even niet kijkt kan je hem in je rug terugvinden.'

Hij greep de klink en trok de keukendeur dicht. Sonea draaide de klink zonder probleem naar beneden, maar de deur ging niet open. Een flauwe vibratie hing om de klink heen.

Magie? Hoe konden ze nu magie gebruiken? Geen van hen had al het Tweede Niveau gehaald.

Nog steeds hoorde ze gesmoord gegiechel vanachter de deur. Ze herkende Alends stem en ook Issels lach was onmiskenbaar. Toen ze ook Vallon en Kano herkende, begreep ze dat alleen Regin niet te horen was.

En dat was waarschijnlijk omdat hij zich concentreerde op het gesloten houden van de deur met magie. Dus had Regin het Tweede Niveau gehaald, en meer ook. Hij had niet alleen toegang tot zijn kracht, maar wist hem ook te gebruiken. Rothen had wel verteld dat sommigen dit snel onder de knie kregen, maar waarom moest het nu net Regin zijn? Ze herinnerde zich de maanden dat ze met magie gespeeld en geoefend had, en glimlachte grimmig. Hij moest nog heel wat leren. Ze deed een stap achteruit en bekeek de deur. Zou ze proberen zijn magie te verslaan? Helaas zou de deur die poging waarschijnlijk niet overleven. Ze wendde zich tot de kokkin. 'Er is vast nog een andere uitgang. Kunt u me die wijzen?'

De vrouw aarzelde. Ze straalde weinig sympathie meer uit, eerder wantrouwen.

Sonea werd kwaad. 'Nou?' snauwde ze.

De vrouw staarde haar ontzet aan, keek toen naar de vloer en sprak: 'Zeker, vrouwe. Volgt u me maar.'

De vrouw liep tussen de banken door. De bedienden keken allemaal naar Sonea, maar die hield haar ogen gericht op de rug van de kokkin. Ze kwamen in een provisiekamer die nog groter was dan de keuken, met tientallen planken vol met voedsel en keukengerei. Aan het uiteinde van de voorraadkamer wees de kokkin haar een deur en opende hem voor haar.

'Dank u wel,' zei Sonea en liep naar buiten. De deur werd stevig achter haar op slot gedaan. Ze keek de gang in. Die kende ze niet, maar hij moest wel ergens uitkomen. Ze zuchtte, schudde haar hoofd en begon te lopen.

De avondjes in de Nachtzaal waren niet meer wat ze geweest waren, mijmerde Rothen. Had hij eens gesidderd voor de wekelijkse sociale bijeenkomst waar hij bedolven werd onder de vragen over het mysterieuze sloppenmeisje, tegenwoordig werd hij gewoon genegeerd.

'Dat Elynese meisje moet in de gaten worden gehouden,' zei een vrouwe in de kamer. 'Uit wat vrouwe Kinla zei maak ik op dat het niet lang zal duren voor zij een privé-gesprek met een Genezeres kan gebruiken.'

Het antwoord was niet te verstaan.

'Bina? Misschien. Of bedoel je...? Nee. Wie zou dat nou willen? Laat die maar aan Rothen over.'

Toen hij zijn naam hoorde vallen, keek Rothen op wie de sprekers waren. Het waren twee jonge Genezeressen die bij een raam stonden. Eentje keek op en toen ze hem zag kijken, bloosde ze en sloeg ze haar ogen neer.

'Er is iets vreemds met haar. Iets heel...'

Toen hij de volgende stem herkende, moest hij even in stilte juichen. De spreker was heer Elben, een van Sonea's leraren. Luidere stemmen dreigden de conversatie te overstemmen, maar Rothen sloot zijn ogen en concentreerde zich zoals Dannyl het hem geleerd had. 'Ze past niet in de groep,' antwoordde een beverige stem. 'Maar dat had ook niemand verwacht.'

Rothen fronste zijn voorhoofd. De tweede spreker was de geschiedenisleraar voor de eerstejaars.

'Het ligt gecompliceerder, Skoran,' zei Elben. 'Ze is te stil. Ze praat nooit met de andere magiërsleerlingen.'

'Maar zij mogen haar toch ook niet zo graag, of wel?'

Een wrang lachje. 'Nee, en wie zou het ze kwalijk nemen?'

'Denk eens aan heer Rothen,' zei Skoran. 'Die arme man. Denk jij dat hij wist in welk wespennest hij zich gestoken had? Ik zou haar niet elke avond in mijn kamers willen hebben. Garrel vertelde me dat ze had laten vallen dat ze iemand had neergestoken toen ze nog in de sloppenwijk woonde. Ik zou liever geen moordenares in huis hebben als ik lag te slapen.'

'Leuke logee! Ik hoop dat Rothen een slot op zijn slaapkamerdeur heeft...'

De stemmen vervaagden terwijl de twee wegwandelden. Rothen sloeg zijn ogen weer open en keek diep in zijn glas wijn. Dannyl had gelijk gehad. Deze stoel stond op een uitstekende plaats om de gesprekken van andere magiërs te beluisteren. Dannyl had altijd verteld dat de regelmatige bezoekers van de Nachtzaal hun meningen niet onder stoelen of banken staken en dat je daar veel van op kon steken. Maar in tegenstelling tot Dannyl zat het Rothen wel een beetje dwars dat hij zijn medemagiërs afluisterde.

Hij stond op en zocht Elben en Skoran. Hij zette een beleefde glimlach op en liep rustig op hen af.

'Goedenavond, heer Elben,' zei hij en neeg zijn hoofd als begroeting. 'Heer Skoran.'

'Heer Rothen,' antwoordden zij en knikten hem eveneens toe.

'Ik kom even informeren hoe het met mijn kleine dievegge gaat?'

De twee leraren zwegen even. Hun gezichten drukten verrassing uit. Toen lachte Elben wat nerveus.

'Het gaat uitstekend met haar,' zei hij. 'In feite doet ze het beter dan ik verwacht had. Ze leert snel en de beheersing over haar krachten is zeer... uitzonderlijk.'

'Ze heeft heel wat maanden kunnen oefenen, en we hebben haar kracht eigenlijk nog niet getest,' voegde Skoran eraan toe.

Rothen glimlachte. De meesten hadden hem niet geloofd wanneer hij Sonea's grote kracht beschreef, ondanks dat het bekend was dat een magiër sterk moest zijn om op eigen kracht zijn talent te ontwikkelen.

'Ik ben benieuwd naar uw bevindingen wanneer u de test met haar heeft gedaan,' zei hij en draaide zich weer om.

Skoran hief een gerimpelde hand. 'Voor u gaat zou ik graag weten of mijn kleinzoon, Urlan, vorderingen maakt in alchemie.'

'Hij doet het heel redelijk,' antwoordde Rothen terwijl hij zich weer tot de oude magiër wendde. Terwijl ze de capaciteiten van de jongen bespraken, prentte hij zich in Sonea te vragen of ze goed behandeld werd door de leraren. Al mocht je een novice niet, dat was nog geen excuus om hem of haar een goede opleiding te onthouden.

Administrateur Lorlen bleef onder aan de trap van de universiteit even staan en keek naar de nachtelijke Gildegebouwen. Rechts van hem lag het Genezerspaviljoen, een rond gebouw van twee verdiepingen achter hoge bomen. Ervoor liep de weg naar de Bediendenvertrekken, die kronkelend het bos inliep dat het hele terrein omgaf. Vlak voor hem lag een brede rotonde van de universiteit naar de poort. Stallen lagen links van hem, tegen de andere uitloper van het bos aan.

En tussen de bosrand en de tuinen lag de ambtswoning van de opperheer verscholen. Het gebouw van grijze steen gloeide niet op in het maanlicht zoals de andere witte Gildegebouwen, maar stak spookachtig tegen de bomen af. Het was met de Gildezaal het enige gebouw dat nog dateerde uit de ontstaansperiode van het Gilde, lang geleden. Meer dan zeven eeuwen lang hadden hier de machtigste magiërs van elke generatie gewoond.

Hij haalde diep adem en liep het pad af in de richting van Akkarins huis. *Vergeet nu even alles*, zei hij in zichzelf. *Hij is je oude vriend, de Akkarin die je zo goed kent. We zullen het over politiek hebben, onze familie, en Gildezaken, en je zult proberen hem over te halen om ook eens naar de Nachtzaal te komen, en hij zal zoals gewoonlijk weigeren.*

Lorlen rechtte zijn schouders toen hij de deur bereikte. Zoals altijd zwaaide de deur meteen na het kloppen open. Toen hij binnenkwam voelde Lorlen zich eigenlijk opgelucht dat noch Akkarin, noch zijn bediende hem begroette. Hij ging zitten en keek rond in de ontvangstkamer. Vroeger was dit een hal geweest met twee versleten wenteltrappen, aan elke kant een. Maar ontvangstkamers waren pas eeuwen later een normaal verschijnsel geworden. De eerste opperheren ontvingen hun gasten in hun woonkamer. Akkarin had het gebouw echter laten moderniseren en had muren laten aanbrengen om de trappen aan het oog te onttrekken. De tussenliggende ruimte had hij ingericht met warme tapijten en gemakkelijke meubels, en zo was er een aangename, zij het smalle, ontvangtruimte ontstaan.

'Wat nu?' klonk een bekende stem. 'Onverwacht bezoek!'

Lorlen stond op en het lukte hem te glimlachen naar de man in het zwarte gewaad die in de deuropening naar de trap stond.

'Goedenavond, Akkarin.'

De opperheer lachte, sloot de deur achter zich en liep naar een smal kabinetje waarin diverse wijnen, glazen en zilveren serviesgoed stonden. Hij opende een fles en schonk twee glazen vol, met de wijn waarvan Lorlen de dag ervoor besloten had hem niet meer te bestellen.

'Ik herkende je eerst niet, Lorlen. Het is ook zo lang geleden.'

Lorlen haalde zijn schouders op. 'Onze kleine familie geeft me de laatste tijd genoeg werk.'

Akkarin grinnikte om hun geliefde bijnaam voor het Gilde. Hij overhandigde Lorlen een glas wijn en ging zitten. 'Nou ja, het houdt je van de straat en je moet hen af en toe ook eens belonen voor hun goede gedrag. Wat een interessante keuze trouwens: heer Dannyl als Tweede Gildeambassadeur voor Elyne.'

Lorlen hield zijn hart vast. Hij verborg zijn paniek met een bezorgde frons. 'Jij zou dus iemand anders gekozen hebben?'

'Nee, het is een uitstekende keuze voor die positie. Hij heeft initiatief en lef getoond in zijn onderhandelingen met de Dieven.'

Lorlen trok een wenkbrauw op. 'Maar hij had ons eerst moeten raadplegen...'

Akkarin wuifde die opmerking weg. 'De hoofdmagiërs zouden er nog weken over getwist hebben en dan de veiligste keuze hebben gemaakt – en dat zou verkeerd zijn afgelopen. Dat Dannyl dat inzag en het risico liep zich de woede van zijn meerderen op de hals te halen alleen door zich moeite te getroosten haar te vinden, toont aan dat hij zich niet laat koeioneren door de autoriteiten wanneer de methoden niet in het welzijn van anderen zijn. Hij moet dat inzicht hebben wanneer hij aan het Elynese hof verkeert. Ik was wel verbaasd dat je mij niet even naar mijn mening had gevraagd, maar ik neem aan dat je er zeker van was dat ik je beslissing goed zou keuren.'

'Klopt. Heb je trouwens nog nieuws voor me?' vroeg Lorlen.

'Niets opwindends. De koning heeft me gevraagd of dat kleine "schooiertje" zoals hij Sonea noemt, bij de zomerlichting zat. Ik zei dat ze was toegetreden en dat deed hem plezier. Dat doet me denken aan een aardig incident: Nefin van Huis Maron heeft gevraagd of Fergun al naar Imardin terug mocht komen.'

'Alweer?'

'Dit is de eerste keer dat Nefin het vraagt. De vorige die het vroeg was Garen, zo'n drie weken geleden. Het lijkt erop dat elke man en vrouw in Huis Maron van plan is me erover aan te spreken. Er zijn zelfs kinderen geweest die vroegen wanneer oom Fergun nu weer terugkomt.'

'En, wat heb je gezegd?'

'Dat oom Fergun heel, heel stout was geweest, maar dat ze zich geen zorgen hoefden te maken aangezien alle aardige mensen in het Fort heel goed voor hem zouden zorgen de komende jaren.'

Lorlen lachte. 'Ik bedoelde, wat heb je Nefin gezegd?'

'O, precies hetzelfde. Nou ja, in iets andere bewoordingen, natuurlijk.' Akkarin zuchtte en streek zijn haar glad. 'Niet alleen gunnen ze me het genoegen ze iets te weigeren, maar ik heb ook geen huwelijksaanzoeken meer gehad van het Huis Maron sinds Fergun is vertrokken. Dat is nog wel de beste reden om die vent in het Fort weggestopt te houden.'

Lorlen nam een slokje wijn. Hij had altijd aangenomen dat Akkarin geen interesse had in de frivole dames van de Huizen en uiteindelijk wel een echtgenote zou vinden onder de vrouwen van het Gilde. Maar nu vroeg hij zich af of Akkarin toch niet liever vrijgezel zou blijven om zijn duistere geheim te bewaren.

'Zowel het Huis Arran als het Huis Korin hebben me gevraagd of we Genezers over hebben om hun renpaarden bij te staan,' zei Akkarin.

Lorlen slaakte een wanhopige zucht. 'Je hebt uiteraard gezegd dat dat niet kan?'

Akkarin haalde zijn schouders op. 'Ik heb verteld dat we erover na zullen denken. Misschien is er een mogelijkheid om een dergelijk verzoek om te kunnen buigen in ons voordeel.'

'Maar we hebben elke Genezer die we hebben hard nodig!'

'Zeker, maar beide Huizen zijn geneigd hun dochters bij zich te houden, alsof ze waardevoller zijn om mee te fokken dan voor wat dan ook. Als we hen zouden kunnen overhalen om de meisjes die talent hebben naar ons toe te sturen, zouden we meer dan genoeg Genezers hebben om degenen die we naar hun paarden toesturen te vervangen.'

'Maar in de tussentijd zitten wij mooi met een tekort en moeten de Genezers die we hebben meer tijd spenderen aan het lesgeven van die meisjes,' wierp Lorlen tegen. 'En dan, wie zegt dat die meisjes Genezeressen willen worden als ze afstuderen?'

Akkarin knikte. 'Dan moeten we toch een bepaald evenwicht zien te bereiken. We moeten genoeg meisjes binnenhalen om er zeker van te zijn dat we minstens evenveel nieuwe Genezers krijgen als we Genezers naar die paarden sturen. Uiteindelijk hebben we dan meer Genezers die we in kunnen zetten bij een ramp, zoals een grote brand of rellen.' Akkarin tikte met zijn lange vingers op de armleuning van zijn stoel. 'En er is nog een voordeel. Heer Tepo heeft me een paar maanden geleden aangesproken over zijn wens om onze kennis van diergeneeskunde uit te breiden. Hij was zeer overtuigend. Dit zou een mogelijkheid zijn om zijn onderzoek op dit gebied een goede start te geven.'

Lorlen schudde het hoofd. 'Volgens mij is dat tijdverspilling voor Genezers.'

Akkarin fronste zijn voorhoofd. 'Ik zal beide ideeën met vrouwe Vinara bespreken.' Hij keek Lorlen aan. 'En heb jij nog nieuws voor mij?'

'Jazeker,' zei Lorlen. Hij leunde achterover in zijn stoel en zuchtte. 'Afschuwelijk nieuws. Nieuws dat velen binnen het Gilde een klap in het gezicht zal geven, maar jou wel in het bijzonder.'

'O?' Akkarin keek hem vorsend aan.

'Heb je nog meer van deze wijn?'

'Dit is de laatste fles.'

'O jee,' zei Lorlen hoofdschuddend. 'Dan is de situatie wel helemaal precair. Ik ben bang dat dit dan echt de allerlaatste was. Ik heb besloten dat we de voorraad niet meer aanvullen. Na vanavond geen Anuren Donkerrood meer voor de opperheer.'

'Is dat alles?'

'Ja, vreselijk, toch?' Lorlen keek zijn vriend aan. 'Ben je nu boos?'

Akkarin snoof. 'Ja, wat dacht je dan! Waarom bestel je ze niet meer?'

'Ze vroegen twintig goudstukken per fles.'

'Per flés!' Akkarin leunde achterover en floot tussen zijn tanden. 'Nogmaals een goede beslissing, maar nu had je echt even met me moeten overleggen. Ik had hier en daar een woordje kunnen laten vallen aan het hof... nou ja, dat kan nog steeds.'

'Dus kan ik een redelijker voorstel op mijn bureau verwachten in de komende weken?'

Akkarin glimlachte. 'Ik zal zien wat ik kan doen.'

Even zwegen ze allebei, toen dronk Lorlen zijn glas leeg en stond op. 'Ik moet maar eens naar de Nachtzaal. Ga je mee?'

Akkarins uitdrukking versomberde. 'Nee, ik heb nog een afspraak in de stad.' Hij keek Lorlen aan. 'Het was fijn je weer te zien. Kom toch wat vaker langs. Ik wil geen vergadering beleggen om de laatste roddels uit het Gilde te horen.'

'Ik zal het proberen.' Lorlen glimlachte moeizaam. 'Misschien moet je zelf maar eens vaker in de Nachtzaal langsgaan. Krijg je roddels uit de eerste hand.'

De opperheer schudde het hoofd. 'Ze zijn veel te voorzichtig als ik in de buurt ben. Trouwens, mijn interessen liggen buiten de grenzen van het Gilde. De familieschandaaltjes laat ik aan jou over.'

Lorlen zette zijn wijnglas op tafel en liep naar de deur, die vanzelf openging. Hij keek achterom naar Akkarin, die tevreden van zijn wijn nipte.

'Welterusten,' zei hij.

Akkarin hief zijn glas ten antwoord. 'Veel plezier.'

Terwijl de deur zich achter hem sloot, haalde Lorlen diep adem en begon langs het pad terug te lopen. Hij overdacht nog eens wat er gezegd was. Akkarin had zich alleen maar lovend uitgelaten over Dannyls aanstelling – nogal ironisch eigenlijk. De rest van het gesprek was ontspannen verlopen, zoals altijd. Wel was Lorlen weer verbaasd over toespelingen op geheime activiteiten. *Trouwens, mijn interessen liggen buiten de grenzen van het Gilde.* Dat was nog zacht uitgedrukt.

Lorlen snoof zachtjes. Zonder twijfel had Akkarin het over het hof en de koning. *Ik kan er ook niets aan doen dat ik zijn woorden interpreteer in het licht van wat ik weet.*

Een bezoek aan Akkarin was nooit een marteling geweest vóór Sonea's hoorzitting. Nu verliet hij het huis van de opperheer dodelijk vermoeid, blij dat het voorbij was. Hij dacht aan zijn bed, maar schudde het hoofd. Hij moest nog eindeloze verzoeken en vragen aanhoren in de Nachtzaal voor hij zijn slaapvertrek kon opzoeken. Met een diepe zucht nam hij grotere stappen en liep het pad op, de tuin in.

5

Nuttige kennis

erwijl Sonea wachtte tot de les begon, legde ze haar aantekeningen
neer en begon te lezen. Er viel een schaduw over haar notities, een
hand vloog te voorschijn en griste een van de vellen papier weg.
Wanhopig probeerde ze hem terug te grijpen, maar ze was niet snel genoeg.
Het papier was al buiten haar bereik.

'Wel, wel, wel, en wat hebben we hier?' Regin slenterde naar voren en
leunde achteloos met een arm op de lessenaar van de leraar. 'Sonea's aantekeningen.'

Ze zond hem een kille blik. De anderen keken belangstellend toe. Regin
liet zijn ogen over het vel glijden en lachte verrukt.

'Moet je zien wat een *handschrift!* Lijkt wel van een kind van *vier!* O, en die
spelling!' riep hij uit, en hield het vel omhoog.

Sonea smoorde een gekreun toen hij begon te lezen en er een hele verto-
ning van maakte hoe hij worstelde met het ontcijferen van haar schrift. Na
een aantal zinnen hield hij op en dacht hardop na over de betekenis van een
woord. Ze hoorde hier en daar besmuikt gegiechel en voelde hoe ze een
kleur kreeg. Regin grijnsde en begon de spelfouten te overdrijven door ieder
woord letterlijk uit te spreken, en het gelach in de klas was nu niet meer te
stuiten.

Met een elleboog op tafel, haar kin steunend op haar hand en een quasi
ongeïnteresseerde blik, kreeg Sonea het over haar hele lijf dan weer heet,
dan weer ijskoud terwijl woede en vernedering elkaar opvolgden.

Regin ging plotseling rechtop staan en vloog naar zijn plek. Terwijl het
gelach wegstierf was het naderen van voetstappen hoorbaar. Een gedaante
in het purper verscheen in de deuropening. Heer Elben keek over zijn lange
neus de klas in, liep naar zijn bureau en zette er een houten kist op.

'Vuur,' zo begon hij, 'heeft iets weg van een levend wezen, en als zodanig
heeft het ook behoeften.'

Hij maakte de kist open en haalde er een kaars en een schijfje uit. Met één
beweging spietste hij de kaars op de spijker in het midden van het schijfje.

'Vuur heeft lucht en brandstof nodig, net als alle levende wezens. Denk nu niet dat het een levend wezen *is*.' Hij grinnikte. 'Dat is natuurlijk niet zo, maar het gedraagt zich vaak wel op die manier en lijkt daardoor een soort eigen willetje te hebben.'

Achter haar smoorde iemand gelach. Sonea draaide haar hoofd om en zag dat Kano haar vel papier aan Vallon doorgaf. Zonder dat heer Elben het merkte, vermaakte haar handschrift de hele klas. Langzaam haalde ze diep adem en zuchtte. De tweede week op de universiteit was precies hetzelfde als de eerste. Alle magiërsleerlingen – op Shern na dan, die verdwenen was nadat hij een soort toeval had gehad waarbij hij uitriep dat hij zonlicht door het plafond naar binnen zag stromen – verzamelden zich om Regin heen zodra de kans zich voordeed. Het was duidelijk dat zij niet welkom was in dat groepje, en dat Regin van plan was haar het mikpunt van al zijn spot en practical jokes te maken.

Ze was de vreemde eend in de bijt. Maar in tegenstelling tot de jongens die zonder succes in Harrins bende wilden worden toegelaten, had zij geen andere keus. Ze zat aan eraan vast.

Dus had ze besloten haar enige verdedigingsmaatregel toe te passen die haar inviel: ze negeerde hen. Als ze niet hapte en niet reageerde op de streken die er met haar werden uitgehaald, zouden ze uiteindelijk hun vermaak wel elders zoeken en haar niet meer lastigvallen.

'Sonea.'

Ze schrok op en keek recht in heer Elbens afkeurende gezicht. Haar hart begon te bonzen. Had hij iets tegen haar gezegd? Had ze zichzelf zo op haar zelfmedelijden laten meedrijven dat ze hem niet had gehoord? Zou hij haar een standje geven voor het oog van de klas?

'Ja, heer Elben?' antwoordde ze en bereidde zich voor op nog meer vernedering.

'Jij mag als eerste proberen deze kaars met magie aan te steken,' zei hij. 'Ik herinner jullie eraan dat het produceren van hitte gemakkelijker gaat wanneer je...'

Opgelucht richtte Sonea haar wil op de kaars. Ze kon Rothens stem in haar gedachten horen terwijl hij de aanwijzingen gaf. *'Haal een beetje magie naar boven, strek je wilskracht uit, richt je wil op de pit, vervorm de magie en laat hem stromen...'* Ze voelde een fractie van haar kracht naar de pit uitgaan en een vlam kwam tot leven.

Heer Elben sperde zijn ogen open, en de woorden stokten hem in de keel. 'Dank je, Sonea,' zei hij uiteindelijk. Hij liet zijn blik rondgaan over de rest van de klas. 'Ik heb voor jullie allemaal een kaars. Vanmorgen gaan we leren hoe we die aansteken, dan hoe we hem snel aansteken, zonder er lang bij na te denken.'

Hij haalde kaarsen uit het kistje en zette er voor elke novice eentje neer. Ze begonnen meteen naar de pitten te staren. Sonea keek toe, en haar mondhoeken begonnen te krullen toen ze zag dat niet één kaars, niet eens die van Regin, begon te branden.

Elben ging terug naar zijn bureau en haalde een glazen bol gevuld met blauwe vloeistof te voorschijn. Hij bracht hem naar Sonea en zette hem neer.

'Dit is een oefening om je wat subtiliteit bij te brengen,' zei hij tegen haar. 'De vloeistof reageert sterk op temperatuur. Wanneer je hem langzaam en gelijkmatig verwarmt, verandert de kleur in rood. Doe je dat slordig, dan krijg je luchtbellen en het duurt een tijdje voor die weer zijn verdwenen. Ik wil dus rood zien, geen bellen. Roep maar wanneer het zover is.'

Sonea knikte, wachtte tot hij weer bij zijn lessenaar stond en begon zich te concentreren op de bol. In tegenstelling tot bij het aansteken van een kaars had ze hiervoor alleen verwarmende energie nodig. Ze ademde diep in en vervormde een klein beetje magie tot een nevel die de bol gelijkmatig kon verwarmen. Toen ze de warme nevel losliet begon de vloeistof dieprood te kleuren.

Tevreden keek ze op, maar ze trof Elben in discussie met Regin aan.

'Ik snap er niks van,' zei de jongen.

'Probeer het nog maar eens,' zei Elben.

Regin keek strak naar de kaars in zijn hand, zijn ogen tot spleetjes samengeknepen.

'Heer Elben?' waagde Sonea. De leraar ging rechtop staan en wilde naar haar toe lopen.

'Ik moet dus mijn magie rechtstreeks op de pit richten?' vroeg Regin snel om de leraar af te leiden.

'Ja,' zei de leraar een beetje ongeduldig en rechtte zijn blik op Sonea's bol. Hij schudde het hoofd. 'Niet heet genoeg.'

Toen ze zelf naar haar bol keek, bleek de vloeistof donkerpaars te zijn geworden. Met een frons richtte ze haar blik weer op het spul en langzaam verkleurde het tot rood.

Regin sprong op van zijn stoel met een kreet van verrassing en pijn. Zijn kaars was verdwenen en zijn hand was bedekt met gesmolten was, die hij nu als een razende van zijn hand begon af te pellen. Sonea onderdrukte met moeite een glimlach door haar hand voor haar mond te houden.

'Heb je je gebrand?' vroeg Elben. 'Je mag wel even naar de Genezers gaan als je wilt.'

'Nee, nee,' zei Regin, 'het is al over.'

Elbens wenkbrauwen schoten omhoog, en hij zette een andere kaars op Regins tafel. 'Aan het werk,' zei hij tegen de rest van de klas. Iedereen staarde naar Regins rode hand.

Elben wandelde naar Sonea's tafel, keek naar de bol en zei: 'Goed dan, laat maar zien.'

Nogmaals richtte Sonea haar aandacht op de bol, en de vloeistof werd warm. Elben knikte tevreden. 'Goed. Ik heb nog een andere opdracht voor je.' Toen hij terugliep naar de kist op zijn bureau zag ze dat Regin haar strak aankeek. Weer begon ze bijna te glimlachen toen ze zag hoe hij zijn handen samenkneep. Toen klopte Elben weer op zijn tafel terwijl hij langskwam. 'Aan het werk, *allemaal*.'

Leunend op de reling ademde Dannyl genietend de zilte bries in.

'Zieke buik buiten niet zo erg, ja?' Het was Jano die eraan kwam. Zonder moeite bewoog de kleine man zich voort over het deinende dek. Toen hij bij Dannyl was draaide hij zich om en drukte zijn rug tegen de reling aan.

'Magiërs worden toch niet ziek van boot?'

'O jawel,' zei Dannyl. 'Maar we kunnen ons er zelf van genezen. Dat vraagt wel wat concentratie, en je kan je er niet de hele dag mee bezighouden.'

'Dus... jij niet voelt ziek als je denkt aan niet voelen ziek, maar je kan niet de hele tijd aan niet voelen ziek denken?'

Dannyl glimlachte. 'Precies.'

Jano knikte. Hoog in de mast luidde een bemanningslid een bel en riep iets in het Vins naar beneden.

'Zei hij Capia?' vroeg Dannyl en keek naar boven.

'Capia, ja!' Jano draaide zich om en staarde in de verte, en wees toen. 'Zie je?'

Dannyl richtte zijn blik in de richting die Jano aanwees, maar zag niets anders dan een nevelige kustlijn. Hij schudde het hoofd. 'Jouw ogen zijn een stuk beter dan de mijne,' zei hij.

'Vindo's hebben goeie ogen,' zei Jano trots. 'Daarom wij op zee!'

'Jano!' bulderde een strenge stem.

'Moet gaan.'

Dannyl zag de zeeman wegsnellen en draaide zich om de kust nog eens af te speuren. Hij kon de hoofdstad van Elyne nog steeds niet zien, dus boog hij zich over de reling om de boeg de golven te zien splijten en liet zijn blik over het water gaan. Gedurende de hele tocht had hij het onophoudelijke gekabbel van het water als troostrijk, zelfs hypnotisch ervaren, en hij was in de ban geraakt van de manier waarop het water van kleur veranderde, afhankelijk van het tijdstip of het weer.

Toen hij weer opkeek was het land al een stuk dichterbij gekomen, en hij kon rijen bleke blokjes aan de kust onderscheiden – verre gebouwen. Hij huiverde en zijn hart begon sneller te kloppen. Hij trommelde met zijn vingers op de reling terwijl ze dichter en dichter bij de kust kwamen.

Een grote inham tussen de gebouwen bleek de ingang tot een baai te zijn, goed beschermd tegen de klotsende golven van de zee. De huizen waren naar alle kanten uitstekende herenhuizen, omgeven door ommuurde tuinen die afdaalden naar een wit strand. Ze waren allemaal opgebouwd uit bleekgele stenen die warm gloeiden in het ochtendlicht. Toen het schip de richting van de baai invoer hield Dannyl zijn adem in. Aan beide zijden omarmden de huizen de hele baai. Verderop in de stad zag hij statige gebouwen boven een hoge kade uitsteken. Ze droegen koepels en torens en leken de hemel aan te raken, en sommige ervan zaten vast aan stenen poorten.

'De kapitein wenst dat u naast hem gaat staan, heer.'

Dannyl knikte naar de zeeman en liep het dek over, naar waar de kapitein bij het grote roer stond. De bemanning rende heen en weer, controleerde de touwen en riep Vinse woorden naar elkaar.

'U vroeg naar me, kapitein?'

De man knikte. 'Kom maar hier staan. Niet in de weg.'

Hij ging staan waar Numo hem had gewezen en keek mee met de kapitein die afwisselend naar de kust en de zee keek. Toen bulderde Numo een bevel en begon hard aan het roer te draaien. Meteen kwam de bemanning in actie. Touwen werden aangesjord, de zeilen vielen slap neer nu ze niet langer de wind vingen, het schip wiegde heen en weer terwijl het naar de kust kroop.

Toen bolden de zeilen plotseling weer op. De bemanning bond de touwen op een nieuwe plek vast, riep weer naar elkaar en wachtte af. Toen ze zeer dicht bij de baai waren, werd de scène herhaald. Maar nu voeren ze de baai binnen.

De kapitein wendde zich tot Dannyl. 'Al eerder in Capia, heer?'

Dannyl schudde zijn hoofd.

Numo knikte naar de stad. 'Mooi.'

Eenvoudige façaden met bogen en zuilen werden nu zichtbaar. In tegenstelling tot de herenhuizen in Kyralia waren maar weinig huizen druk gedecoreerd, al waren sommige torens en koepels fraai spiraal- of waaiervormig.

'Mooier bij zonsondergang,' zei Numo. 'Huur 's avonds maar boot om te zien.'

'Dat zal ik doen,' zei Dannyl rustig. 'Dat zal ik zeker doen.'

De mond van de kapitein vertrok even in een stand die heel dicht bij een glimlach lag. Maar de man begon meteen weer bevelen te schreeuwen. Zeilen werden aan de basis opgerold om ze kleiner te maken. Het schip minderde vaart en dreef naar een gat tussen de duizenden vaartuigen die hier aangemeerd lagen. Verderop lagen een aantal schepen bij de kade.

'We zijn er, heer. U krijgt spullen terug,' zei Numo en keek Dannyl over zijn schouder aan. 'Ik stuur iemand om te zeggen dat u er bent. Zij komen u halen.'

'Dank u, kapitein.' Dannyl liep het dek af en ging naar zijn hut. Hij maakte het bed een beetje op en keek of alles nog in zijn tas zat. Het schip begon te schommelen, gedempte bevelen bereikten hem en met een klap bereikte de romp de muur van de kade.

Toen hij weer aan dek klom was de bemanning bezig het schip vast te leggen aan zware ijzeren ringen in de muur. Grote, bolle trossen hingen aan de zijkant van het schip om het te beschermen tegen het schuren. Er liep een loopplank naar een trapje tegen de muur dat uitkwam op de kade. De kapitein en Jano stonden bij de opening in de reling. 'U kunt aan land gaan, heer,' zei Numo met een buiging. 'Het was me een eer u te vervoeren.' 'Dank u,' antwoordde Dannyl. 'Het was mij een eer met u mee te varen, kapitein Numo,' voegde hij er in het Vins aan toe. 'Behouden vaart.'

Numo keek hem lichtelijk verbaasd aan. Toen boog hij stijfjes en beende weg. Jano grijnsde. 'Hij mag u. Magiërs meestal niet beleefd tegen ons.'

Dannyl knikte. Dat verbaasde hem niets. Toen er vier matrozen met Dannyls hutkoffers verschenen, wenkte Jano Dannyl hem te volgen en de loopplank naar het trapje af te lopen. Dannyl stopte na een paar stappen, in de war omdat de muur heen en weer leek te gaan. Hij liet de mannen met de koffers even voorgaan. Jano keek achterom en lachte om Dannyls verwarde uitdrukking.

'Benen moeten weer aan land wennen,' riep hij. 'Duurt niet lang.'

Met één hand tegen de muur volgde Dannyl de zeemannen het trapje op. Toen stond hij opeens op een brede straat die langs de rand van de kade liep. De mannen zetten de koffers neer en gingen op een muurtje zitten, blij even niets anders te doen dan het drukke verkeer te bekijken.

'We hadden goede vaart,' zei Jano. 'Gunstige wind. Geen storm.'

'Geen zeebloedzuigers,' voegde Dannyl eraan toe.

Jano lachte en schudde het hoofd. 'Geen eyoma. Zwemmen alleen in de noordelijke zeeën.' Hij zweeg even. 'Jij goede man om taal mee te oefenen. Veel nieuwe woorden geleerd.'

'En ik heb ook een paar Vinse woorden opgevangen,' antwoordde Dannyl. 'Niet precies woorden die ik aan het Elynese hof kan gebruiken, maar ze zullen van pas komen als ik nog eens in een Vindo-kroeg terechtkom!'

De kleine man grijnsde. 'Als u naar de Vin-eilanden komt, bent u bij Jano's familie altijd welkom.'

Dannyl keek de man verrast aan. 'Dank je,' zei hij.

Jano kneep zijn ogen dicht en wees op het verkeer. 'Mensen voor u, denk ik.'

Dannyl keek in de richting waarin Jano wees, zocht een zwarte koets met Gildesymbolen op de zijkanten, maar kon er geen ontdekken.

Jano liep naar het trapje. 'Ik moet gaan nu. Behouden vaart, heer.'

Dannyl glimlachte naar hem. 'Behouden vaart, Jano.'

De zeeman grijnsde weer en haastte zich de treden af. Toen Dannyl zich omdraaide stond er een groot rijtuig van glimmend rood hout vlak voor hem waardoor hij niets meer kon zien. Het begon hem pas te dagen dat die voor hem was toen de koetsier van de bok sprong en de andere sjouwers begon te helpen de hutkoffers op een plank aan de achterkant vast te maken.

Het portier van het rijtuig ging open en een chic gekleed heerschap klom eruit. Heel even was Dannyl van zijn stuk gebracht. Hij had al eerder Elynese hovelingen gezien, en hij was opgelucht dat hij al die luxueuze, wufte kleding niet hoefde te dragen. Maar hij moest toegeven dat deze bonte, nauwsluitende kledij deze knappe jongeman wel goed stond. *Met zo'n knappe kop,* peinsde Dannyl, *moet hij wel erg in trek zijn bij de dames...*

De man deed een aarzelende stap vooruit. 'Ambassadeur Dannyl?'

'Jawel.'

'Ik ben Tayend van Tremmelin.' De jongeman maakte een sierlijke buiging.

'Het is me een eer u te ontmoeten,' antwoordde Dannyl.

'Het is mij een grote eer u te ontmoeten, ambassadeur Dannyl,' antwoordde Tayend. 'U zult wel vermoeid zijn, na zo'n reis. Ik zal u rechtstreeks naar uw huis brengen.'

'Graag, dank u.' Dannyl vroeg zich af waarom deze man in plaats van bedienden gestuurd was en hij keek Tayend aan. 'Bent u van het Gildehuis?'

'Nee,' zei Tayend en lachte. 'Ik ben van de Grote Bibliotheek. Uw administrateur wilde graag dat ik u hier zou begroeten.'

'Ik begrijp het.'

Tayend gebaarde naar het portier van het rijtuig. 'Na u, heer.'

Dannyl stapte in en haalde diep adem toen hij het luxueuze interieur zag. Na zoveel dagen in het piepkleine hutje, zonder enige privacy of comfort, zag hij uit naar een bad en een iets uitgebreidere maaltijd dan brood en soep.

Tayend nestelde zich op de bank tegenover hem en klopte op het dak om de koetsier aan te sporen. Toen het rijtuig wegreed van de kade, gleden Tayends ogen over het gewaad van Dannyl en zwenkten af naar buiten. Hij keek uit het raampje, slikte hoorbaar en veegde zijn handen af aan zijn broek. Dannyl onderdrukte een glimlach toen hij merkte hoe nerveus de jongeman was en bracht zich alles wat hij geleerd had over het Elynese hof in herinnering. Van Tayend van Tremmelin had hij niet gehoord, al kwam de familienaam hem bekend voor.

'Wat is precies uw taak aan het hof, Tayend?'

De jongeman wuifde de vraag weg. 'O, ik doe niets bijzonders. Ik mijd die taak meestal, en de taak mijdt mij.' Hij keek Dannyl aan en glimlachte zelfbewust. 'Ik heb gestudeerd. Ik breng vrijwel al mijn tijd door in de Grote Bibliotheek.'

'De Grote Bibliotheek,' herhaalde Dannyl. 'Ik heb er altijd naar verlangd die te bezoeken.'

Tayend glimlachte stralend. 'Het is een geweldige plek. Als u wilt zal ik u daar morgen naartoe brengen. Het is mijn ervaring dat magiërs boeken waarderen op een manier die je nooit bij een hoveling zult vinden. Uw opperheer heeft hier eens vele weken doorgebracht – lang voor hij opperheer werd, natuurlijk.'

Dannyl keek de jongeman aan, en zijn hart begon te bonzen. 'Is dat zo? Wat zou hem zo geïnteresseerd kunnen hebben?'

'O, allerlei onderwerpen,' antwoordde Tayend met glinsterende ogen. 'Ik was een paar dagen zijn assistent. Irand – de hoofdbibliothecaris – zei tegen hem dat ik niet was weg te slaan uit de bibliotheek toen ik jong was, dus nam hij me in dienst om boeken te halen en te dragen. Heer Akkarin las de alleroudste boeken. Hij was ergens naar op zoek, maar wat het precies was is me nooit duidelijk geworden. Het was een groot raadsel. Op een dag kwam hij niet opdagen, de volgende ook niet, dus vroegen we er eens naar. Hij had zijn spullen gepakt en was onverwacht vertrokken.'

'Interessant,' mijmerde Dannyl. 'Ik vraag me af of hij gevonden had waarnaar hij zocht.'

Tayend keek uit het raam. 'Aha! Bijna bij uw huis. Vindt u het prettig als ik u morgen kom ophalen – o, maar u zult wel eerst het hof willen bezoeken?'

Dannyl glimlachte. 'Ik neem je aanbod graag aan, Tayend, maar ik kan nog niet zeggen wanneer. Zal ik een berichtje sturen als ik het weet?'

'Natuurlijk.' Toen het rijtuig tot stilstand kwam, maakte Tayend het portier los en duwde het open. 'Stuur maar een briefje naar de Grote Bibliotheek – of kom gewoon langs. Overdag ben ik er eigenlijk altijd.'

'Uitstekend,' zei Dannyl. 'Dank je dat je me bent komen ophalen, Tayend van Tremmelin.'

'Het was me een genoegen,' antwoordde de jongeman.

Dannyl klom het rijtuig uit en keek op naar een groot huis van drie verdiepingen. Zuilen, verbonden door bogen, droegen de overkapping van een grote veranda. De ruimte tussen de middelste zuilen was groter dan die van de rest, en daar rees en daalde de overkapping in een boogvorm die deed denken aan de ingang van de universiteit. Erachter zag hij replica's van de universiteitsdeuren.

Vier bedienden hadden zijn hutkoffers intussen van het rijtuig gehaald. Een vijfde kwam naar voren en maakte een buiging.

'Ambassadeur Dannyl, welkom in het Gildehuis van Capia. Wilt u me maar volgen?'

Achter zich hoorde hij een beschaafde stem zijn naam fluisterend uitspreken. Hij kon zichzelf ervan weerhouden naar Tayend om te kijken; hij glimlachte in zichzelf en volgde de bediende het huis in. De jonge wetenschapper had klaarblijkelijk behoorlijk veel ontzag voor magiërs.

Toen kwam hij tot bezinning. Tayend had Akkarin tien jaar geleden ontmoet en bijgestaan. Lorlen had geregeld dat Tayend hem op zou halen. Toeval? Dat betwijfelde hij. Lorlen had er beslist een bedoeling mee gehad dat Dannyl ook Tayends hulp zou aanvaarden bij zijn speurtocht naar oude magie.

In de kleine, lommerrijke tuin was de geur van de bloemen welhaast ondraaglijk zoet. Ergens op de achtergrond spetterde een fonteintje, verborgen in de nachtelijke schaduwen. Lorlen sloeg de bloemblaadjes van zijn gewaad af.

Het stelletje dat op de bank tegenover hem zat bestond uit verre verwanten en waren leden van hetzelfde Huis als van Lorlen. Hij was opgegroeid met hun oudste zoon Walin, voor hij het Gilde betrad. Al leefde Walin nu in Elyne, Lorlen vond het nog steeds prettig bij de ouders van zijn oude vriend langs te gaan, vooral wanneer de tuin op zijn mooist was.

'Barran doet goed zijn best,' zei Velia en haar ogen glinsterden bij het licht van de tuinfakkels. 'Hij rekent erop dat hij volgend jaar tot kapitein gepromoveerd wordt.'

'Nu al?' antwoordde Lorlen. 'Dan heeft hij heel wat bereikt in de afgelopen vijf jaar.'

Derril glimlachte. 'En of. Fijn om te zien dat de jongste tot zo'n verantwoordelijk man is opgegroeid – al heeft Velia hem veel te veel verwend.'

'Ik verwen hem nu toch niet meer,' protesteerde ze. Toen werd ze serieus. 'Ik ben allang blij dat hij dan niet meer op straat hoeft te patrouilleren,' voegde ze eraan toe, en haar glimlach was plotseling verdwenen.

'Hmm.' Derril keek zijn vrouw aan en fronste zijn voorhoofd. 'Ik ben het wel met Velia eens. Elk jaar wordt de stad onveiliger. Al die moorden de laatste tijd zorgen ervoor dat zelfs de dapperste man 's nachts het slot op zijn deur schuift.'

Lorlen trok zijn wenkbrauwen op. 'Moorden?'

'Heb je daar niet van gehoord?' Derril keek hem verbaasd aan. 'Maar de hele stad is ervan in beroering.'

Lorlen schudde het hoofd. 'Misschien heeft iemand me ervan verteld, maar er is ook veel in het Gilde aan de hand de laatste tijd. Ik heb niet zoveel aandacht aan stadszaken geschonken.'

'Je zou eens vaker je hoofd uit het raam moeten steken,' zei Derril afkeurend. 'Het verbaast me dat dit jou ontgaan is. Ze zeggen dat het de ergste seriemoorden zijn sinds een jaar of honderd. Velia en ik weten er uiteraard veel over, via Barran.'

Lorlen smoorde een glimlach. Niet alleen genoot Derril ervan om iedereen te vertellen van de 'geheime' informatie die zijn zoon thuis liet vallen, maar hij vond het ook prachtig dat hij de eerste was die ervan wist. Hij vond het natuurlijk geweldig dat hij degene was die de administrateur van het Magiërsgilde inlichtte over deze moorden.

'Vertel er dan maar alles over wat je weet – voor iemand anders merkt wat een leeghoofd ik eigenlijk ben,' merkte Lorlen op.

Derril leunde voorover, met zijn ellebogen op zijn knieën. 'Wat er zo griezelig aan deze moordenaar is, is een soortement ritueel dat hij uitvoert voor hij zijn slachtoffers doodt. Een vrouw heeft een van de moorden van twee nachten geleden gadegeslagen. Ze was wat kleren aan het opruimen toen ze haar werkgever met een vreemdeling zag worstelen. Toen ze inzag dat de twee haar werkruimte binnen zouden kunnen komen, verborg ze zich in een kast. Ze zei dat de vreemdeling haar baas vastbond, toen een mes te voorschijn haalde en zijn hemd opensneed. Hij maakte kleine sneetjes op het lijf van haar baas, vijf op elke schouder.' Derril legde zijn gespreide vingers tegen een schouder. 'Door die sneetjes weet de garde dat het dezelfde vent is die de moorden pleegt. De vrouw zei dat hij zijn vingers tegen die sneetjes zette en fluisterend een tekst begon op te zeggen. Toen hij klaar was, sneed hij de keel van haar baas door.'

Velia huiverde en stond op. 'Sorry hoor, maar ik krijg het er koud van,' zei ze en haastte zich naar binnen.

'Die vrouw had nog wat anders opgemerkt,' voegde Derril eraan toe. 'Ze zei dat haar baas al dood was voor zijn keel was doorgesneden! Maar Barran zegt dat iemand onmogelijk dood kan bloeden door die sneetjes op zijn schouders, en van vergif werd geen spoor aangetroffen. Die man zal wel flauwgevallen zijn. Ik zou zelf ook gek van angst zijn. Alles goed met je, Lorlen?'

Lorlen zette alle zeilen bij om zijn versteende gelaatsspieren tot een glimlach te plooien. 'Ja ja,' loog hij. 'Ik kan gewoon niet geloven dat ik hier niets over heb gehoord. Heeft die vrouw nog een beschrijving van die moordenaar kunnen geven?'

'Niets waar ze wat aan hebben. Het was al donker en ze zag alles door een sleutelgat, maar die man had donker haar en had armoedige kleren aan.'

Lorlen haalde diep adem en liet de lucht langzaam ontsnappen. 'En hij spreekt een soort formule uit... Wat vreemd.'

Derril gromde instemmend. 'Tot Barran bij de garde kwam, wist ik niet dat er zulke gestoorde mensen vrij rondliepen. Wat sommige lui al niet uithalen!'

Denkend aan Akkarin knikte Lorlen. 'Ik zou hier graag meer van willen weten. Zeg je het me als je er meer over te weten komt?'

Derril grijnsde. 'Ik heb je interesse wel wakker geschud, niet? Natuurlijk zal ik het komen vertellen.'

6

Een onverwacht voorstel

Verrast keek Rothen op toen Sonea zijn kamer binnenkwam. 'Nu al terug?' Zijn ogen gleden over haar gewaad. 'O jee. Wat is er gebeurd?'

'Regin.'

'Alweer?'

'Wanneer niet.' Sonea liet haar pak aantekeningen op tafel vallen. Het maakte een zuigend geluid en er vormde zich langzaam een plasje water omheen. Ze sloeg het open en zag dat alle vellen kletsnat waren, dat de inkt uitgelopen was en zich met het vocht had vermengd. Ze kreunde toen ze zich realiseerde dat ze ze allemaal nog een keer uit zou moeten schrijven. Ze liep naar haar slaapkamer om zich om te kleden.

Bij de ingang naar de universiteit had Kano een handvol eten in haar gezicht gegooid. Ze was naar de fontein in het midden van de binnenplaats gegaan, met de bedoeling het af te wassen, maar toen ze voorover leunde was het water omhoog gekomen en had haar een nat pak bezorgd.

Zuchtend deed ze haar klerenkast open en trok een oud hemd en een broek te voorschijn, die ze aantrok. Ze pakte haar doordrenkte gewaad en ging naar de ontvangstkamer. 'Heer Elben zei gisteren iets heel interessants.'

Rothen fronste zijn voorhoofd. 'O ja?'

'Hij zei dat ik een paar maanden voorloop op de klas – bijna net zo ver als de winterlichting.'

Rothen glimlachte. 'Je had nu eenmaal al maanden oefening achter de rug voor je begon.' Zijn glimlach verdween toen hij haar kleren zag. 'Je moet altijd een gewaad dragen, Sonea. Je kan zo echt niet naar de klas.'

'Weet ik, maar ik heb geen schoon gewaad meer. Tania neemt ze van-avond pas mee.' Ze hield hem het druipende gewaad voor. 'Tenzij je deze voor me wilt drogen...'

'Dat zou je nu onderhand wel zelf moeten kunnen.'

'Ik kán het ook wel, maar we mogen eigenlijk geen magie toepassen tenzij we –'

'– toestemming hebben gekregen van een magiër,' maakte Rothen de zin af. Hij grinnikte. 'Met die regel kan je alle kanten op, Sonea. In het algemeen mag je magie gebruiken buiten de klas als de leraar je heeft opgedragen om te oefenen wat hij je geleerd heeft.'

Ze grinnikte en keek naar het gewaad. Stoom begon eruit op te stijgen terwijl ze er voorzichtig hitte doorheen stuurde. Toen het gewaad droog was, legde ze het over een stoel en pakte snel een overgebleven rozijnenkoek van het ontbijt.

'Je hebt eens gezegd dat in buitengewone gevallen een novice naar een klas hoger mag verhuizen,' zei ze met volle mond. 'Wat zou ik daarvoor moeten doen?'

Rothen trok zijn wenkbrauwen op. 'Een bende werk. Je mag dan wel ervaren zijn in het gebruik van magie, maar wat kennis en begrip betreft loop je een stuk achter.'

'Maar het is dus een mogelijkheid?'

'Ja,' zei hij bedachtzaam. 'Als we elke avond en Vrijdag werken zou je met de halfjaarlijkse test die over een tijdje wordt gehouden mee kunnen doen, maar dan zou je nog flink aan moeten poten. Je zou alles wat de winternovicen erbij hadden geleerd nog in moeten halen. Want als je zakt, kom je automatisch weer bij de zomerlichting terecht. Je zou dus twee tot drie maanden keihard moeten studeren.'

'Ik begrijp het.' Sonea beet op haar onderlip. 'Ik wil het proberen.'

Rothen nam haar eens goed op, en ging op een eettafelstoel zitten. 'Dus je bent van gedachten veranderd.'

Sonea fronste haar wenkbrauwen. 'Van gedachten veranderd?'

'Je wilde wachten tot de anderen op jouw niveau waren.'

Ze gebaarde dat ze daar allang niet meer aan dacht. 'Vergeet ze maar. Ze zijn het niet waard. Heb je tijd om me les te geven? Ik wil niet dat je minder aandacht aan je klassen geeft.'

'Dat zal wel meevallen. Ik doe mijn voorbereidingen gewoon wanneer jij studeert.' Rothen leunde naar voren over tafel. 'Ik weet dat je dit doet om buiten Regins bereik te komen. Ik moet je toch even zeggen dat de volgende klas misschien net zo erg is.'

Sonea knikte. Ze begon haar aantekeningen voorzichtig van elkaar los te trekken. 'Daar heb ik wel aan gedacht. Ik verwacht ook niet dat ze me aardig vinden, maar dat ze me met rust laten. Ik heb ze al eens zitten bekijken, en zo op het oog zit er geen Regin-type tussen. Er is niet een leerling die de lakens uitdeelt.' Ze haalde haar schouders op. 'Als ze me negeren kan ik daar wel mee leven.'

Rothen knikte. 'Je hebt er goed over nagedacht, zie ik. Goed dan. We doen het.'

Een hoopvol gevoel overspoelde Sonea. Dit was een tweede kans. Ze glimlachte naar hem. 'Bedankt, Rothen!'

Hij haalde zijn schouders op. 'Ik ben je mentor, tenslotte. Dat ik je een speciale behandeling geef, hoort erbij.'

Terwijl ze vel voor vel van haar aantekeningen omhooghield, begon ze ze te drogen. Ze krulden op en de inkt droogde op in grote vlekken. Weer zuchtte ze bij de gedachte ze over te moeten pennen.

'Hoewel krijgsvaardigheid niet een van mijn specialismen is,' zei Rothen, 'denk ik dat je het nuttig zal vinden om te weten hoe je een basisschild om je heen legt en het daar houdt. Dat kan je allicht beschermen tegen etterbakjes als Regin.'

'Als jij denkt dat het helpt...' antwoordde Sonea.

'En aangezien je nu toch al een deel van je les hebt gemist, kun je net zo goed hier blijven en het meteen even leren. Ik zeg wel tegen je leraar dat... Enfin, ik bedenk wel een smoesje.'

Verrast en blij legde Sonea de opgedroogde aantekeningen opzij. Rothen stond op en schoof de tafel naar de kant.

'Sta op.'

Sonea gehoorzaamde.

'Nu, je weet dat iedereen – magiërs en niet-magiërs – een natuurlijke grens bezit die het gebied waarin ons lichaam zich bevindt beschermt. Geen enkele magiër kan iets daarin beïnvloeden zonder ons eerst uit te putten. Anders zou een magiër een ander gewoon kunnen doden door de grens te doorbreken en ons hart fijn te knijpen.'

Sonea knikte. 'De huid is de grens. Geneeskunst kan erdoorheen, maar alleen door huidcontact.'

'Ja. Nu heb je je magische invloed tot nu toe uitgebreid door hem als een arm verder te laten reiken om bijvoorbeeld een kaars aan te steken of een bal op te tillen. Een schild maken is ongeveer hetzelfde als de hele huid uitbreiden naar buiten, alsof je een zeepbel rond je lichaam blaast. Kijk maar, dan zal ik het schild zichtbaar maken.'

Rothens blik werd wazig. Zijn huid begon te gloeien, en toen leek het net of er een laag naar buiten werd geduwd, die strak trok en de contouren van het lichaam verloor. Groter en groter werd de dunne laag en vormde een doorzichtige bol van licht om hem heen. Toen klapte hij weer naar binnen en was verdwenen.

'Dat was alleen maar een lichtschild,' zei hij. 'Het had niets kunnen tegenhouden. Maar het is nuttig om mee te beginnen omdat het zichtbaar is. Zo, probeer nu eens of je eenzelfde soort schild kunt maken, maar alleen rond je hand.'

Sonea stak een hand uit en concentreerde al haar aandacht erop. Het was niet moeilijk hem te laten gloeien – hij had haar al lang geleden geleerd om licht te scheppen dat zo koel was dat je er niets mee kon verbranden. Ze richtte haar aandacht op haar huid, ze wilde voelen dat hier de grens van de invloed van magie begon, en duwde die grens toen van zich af.

71

Eerst verspreidde de gloed zich in onregelmatige uitstulpingen, maar na een paar minuten kreeg ze er controle over en kon ze hem naar alle kanten tegelijk laten groeien. Uiteindelijk was haar hand omgeven door een gloeiende bol.

'Goed,' zei Rothen. 'Probeer het nu eens met je hele arm.'

Langzaam, af en toe aarzelend, groeide de bol in de lengte tot aan haar schouder en verwijdde zich.

'Nu je bovenlichaam.'

Het was een idioot gevoel. Het was alsof ze zichzelf uitbreidde om meer ruimte in te nemen. Toen ze zichzelf vergrootte om ook haar hoofd in de lichtbol op te nemen, begon haar hoofdhuid te tintelen.

'Heel goed. Nu helemaal.'

Hier en daar implodeerden kleine delen toen ze zich op haar benen concentreerde, maar ze haalde ze terug tot ze zich omgeven voelde door een gloeiende bal. Toen ze naar beneden keek, besefte ze dat hij onder haar doorging, recht de vloer in.

'Uitstekend!' riep Rothen. 'Nu trek je hem weer naar je toe vanuit alle richtingen tegelijk.'

Langzaam – en uiteraard stortten er een paar stukjes net wat eerder ineen dan andere – trok ze de bol naar binnen tot hij weer tegen haar huid zat.

Rothen knikte bedachtzaam. 'Het idee heb je wel, maar je kan nog wel wat oefening gebruiken. Als je dit goed kunt, gaan we aan de slag met het afstotende en het bindende schild. Nou, doe het nog maar een keertje.'

Toen de deur achter Sonea dichtging, pakte Rothen zijn boeken en documenten. Hij had begrepen dat Garrels novice een geboren leider was. Heel ongelukkig, maar niet zo vreemd dat de jongen zijn greep op de groep wilde verstevigen door ze allemaal op hetzelfde zwarte schaap te richten. Sonea was daarvoor het ultieme doelwit. En helaas was al haar hoop ooit nog eens te worden geaccepteerd door anderen in rook opgegaan.

Hij zuchtte en schudde het hoofd. Had hij dan helemaal voor niets zo hard gewerkt aan het afleren van haar sloppenvocabulaire en het haar bijbrengen van beschaafde gewoonten en manieren? Hij had Sonea zo vaak verzekerd dat ze maar een paar vrienden hoefde te maken en haar verleden zou door iedereen vergeten worden. Maar hij had het mis gehad. Haar klasgenoten hadden haar niet alleen afgewezen, maar zich zelfs tegen haar gekeerd.

De leraren mochten haar ook al niet, ondanks haar uitzonderlijke kwaliteiten. Verhalen over steekpartijen en diefstal deden de ronde volgens Rothens bejaarde vriend Yaldin. De leraren konden haar opleiding echter niet verwaarlozen, daar zou hij wel voor zorgen.

Rothen!

Rothen concentreerde zich op de stem in zijn hoofd. *Dannyl?*

Hallo, ouwe jongen.

Terwijl Rothen zijn geest op de stem afstemde werd die helderder en kreeg hij een persoonlijke toets. Hij voelde bovendien de aanwezigheid van andere magiërs, wier aandacht door de roep gewekt was, maar ze werden vager en vager toen ze hun geest van het gesprek afkeerden.

Ik had verwacht dat je eerder contact zou opnemen. Had je schip oponthoud?

Nee, ik ben twee weken geleden aangekomen. Sindsdien heb ik geen moment rust gehad. De Eerste Ambassadeur had zoveel kennismakingsvisites geregeld dat ik het nauwelijks bij kon houden. Ik denk dat hij teleurgesteld was dat ik af en toe moest slapen.

Rothen zag ervan af te vragen of de ambassadeur van Elyne zo gezet was geworden als men vertelde. Mentale communicatie was niet geheel privé, en het was altijd mogelijk dat een andere magiër hen afluisterde.

En, heb je al veel van Capia gezien?

Een klein deel maar. Het is net zo schitterend als ze zeggen.

Rothen kreeg een beeld doorgeseind van een voorname stad van gele steen, afgezet met blauw water en deinende schepen. *En ben je al aan het hof geweest?*

Nee, de tante van de koning is een paar weken geleden gestorven en hij is nog in de rouw. Ik ga er zondag naar toe. Kan leuk worden.

Aan het toontje te horen had Dannyl de schandaaltjes, geruchten en roddels in gedachten waar hij tegenop was gelopen in Kyralia voor hij naar Elyne vertrok.

Hoe gaat het met Sonea?

Haar leraren zijn vol lof over haar bekwaamheden, maar er is een lastpost in haar klas. Hij heeft de rest van de magiërsleerlingen tegen haar opgestookt, zond Rothen.

Kan je daar niets tegen doen? Er schemerde medeleven en begrip door in Dannyls woorden.

Ze heeft zojuist voorgesteld haar een volgende klas door te schuiven.

Arme Rothen! Dat wordt pittig – voor jullie allebei.

Ik red me wel. Ik hoop alleen maar dat de volgende groep novicen niet net zo onvriendelijk is.

Doe haar de groeten en wens haar sterkte. Dannyls aandacht viel even weg. *Ik moet ervandoor. Tot gauw.*

Tot gauw.

Rothen pakte zijn spullen en liep naar zijn slaapkamerdeur. Toen hij zich herinnerde wat een impopulaire, slome novice Dannyl was geweest, voelde hij zich iets beter. De situatie mocht dan zwaar voor Sonea zijn, maar uiteindelijk zou het allemaal wel goed komen.

'Tayend van Tremmelin, hm...' Errend, de Eerste Gildeambassadeur van Elyne, verschoof in zijn stoel, zijn indrukwekkende buik ingesnoerd door de sjerp om zijn gewaad. 'Hij is de jongste zoon van Dem Tremmelin. Een geleerde bij de Grote Bibliotheek, dacht ik. Ik zie hem maar zelden aan het hof – al heb ik hem wel eens met Dem Agerralin zien optrekken. En als er hier iemand rondloopt met dubieuze connecties dan is hij het wel.'

Dubieuze connecties? Dannyl deed zijn mond al open om te vragen wat de ambassadeur daarmee bedoelde, maar het grote heerschap werd afgeleid toen het rijtuig een bocht om sloeg.

'Het Paleis!' riep hij uit en gebaarde naar het raampje. 'Ik zal je aan de koning voorstellen, en dan moet je verder zelf maar zien in wiens gezelschap je je tijd wilt doorbrengen. Ik heb een afspraak waarmee ik de rest van de middag zoet ben, dus neem gerust het rijtuig terug wanneer je er genoeg van hebt. Als je de koetsier maar vraagt rond de schemering weer op het paleis te zijn om mij op te pikken.'

Het portier ging open en Dannyl stapte achter Errend de koets uit. Ze stonden aan één kant van een lange binnenplaats. Voor hen rees het paleis op, een groots opgezet gebouw met koepels en balkonnetjes boven aan een lange, brede spierwitte trap. Voornaam geklede dames en heren liepen de trap op, of rustten even uit op de stenen bankjes die hier en daar met die bedoeling waren neergezet.

Toen Dannyl zich weer naar zijn gezelschap wendde, bleek Errend een klein stukje boven de grond te zweven. De eerste ambassadeur glimlachte om Dannyls verbaasde uitdrukking.

'Waarom lopen als je niet hoeft?'

Terwijl de man de trappen op zweefde, bekeek Dannyl de gezichten van de hovelingen en bedienden rondom hem. Ze leken gewend aan deze toepassing van magie, al keken sommigen de ambassadeur glimlachend aan. Behalve een flinke omvang en een vrolijk karakter, had Errend dus ook magische kennis van formaat. Onder de indruk, maar niet in de stemming om ook op zo'n flamboyante manier de aandacht op zich te vestigen, verkoos Dannyl te voet de trap op te gaan.

Errend stond bovenaan op hem te wachten. Met een brede armzwaai zei hij: 'Wat een uitzicht. Is het niet prachtig?'

Nog nahijgend van de klim draaide Dannyl zich om. De hele baai lag voor hen uitgespreid. De bleekgele gebouwen straalden in het zonlicht en het water was schitterend blauw.

'"Een halssnoer voor een koning," zo heeft de dichter Lorend het eens verwoord.'

'Het is een beeldschone stad,' stemde Dannyl in.

'Vol beeldschone mensen,' voegde Errend eraan toe. 'Kom mee naar binnen, dan stel ik hen aan je voor.'

De voorkant van het gebouw zat vol poorten en gewelven, groter dan Dannyl ooit gezien had. De poorten waren enkele malen groter dan een mens, laag aan de zijkanten en hoog oprijzend in het midden. Via de grootste poort bereikten ze de deurloze ingang van het paleis.

Dannyl liep achter Errend aan, nagestaard door zes stijve wachters. Ze kwamen in een grote hal, en licht en lucht stroomden van alle kanten binnen. Fonteinen en stenen beelden stonden aan beide kanten en gewelfde deuren leidden naar andere kamers en gangen. Planten drapeerden hun takken sierlijk vanuit inhammetjes langs de muren of staken ze fier de lucht in vanuit grote potten die op de betegelde vloer stonden.

Errend liep naar het midden van de ruimte. Groepjes mannen en vrouwen stonden te praten of drentelden wat heen en weer. Sommigen hadden hun kinderen meegenomen. Iedereen droeg de weelderigste kleren. Toen Dannyl hen voorbijliep bekeken ze hem nieuwsgierig, en de dichtstbijzijnde mensen maakten een sierlijke buiging.

Hier en daar ving hij een glimp op van een Gildegewaad: vrouwen in het groen, mannen in rood of purper. Hij boog zijn hoofd beleefd naar degenen die zijn kant opkeken en knikten. Wachters in uniform stonden bij elke deur opgesteld en hielden iedereen nauwlettend in de gaten. Muzikanten liepen rustig heen en weer, snaarinstrumenten bespelend, of zacht zingend. Een koerier kwam aangerend, zijn gezicht nat van het zweet.

Aan het eind van de hal ging Errend een andere poort door naar een kleiner vertrek. Tegenover de poort waren deuren te zien die versierd waren met het wapen van de koning van Elyne: een vis die over een tros druiven heen sprong. Een wachter met hetzelfde wapen op zijn borstkuras kwam naar voren en vroeg Dannyls naam.

'Heer Dannyl, Tweede Gildeambassadeur van Elyne,' antwoordde Errend.

Het klinkt wel chic, dacht Dannyl. Zijn opwinding steeg toen hij achter Errend aan naar het eind van het vertrek liep. Twee hovelingen werden van een grote, fluwelen bank vol kussens verjaagd en de wachter bood de magiërs de zitplaats aan.

Errend plofte met een zucht achterover. 'Hier moeten we wachten.'

'Hoe lang?'

'Zolang het nodig is. Onze namen zullen rondgefluisterd worden zodra de koning klaar is met degenen die nu bij hem zijn. Als hij ons meteen wil spreken, worden we opgeroepen. Zoniet,' – Errend haalde zijn schouders op en wuifde even naar wat mensen in het vertrek – 'dan wachten we op onze beurt, of we gaan naar huis.'

Vrouwenstemmen en gegiechel weerklonken door de ruimte. Een groepje vrouwen zat op een bank tegenover Dannyl en luisterde naar de zachte stem van een in felle kleuren gehulde muzikant die in kleermakerszit tegenover hen op de grond zat. Hij had een instrument op zijn knieën en liet zijn vingers over de snaren dansen zodat er een levendig wijsje uit opsteeg. Hij wendde zich naar een van de vrouwen en zong met warme stem een liedje voor een van de dames, die een hand voor haar mond hield om haar gegiechel te verbergen.

Alsof hij voelde dat hij bekeken werd, draaide de zanger zich om en keek Dannyl recht in de ogen. In één vloeiende beweging stond hij op en liep plukkend aan de snaren op Dannyl af. Dannyl moest lachen toen hetgeen hij voor een tuniek gehouden had een vreemd kostuum bleek te zijn, bestaande uit een hemdje, een riem en een soort rokje; de benen waren in vrolijk geverfde kousen gestoken; de een geel, de ander groen.

Een man in gewaad, een man in gewaad.
De man in gewaad die luistert, niet praat.

De muzikant danste het vertrek door en bleef voor de bank staan. Hij maakte een kleine buiging, maar bleef Dannyl strak aankijken.

Een man in een rok, een man in een rok,
De man in een rok bezorgt hem een schok.

Onzeker hoe hij daarop moest reageren keek Dannyl Errend vragend aan. De ambassadeur keek lichtelijk verveeld terug.

De muzikant wervelde rond en nam een theatrale houding aan. *'Een man met een buik, een man met een buik.'* De zanger zweeg even en stak zijn neus snuffelend in de lucht. *'De man met een buik geurt als een rozenstruik.'*

Errend moest wel minzaam glimlachen toen er een klaterend gelach rond hem opsteeg. De muzikant boog, draaide op zijn hakken rond en huppelde weer terug naar de vrouwen.

'In Capia, mijn lief heeft rood, rood haar, en ogen als de diepzee zo blauw,' zong hij met warme stem. *'In Tol-Gan, mijn lief heeft sterke, sterke armen, en ze omhelst me elk uur zo trouw...'*

Dannyl grinnikte. 'Ik heb een andere versie van dat lied gehoord toen ik op het schip van de Vindo-zeelieden zat. Maar die lijkt me niet zo geschikt voor de oren van die jongedames daar.'

'Dan kan ik je wel vertellen dat dat lied van die zeelui het origineel was, dat wat is afgezwakt voor de gevoelige oortjes aan het hof,' antwoordde Errend.

De muzikant bood een van de dames met veel ceremonieel zijn instrument aan en begon acrobatische kunsten te doen.

'Wat een vreemde vent,' zei Dannyl.

'Hij weet je met de meest vleiende bewoordingen te beledigen,' zei Errend en wuifde het onderwerp weg. 'Gewoon niet op letten. Tenzij je hem amusant vindt natuurlijk.'

'Ik vind hem wel leuk, al heb ik geen idee waarom.'

'Het gaat wel weer over. Hij heeft eens –'

'De Gildeambassadeurs van Elyne,' dreunde de stem van de koninklijke garde opeens.

76

Errend stond op en stapte het vertrek door, met Dannyl op zijn hielen. De wachter gebaarde dat ze even moesten wachten en verdween door de deur.

Dannyl hoorde dat Errends naam omgeroepen werd, en vervolgens de zijne. Toen was het even stil. De wachter kwam terug en gebaarde dat ze snel moesten doorlopen.

De audiëntiezaal was kleiner dan de wachtkamer. Er stonden twee tafels aan beide kanten, en daaraan zaten verscheidene mannen van middelbare leeftijd of ouder – de adviseurs van de koning. In het midden stond een derde tafel met documenten, boeken en een schotel met zoetigheid erop. Achter deze centrale tafel zat de koning op een grote, zacht beklede stoel. Achter hem stonden twee magiërs, en ze hielden elke beweging in de zaal nauwlettend in de gaten.

Net als Errend bleef Dannyl voor de middelste tafel staan en viel neer op één knie. Het was lang geleden dat hij voor een koning had geknield – hij was nog maar een kind toen zijn vader hem voor één keertje had meegenomen naar het hof. Als magiër vond hij het vanzelfsprekend dat iedereen voor hem boog, op de andere magiërs na. Hoewel het hem in wezen weinig kon schelen als er op die wijze eer werd betoond, voelde hij zich toch altijd een beetje gekleineerd als ze geen buiging maakten, alsof het een inbreuk op het fatsoen was. Een blijk van respect was immers altijd belangrijk, al was het maar om aan te geven dat je goede manieren had.

Maar knielen voor een ander was een teken van onderdanigheid, en dat was een gevoel dat hij maar zelden ervaren had. Hij kon het niet helpen dat hij dacht dat het wel erg aangenaam moest zijn voor een koning om te weten dat je een van de weinige mensen was voor wie magiërs zich in het stof wierpen.

'Sta op.'

Toen hij weer rechtop stond zag Dannyl dat de koning hem geïnteresseerd opnam. Ruim vijftig jaar oud was Marend, en zijn roodbruine lokken begonnen hier en daar al grijs te worden. Zijn blik was echter oplettend en intelligent.

'Welkom in Elyne, ambassadeur Dannyl.'

'Dank u, hoogheid.'

'Goede reis gehad?'

Dannyl dacht even na. 'Ja. Gunstige winden. Geen storm. Geen bijzonderheden.'

De man grinnikte. 'U klinkt als een zeeman, ambassadeur.'

'Het was een leerzame reis.'

'En hoe had u gedacht uw tijd in Elyne door te brengen?'

'Wanneer ik me niet bezig hoef te houden met de zaken en verzoeken die op mijn pad liggen, zou ik graag de stad en de omgeving bekijken. Ik verheug me nu al op een bezoek aan de Grote Bibliotheek.'

77

'Uiteraard,' sprak de koning glimlachend. 'Magiërs schijnen over een mateloze honger naar kennis te beschikken. Wel, het was me een genoegen met u kennis te maken, ambassadeur Dannyl. We zullen elkaar ongetwijfeld vaker zien. U kunt gaan.'

Dannyl neeg respectvol het hoofd en volgde Errend naar een deur aan de zijkant. Ze gingen een klein vertrek in waar een aantal wachters rustig met elkaar stond te praten. Een andere gardist stuurde hen een deur door, en een gang in die uit bleek te komen in de grote hal waar ze waren binnengekomen.

'Nou,' zei Errend, 'dat was kort en niet bijster krachtig, maar hij heeft je tenminste goed kunnen bekijken, en dat was het doel van dit uitstapje. Ik moet je nu verlaten. Maak je geen zorgen, ik heb ervoor gezorgd dat je – aha, daar heb je ze al.'

Twee dames kwamen op hen toelopen. Ze bogen diep terwijl Errend hen voorstelde. Dannyl knikte ten antwoord en glimlachte omdat het hem te binnen schoot dat hij over deze zusters een aantal smakelijke schandaaltjes uit verslagen had opgediept.

Toen de oudste vrouwe haar hand op Dannyls arm legde, lachte Errend en verexcuseerde zich. De gezusters leidden Dannyl de hal door en stelden hem voor aan een aantal beroemde Elynese hovelingen. Spoedig had Dannyl een beeld bij elke naam die hij zich in had moeten prenten.

Al deze hovelingen leken oprecht blij hem te ontmoeten en hij kreeg langzamerhand een ongemakkelijk gevoel over zoveel interesse in zijn persoontje. Uiteindelijk, toen de zon lange lichtstralen de zaal in stuurde en hij anderen zag vertrekken, besloot Dannyl dat hij zichzelf kon verontschuldigen zonder onbeleefd over te komen.

Toen hij zich eenmaal van de zusters had losgemaakt liep hij naar de ingang van het paleis, waar zich echter een man uit de schaduwen losmaakte die hem aansprak.

'Ambassadeur Dannyl?' Het was een spichtig mannetje, met heel kort haar en donkergroene kleding. Hij zag er bepaald sober uit in vergelijking met de rest van de hovelingen in Elyne.

Dannyl knikte. 'Ja?'

'Ik ben Dem Agerralin.' De man maakte een buiging. 'Hoe is uw eerste dag aan het hof u bevallen?'

De naam kwam Dannyl bekend voor, maar hij wist niet meer precies waarvan. 'Aangenaam en vermakelijk, Dem. Ik heb heel wat nieuwe mensen leren kennen.'

'Ik zie dat u op weg bent naar huis.' Dem Agerralin deed een stap naar achteren. 'U zult te laat komen.'

Opeens wist Dannyl weer waar hij de naam eerder had gehoord. Dem Agerralin was de man van de 'dubieuze connecties' over wie Errend het had gehad. Dannyl bekeek hem wat beter. Hij zag zo gauw niets bijzonders aan hem.

'O, ik heb geen haast,' zei hij.

Dem Agerralin glimlachte. 'Ach, dat is mooi. Want ik wilde u wat vragen, als u me permitteert.'

'Ga uw gang.'

'Het is een persoonlijke kwestie.'

Nieuwsgierig geworden, beduidde Dannyl dat de man verder kon spreken.

De Dem leek zijn woorden zorgvuldig te kiezen en maakte een verontschuldigend gebaar. 'Er is weinig dat aan de aandacht van het Elynese hof ontsnapt en, zoals u wellicht al heeft opgemerkt, zijn we mateloos geïnteresseerd in het Gilde en de magiërs. Daar zouden we alles over willen weten.'

'Dat is me al opgevallen, ja.'

'Dan zal het u ook niet vreemd voorkomen dat ons zekere geruchten over u ter ore zijn gekomen.'

Er voer een koude rilling over Dannyls rug. Hij deed zijn best om zo verrast mogelijk te kijken. 'Geruchten?'

'Ja. Hele oude, maar ik en een paar anderen zijn er toch niet in geslaagd ze naast ons neer te leggen toen we hoorden dat u in Capia kwam wonen. Vrees niet, mijn vriend. Dit soort zaken worden hier niet als een taboe beschouwd zoals in Kyralia, al is het niet altijd verstandig lichtvaardig met die informatie om te springen. We zijn zeer in u geïnteresseerd, dus mag ik misschien vragen of die geruchten wellicht een kern van waarheid bevatten?'

De man klonk erg hoopvol. Dannyl besefte dat hij de man ongelovig aanstaarde en moest zijn ogen haast van hem losrukken. Als een hoveling iemand aan het hof van Kyralia een dergelijke vraag gesteld had, zou dat een schandaal veroorzaakt hebben dat de vraagsteller zou ruïneren en schande over het Gilde zou brengen. Dus Dannyl zou eigenlijk woedend hebben moeten reageren en Dem Agerralin hebben moeten vertellen dat het zeer onbetamelijk was een dergelijke impertinente vraag te stellen. Maar de woede en de bittere gevoelens die hij eens tegenover Fergun gekoesterd had omdat die de geruchten in de wereld had gebracht, waren bijna verdwenen sinds de Krijger gestraft was voor het chanteren van Sonea. En trouwens, al had hij dan nog steeds geen vrouw gevonden om ook het laatste wantrouwen de wereld uit te helpen, de hoofdmagiërs hadden hem toch maar mooi uitgekozen om Gildeambassadeur te worden.

Dannyl overwoog zijn antwoord zorgvuldig. Hij had geen zin de man te beledigen. De Elyneeërs mochten dan minder behoudend zijn dan de Kyralianen, maar in welke mate? Errend had Dem Agerralin tenslotte een man met 'dubieuze connecties' genoemd... Het zou hoe dan ook verkeerd zijn om op zijn eerste dag aan het hof al een vijand te maken.

'Juist,' zei Dannyl langzaam. 'Ik denk dat ik weet op welk gerucht u doelt. Het lijkt erop dat ik die aantijgingen nooit kwijt zal raken, al dateren ze dan van tien, nee, vijftien jaar geleden. Het Gilde, weet u, is een zeer conservatieve instelling, en de novice die het gerucht de wereld in bracht wist dus ook dat het me in de problemen met mijn meerderen zou brengen. Hij verzon de wildste verhalen over me.'

De man knikte, zijn schouders omlaag. 'Ik begrijp het. Wel, vergeef me alstublieft dat ik zo'n pijnlijk onderwerp ter sprake heb gebracht. Ik had gehoord dat de novice op wie u doelt momenteel in de bergen leeft – in een fort nog wel. We vroegen ons ook af hoe dat zat, want de man die het luidst roept dat anderen zo zijn, is maar al te vaak...'

Dem Agerralin liet de rest van zijn zin in de lucht hangen, want er kwam iemand aanlopen. Dannyl keek op en was blij verrast Tayend te zien. Weer was hij verbijsterd over hoe knap de jonge geleerde eruitzag. Hij was in donkerblauw gekleed, zijn rossig-blonde haar was naar achteren gebonden en hij voelde zich aan het hof duidelijk als een vis in het water. Tayend maakte een sierlijke buiging en glimlachte naar Dannyl.

'Ambassadeur Dannyl, Dem Agerralin.' Tayend knikte beleefd naar hen. 'Hoe gaat het met je, Dem?'

'Uitstekend,' zei de Dem, 'en met jou? We hebben je lang niet aan het hof gezien, Tremmelin.'

'Helaas, maar mijn taken in de Grote Bibliotheek houden me te veel bezig.' Het klonk niet alsof hij dat jammer vond. 'Ik ben bang dat ik de ambassadeur aan je gezelschap moet ontrukken. Er is een kwestie waarover ik hem moet spreken.'

Dem Agerralin keek Dannyl aan met een blik waaruit niets viel op te maken. 'Juist ja. Dan zeg ik u hierbij vaarwel, ambassadeur.' Hij maakte een buiging en wandelde weg.

Tayend wachtte tot de man buiten gehoorsafstand was. Toen keek hij Dannyl met samengeknepen ogen aan. 'Er is iets dat u moet weten over Dem Agerralin.'

Dannyl glimlachte wrang. 'Ja, ik heb al een idee gekregen wat dat is.'

'Ah.' Tayend knikte. 'En heeft hij ook de geruchten die over u de ronde deden ter sprake gebracht?' Toen Dannyl wanhopig keek knikte de geleerde weer. 'Dat dacht ik wel.'

'Heeft iedereen het erover?'

'Nee, een paar mensen maar, in bepaalde kringen.'

Dannyl wist niet of hij nu blij moest zijn met dat nieuws of niet. 'Het is al jaren geleden dat ze me beschuldigden. Het verbaast me dat de geruchten het hof in Elyne bereikt hebben, en dat ze er nog over praten.'

'Daar hoeft u zich niet over te verbazen. Het idee dat een Kyraliaanse magiër "een van de makkers is" – zo noemen ze mannen als Dem hier – is vermakelijk. Maar maakt u zich geen zorgen. Ze proberen u gewoon uit. En ik moet zeggen, u blijft opmerkelijk kalm voor een Kyraliaan. Ik was bang dat u de arme Agerralin met een bliksemstraal zou vernietigen.'

'Ik zou niet lang Gildeambassadeur blijven als ik dat deed.'

'Nee, maar u lijkt niet eens verstoord te zijn.'

Weer overwoog Dannyl zijn antwoord. 'Als je je halve leven al bezig bent geweest zulke geruchten te ontkennen, krijg je haast medelijden met de jongen die ze denken voor zich te hebben. Om neigingen te hebben die niet getolereerd worden, en ze dus of te moeten ontkennen of ze hoe dan ook te verbergen, dat moet wel een vreselijk lot zijn.'

'Zo is dat misschien in Kyralia, maar niet hier,' zei Tayend lachend. 'Het hof van Elyne is zowel afstotelijk door de decadentie die er heerst, als befaamd om zijn vrijheid. We verwachten gewoon dat iedereen wel wat interessante of excentrieke eigenaardigheden heeft. We zijn dol op roddels, maar in geruchten stellen we maar weinig vertrouwen. We hebben zelfs een gezegde: "Waar rook is, is vuur; het probleem is het vuur te vinden." Zo, en wanneer komt u nu op bezoek in de bibliotheek?'

'Heel snel,' zei Dannyl.

'Ik verheug me op uw komst.' Tayend deed een stap naar achteren. 'Maar nu moet ik nog een en ander afhandelen. Tot spoedig, ambassadeur Dannyl.' Hij maakte een buiging.

'Tot spoedig,' antwoordde Dannyl.

Terwijl hij de jonge geleerde weg zag wandelen, schudde Dannyl het hoofd. Hij had roddels en geruchten verzameld tot zijn hoofd ervan barstte, maar had er niet bij stilgestaan dat ze ook over hem de ronde zouden doen. Kende het hele hof het gerucht dat Fergun zo lang geleden de wereld had ingestuurd? Nu hij wist dat er nog steeds over gepraat werd, gaf hem dat een ongemakkelijk gevoel, maar hij moest er maar vertrouwen in hebben dat Tayend het bij het rechte eind had, en dat niemand aan het hof dat soort praatjes serieus zou nemen.

Met een zucht ging hij de paleispoort uit en begon aan de lange afdaling van de witte trap. Onderaan stond het Gilderijtuig al klaar.

7

De Grote Bibliotheek

onea drukte haar boeken steviger tegen haar borst. Ze had weer een dag vol pesterijen en beledigingen achter de rug. De week doemde voor haar op als een eindeloze martelgang. Het was nog maar de vijfde wéék, bedacht ze. En ze had nog ruim vijf jáár voor de boeg voor ze zou afstuderen.

Elke dag was nog slopender dan de vorige. Als ze Regin en de anderen niet te verduren had, was ze wel bezig uit hun buurt te blijven. Als een leraar het lokaal verliet, al was het maar een minuutje, zat Regin haar weer meteen te jennen en te judassen. Ze had zich aangewend haar aantekeningen buiten zijn bereik te leggen en lette goed op haar tellen zodra ze de klas door moest lopen.

Een tijdlang was ze in staat geweest hem een uur per dag te ontlopen door met Tania in Rothens vertrek te lunchen, maar Regin kwam er al snel achter en lag op de loer wanneer ze van zijn kamers naar de universiteit liep. Ze had een paar maal geprobeerd het uur in het lokaal door te brengen, maar zodra de leraar vertrok om te gaan eten, wandelde Regin binnen om haar ongestoord het bloed onder de nagels vandaan te halen.

Uiteindelijk had ze Rothen zover weten te krijgen dat ze hem gezelschap mocht houden gedurende de lunchpauze. Ze hielp hem in zijn lokaal met het opzetten of afbreken van de contrapties van glazen buikflessen en buizen voor zijn lessen. Rothen en Tania hadden beiden aangeboden haar te vergezellen van en naar de klas, maar ze wist dat ze Regin en zijn vrienden daarmee alleen maar in de kaart zou spelen. Ze deed haar best om al zijn misselijke opmerkingen en sarcastische commentaar te negeren, want ze wist dat een reactie hen alleen maar meer zou aanmoedigen.

De laatste gongslag was altijd een opluchting. Want wat voor sociale bezigheden de novicen na schooltijd ook hadden, ze waren hoe dan ook leuker dan haar te treiteren, want de hele klas ging er altijd meteen vandoor als de leraar de les beëindigde. Sonea bleef wachten tot ze allemaal verdwenen waren en liep dan op haar gemak naar de Magiërsvertrekken. Maar voor het geval ze van gedachten veranderden, nam ze voor de zekerheid de omweg door de tuinen, waarbij ze elke keer een andere route koos en dicht in de buurt van anderen bleef.

Vandaag voelde ze zoals altijd haar schouders ontspannen en de knoop in haar maag oplossen toen ze de gang doorliep naar buiten. In stilte bedankte ze Rothen dat hij haar in zijn vertrekken had gehouden. Ze moest er niet aan denken wat voor kwellingen Regin voor haar in petto zou hebben als ze zoals de anderen in de novicenvertrekken had moeten slapen.

'Daar heb je d'r!'

Ze herkende de stem uit duizenden en een koude rilling liep over haar rug. De gang wemelde van de novicen uit hogere klassen, maar dat was nooit een belemmering voor haar kwelgeesten geweest. Ze nam grotere stappen in de hoop de drukke entreehal van de universiteit te bereiken waar toch minstens een paar magiërs moesten rondlopen.

Het geluid van rennende voeten weerklonk door de gang achter haar.

'Sonea! Soneeeeaaa!'

De oudere novicen draaiden zich om bij het horen van dat lawaai. Sonea zag aan hun blikken dat Regin en zijn bende vlak achter haar waren. Ze ademde diep in en nam zich voor Regin aan te kijken zonder een spier te vertrekken.

Haar arm werd plotseling vastgrepen en ruw omgedraaid. Ze rukte zich los en keek Kano kwaad aan.

'Net doen of je ons niet hoorde, hè sloppenkind?' zei Regin. 'Behoorlijk onbeleefd, hoor, maar meer kan je dan ook niet verwachten van iemand als jij, toch?'

Ze gingen in een kring om haar heen staan. Ze keek naar de grinnikende gezichten. Ze drukte haar boeken tegen zich aan, deed een stap naar voren en zette een schouder tussen Issel en Alend om uit die kring van lichamen te breken. Handen werden uitgestoken en ze werd weer naar het midden geduwd. Verrast voelde ze angst opkomen. Ze hadden haar nooit op zo'n manier aangeraakt, behalve om haar te laten struikelen en haar in de smerigheid te laten belanden of iets dergelijks.

'Waar wou je naartoe, Sonea?' vroeg Kano. Iemand gaf haar een zet in haar rug. 'We wilden even met je praten.'

'Nou, ik niet met jullie,' gromde ze. Ze draaide zich om en begon zich weer tussen hen door te dringen, maar iedereen duwde en trok haar de kring weer in. De angst greep haar even bij de keel. 'Laat me eruit.'

'Waarom smeek je daar niet om, sloppenkind?' smaalde Regin. 'Ja, hup, smeken. Daar ben je vast goed in!'

'Heb je natuurlijk veel ervaring in opgedaan, in die achterbuurt van je.' Alend lachte. 'Dat ben je vast nog niet vergeten. Ik wed dat je een van die jammerende schoffies was die rond onze achterdeur rondsnuffelden en ons smeekten om een korst brood.'

'Asjeblíéf, geef ons wat te eten! Asjeblieieief!' jammerde Vallon. 'We hebben zo'n honger!' De anderen lachten en vielen hem vrolijk bij.

'Of misschien had ze wel iets te koop,' bedacht Issel. 'Goeienavond mijnheer.' Haar stem kreeg een verleidelijk toontje. 'Zoekt u wat gezelschap misschien?'

Vallon stikte van het lachen. 'Denk je eens in hoeveel mannen ze wel niet gehad heeft.'

Iedereen grinnikte. Toen deinsde Alend opeens naar achteren. 'Ze zal wel een of andere gore ziekte hebben.'

'Nu niet meer.' Regin keek Alend betekenisvol aan. 'Ik heb gehoord dat de Genezers haar in alle hoeken en gaten hebben nagekeken toen ze haar vonden. Die hebben haar weer opgelapt.' Hij bekeek Sonea van top tot teen, met een keurende blik. 'Zo zo... Sonea.' Op een honingzoet toontje vroeg hij: 'Wat reken je eigenlijk?' Hij kwam dichterbij, en toen Sonea achteruit deinsde trok hij haar met zijn handen in haar rug tegen zich aan. 'Weet je,' zei hij traag, 'misschien heb ik me vergist. Misschien zou ik je best aardig kunnen vinden. Je bent aan de magere kant, maar dat maakt me niet echt uit. Zeg eens, in welke kunsten was je, eh... gespecialiseerd?'

Sonea probeerde de handen van haar rug af te slaan, maar de novice verstevigde zijn greep. Regin schudde het hoofd quasi afkeurend. 'Ik neem aan dat de magiërs je opgedragen hebben je bijbaantje op te geven. Dat moet wel erg frustrerend voor je zijn geweest. Maar ze hoeven het niet te weten, wij zullen het heus niet verklappen.' Hij hield zijn hoofd scheef. 'Je zou hier aardig kunnen verdienen. Veel rijke klanten, weet je.'

Sonea keek hem woest aan. Ze kon gewoon niet geloven dat hij zelfs maar dééd of hij haar in bed wilde krijgen. Heel even dacht ze eraan op zijn avances in te gaan, maar ze wist dat als ze dat deed, hij meteen zou roepen dat ze hem serieus genomen had. Over zijn schouders zag ze dat de anderen niet echt geboeid meer waren door dit onderwerp.

Regin boog zich dichter naar haar toe. Ze kon zijn adem in haar hals voelen. 'We zouden het een zakelijke overeenkomst kunnen noemen,' zei hij zwoel. Hij probeerde haar alleen maar te intimideren, om te zien hoeveel ze kon verdragen. Nou ja, dit soort pesterij had ze eerder meegemaakt.

'Je hebt gelijk, Regin,' zei ze rustig. Verrast sperde hij zijn ogen open. 'Ik heb heel wat mannen van jouw soort gehad. En ik wist precies wat ik met ze aan moest.' Ze trok vliegensvlug een hand omhoog en schroefde hem vast om zijn keel. Zijn handen vlogen naar zijn hals, maar voor hij haar pols kon pakken drukte ze haar been tussen de zijne, sloeg haar been om zijn enkel en duwde uit alle macht tegen zijn borst. Ze voelde zijn knie knikken en genoot heimelijk toen hij, met zijn armen wapperend, achterover viel en plat op de grond terechtkwam.

Het werd doodstil in de gang toen alle aanwezigen, jong en oud, hem aanstaarden. Sonea snoof verachtelijk.

'Wat ben je een fraai exemplaar, Regin. Als al die mannen van het Huis Paren zich zo gedragen, dan hebben ze net zoveel manieren als de eerste de beste zuiplap uit het bolhuis.'

Regin verstijfde en vernauwde zijn ogen tot spleten. Ze draaide hem haar rug toe, raapte haar boeken op en keek met een uitdagende blik naar de anderen. Ze deinsden terug en toen de kring verbroken werd wandelde ze weg. Ze was nog maar een paar stappen van hen verwijderd toen ze Regins stem luid door de gang hoorde klinken.

'Klaarblijkelijk ben je goed in staat dergelijke vergelijkingen te trekken,' riep hij. 'En in welke groep valt Rothen eigenlijk? Hij zal wel erg blij zijn dat je zijn vertrekken met hem deelt. Kijk, nu komt de aap uit de mouw. Ik vroeg me al een tijd af hoe je het voor elkaar had gekregen dat hij zich als je mentor opwierp.'

Sonea verkilde tot op het bot, en toen werd ze witheet van woede. Ze balde haar vuisten en weerstond de drang om terug te gaan. Wat zou ze kunnen doen? Hem op zijn bek slaan? Zelfs al waagde ze het een zoon van een Huis te slaan, dan zou hij dat aan zien komen en een schild opwerpen. En dan zou hij weten hoezeer hij haar te pakken had.

Het gemompel van de oudere novicen volgde haar de gang uit. Ze dwong zich naar de treden van de wenteltrap te kijken, om de geringschattende blikken in hun ogen niet te zien. Ze zouden Regins zinspelingen toch niet geloven. Dat kon gewoon niet waar zijn. Al dachten ze slecht over haar vanwege haar afkomst, dan nog zou niemand Rothen van zoiets verdenken. Of wel soms?

'Administrateur!'

Lorlen bleef bij de ingang van de universiteit staan en draaide zich om naar directeur Jerrik. 'Wat kan ik voor je doen?'

De directeur kwam naar hem toe en drukte hem een vel papier in handen. 'Dit is een verzoek van Rothen dat ik gisteren gekregen heb. Hij wil Sonea naar de winterlichting van de eerstejaars verplaatsen.'

'O ja?' Lorlen liet zijn ogen snel over het papier glijden en las Rothens verklaringen en geruststellingen vluchtig door. 'En denk je dat ze ertegen opgewassen is?'

Jerrik kneep zijn lippen bedachtzaam op elkaar. 'Waarschijnlijk wel. Ik heb het de eerstejaarsleraren gevraagd en ze denken allemaal dat ze het aankan als ze heel hard studeert.'

'En Sonea?'

'Die staat te springen om aan de slag te gaan.'

'Dus je gaat akkoord?'

Jerrik fronste zijn voorhoofd en boog zich voorover. 'Waarschijnlijk wel. Maar waar ik zo mijn twijfels over heb is de ware oorzaak voor deze verschuiving.'

'O? En waar gaat het dan om?' Lorlen probeerde niet te glimlachen. Jerrik had zijn leven lang al volgehouden dat novicen nooit harder gingen werken zuiver omdat ze meer wilden weten. Hun motivatie hing samen met de beste willen wezen, indruk te maken, hun ouders een plezier te doen, of om aansluiting te vinden bij vrienden of een bewonderde figuur.

'Zoals we al verwachtten blijft ze nogal buiten de groep staan. En vaak wordt een afgewezen novice dan bespot door de anderen. Volgens mij wil ze alleen maar van hen weg zien te komen.' Jerrik zuchtte. 'Hoewel ik haar doorzettingsvermogen bewonder, ben ik een beetje bang dat de winterlichting haar niet anders zal behandelen. En dan zou ze voor niets zo hard gewerkt hebben.'

'Juist, ja.' Lorlen knikte terwijl hij over Jerriks woorden nadacht. 'Sonea is wel een paar jaar ouder dan de anderen van haar klas, en ze is volwassen voor haar leeftijd – zeker volgens onze normen. De meeste novicen zijn eigenlijk nog maar kinderen als ze toetreden, maar dat gedrag leren ze gedurende het eerste jaar wel af. De winternovicen zouden wat makkelijker in de omgang kunnen zijn.'

'Zeker, het is een verstandig groepje,' beaamde Jerrik. 'De opleiding tot magiër heeft echter tijd nodig. Ze kan haar geest met kennis vullen, maar als ze haar kracht niet weet te hanteren, kan ze ernstige fouten maken.'

'Ze heeft haar krachten al zes maanden gebruikt,' bracht Lorlen hem in herinnering. 'Hoewel Rothen die tijd besteed heeft aan de basisvaardigheden om toegelaten te worden tot de universiteit, is ze wel gewend geraakt aan haar krachten – en het kan nogal frustrerend werken de anderen te zien worstelen met de eenvoudigste proefjes.'

'Dus ik neem aan dat je een voorstander bent van de verplaatsing?' Hij knikte naar Rothens verzoek.

'Klopt.' Lorlen gaf de brief terug. 'Geef haar de kans nou maar. Ik denk dat je versteld van haar zal staan.'

Jerrik haalde zijn schouders op. 'Dan zal ik het verzoek inwilligen. Over vijf weken zal ze getest worden. Dank je, administrateur.'

Lorlen glimlachte. 'Ik ben geïnteresseerd in haar vorderingen. Hou je me op de hoogte?'

De oude heer knikte. 'Zoals je wilt.'

Lorlen bedankte de directeur en liep de trap af naar de wachtende koets. Hij stapte in, klopte op het dak ten teken dat de koetsier op weg kon gaan en leunde achterover toen het voertuig zich in beweging zette. Hij passeerde de Gildepoort en reed de stad in, maar Lorlen was diep in gedachten verzonken en merkte het niet.

De uitnodiging voor een diner bij Derril had hem pas gisteren bereikt. Hoewel Lorlen vaak een uitnodiging moest afslaan, had hij zijn werkzaamheden zo geregeld dat hij nu wel tijd kon vrijmaken. Als Derril meer nieuws over de moorden had, wilde Lorlen dat niet missen.

Derrils verhaal over de moordenaar had Lorlen kippenvel gegeven. De sneden in het slachtoffer, het vreemde ritueel, de getuige die er zeker van was dat het slachtoffer al dood was voor zijn keel werd doorgesneden... Misschien kwam het alleen door de gedachte aan zwarte magie dat hij vond dat deze moorden erg verdacht klonken, maar als ze inderdaad het werk van een zwarte magiër waren, dan zou dat maar twee dingen kunnen betekenen: of het was het werk van een dolende magiër die wat kennis had opgedaan van zwarte magie, of het was Akkarin. Lorlen rilde als hij nadacht over de consequenties.

Het rijtuig stopte, en hij keek verbaasd op toen hij zag dat ze er al waren. De koetsier klom van de bok en hield het portier open, zodat Lorlen het elegante herenhuis met de balkonnetjes goed kon zien. Lorlen stapte naar de deur en werd welkom geheten door een van Derrils bedienden. De man bracht Lorlen naar een groot balkon met uitzicht over de tuin. Hij zette zijn handen op de stenen reling en keek uit over de treurige beplanting. De planten zagen er droevig uit met hun uitgedroogde bladeren.

'Ik ben bang dat mijn planten deze zomer een beetje te veel van het goede vinden,' zei Derril somber terwijl hij het huis uitliep om zich bij de administrateur te voegen. 'Mijn ganganbosjes zullen het niet overleven. Ik moet maar snel nieuwe bestellen in de bergen van Lan.'

'Ik zou ze nu alvast uit de grond halen voor de wortels het begeven,' bracht Lorlen naar voren. 'Gezonde ganganwortels bezitten opmerkelijke antiseptische eigenschappen, en als je er sumi bij gebruikt is het een heilzaam middel voor darmklachten.'

Derril grinnikte. 'Je bent je genezersopleiding dus nog niet helemaal vergeten, hè?'

'Nee.' Lorlen glimlachte. 'Ik mag dan wel een knorrige oude administrateur geworden zijn, maar ik blijf er wel gezond bij. Ik moet al die medische kennis toch ergens voor gebruiken...'

'Hm.' Derril kneep zijn ogen half samen. 'Ik wou dat de Garde iemand met jouw opleiding in dienst had. Barran heeft weer een ander raadsel op zijn bord gekregen.'

'Weer een moord?'

'Ja en nee,' verzuchtte Derril. 'Ze denken dat het nu zelfmoord betreft. Althans, zo ziet het eruit.'

'Maar hij denkt dat het opzet was dat het eruit zou zien als zelfmoord?'

'Misschien.' Derril trok een wenkbrauw op. 'Barran komt ook op ons dineetje. Zullen we naar binnen gaan en hem vragen wat hij ervan vindt?'

Lorlen knikte en volgde de oude man het huis in. Ze gingen een grote ontvangstkamer binnen waarvan de ramen bedekt waren door papieren zonneschermen die met bloemen en planten waren beschilderd. Een jonge man van midden twintig zat in een van de weelderige stoelen. Zijn brede schouders en licht gebogen neus deden Lorlen meteen aan de broer van de jongeman denken – Walin. Barran keek op naar de administrateur, stond snel op en maakte een buiging.

'Gegroet, administrateur Lorlen,' sprak hij. 'Hoe maakt u het?'

'Goed, dank je,' antwoordde Lorlen.

'Barran,' zei Derril, en gebaarde Lorlen te gaan zitten. 'Lorlen heeft grote interesse in die zelfmoord die je onderzoekt. Kan je hem wat nadere gegevens geven?'

Barran haalde zijn schouders op. 'Het is geen geheim – alleen een mysterie.' Hij keek Lorlen aan met zorgelijke blauwe ogen. 'Een vrouw meldde aan een gardist in haar straat dat ze haar buurvrouw dood gevonden had. Hij ging kijken en zag dat ze haar polsen had doorgesneden.' Barran stopte en kneep zijn ogen half samen. 'Het rare was dat ze nog nauwelijks bloed verloren had en nog helemaal warm was. Die wonden waren ook zeer oppervlakkig. Ze had nog moeten leven, eigenlijk.'

Lorlen dacht erover na. 'Het lemmet kon vergiftigd zijn.'

'Hebben we aan gedacht, maar als dat het geval was moet het een subtiel werkend gif zijn waarvan we nog nooit gehoord hebben. Alle gifstoffen laten sporen na, al is de schade alleen zichtbaar in de inwendige organen. We hebben geen moordwapen gevonden, dan hadden we het kunnen natrekken, en dat is op zich al vreemd. We hebben het hele pand doorzocht en niets anders gevonden dan een stel keukenmessen, die nog schoon in de la lagen. Gewurgd was ze ook niet, voor zover we konden zien. Maar er zijn sporen gevonden die me achterdochtig maken. We hebben voetafdrukken aangetroffen die niet bij de bedienden, vriendinnen of familieleden passen. De schoenen van de indringer moeten oud en van een bijzonder model zijn geweest, het waren opvallende afdrukken. In de kamer waar de vrouw lag stond een raam op een kier. Ik heb vlekken en vingerafdrukken gevonden van opgedroogd bloed, dus keek ik nog eens goed naar het lichaam en ontdekte dezelfde vingerafdrukken op haar polsen.'

'Van haar?'

'Nee, ze waren groot. Van een man.'

'Misschien probeerde iemand het bloeden te stelpen, en sprong het raam uit toen hij iemand hoorde naderen?'

'Dat kan. Maar het raam is drie verdiepingen hoog en de muur is glad met weinig houvast. Zelfs een ervaren dief had slechts met grote moeite naar beneden kunnen komen.'

'Waren er voetafdrukken onder aan de muur?'

De jongeman aarzelde voor hij antwoord gaf. 'Toen ik daar ging kijken vond ik iets zeer merkwaardigs.' Barran beschreef met een vinger een boog in de lucht. 'Het was alsof iemand een perfecte cirkel in de aarde getrokken had. In het midden stonden twee soorten voetafdrukken, een zoals die in de kamer boven, en een ander type, die van de cirkel af liepen. Ik volgde ze, maar ze eindigden op het plaveisel.'

Lorlens hart sloeg een slag over, en begon toen sneller te kloppen. Een perfecte cirkel en een val naar beneden van drie verdiepingen? Voor levitatie moest een magiër een ring van macht rond zijn voeten trekken. Die kon een ronde afdruk in zand of stof achterlaten.

'Misschien was die afdruk er al,' stelde Lorlen voor.

Barran haalde zijn schouders op. 'Of gebruikte hij een ladder op een plaat. Het blijft een vreemde zaak. Er zaten geen krassen op de schouders van de vrouw dus vermoed ik dat ze geen slachtoffer van die seriemoordenaar is naar wie we op zoek zijn. Nee, die heeft zich al een tijdje koest gehouden, tenzij niemand ons iets heeft gemeld –'

Een gongslag onderbrak hun gesprek. Velia verscheen in de deuropening met een kleine gong in haar hand.

'We gaan eten,' zei ze. Lorlen stond op en hij en Barran gingen naar de eetzaal. Velia keek haar zoon strak aan. 'En er wordt niet meer gepraat over moorden en zelfmoorden aan mijn eettafel! Straks krijgt de administrateur geen hap meer door zijn keel.'

Dannyl keek uit de raampjes van zijn rijtuig terwijl hij de indrukwekkende gebouwen van gele steen passeerde. De zon stond laag aan de hemel en de hele stad scheen te gloeien van het warme licht. Het wemelde van de mensen en andere voertuigen op straat.

Elke dag en de meeste avonden van de afgelopen drie weken had hij zich bezig moeten houden met bezoekjes afleggen aan of het ontvangen van belangwekkende lieden, of het assisteren van Errend bij zijn ambassadezaken. Hij had de meeste Dems en Bels die aan het hof werkzaam waren ontmoet. Hij had elke levensgeschiedenis van iedere Gildemagiër die ooit Elyne bezocht had aangehoord. Hij had alle namen van Elynese kinderen met magische gaven genoteerd, vragen van hovelingen beantwoord of doorgezonden naar het Gilde, had over de wijnen van Elyne onderhandeld en een bediende genezen die zich gebrand had in de keuken van het Gildehuis.

Dat er zoveel tijd verloren was gegaan zonder ook maar een begin te maken met Lorlens onderzoek verontrustte hem, dus besloot hij dat hij zodra de kans zich voordeed een paar uurtjes naar de Grote Bibliotheek zou gaan. De boodschapper die Tayend moest vragen of het mogelijk was de Grote Bibliotheek 's avonds te bezoeken, kwam terug met het antwoord dat hij welkom was op welk tijdstip dan ook. Dus toen Dannyl had gehoord dat hij deze avond vrij kreeg, had hij snel wat te eten besteld en had hij een rijtuig genomen.

In tegenstelling tot in Imardin vlochten de straten hier zich lukraak dooreen. Het rijtuig zigzagde heen en weer en suisde af en toe rond een steile heuvel naar beneden. Herenhuizen werden vervangen door grote huizen, en die weer door keurige rijtjeshuizen. Toen ze een bocht over een heuvel namen zag Dannyl de eerste huizen van een armoediger wijk. Hout en andere, ruwe materialen waren in de plaats gekomen voor de gele steen, en de mannen en vrouwen die over straat zwierven waren in grauwe, grof geweven stoffen gekleed. Hoewel hij niets zag dat zo schokkend was als in de sloppen van Imardin, schrok Dannyl toch een beetje. De façade van Elynes hoofdstad was zo fraai dat het een teleurstelling was te merken dat ook deze stad zijn minder frivole kanten had.

Ze lieten de huizen achter zich en het rijtuig reed nu door golvende heuvels. Velden vol tenn wuifden in het lichte briesje. Varebesplanten, aangeplant in rijen, hingen vol fruit te wachten tot ze geoogst zouden worden, waarop er wijn van geperst werd. In de boomgaarden bogen takken door onder de vrachten pachi's die eraan hingen en piorrebomen stonden verspreid door het land, waarvan het fruit geplukt werd door groepjes Vindo's: tijdelijke gastarbeiders die ieder jaar naar Elyne trokken voor de oogst.

Tenslotte veranderden de laatste zonnestralen van geel in oranje en het rijtuig rolde verder en verder weg van de stad, wat Dannyl niet weinig ongerust maakte. Had de koetsier zijn opdracht verkeerd verstaan? Hij hief zijn hand om op het dak te kloppen, maar wachtte er even mee toen het rijtuig rond de voet van een heuvel reed.

Voor hen slingerde het zwarte lint van de weg zich naar de voet van een hoog klif. In het licht van de ondergaande zon gloeide het gele gesteente op alsof het in brand stond. Schaduwen lagen er scherp overheen en benadrukten de rechte lijnen en de ramen en bogen van de hoog optorende façade, die hij herkende uit prenten in boeken.

'De Grote Bibliotheek,' mompelde Dannyl verbijsterd.

Er was een enorme ingang in het klif uitgehakt, waarin een massief houten poort zat. Terwijl het rijtuig dichterbij kwam, zag Dannyl dat er in de onderkant van de poort een donker vlakje zat – een deur van normale proporties. Er stond iemand naast.

Dannyl glimlachte toen hij de felgekleurde kleren zag. Hij trommelde ongeduldig met zijn vingers op het raampje terwijl het rijtuig langzaam de afstand tot de bibliotheek overbrugde. Toen het voorreed en stopte voor de ingang, kwam Tayend snel naar voren om het portier te openen.

'Welkom in de Grote Bibliotheek, ambassadeur Dannyl,' sprak hij met een sierlijke buiging.

Dannyl keek omhoog en schudde sprakeloos zijn hoofd. 'Ik kan me herinneren dat ik hier plaatjes van gezien heb toen ik een novice was. Maar ze komen niet eens in de buurt van hoe het er in werkelijkheid uitziet. Hoe oud is het gebouw?'

'Ouder dan het Gilde,' antwoordde Tayend trots. 'Een eeuw of acht, negen, denken we. Sommige delen zijn nog ouder, en het mooiste moet nog komen. Volg me dus maar, heer.'

Ze stapten de kleine deur door en Tayend sloot hem door er een paar dikke grendels voor te schuiven. Ze kwamen in een lange gang met een gewelfd plafond. Deze kwam uit in een nog donkerder gang, maar voor Dannyl een bollichtje kon ontsteken wees Tayend hem op een steile, door fakkels verlichte trap.

Bovenaan kwam Dannyl in een lange smalle kamer. Aan één kant zag hij de ramen die hij vanuit de koets had gezien. Ze waren enorm en bestonden uit allerlei kleuren vierkantjes glas-in-lood. De muur ertegenover was een zee van vierkantjes licht. Er stonden stoelen tegen de muur en bij de dichtstbijzijnde stond een oude heer.

'Goedenavond, ambassadeur Dannyl.' De man maakte een buiging met de stramheid van de zeer ouden. 'Ik ben Irand, de bibliothecaris.'

Irand had een zware, wonderlijk krachtige stem die paste bij de niet-menselijke maat van het gebouw. Kort, dun wit haar bedekte zijn schedel en hij droeg een simpele bloes en broek van lichtgrijze stof.

'Goedenavond, bibliothecaris Irand,' antwoordde Dannyl.

Er gleed een glimlach over het gezicht van de bibliothecaris. 'Administrateur Lorlen liet me weten dat u hier een taak voor hem te volbrengen hebt. Hij zei dat u alle bronnen wilde bekijken die de opperheer gedurende zijn onderzoek hier geraadpleegd heeft.'

'Weet u wat die bronnen waren?'

De oude heer schudde het hoofd. 'Nee, maar Tayend kan zich wel het een en ander herinneren. Hij was destijds Akkarins assistent, en hij is zo vriendelijk ook u nu te willen helpen.' Irand knikte naar de jonge geleerde. 'Zijn kennis van oude talen kan u ook van pas komen. Hij zal u bovendien voorzien van eten en drinken als u dat wenst.' Tayend knikte met nadruk en de oude man glimlachte.

'Dank u,' antwoordde Dannyl.

'Welnu, laat ik u dan niet langer ophouden.' Irands ogen schitterden even. 'De bibliotheek wacht.'

'Deze kant op, heer,' zei Tayend en liep weer naar de trap.

Dannyl volgde de jonge geleerde weer door de donkere gang. Lampen stonden op een rij op een plank aan de zijkant. Tayend wilde er eentje pakken.

'Doe geen moeite,' zei Dannyl. Hij concentreerde zich en er verscheen een bollichtje naast zijn hoofd dat hun schaduwen door de gang wierp.

Tayend keek met een frons naar het lichtje. 'Ik krijg altijd van die vlekken voor mijn ogen van die bolletjes.' Hij nam toch een lamp van de plank. 'Ik moet u misschien even alleen laten, dus ik neem er toch maar eentje mee.'

Met de lamp bungelend aan zijn zij begon Tayend de gang door te lopen. 'Dit is altijd een opslagplaats van kennis geweest. In een van de zalen bewaren we wat verteerde stukjes perkament van een eeuw of acht geleden, die melding maken van een bibliotheek die toen al stokoud was. Slechts een paar zalen werden toen als bibliotheek gebruikt. De rest van het gebouw vormde de woonplaats voor een paar duizend mensen. Wij hebben vrijwel iedere kamer en zaal met boeken, boekrollen, wastafeltjes en prenten volgepropt – en wij hebben nog meer kamers uit de rots gehakt dan er al waren.'

Terwijl ze voortliepen zag Dannyl de duisternis optrekken als een mistbank die bang was voor magie. Plotseling stopten ze voor een witte muur. De duisternis had zich aan de zijkanten teruggetrokken. Tayend draaide zich om en liep het gangetje aan zijn rechterkant in.

'Welke talen spreek je eigenlijk?' vroeg Dannyl.

'Alle oude dialecten van Elyne en Kyralia,' antwoordde Tayend. 'Onze oude talen lijken erg op elkaar, maar hoe verder je in het verleden teruggaat, hoe groter de verschillen. Ik spreek modern Vins – dat leerde ik van de bedienden thuis – en een mondje Lans. Ik kan de oude Vinse en Tenturiaanse tekens vertalen, als ik mijn woordenboeken erbij mag gebruiken.'

Dannyl was onder de indruk. 'Dat zijn heel wat talen.'

De geleerde haalde achteloos zijn schouders op. 'Als je er een paar kent, gaat de rest vanzelf. Eens zal ik ook modern Lonmariaans spreken en een paar van hun oude talen. Maar daarvoor is tot nu toe geen reden geweest. Daarna, tja, dan kan ik me nog op de Sachakaanse talen gooien. Ook hun oude talen lijken erg op de onze.'

Na nog wat hoeken omgeslagen te zijn en een paar wenteltrapjes te hebben beklommen, bleef Tayend voor een deur staan. Met een ongewoon ernstige blik gaf hij te kennen dat Dannyl hem voor moest gaan. Dannyl opende de deur en hield zijn adem vol verbijstering in.

Ontelbare stellingen vol boekenplanken strekten zich tot in de verte uit, verdeeld door een brede gang recht voor Dannyl. Hoewel het plafond vlak voor hem vrij laag was, was het andere eind van de zaal niet te zien. Om de honderd stappen vulden zware stenen zuilen de kloof tussen plafond en vloer. Het geheel was spaarzaam verlicht door kaarsen op zware ijzeren kandelaars.

De gigantische zaal riep een gevoel van onmetelijke ouderdom op. Vergeleken met de stenen zuilen en het plafond waren de boeken maar fragiele, tijdelijke dingetjes. Vol deemoed voelde hij een diepe melancholie over zich komen. Hij kon een jaar op deze plaats blijven en er niets meer aan toevoegen dan de streek van een mottenvleugeltje langs de koude stenen wand.

'Hiermee vergeleken is al het andere in de bibliotheek vrij recent,' fluisterde Tayend hem toe. 'Dit is de oudste zaal. Misschien duizenden jaren oud.'

'Wie heeft hem gemaakt?' zei Dannyl zacht.

'Dat weet geen mens.'

Dannyl begon het middenpad af te lopen, met zijn blik op de oneindig lange boekenrekken. 'Hoe kan ik nu vinden wat ik nodig heb?' verzuchtte hij wanhopig.

'O, dat is geen enkel probleem.' Tayends stem klonk opeens helder – het geluid sneed door de diepe stilte in de zaal. 'Alles ligt al voor u klaar in het studeerkamertje dat Akkarin tijdens zijn verblijf hier gebruikte. Volgt u me maar.'

Tayend liep het gangpad af met lichte tred. Na een aantal minuten sloeg hij een zijgang tussen de stellingen in en kwam bij een grote stenen trap die naar een opening in het plafond leidde. Ze beklommen de trap en kwamen uit in een brede gang met een heel laag plafond. Deuren stonden aan beide kanten open, en Tayend stopte bij een ervan en gebaarde dat Dannyl binnen kon treden.

Het was een klein werkkamertje. In het midden stond een grote stenen tafel en daarop lagen stapels boeken.

'Daar zijn we dan,' zei Tayend. 'En dit zijn de boeken die Akkarin gelezen heeft.'

In de verzameling vond Dannyl zowel minieme boekjes zo groot als een hand als zware boekwerken die nauwelijks te tillen leken. Dannyl bekeek ze een voor een, en de stapels raakten door elkaar.

'Waar moet ik beginnen?' vroeg hij hardop.

Tayend haalde een stoffig werkje uit het midden van een stapel. 'Hiermee is Akkarin begonnen.'

Dannyl keek Tayend weer vol bewondering aan en zag dat de ogen van de jongeman schitterden van enthousiasme. 'Kan je je dat nog herinneren?'

De geleerde grinnikte. 'Je hebt een goed geheugen nodig om de biblio- theek te kunnen gebruiken. Hoe kan je anders een boek terugvinden dat je maar één keer gelezen hebt?'

Dannyl keek naar het boekje in zijn handen. *Magische gebruiken van de Stammen der Grijze Bergen.* De datum op de titelpagina gaf aan dat het zeker vijf eeuwen oud was, en hij wist dat er in die tijd al geen stammen meer leefden in de bergen tussen Elyne en Kyralia. Nieuwsgierig sloeg hij het open en begon te lezen.

8

De juiste persoon

'Dus ik hoef alleen maar te gaan zitten luisteren?' Er verschenen rimpels op Yaldins voorhoofd en zijn ogen schoten heen en weer terwijl hij zich probeerde te concentreren op de stemmen in de Nachtzaal.

Rothen onderdrukte een grijns. Het gezicht van de oude magiër sprak boekdelen. Iedereen die hem zag zou weten dat hij probeerde interessante weetjes af te luisteren.

Nu Dannyl op stap was had Rothen iemand anders nodig die de magiërs kon afluisteren, want nu er een schandelijk gerucht de ronde deed, waarbij Rothen betrokken was, was iedereen extra voorzichtig. Elke roddelaar keek altijd eerst snel om zich heen of Rothen misschien in de buurt was voor hij het onderwerp aansneed, dus had Rothen het plan opgevat zijn oude vriend in de afluistertechnieken te trainen.

'Het valt veel te veel op, Yaldin.'

De oude man fronste zijn wenkbrauwen. 'Valt het op? Hoezo?'

'Als je –'

'Heer Rothen?'

Geschrokken zag Rothen administrateur Lorlen naast zijn stoel staan. 'Ja, administrateur?'

'Ik zou je graag even onder vier ogen spreken.'

Met een snelle blik zag Rothen dat een aantal magiërs vol verwachting naar Lorlen keek. Yaldin zei niets.

'Maar natuurlijk,' antwoordde Rothen. Hij stond op en liep achter Lorlen aan naar een kleine deur. Die sprong open toen Lorlen naderde en ze stapten de Feestzaal binnen.

Het vertrek was donker. Een bollichtje trilde boven het hoofd van de administrateur en zweefde toen opzij om een enorme eettafel te verlichten. Lorlen ging zitten. Rothen nam naast hem plaats en zette zich schrap voor het gesprek waar hij zo tegenop had gezien.

Lorlen keek Rothen eens aan en liet zijn ogen toen over de tafel glijden.

Hij zuchtte en kreeg een sombere uitdrukking. 'Je weet dat er geruchten over jou en Sonea verspreid worden?'

Rothen knikte. 'Ik weet het.'

'Dat heeft Yaldin je zeker verteld.'

'En Sonea ook.'

'Sonea?' Lorlens wenkbrauwen schoten omhoog.

'Ja,' zei Rothen. 'Vier weken geleden heeft ze me verteld dat een van haar klasgenoten dat praatje verzonnen heeft en ze was bezorgd dat mensen dat zouden geloven. Ik zei dat ze daarvoor niet bang hoefde te zijn. Geroddel duurt nooit eeuwig, de spanning gaat eraf en wordt binnen de kortste keren vervangen door een nieuw gerucht.'

'Hmm.' Lorlens voorhoofd rimpelde zich. 'Maar geruchten van dit soort blijken erg hardnekkig. Er zijn verscheidene magiërs bij me geweest om hun zorgen kenbaar te maken. Ze menen dat het niet eerbaar is voor welke magiër dan ook om een jonge vrouw in hun vertrekken te laten wonen.'

'Als we haar verplaatsen zal dat juist bijdragen aan het gerucht.'

Lorlen knikte. 'Dat is zo. Maar toch zou het verdere veronderstellingen de kop indrukken. Achteraf gezien had Sonea meteen naar de novicenvertrekken moeten gaan toen ze begon met haar studie.' Hij keek Rothen strak in de ogen. 'Niet om te voorkomen wat de geruchten beweren, maar om te voorkomen dat er geruchten zouden ontstaan. Niemand gelooft dat er ook maar iets onwelvoeglijks tussen jou en Sonea heeft plaatsgevonden.'

'Waarom zou ze dan nu moeten verhuizen?' Rothen hief zijn handen. 'Ze zal ook dan nog tijd bij me doorbrengen, als ze studeert, of gewoon bij het avondeten. Als we er nu aan toegeven, hoelang duurt het dan voordat er vragen gesteld worden bij elke minuut dat we samen zijn?' Hij schudde het hoofd. 'Laat alles nu maar bij het oude. Zij die dwaas genoeg zijn om geloof te hechten aan kletspraatjes kunnen er verzekerd van zijn dat er geen bewijs voor welk oneerbaar gedrag dan ook gevonden is of zal worden.'

Lorlens lippen krulden zich in een wrange glimlach. 'Je bent zo zelfverzekerd, Rothen. Wat vindt Sonea ervan?'

'Dit hele verhaal heeft haar van streek gemaakt, natuurlijk. Maar ze denkt dat de zaak wel over zal waaien wanneer ze niet langer het doelwit van de pesterijen van Garrels protégé is.'

'Dus wanneer – als – ze naar de winterklas verhuist?'

'Ja.'

'Je denkt dus echt dat ze die hogere klas haalt en het er volhoudt ook?'

'Met gemak.' Rothen glimlachte en deed geen moeite zijn trots te verbergen. 'Ze leert snel en ze is vastbesloten. Het laatste wat ze wil is weer terugvallen naar Regins klas.'

Lorlen knikte en keek Rothen nog eens goed aan. 'Ik ben niet zo optimistisch als jij over dit gerucht, Rothen. Er zit wat in je argumenten tegen een verplaatsing van haar, maar als je het mis hebt, loopt de situatie pas goed uit de hand. Ik blijf erbij dat ze moet verhuizen, voor haar eigen bestwil.'

Rothen keek fronsend naar de administrateur. Lorlen zou toch zeker zelf niet denken dat Rothen met een leerling, en dan nog wel een meisje van een derde van zijn leeftijd, naar bed zou gaan? Lorlen staarde neutraal voor zich uit, maar Rothen besefte met een schok dat de magiër waarschijnlijk toch over de mogelijkheid had nagedacht.

Nee, dat kón Lorlen toch niet van hem denken? Wanneer had Rothen hem ooit reden gegeven aan hem te twijfelen?

Toen schoot het als een bliksemflits door hem heen. *Het komt door Akkarin. Als ík te weten was gekomen dat mijn oudste en beste vriend zich aan zwarte kunst wijdde, zou ik ook niemand meer vertrouwen.*

Hij haalde diep adem en zei zacht: 'Alleen jij kunt inzien waarom ik haar bij me in de buurt wil houden, Lorlen. Ze heeft hier al genoeg te vrezen zonder dat ze tussen hen die haar kwaad willen doen moet leven, en waar ze het doelwit kan zijn van meer dan alleen treiterende novicen.'

Lorlen keek hem fronsend aan, sperde toen zijn ogen wijd open en keek de andere kant op. Hij ging rechtop zitten en knikte langzaam. 'Ik begrijp je ongerustheid. Het moet een vreselijk vooruitzicht voor haar zijn. Maar als ik een beslissing neem die lijnrecht tegen de mening van de meerderheid in gaat, valt dat op. Ik denk niet dat ze meer gevaar loopt als ze in de novicen-vertrekken woont... maar ik zal proberen de beslissing zo lang mogelijk uit te stellen in de hoop dat dit overwaait, zoals je denkt dat zal gebeuren.'

Rothen knikte. 'Dank je.'

'Bovendien,' voegde Lorlen eraan toe, 'zal ik een oogje houden op die novice in kwestie, Regin. Met lastpakken moet lang voor het afstuderen worden afgerekend, lijkt me.'

'Daar zou Sonea heel blij mee zijn,' antwoordde Rothen.

Lorlen stond op en Rothen volgde hem op de voet. Heel even keken ze elkaar in de ogen en Rothen zag een gepijnigde, gekwelde blik in Lorlens ogen die hem een rilling over de rug joeg. Toen draaide Lorlen zich om en liep weer naar de Nachtzaal.

Daar gingen ze uiteen en Lorlen ging op zijn favoriete stoel zitten. Toen Rothen naar zijn eigen hoek liep werden er heel wat steelse blikken naar hem geworpen. Hij deed zijn best zorgeloos om zich heen te kijken. Yaldin keek hem vragend aan.

'Niets belangrijks,' zei Rothen en plofte neer in zijn stoel. 'Nou, waar waren we? O ja. Het valt te veel op. Kijk, zo zie je eruit...'

Toen er op haar deur werd geklopt zuchtte Sonea. Ze hield op met schrijven en riep 'Binnen' zonder zich om te draaien.

De deur klikte open. 'Er is bezoek voor u, vrouwe Sonea,' zei Tania nerveus.

Sonea wierp een blik over haar schouder en zag een dame in een groen

96

gewaad voor de drempel van haar kamer staan. Een zwarte sjerp droeg ze om haar middel. Sonea sprong meteen overeind en maakte snel een buiging.

'Vrouwe Vinara.'

Ze keek het Hoofd van de Genezers oplettend aan. Het was niet makkelijk haar humeur in te schatten, aangezien Vinara er altijd streng en koel uitzag. Maar de grijze ogen van de vrouwe leken nog ijziger dan anders.

'Nogal laat om aan de studie te zijn,' merkte Vinara op.

Sonea keek even naar haar tafel. 'Ik probeer in de winterklas te komen.'

'Dat heb ik gehoord, ja.' Vinara gebaarde naar de deur, die dicht ging. Voor hij gesloten was ving Sonea echter nog een glimp op van Tania die angstig naar binnen gluurde. 'Ik wil even met je praten.'

Sonea bood Vinara haar stoel aan en ging op de rand van haar bed zitten. Ongerust keek ze toe hoe Vinara haar gewaad op orde bracht.

'Weet je dat er geruchten de ronde doen over heer Rothen en jou?'

Sonea knikte.

'Ik ben hier om te horen wat je daarop te zeggen hebt. Wees eerlijk tegen me, Sonea. Dit is een ernstige zaak. Is er ook maar iets van waar?'

'Nee, vrouwe.'

'Heer Rothen heeft je geen oneerbare voorstellen gedaan?'

'Nee.'

'Hij heeft je niet... aangeraakt op wat voor manier dan ook?'

Sonea voelde hoe het bloed naar haar wangen steeg. 'Nee. Nooit. Het zijn gewoon valse praatjes. Rothen heeft me nooit aangeraakt, en ik hem niet. Ik word er gewoon misselijk van als ze zoiets beweren.'

Vinara knikte langzaam. 'Ik ben blij dat te horen. Denk eraan, als je ook maar ergens bang voor bent, of als je ergens toe gedwongen wordt, dan hoef je hier niet te blijven. Dan helpen we je.'

Sonea slikte haar woede in. 'Dank u, maar er is hier niets aan de hand.'

Vinara kneep haar ogen half samen. 'Ik moet je ook vertellen dat als er ook maar iets waar was geweest van deze geruchten, en je er uit vrije wil aan had meegedaan, je status binnen het Gilde grote schade zou hebben opgelopen. Je zou daarmee op zijn minst Rothen als mentor verliezen.'

Natuurlijk. Dat zou Regin wel willen. Daar was hij misschien de hele tijd op uit. Sonea knarsetandde. 'Als het zover mocht komen, mag heer Lorlen nogmaals een waarheidslezing op me uitvoeren.'

Vinara verstijfde en keek de andere kant op. 'Laten we maar hopen dat het niet zover hoeft te komen.' Sonea snoof. 'Wel, het spijt me dat ik het over deze onaangename kwestie met je moest hebben, maar het is nu eenmaal mijn taak om dat soort dingen te onderzoeken. Als er ook maar iets mocht zijn dat je dwars zit, kom me dan alsjeblieft opzoeken.' Ze stond op en wierp een kritische blik op Sonea. 'Je bent doodop, meisje. Te veel studie kan je ziek maken. Zorg dat je genoeg slaap krijgt.'

Sonea knikte. Ze keek hoe vrouw Vinara de deur opendeed en naar buiten schreed en wachtte tot ze Tania de voordeur hoorde sluiten. Toen draaide ze zich om en begon haar hoofdkussen met haar vuisten te bewerken.

'Ik maak hem dood!' gromde ze. 'Ik zal hem in de Taralirivier gooien met rotsblokken aan zijn voeten zodat niemand zijn lichaam zal vinden.'

'Vrouwe Sonea?'

Toen ze het schuchtere stemmetje hoorde keek Sonea op en schoof een paar lokken haar die voor haar gezicht hingen achter haar oren. 'Ja, Tania?'

'W-wie wil u doodmaken?'

Sonea smeet het kussen in een hoek. 'Regin, natuurlijk.'

'Aha.' Tania ging aan het eind van het bed zitten. 'U liet me even schrikken. Ze hebben mij ook ondervraagd, weet u. Ik geloofde er natuurlijk niets van, maar ze zeiden dat ik goed op dit soort uitvallen moest letten en... nou ja... ik...'

'Maak je geen zorgen, Tania,' verzuchtte Sonea. 'Er is maar één iemand in het hele Gilde die ooit geprobeerd heeft zoiets met me te doen.'

De bediende sperde haar ogen open. 'Wie dan?'

'Regin, natuurlijk.'

Tania huiverde. 'En wat deed u toen?'

Bij de herinnering begon Sonea te glimlachen. 'O, een trucje dat ik van Cery heb geleerd.' Ze stond op en begon het uit te leggen.

Het was al laat toen Lorlen naar zijn kantoor terugkeerde. Die middag had heer Osen, zijn assistent, een kistje brieven bezorgd. Terwijl hij ze snel bekeek viel zijn oog op een klein pakje uit Elyne tussen de brieven. Hij zette het kistje opzij om er later naar te kijken.

Hij maakte zijn bollicht wat feller en opende het pakje. Hij keek goedkeurend naar Dannyls sierlijke handschrift, waar zelfvertrouwen en netheid uit sprak. Lorlen leunde achterover in zijn stoel en begon te lezen.

Aan administrateur Lorlen

Een week geleden ben ik voor het eerst naar de Grote Bibliotheek gegaan. Sindsdien ben ik er elke avond heen geweest om mijn onderzoek voort te zetten. Irand, de bibliothecaris, heeft me dezelfde assistent toegewezen die ook de opperheer heeft gediend: Tayend van Tremmelin. Deze knaap heeft een uitzonderlijk goed geheugen en herinnert zich nog alles van de onderzoekingen van de opperheer. Ik ben dus lekker opgeschoten.

Volgens Tayend had de opperheer een soort dagboek waarin hij aantekeningen maakte, stukken uit boeken overschreef en kaartjes tekende. Op weg geholpen door deze geleerde jongeman heb ik al de helft van alle bronnen die de opperheer raadpleegde doorgenomen en eruit overgeschreven wat ons van pas kan komen, en bovendien alles waar de opperheer volgens Tayend in geïnteresseerd was.

Er zijn diverse onderwerpen die ik, uitgaande van die notities, verder kan bestu-

deren, en dat schijnt de opperheer dan ook gedaan te hebben. De meeste hebben te maken met een reis naar een graftombe, tempel of bibliotheek in de Geallieerde Landen. Wanneer ik klaar ben met lezen, zal ik alle mogelijkheden van de opperheer op een rijtje zetten. Dan moet ik zien uit te vinden welke route ik verder zal volgen.

Om dat besluit te vergemakkelijken, heeft Tayend een bezoek aan de werf gebracht waar alle aankomst- en vertrekstaten met hun passagiers worden bijgehouden. Hij heeft ontdekt dat er ruim tien jaar geleden een heer Akkarin is aangekomen en een aantal maanden later naar Lonmar is vertrokken, toen weer is teruggegaan naar Capia, om vandaar per schip de Vin-eilanden aan te doen, en een maand later weer naar Capia te varen. Meer werd er niet gevonden.

Nu al kan ik uit wat ik tot nu toe heb gevonden opmaken dat de opperheer de Glorieuze Tempel in Lonmar bezocht moet hebben. Ik heb mijn aantekeningen gekopieerd, u vindt ze hierbij.

Tweede Gildeambassadeur van Elyne, Dannyl

Lorlen legde de brief opzij en begon de aantekeningen door te bladeren. Ze waren duidelijk geschreven, en bestonden uit stukjes informatie die afkomstig waren uit een tijd lang voor het Gilde werd opgericht. Op de laatste pagina had Dannyl een opmerking in de marge geschreven.

Boek gevonden over de Oorlog van Sachaka dat dateert van vlak na de gebeurtenissen die erin worden beschreven. Opmerkelijk, in die zin dat het Gilde als de vijand wordt omschreven — en er wordt dan ook een weinig vleiend beeld van ons gegeven! Als ik klaar ben met kopiëren ga ik weer naar de Grote Bibliotheek om het door te nemen.

Lorlen glimlachte. Als hij geweten had dat Dannyl zo goed was in onderzoek, zou hij hem eerder hebben ingezet. Hoewel Dannyl dus nog niets gevonden had dat tegen Akkarin gebruikt kon worden, had hij veel informatie in korte tijd bijeen weten te krijgen. Lorlens hoop dat er iets bruikbaars gevonden zou worden was fors toegenomen.

Er werden ook geen lastige vragen gesteld. Zoals hij hoopte was Dannyl verstandig genoeg om de zaken onder ons te houden, al wist hij niets over de reden voor deze geheimhouding. Mocht Dannyl iets ontdekken dat het vermoeden in hem zou wekken dat Akkarin met zwarte magie bezig was, dan zou de jonge magiër het hem vast in bedekte termen vertellen.

En wat dan? Lorlen kneep zijn lippen op elkaar en dacht na. Dan zou hij Dannyl waarschijnlijk met de waarheid moeten confronteren. Maar hij had er vertrouwen in dat ook Dannyl zou zien dat het verstandiger was om Akkarin de ontdekking niet onder de neus te wrijven totdat het zonder risico gedaan kon worden. Ook Rothen en Sonea hadden ingestemd met dit plan dus zou ook Dannyl er wel het zwijgen toe doen. Hoe dan ook, het was beter dat Dannyl zo lang mogelijk in het ongewisse bleef van de reden van het onderzoek. Lorlen zou hem op alle manieren helpen zo veel mogelijk informatie bijeen te garen.

Hij pakte een vel papier en schreef een brief aan de Eerste Gildeambassadeur. Hij verzegelde hem zorgvuldig, schreef er het adres op van het Gildehuis in Elyne en legde hem in een ander brievenkistje op zijn bureau. Heer Osen zou morgen wel voor een koerier zorgen zodat de brief zo snel mogelijk in Elyne zou zijn.

Terwijl hij opstond stopte Lorlen de brief en aantekeningen in een doos die speciaal voor belangrijke documenten bedoeld was. Hij vergrendelde de magische sluitingen die anderen ervan moesten weerhouden zich over de inhoud te buigen en schoof de doos in een kast achter zijn bureau. Toen hij zijn kantoor uitliep speelde er een glimlachje rond zijn lippen. *Akkarin had helemaal gelijk door te zeggen dat ik de juiste man had gekozen als Tweede Gildeambassadeur van Elyne.*

9

Toekomstbeeld

'Heb je geen eenvoudiger haarborstel voor me?' vroeg Sonea en hield het zilveren exemplaar op.

'O, wilt u die ook al niet?' Tania zuchtte. 'Neemt u dan helemaal níéts moois mee?'

'Nee. Niets van waarde en niets waaraan ik ben gehecht.'

'Maar u laat zoveel achter. Wat dacht u dan van een mooie vaas? Dan kan ik af en toe een bloemetje komen brengen. Dat maakt een kamer veel gezelliger.'

'Ik ben het heel wat slechter gewend, Tania. Als ik een manier gevonden heb om mijn spullen te verbergen of te beschermen, dan kom ik wel wat boeken halen.' Sonea bekeek de inhoud van de doos op haar bed. 'Dat is het dan wel.'

Tania zuchtte weer. Ze sloot de doos en droeg hem de kamer uit. Sonea liep achter haar aan en zag dat Rothen liep te ijsberen in zijn ontvangstkamer. Zijn voorhoofd was gefronst en toen hij haar zag kwam hij haastig op haar af en nam haar handen in de zijne. 'Het spijt me zo, Sonea,' begon hij. 'Ik –'

'Verontschuldig je nou maar niet, Rothen,' zei ze. 'Ik weet heus wel dat je alles gedaan hebt wat je kon om het te vermijden. Ik kan beter gaan.'

'Maar het is zo'n onzin. Ik kan toch –'

'Nee.' Ze keek hem ernstig in de ogen. 'Ik móét wel gaan. Als ik het niet doe, zal Regin er wel voor zorgen dat ze bewijzen vinden. Trouwens, dat kan hij nog steeds proberen als hij echt van plan is mijn mentor van me af nemen. Dan kunnen de leraren me links laten liggen zonder dat ik er wat tegen kan doen.'

Weer fronste hij zijn voorhoofd. 'Daar had ik nog niet aan gedacht,' gromde hij. 'Wat een ellende. Nooit gedacht dat zo'n eerstejaars het ons zo moeilijk zou kunnen maken.'

Ze glimlachte. 'Tja, maar hij kan me er niet van weerhouden hem in te halen, hè? We blijven gewoon hard werken.'

Rothen knikte. 'En of.'

'Dan zie ik je over een uur dus buiten de bibliotheek?'
'Ja.'
Ze kneep even in zijn handen en liet ze los. Ze knikte naar Tania, die de doos weer opnam. In de deuropening glimlachte Sonea nog even naar haar oude vriend.

'Het komt wel goed, Rothen.'

Het lukte hem terug te glimlachen.

Ze draaide zich om, verliet de ontvangstkamer en liep naast Tania de gang door. Het was die Vrijdagochtend ongewoon druk voor de Magiërsvertrekken. Sonea negeerde de blikken van passerende magiërs, want ze wist dat ze haar woede moeilijk zou kunnen beteugelen wanneer ze terug zou kijken. Ze hoorde Tania iets mompelen over oneerlijkheid terwijl ze de trappen afliepen.

Ze had zich veel moediger voorgedaan dan ze was in Rothens kamer. Want zodra ze voet zette in de novicenvertrekken zou er geen ontkomen meer aan zijn. Ze kon haar kamer met magie vergrendelen – dat had Rothen haar in de gauwigheid nog geleerd – maar Regin zou niet rusten voor hij een manier had gevonden om binnen te komen. En ze kon zich niet de hele tijd opsluiten.

Dit was zijn wraak omdat ze kwaadgesproken had van zijn Huis. Ze had hem tegen de grond moeten werken en daar had ze het bij moeten laten. Maar ze had haar mond niet kunnen houden en had hem beledigingen naar het hoofd geslingerd, en dat wilde hij haar betaald zetten. Nee, een fijn plan was dat geweest – hem negeren zodat hij haar met rust zou laten...

En nu waren het niet alleen de novicen die haar naam mompelden in de wandelgangen. Ook de magiërs hadden hun oordeel over haar klaar. Niemand die erom maalde wie het gerucht in de wereld had gebracht, of waarom. 'Iedereen dient zich zo te gedragen dat dit soort geruchten helemaal niet kan ontstaan,' zo had een van de leraren het gesteld. Het was verdacht dat ze bij Rothen gewoond had, haar afkomst in aanmerking genomen. Alsof elke sloppenbewoonster een hoer was! Ze wist dat veel mensen zich de vraag hadden gesteld waarom zij zo'n voorkeursbehandeling had gekregen. De anderen waren toch ook meteen in de novicenvertrekken ondergebracht? Dat hadden ze bij haar ook moeten doen.

Ze bereikten de begane grond en gingen door de poort naar buiten. Samen staken Sonea en Tania de binnenplaats over in de richting van de novicenvertrekken. De verstikkende midzomerhitte was voorbij, en de temperatuur was aangenaam. Het plaveisel straalde warmte uit.

Soneae was nog nooit in de novicenvertrekken geweest. Ze had maar één keer naar binnen gegluurd, op die nacht dat Cery en zij op het Gildeterrein hadden rondgesnuffeld. De kamertje waren klein, eenvoudig en spaarzaam gemeubileerd.

Rond de ingang van de vertrekken stonden een paar groepjes novicen.

Ze meesten zwegen terwijl ze haar aanstaarden, maar een paar fluisterden wat tegen elkaar. Ze liet haar ogen langs hen glijden en ging door de open deuren naar binnen.

Meer bewoners stonden in de gang langs de kant en Sonea deed haar best om hen niet aan te kijken. Tania klopte rechts van de ingang op een deur.

Terwijl ze wachtten hield Sonea de anderen vanuit haar ooghoek in de gaten. Ze vroeg zich af waar Regin was. Hij zou dit moment van zijn overwinning toch wel bij willen wonen?

De deur ging op een kiertje open en een magere Krijger met scherpe gelaatstrekken nam haar op. Sonea maakte een buiging en herinnerde zich opeens het gemopper en geklaag van de directeur van de novicenvertrekken. Ahrind was niet erg geliefd.

'Zo. Je bent er,' constateerde hij koeltjes. 'Volg me.'

Hij beende de gang door, en de novicen zorgden er wel voor dat ze hem niet voor de voeten liepen. Bij een deur niet veel verder stopte hij en liet de deur openklikken, en Sonea zag een kamertje dat net zo sober en klein was als ze het zich herinnerde.

'Geen veranderingen aanbrengen,' zei Ahrind. 'Geen bezoek na de avondgong. Als je onverhoopt een paar nachten wegblijft, meld je me dat twee dagen van tevoren. Houd de kamer schoon en opgeruimd. Schakel indien nodig de bedienden in. Duidelijk?'

Sonea knikte. 'Ja, heer.'

Hij draaide zich om en beende weg. Sonea wisselde een blik van verstandhouding met Tania en ging de kamer in.

Hij was ietsje groter dan haar oude kamer, en bevatte een bed, een klerenkast, een bureau en een stel planken. Het raam bood uitzicht op de Arena en de tuinen.

Tania zette de doos op bed en begon hem uit te pakken. 'Ik heb die jongen niet gezien,' zei ze.

'Nee. Maar dat betekent nog niet dat hij of een van zijn volgelingen niet op de loer lag.'

'Boffen dat u zo dicht bij de ingang zit.'

Sonea knikte en nam haar aantekenboeken, pennen en papier uit de doos en stopte ze in de laden van het bureau. 'Ahrind wil me zeker in de gaten houden. Ik zou wel eens een slechte invloed kunnen hebben.'

Tania snoof. 'De bedienden mogen hem ook al niet. Als ik u was zou ik me zo onopvallend mogelijk gedragen hier. Wat doet u met eten?'

Sonea haalde haar schouders op. 'Ik eet het liefst met Rothen mee. En anders... de Eetzaal. Ik kan snel wat pakken en meenemen voor Regin klaar is.'

'Ik kan u ook hier wat te eten brengen, als u wilt.'

'Dat kan je beter niet doen,' zuchtte Sonea. 'Voor je het weet nemen ze jou ook te pakken.'

'Dan kom ik met een van de andere bedienden, of laat iets voor u bezorgen. Als die knul u niet rustig laat eten krijgt hij met mij te maken.'

'Maar dat is nergens voor nodig, Tania,' suste Sonea haar. 'Wel, de boel is uitgepakt.' Ze liet haar hand over de kastdeur glijden, en daarna over de laden van het bureau. 'Zo, alles op slot. Laten we naar Rothen in de bibliotheek gaan.'

Glimlachend joeg Sonea de huishoudster haar kamer uit, en ze zetten koers naar de universiteit.

'Wat zit er nu in mijn zak?' Tayend viste een reepje papier uit zijn jaszak en bekeek het. 'O ja, mijn aantekeningen van mijn bezoekje aan de werf.' Hij las ze en fronste zijn voorhoofd. 'Akkarin was toch zes jaar weg, niet?'

'Ja,' antwoordde Dannyl.

'Dat betekent dat hij er vijf hier heeft doorbracht, na zijn terugkeer van de Vin-eilanden.'

'Tenzij hij over land naar elders reisde,' voegde Dannyl eraan toe.

'Maar waarheen dan?' Tayend dacht na. 'Ik wou dat we het de familie konden vragen bij wie hij logeerde, maar die brieven het natuurlijk door aan Akkarin dat er iemand naar hem gevraagd heeft, en dat wil je geloof ik vermijden.' Hij trommelde met zijn vingers op de reling van het schip.

Dannyl glimlachte en liet de wind zijn haar door de war waaien. Hij was gesteld geraakt op de jonge geleerde sinds ze samen waren gaan werken. Tayend was vlug van begrip en had een uitstekend geheugen, en hij was zowel een goede kameraad als een goede assistent. Toen Tayend hem aanbood hem op zijn reis naar Lonmar te vergezellen, was Dannyl verrast en opgetogen tegelijk. Hij vroeg of dat wel mocht van Irand.

'O, ik werk hier alleen omdat ik dat wil,' had Tayend met een grijns geantwoord. 'Ik wérk hier eigenlijk helemaal niet. Ik mag de hele bibliotheek gebruiken, als ik me maar nuttig maak tegenover bezoekers en onderzoekers.'

Toen Dannyl te kennen gaf naar Lonmar en Vin te willen gaan, wist hij zeker dat de Eerste Gildeambassadeur daar niet zomaar mee akkoord zou gaan. Hij was tenslotte nog maar net in Elyne. Maar Errend had het prachtig gevonden. Het bleek dat Lorlen hem een aantal ambassadeurskwesties had voorgelegd die hij in die landen zelf moest oplossen, maar hij had een gruwelijke hekel aan bootreizen. Hij had meteen besloten dat Dannyl maar in zijn plaats moest gaan. Dannyl vond dat allemaal wel héél toevallig...

'Hoe keerde hij terug naar het Gilde?'

Dannyl schrok op uit zijn gedachten. 'Wie?'

'Akkarin.'

'Ze zeggen dat hij gewoon naar de Gildepoort liep, vervuild en in gewone kleren. Ze herkenden hem eerst niet.'

Tayend sperde zijn ogen open. 'Heus? Zei hij niet waarom?'

Dannyl haalde zijn schouders op. 'Misschien wel. Ik had er toen nog niet zo'n interesse in.'

'Ik wou dat we het hem konden vragen.'

'Als we op zoek zijn naar oude magie, maakt het waarschijnlijk niet veel uit waarom Akkarin zijn reis zo slonzig beëindigde. Lorlen zei dat zijn reis nog niet af was.'

'En toch zou ik het willen weten,' hield Tayend vol.

Het schip schommelde heen en weer toen het de baai uitvoer, en Dannyl draaide zich om. Hij zuchtte waarderend bij de aanblik van de stralende stad. Hij had echt geluk gehad dat hij Gildeambassadeur had mogen worden in zo'n stad.

Tayend stopte het papiertje weg. 'Tot ziens, Capia,' zei hij weemoedig. 'Het is net of je je terugtrekt uit de armen van een beeldschone geliefde. Pas als je weggaat besef je wat je hebt gehad.'

'De Glorieuze Tempel moet echt onvoorstelbaar mooi zijn.'

Tayend keek uit over het dek van het schip. 'Ja, en wij zullen het met eigen ogen zien. Wat een avonturen wachten ons! Wat een vergezichten en gedenkwaardige ervaringen – en wat een fantastische manier van reizen!'

'Ga jij eerst maar eens naar je hut kijken voor je nog meer grootste woorden aan onze reis wijdt. Ik vermoed dat het slapen daar als een zeer gedenkwaardige ervaring op je over zal komen.'

Tayend wankelde toen het schip op de golven deinde. 'Dat houdt zo wel op, hè? Als we verder op zee zijn?'

'Houdt wat op?' vroeg Dannyl gemeen.

De geleerde keek hem verschrikt aan, vloog als een haas naar de reling en gaf over. Dannyl voelde zich meteen schuldig over zijn plagerige opmerking.

'Hier.' Hij legde zijn hand op Tayends pols, sloot zijn ogen en stuurde zijn bewustzijn het lichaam van de jongeman in, maar Tayend verbrak het contact door zijn hand weg te trekken.

'Nee. Laat maar.' Tayend was vuurrood. 'Het gaat wel over. Dat is zeeziekte hè? Ik zal er wel aan wennen.'

'Maar je hoeft je niet ziek te voelen,' zei Dannyl, verbaasd over de reactie van de geleerde.

'Jawel, dat moet ik wel.' Weer boog Tayend zich over de reling. Na enige tijd kwam hij omhoog en veegde zijn mond af met een zakdoek. 'Het maakt allemaal deel uit van de ervaring, snap je,' vertelde hij de golven. 'Als je mijn gevoel verdooft zal ik geen goeie verhalen te vertellen hebben.'

Dannyl haalde zijn schouders op. 'Nou, als je genoeg hebt van de ervaring...'

Tayend kuchte. 'Dan laat ik het je wel weten.'

Toen de laatste zonnestralen alleen nog de hoogste blaadjes van de bomen bereikten, verliet Lorlen de universiteit en ging op weg naar het huis van de opperheer.

Opnieuw moest hij alles wat hij wist in het donkerste hoekje van zijn geest verbergen. Opnieuw zou hij een gezellig gesprek voeren, een paar grappen vertellen en de beste wijn van de Geallieerde Landen drinken.

Eens zou hij Akkarin zijn leven hebben toevertrouwd. Ze waren de dikste vrienden geweest als magiërsleerlingen, namen elkaar altijd in vertrouwen, verdedigden elkaar door dik en dun. Akkarin was degene die af en toe Gilderegels overtrad en wilde voorstellen deed. Was hij daarom uiteindelijk bij zwarte magie terechtgekomen? Speelde hij alleen met de regels om zichzelf te vermaken?

Hij zuchtte. Hij vond het maar niks dat hij bang voor Akkarin was geworden. Op nachten als deze was het o zo makkelijk om een goede reden te verzinnen waarom Akkarin zwarte magie was gaan gebruiken. Maar de twijfel bleef overheersen.

'Het gevecht heeft me verzwakt. Ik heb je kracht nodig.'

Wat voor gevecht? Met wie had Akkarin gevochten? Gezien het beeld in Sonea's herinnering van Akkarin die onder het bloed zat, moest Lorlen wel concluderen dat de tegenstander zwaargewond moest zijn geweest. Of vermoord.

Lorlen schudde het hoofd. De verhalen die Derril en zijn zoon verteld hadden waren vreemd en verward. In beide kwamen slachtoffers voor die dood waren ondanks oppervlakkige wonden. Dat was echter niet genoeg om te bewijzen dat er zwarte magie in het spel was. Als hij niet zo met Akkarin omhoog had gezeten, had hij de slachtoffers misschien beter naar Vinara kunnen brengen. Misschien wist de Genezeres wel een methode om uit te zoeken of iemand door zwarte magie was gedood.

Maar als het Gilde dan naar een zwarte magiër op zoek ging, zouden ze dan niet te vroeg bij Akkarin uitkomen?

Hij bleef staan voor de ambtswoning van de opperheer. Die gedachten moest hij nu uit zijn geest bannen. Er waren magiërs die het vermoeden hadden dat de opperheer gedachten op afstand kon lezen. Nu geloofde hij dat wel niet direct, maar Akkarin was er altijd verdomd goed in geweest om geheimen te ontdekken voor iemand anders erachter kwam.

Zoals altijd ging de deur uitnodigend open zodra hij aanklopte. Hij liep naar binnen en zag Akkarin staan, een glas wijn in de hand.

Lorlen glimlachte en nam het glas aan. 'Dank je.'

Akkarin nam een ander glas van een nabijgelegen tafeltje en zette het aan zijn lippen. Hij keek Lorlen over de rand heen aan. 'Je ziet er moe uit.'

Lorlen knikte. 'Dat verbaast me niets.' Hij schudde het hoofd en liep naar een stoel.

'Takan heeft gezegd dat het diner over tien minuten opgediend kan worden. Kom mee naar boven.'

Ze gingen naar de linkerkant van de kamer. Akkarin opende deur naar de trap en liet Lorlen voorgaan. Terwijl hij de trap opliep voelde Lorlen zich opeens ongemakkelijk en hij was zich sterk bewust van de in het zwart geklede magiër achter zich. Hij verdreef de gedachte weer en liep de lange gang aan het eind van de trap in.

Halverwege stond een dubbele deur wijd open en Lorlen liep de eetzaal binnen. Takan stond al klaar. Toen de bediende boog kon Lorlen zich er maar net van weerhouden de man goed te bekijken, al had hij maar nauwelijks de gelegenheid gehad om Takan op te nemen sinds hij van Akkarins daden had gehoord.

Takan liep naar een van de stoelen en schoof hem naar achteren. Lorlen nam plaats en zag toe hoe Takan dezelfde handeling voor Akkarin uitvoerde.

'Wat zit je allemaal dwars, Lorlen?'

Lorlen keek Akkarin verbaasd aan. 'Dwars?'

Akkarin glimlachte. 'Je bent zo afwezig. Wat is er aan de hand?'

Lorlen wreef over zijn neusbrug en zuchtte. 'Ik moest afgelopen week een zeer onprettige beslissing nemen.'

'O? Probeert heer Davin nog meer materiaal in de wacht te slepen voor zijn weersexperimenten?'

'Nee – nou ja, dat ook. Ik moest Sonea naar de novicenvertrekken verbannen. En dat is een kwalijke zaak, want zij draagt geen schuld. Het zijn haar klasgenoten die haar het leven zuur hebben gemaakt.'

Akkarin haalde zijn schouders op. 'Ze mag niet klagen; ze is toch erg lang bij Rothen in huis geweest. Op een dag moest daar wel tegen geprotesteerd worden. Het verbaast me eigenlijk dat die zaak niet eerder aangekaart is.'

Lorlen knikte en wuifde het weg. 'Het is gebeurd. Ik kan alleen maar een oogje in het zeil proberen te houden, en heer Garrel vragen om Regins gedrag een beetje in te perken.'

'Dat valt te proberen, maar al vroeg je Garrel zijn neef dag en nacht in de gaten te houden, het zou Regin er niet van weerhouden te doen wat hij moet doen. Ze moet echt leren om voor zichzelf op te komen als ze het respect van de anderen wil winnen.'

Takan kwam binnen met een dienblad en zette kleine kommetjes soep neer. Akkarin nam zijn kom in één langvingerige hand, nipte eraan, en glimlachte.

'Je hebt het altijd weer over Sonea als je hier bent,' merkte hij op. 'Niets voor jou om interesse te tonen voor één bepaalde novice.'

Met zijn mond vol pittige soep slikte Lorlen voorzichtig. 'Het interesseert me hoe ze zich ontwikkelt, en of haar achtergrond haar vorderingen belemmert. Het is in ons eigen voordeel als ze zich aan onze stijl weet aan te passen, en haar potentieel waar kan maken, dus neem ik af en toe een kijkje.'

'Wil je soms meer mogelijke novicen uit de lagere standen weghalen?'

Lorlen trok een lelijk gezicht. 'Nee. Jij?'

Akkarin keek weg en trok nauwelijks merkbaar zijn schouders op. 'Soms wel. We verspillen beslist veel talent en kracht door zo'n groot deel van de bevolking te negeren. Dat blijkt wel uit Sonea.'

Lorlen grinnikte. 'Zelfs jíj zou het Gilde niet kunnen overhalen om het nog eens te proberen.'

Takan kwam terug met een groot dienblad dat hij tussen Akkarin en zijn gast neerzette. Hij haalde de lege kommen weg en zette er borden voor in de plaats. Toen de bediende weer verdwenen was begon Akkarin uit de vele bakjes op het blad een keuze te maken.

Toen het Lorlens beurt was, zuchtte hij van tevredenheid. Wat heerlijk om weer eens rustig van een echt diner te mogen genieten. De haastige maaltijden die hij in zijn kantoor nuttigde waren nooit zo lekker als een diner van vers gekookte ingrediënten.

'En wat heb jíj voor nieuws?' vroeg hij.

Terwijl hij at verhaalde Akkarin over de toestanden die hij meemaakte bij de koning en aan het hof. 'En ik hoor goede berichten over onze nieuwe ambassadeur in Elyne,' voegde hij daar in één adem aan toe. 'Het schijnt dat er een heel stel ongehuwde meisjes aan hem is voorgesteld, maar hij heeft ze allemaal even beleefd afgeslagen.'

Lorlen glimlachte. 'Ik weet wel zeker dat hij zich uitstekend vermaakt.' Het schoot hem te binnen dat dit een goed moment was om Akkarin een vraag over zijn reizen te stellen. 'Ik benijd hem wel. In tegenstelling tot jou heb ik nooit de kans gehad te reizen, en ik betwijfel of ik ooit nog de kans krijg. Je hebt zeker geen dagboek bijgehouden? Dat deed je altijd toen we nog leerlingen waren.'

Akkarin keek Lorlen vragend aan. 'Ik meen me een novice te herinneren die zodra de kans zich voordeed probeerde stiekem mijn dagboeken te lezen.'

Grinnikend keek Lorlen op van zijn bord. 'Niet meer. Ik ben alleen op zoek naar reisverhalen die ik in bed kan lezen voor ik in slaap val.'

'Ik kan je niet helpen,' zei Akkarin. Zuchtend schudde hij het hoofd. 'Mijn journaal en alle aantekeningen die ik had gemaakt werden vernietigd in een storm aan het eind van mijn reis. Had ik maar een kopie gemaakt. Soms droom ik er zelfs van alles helemaal overnieuw te doen. Maar nu heb ook ik verantwoordelijkheden die me aan Kyralia binden. Misschien als ik oud ben, dan ga ik er weer vandoor.'

Lorlen knikte berustend. 'Dan moet ik iemand anders maar om reisverhalen vragen.'

Toen Takan terugkwam om het dienblad met lege schaaltjes weg te halen, deed Akkarin een paar suggesties voor titels. Lorlen knikte en probeerde geïnteresseerd te kijken, maar een deel van zijn gedachten was met iets heel anders bezig. Hij kende Akkarin, en er moest gewoon een dagboek bestaan. Stonden er verwijzingen naar zwarte magie in? Was het echt vernietigd of had Akkarin gelogen? Misschien lag het ergens in zijn huis. Zou hij eens naar binnen kunnen glippen en ernaar op zoek kunnen gaan?

Maar toen Takan binnenkwam met gestoofde piorres in wijnsaus snapte Lorlen ook wel hoe riskant zo'n onderneming was. Als Akkarin ook maar de kleinste aanwijzing van een insluiper vond, zou hij gewaarschuwd zijn dat iemand waarschijnlijk zijn geheim kende. Hij kon beter wachten tot Dannyl iets ontdekte voor hij zo'n gevaarlijke actie zou ondernemen.

10

Loon naar werken

'Sonea is geslaagd voor haar halfjaartest, heer Kiano,' meldde Jerrik. 'Ik heb haar naar deze klas bevorderd.'

Acht paar ogen namen Sonea op. De novicen van de winterlichting zaten in een halve cirkel rond het bureau van de leraar. Ze keek ze allemaal aan om hun reactie in te schatten. Geen minachtende blikken, maar ook geen verwelkomende glimlach.

De leraar was een gedrongen, stevige Vindo met slaperige oogjes. Hij knikte naar de directeur en Rothen en keek toen Sonea aan. 'Pak maar een stoel van achteren en ga bij de anderen zitten.'

Sonea boog en liep naar de stoelen achter in de klas. Ze pakte er een en keek weifelend waar ze hem neer zou zetten. Ze zaten met hun ruggen naar haar toe en ze kon niet inschatten wie het erg zou vinden als ze naast hem of haar ging zitten. Toen ze naar voren liep draaide een jongen zich half om, met een mager glimlachje. Ze liep naar hem toe en was verrast toen hij zelfs zijn stoel wat opzij schoof om plaats voor haar te maken.

Rothen en Jerrik waren de gang al op gegaan; ze hoorde hun voetstappen in de verte verdwijnen. Heer Kiano schraapte zijn keel, keek de klas rond en ging verder met de les.

De andere novicen bogen zich over hun aantekenboeken en schreven zijn woorden snel op. Terwijl de Genezer een lange reeks ziekten opdreunde plus de medicijnen waarmee ze behandeld moesten worden, trok Sonea snel een blad papier te voorschijn en krabbelde mee. Ze had geen idee wat ze wel en niet hoefde op te schrijven, dus schreef ze met haar hanenpoten van alles door elkaar op; ze vermoedde dat het later wel eens moeilijk te ontcijferen zou kunnen zijn. Toen heer Kiano eindelijk ophield met praten om een figuur op het bord te tekenen, kon ze voorzichtig de anderen begluren.

Eén meisje en zes jongens. Behalve een lange Lanjongen en een jongen uit Elyne en Vin, waren het allemaal Kyralianen – al was de jongen naast haar ongewoon klein, dus misschien half Vindo. Zijn huid was puisterig en zijn haar hing in vette slierten.

Toen hij voelde dat ze hem bekeek, glimlachte hij onzeker naar haar en grijnsde toen ze terug glimlachte. Toen viel zijn oog op haar aantekeningen en hij fronste zijn voorhoofd. Hij verschoof zijn eigen aantekeningen zodat ze ze kon lezen en schreef in een hoek van de bladzij: *Heb je alles?*

Sonea haalde haar schouders op en schreef terug: *Ik hoop het – hij praat zo snel.*

De jongen wilde een antwoord schrijven, maar heer Kiano begon met een gedetailleerde uitleg van de tekening en zowel Sonea als haar buurman besefte met een schok dat ze de tekening over hadden moeten nemen. Een paar minuten lang schetsten en krabbelden ze zo snel als ze konden. Voor ze klaar was klonk de vertrouwde gongslag van de lunchpauze door de universiteit.

Heer Kiano ging voor de klas staan. 'Als huiswerk voor de volgende keer: leer de namen en medicinale kracht van de planten die slijmvliesaandoeningen kunnen genezen uit hoofdstuk vijf uit je hoofd. Jullie kunnen gaan.'

Als één man stonden de novicen op en bogen voor hun leraar. De leraar draaide zich om naar het bord en bewoog zijn hand. Tot Sonea's wanhoop verdween de tekening.

'Hoeveel heb jij?'

Ze draaide zich om. De jongen stond naast haar en rekte zich uit om haar gekrabbel te bekijken. Ze liet het hem zien. 'Niet alles, maar je hebt geloof ik wel dingen die bij mij ontbreken. Mag ik... zullen we onze aantekeningen vergelijken?'

'Ja, graag. Als je... als je het geen probleem vindt.'

De anderen hadden hun spullen al gepakt en liepen opeengepakt de klas uit. Een paar keken naar de achterblijvers, misschien toch nieuwsgierig naar hun nieuwe klasgenoot.

Sonea keek de jongen aan. 'Ga jij naar de Eetzaal?'

Zijn glimlach verdween. 'Ja.'

'Dan ga ik met je mee.'

Hij knikte, en ze gingen de rest van de klas achterna. De novicen liepen twee aan twee, maar nooit ver van elkaar af. Een paar keken achterom, maar ze smoesden niet en deden ook geen moeite haar uit de weg te gaan.

'Hoe heet je eigenlijk?' vroeg ze de jongen.

'Poril. Familie Vindel, Huis Heril.'

'Ik ben Sonea.' Ze peinsde wat ze nog meer kon vragen. 'Jullie zijn hier allemaal sinds afgelopen winter?'

'Iedereen, op mij na.' Poril haalde zijn schouders op. 'Ik ben de eervorige zomer al begonnen.' Moeite met leren dus. Ze vroeg zich af waar dat aan lag. Misschien had hij genoeg magische kracht, maar ondervond hij problemen met het begrijpen van de leerstof, of was hij gewoon te zwak om de taken die hij kreeg goed uit te voeren.

Poril begon te vertellen over zijn familie, zijn broers en zussen – zes stuks

– en een hele hoop andere persoonlijke dingen. Ze knikte en moedigde hem aan, want des te langer duurde het voor ze iets over zichzelf moest vertellen.

De klas liep de trap af naar de begane grond en ging de Eetzaal binnen. Toen ze naar een tafel liepen aarzelde Sonea even, maar Poril ging gewoon bij de anderen zitten. Ze nam naast hem plaats en merkte opgelucht dat geen van de anderen daar een aanmerking over maakte.

Bedienden droeg bladen met maaltijden aan en ze begonnen te eten en te praten. Ze luisterde goed als ze het over mensen hadden die zij niet kende, of over de les. Uiteindelijk keek een van de andere jongens haar aan.

'Jij komt uit Regins klas, hè?' vroeg hij terwijl hij een gebaar naar de andere kant van de zaal maakte.

Sonea's maag draaide zich om. Haar oude klas stond dus bekend als 'Regins klas'. 'Ja,' zei ze.

Hij gebaarde met zijn bestek. 'Ze hebben het je behoorlijk moeilijk gemaakt, heb ik begrepen.'

'Zo nu en dan.'

De jongen knikte en haalde zijn schouders op. 'Nou, daar zal je bij ons geen last van hebben. We hebben hier geen tijd voor flauwe spelletjes, we moeten veel te hard werken. Dit is heel wat anders dan Beheersingslesjes.' De anderen lachten.

Ze hield haar lachen in. Beheersingslesjes? Hij wist waarschijnlijk nog niets van haar af... of misschien ook wel, maar dan was dit een subtielere manier van plagen dan ze kende.

Ze praatten verder over andere onderwerpen. Ze dacht even na over het gebaar dat de jongen had gemaakt toen hij het over Regin had. Ze keek naar rechts. Bekende gezichten aan een tafel verderop richtten zich op haar. Ze vroeg zich af wat ze gedacht hadden toen ze die ochtend niet in de klas verschenen was. Ze hadden waarschijnlijk gedacht dat ze gezakt was voor de halfjaarlijkse test.

Het was flink aanpoten geweest. Pas drie maanden geleden was ze begonnen, en in die periode had ze voor zes maanden werk verricht. Nu moest ze het werk dat de winterklas al gedaan had nog inhalen, wat inhield dat ze weer zes maanden in drie moest doen. Het zou niet makkelijk worden.

Toen hij haar blik op zich voelde rusten keek Regin op van zijn bord en keek haar zonder te knipperen aan. Zij deed hetzelfde. Zijn ogen vernauwden zich en hij schoof zijn stoel naar achteren.

Haar voldoening over wat ze bereikt had verdween als sneeuw voor de zon en ze keek weer naar beneden. Wat was hij nu weer van plan? Uit haar ooghoek zag ze dat Kano zijn hand op Regins arm legde. Ze overlegden zacht met elkaar. Regin ging weer zitten en Sonea slaakte een zucht van verlichting.

Ze keek op toen een bediende haar een nagerecht wilde geven, maar ze wuifde het weg: haar eetlust was verdwenen. Regin mocht dan wel niet meer bij haar in de klas zitten, maar dat zou hem er niet van weerhouden haar in de Eetzaal dwars te zitten, of op weg naar de novicenvertrekken. Vanuit haar ooghoek zag ze hem weer naar haar staren. Nee, ze was nog niet van hem af, dat was duidelijk.

Maar ze had de kans gekregen een nieuwe vriend te maken. Ze keek om zich heen en voelde een sprankje hoop. Misschien zou ze zelfs vrienden met hen allemaal worden.

Rothen voelde dat er iemand naast hem en Sonea stond en keek op.

'Excuseer dat ik u stoor,' zei heer Julien stijfjes. 'Maar de bibliotheek gaat nu echt sluiten.'

'Natuurlijk.' Rothen stond op. 'We pakken onze spullen en zijn verdwenen.'

Toen de bibliothecaris terugschuifelde naar zijn bureau, zuchtte Sonea en sloeg het dikke boek dicht waarin ze had zitten lezen. 'Ik wist niet dat het menselijk lichaam zo ingewikkeld in elkaar zat.'

Rothen grinnikte. 'En dit is nog maar de basiscursus.'

Ze pakten hun spullen ordelijk in. Boeken werden dichtgeslagen, papier in dozen geschoven, pennen en inktflesjes veilig weggestopt. Rothen zette een paar dikke boeken op de planken terug en joeg Sonea de zaal uit.

De universiteit was donker en stil, en Sonea zweeg terwijl ze naast hem voortliep. Ze kon niet meer in zijn werkkamer werken uit angst dat dat weer argwaan zou oproepen, waarop Rothen had voorgesteld in haar eigen kamer te werken. Ze had haar hoofd geschud en uitgelegd dat Regin makkelijk een andere novice ertoe kon overhalen hem te laten zeggen dat hij verdachte geluiden of gesprekken had gehoord.

Haar idee om in de magiërsbibliotheek te werken was daarentegen uitstekend. De bibliothecaris was constant aanwezig en ze had de mogelijkheid boeken in te zien waar ze anders speciale toestemming voor had moeten vragen. En Regin mocht alleen binnenkomen als zijn mentor bij hem was.

Rothen glimlachte. Hij had bewondering voor de manier waarop ze een negatieve situatie in haar voordeel om kon zetten. Toen ze het gebouw verlieten, legde hij een magisch schild om hen beiden heen dat hij van binnenuit verwarmde. De nachten werden snel killer. Dorre bladeren ritselden over de binnenplaats; over een maand zou het winter zijn.

Ze liepen de novicenvertrekken in. De gang was leeg en stil. Rothen bracht haar naar haar deur en mompelde tot ziens. Hij draaide zich om en hoorde de deur dichtklikken.

Iemand liep de gang op. Rothen herkende de jongen, kneep zijn ogen tot spleetjes en keek hem strak aan.

Terwijl Rothen passeerde draaide de jongen zich om om het oogcontact niet te verbreken, al had Rothen hem dreigend genoeg aangekeken. Regins mond krulde zich vergenoegd omhoog.

Rothen snoof en liep de novicenvertrekken uit. Regin had Sonea nog maar een of twee keer lastiggevallen sinds ze hier woonde, en niet meer sinds ze naar haar andere klas was verhuisd. Hij hoopte maar dat de knaap zijn interesse in haar was verloren. Maar terwijl hij dacht aan de zelfverzekerdheid en de kwaadaardigheid in de blik van de jongen, kreeg hij het trieste gevoel dat zijn hoop tevergeefs was.

Rothen!

Hij herkende degene die hem opriep meteen. Hij bleef abrupt staan en struikelde haast. *Dorrien!* antwoordde hij.

Ik heb goed nieuws, vader. Vrouwe Vinara vindt het tijd worden dat ik haar weer eens verslag kom uitbrengen. Ik kom snel op bezoek bij het Gilde – waarschijnlijk binnen een maand al.

Verschillende emoties streden om aandacht bij dit bericht. Rothen wist ook wel dat een reis naar Imardin, puur voor een formaliteit, zijn zoon tegenstond. Dorrien maakte zich zorgen of het dorpje waar hij leefde en werkte het wel een paar weken zonder zijn Genezer kon uithouden. Maar er klonk ook genoeg enthousiasme in het bericht door. Ze hadden elkaar al zeker twee jaar niet gezien.

Maar dat was nog niet alles. Elke keer dat Rothen met zijn zoon communiceerde merkte hij een zekere nieuwsgierigheid op. Dorrien wilde kennismaken met Sonea.

Dat is goed nieuws, ja. Rothen glimlachte en liep verder, de binnenplaats op. *Het is veel te lang geleden dat je hier was. Ik wilde dat ik je eens opdracht kon geven naar Imardin te komen!*

Vader! Er klonk twijfel door in Dorriens antwoord. *Jij hebt dit toch niet bekokstoofd, wel?*

Nee. Rothen grinnikte. *Maar je brengt me wel op een idee. Ondertussen zal ik je oude kamer in orde laten brengen.*

Ik blijf twee weken, denk ik. Genoeg om een paar flessen van die lekkere wijn uit Elyne in te slaan. De plaatselijke bol komt me de neus uit.

Afgesproken. En neem wat raka mee. Dat spul uit het oosten moet het beste zijn. En Sonea is er dol op.

Het is inderdaad het beste, zond Dorrien trots. *Oké, raka in ruil voor wijn. Ik neem contact met je op wanneer ik vertrek. Ik moet gaan.*

Pas goed op, zoon van me.

Rothen voelde de aanwezigheid in zijn geest verflauwen. Hij glimlachte toen hij de Magiërsvertrekken binnenging. Dorrien mocht dan nieuwsgierig zijn naar Sonea, maar wat zou zij van hem vinden? Grinnikend liep hij de trap naar zijn appartement op.

'Ik ben een stuk opgeknapt,' zei Tayend tegen het plafond van zijn hut. 'Ik zei toch dat ik er wel aan zou wennen.'

Dannyl keek glimlachend naar zijn vriend in de kooi aan de andere kant

114

van het smalle gangpad. Tayend had vrijwel de hele dag liggen doezelen. Het was stikheet en de vochtige avondwarmte maakte slapen onmogelijk. 'Je had niet zo lang hoeven lijden. Een dag zeeziekte lijkt me wel genoeg avontuur voor je.'

Tayend keek Dannyl beschaamd aan. 'Nee, dat was het niet.'

'Is het misschien omdat je bang bent om door een Genezer behandeld te worden?'

De geleerde gaf een kort knikje, dat meer weg had van een huivering.

'Ik ben nog nooit eerder zo iemand tegengekomen, maar ik heb gehoord dat ze bestaan.' Dannyl fronste zijn voorhoofd. 'Mag ik vragen waarom?'

'Ik praat er liever niet over.'

Dannyl knikte. Hij stond op en rekte zich zo goed mogelijk uit. Al die koopvaardijschepen hadden benauwde hutjes, zo leek het wel – al had dat meer te maken met het postuur van de scheepsbouwers. De meeste schepen die de Geallieerde Landen aandeden waren gebouwd en werden bevaren door Vindo's.

De reis naar Capia had twee weken geduurd en hij was dolblij geweest weer vaste grond onder zijn voeten te hebben. Lonmars hoofdstad, Jebem, was nog eens vier weken varen en Dannyl was zijn omgeving nu al goed zat. Des te erger was het dat ze de laatste dagen weinig wind hadden gehad en dat de kapitein hun verteld had dat ze wel wat vertraging zouden oplopen.

'Ik ga even een luchtje scheppen,' zei hij.

Tayend gromde iets onverstaanbaars ten antwoord.

Dannyl liep het gangetje door en kwam in de gemeenschappelijke hut. In tegenstelling tot de matrozen van het vorige schip was dit een rustig stelletje. Ze zaten naast elkaar of op hun eentje, en sommigen lagen in hun hangmat. Hij liep langs hen heen, ging het trapje op en stapte aan dek.

De lucht viel als een warme deken over hem heen. Hoewel het herfst in Kyralia was, werd het steeds warmer naarmate ze noordwaarts voeren. Dannyl wandelde langs de reling, knikkend naar de zeelieden die wacht liepen. Ze zeiden nauwelijks iets terug en sommigen negeerden hem volkomen.

Hij miste Jano's gezelschap. Geen van deze mannen leek interesse te hebben in een praatje, laat staan een lied. Hij miste nu zelfs een slok van de krachtige siyo.

Het schip werd verlicht door lantaarns. 's Nachts hing er af en toe een matroos aan een uitstekende balk om de romp te inspecteren. Dannyl had één keer gevraagd waar hij toch naar keek, maar de zeeman had hem met een neutrale blik aangekeken, zodat hij vermoedde dat de man zijn taal niet verstond.

Het was doodstil die nacht en Dannyl leunde rustig over de reling, terwijl het water rimpelde in het licht der lantaarns. In dit licht kon je je gemakkelijk voorstellen dat de schaduw van een golf de rug van een zeemonster was dat door het water gleed. Een week geleden had hij vol vreugde anyi zien zwem-

115

men, sommige zo groot als een mens. De soepele dieren hadden hun besnorde snoeten boven de golven geheven en vreemde, onheilspellende kreten uitgestoten.

Hij draaide zich om om naar stuurboord te lopen toen hij zag dat er een aantal stukken dik zwart touw voor zijn voeten op het dek lagen. Hij fronste zijn voorhoofd, blij dat hij er niet over gestruikeld was.

Toen begon een van de touwen te bewegen.

Hij deed een stap naar achteren en staarde naar het ding. Het was veel te glad om een touw te zijn. En waarom zou een touw in van die korte stukken gesneden zijn? De zwart stukken glinsterden slijmerig in het lantaarnlicht.

Een ervan draaide zich om en kwam op hem af.

'Eyoma!'

De waarschuwingskreet sneed door de nacht en werd als een echo overal herhaald. Dannyl keek de zeelieden ongelovig aan. 'Ik dacht dat ze een grapje maakten,' zei hij schor terwijl hij achteruit deinsde voor de wezens. 'Dat ze niet echt bestonden.'

'Eyoma!' Een matroos holde op hem af met een grote pan in de ene hand en een roeispaan in de andere. 'Zeebloedzuiger. Ga weg van de reling.'

Dannyl draaide zich om en zag tot zijn schrik dat er van alle kanten bloedzuigers aan dek klommen. Hij rende naar het midden van het dek en dook opzij toen er eentje een sprongetje in zijn richting maakte. Een andere richtte de voorste helft van zijn lijf op alsof hij de lucht opsnoof, al was er geen neus te bekennen – alleen een bleek rond mondje afgezet met kleine scherpe tandjes.

Met één stap stond de matroos met de pan naast het beest en goot iets van de vloeistof in de pan over het beest. Daarna begon hij ook de andere ondieren te besproeien. Een bekende, nootachtige geur steeg op.

Dannyl keek de matroos vragend aan. 'Siyo?'

De beesten werden van afschuw vervuld van hun stortbad. Dannyl begreep hoe ze zich moesten voelen. Toen ze begonnen te kronkelen duwde de zeeman ze met zijn roeispaan overboord. Kleine plonsjes volgden.

Er kwamen nog twee matrozen aan. Om de beurt vulden ze hun pannen en bakken met de vloeistof uit een open vat dat stevig aan het dek vastgesjord zat. Het ging allemaal zo routineus dat Dannyl herademde. Toen een van de mannen per ongeluk een ander een douche gaf, kon hij zijn lachen nauwelijks inhouden.

Maar de zwarte griezels bleven maar komen en kronkelden over het dek in steeds groteren getale, zodat het uiteindelijk leek alsof de nacht een stuk van het schip had opgegeten. Een van de matrozen vloekte en keek naar beneden. Een bloedzuiger had zich aan zijn enkel vastgezogen en zijn lijf pijlsnel rond het been van de man geslagen. Vloekend goot de man bak na bak siyo over het beest, tot het losliet en hij het met een reuzenschop van dek schopte.

Bekomen van de schrik liep Dannyl in hun richting, vastbesloten te helpen. Toen een van de mannen naar voren stapte om de wezens van dek te vegen, pakte Dannyl hem vast en liet hem stilstaan. Hij richtte zijn wilskracht op de beesten en duwde de bloedzuigers zonder ze aan te raken van het dek af zodat ze in zee vielen.

Hij keek de man aan, en deze knikte even.

'Waarom die siyo?' vroeg Dannyl toen de matroos nog een bak gehaald had.

'Yomi,' antwoordde de man. 'Afval van maken van siyo. Brandt eyoma zodat niet terugkomt.'

De matroos ging ondertussen voort om beest na beest van een plens van het vocht te voorzien, en Dannyl hield zich bezig met de kronkelende beesten in zee te schuiven. Toen begon het schip angstig naar één kant over te hellen en de matroos vloekte.

'Wat gebeurt er?'

De man was bleek geworden. 'Te veel eyoma. Als grote groep klimt, schip daar zwaar. Als eyoma klimmen aan één kant, schip slaat om.'

Toen Dannyl om zich heen keek zag hij de kapitein en meer dan de helft van de bemanning aan de lage kant van het schip staan, waar het zwart zag van de bloedzuigers. Hij dacht aan Jano's verhaal en begreep het gevaar waarin de mannen zich bevonden. Als het schip kapseisde en ze in het water vielen, zou hun laatste uurtje geslagen hebben.

'Hoe hou je ze tegen?' vroeg hij terwijl hij met zijn geestkracht de beesten terug bleef schuiven.

'Mocilijk.' De matroos rende terug om meer vocht uit het vat te scheppen en was snel terug bij Dannyl. 'Kan geen yomi op romp krijgen.'

Het schip helde nog meer over. Dannyl pakte de roeispaan die de man weg had geworpen en gaf hem terug. 'Ik ga kijken of ik daar kan helpen.'

De matroos knikte.

Met grote passen en wijdbeens liep Dannyl over het dek, maar zijn weg werd geblokkeerd door beneden wriemelende zeebloedzuigers die aan de zeelui ontsnapt waren. Hij zag zwarte schaduwen langs de touwen omhoog kronkelen, in elk hoekje en aan de reling. Hij trok een magisch schild rond zichzelf op en liep tussen hen door, onwillekeurig schrikkend als ze naar hem opsprongen. Maar ze sisten even als ze het schild raakten en vielen dan als verlamd neer. Tevreden liep hij verder.

Voordat hij de kapitein wist te bereiken drong een bekende stem in de buurt van de gemeenschappelijke hut tot hem door. 'Wat gebeurt er allemaal?'

Toen hij Tayend naar buiten zag gluren sloeg de paniek bij Dannyl toe. 'Beneden blijven!'

Er viel een bloedzuiger van een touw vlak voor Tayends voeten. Hij staarde er griezelend maar gefascineerd naar.

'Doe die deur dicht!' Dannyl richtte er zijn wilskracht op en de deur sloot zich met een klap. Onmiddellijk ging hij echter weer open. Tayend sprong naar buiten.

'Ze zitten ook binnen!' schreeuwde hij. De bloedzuiger bij de deur ontwijkend rende hij naar Dannyl toe. 'Wat zíjn dat?'

'Eyoma. Zeebloedzuigers.'

'Maar... je zei dat dat een sprookje was!'

'Nou, klaarblijkelijk niet dus.'

'Wat doet de kapitein toch?' vroeg Tayend. Toen sperde hij zijn ogen nog wijder open.

Dannyl hield zijn adem in toen de kapitein midden in een dikke wriemelende massa bloedzuigers stapte die het dek aan bakboord bedekte. De man negeerde de beesten die zich om zijn benen heen wonden. In zijn ene hand hield hij een brandslang, die met het andere eind in een vat hing. Terwijl hij over de reling leunde, richtte de kapitein de slang op de romp en brulde een bevel. Een bemanningslid begon een hendel in het vat op en neer te bewegen en spoedig spoot er een straal vloeistof uit de slang tegen de zijkant van het schip.

Hoewel matrozen de benen van de kapitein nat hielden met yomi, kwamen de beesten sneller terug dan ze vielen. Binnen enkele minuten waren de benen van de kapitein met bloed besmeurd vanwege de vele eyomabeten. Dannyl stapte erop af, met Tayend op de hielen.

'Hier blijven,' beval hij de geleerde.

Met een blik op het dek dat door een deken van eyoma bedekt was, weifelde Dannyl even. Toen stapte hij midden in de slijmerige massa. Overal waar de beesten zijn schild raakten, siste het dat het een aard had. Hij voelde de beesten uiteenspatten als hij zijn laarzen erop zette.

Toen hij naast de kapitein stond raakte hij een bloedzuiger aan die de schouders van de man bereikt had. Het beest viel verlamd neer, een ring van kleine scherpe wondjes achterlatend. Dankbaar knikte de kapitein naar Dannyl.

'Ga maar weer terug,' zei Dannyl.

De man schudde het hoofd, maar niet omdat hij weigerde. 'Doden te weinig, schip helt andere kant over.'

'Ik snap het,' antwoordde Dannyl.

Het schip lag nu verschrikkelijk scheef. Dannyl bekeek de romp, die bijna onzichtbaar was in het duister. Hij liet een bollicht vanuit zee het schip beschijnen. Hij verstijfde van schrik: de romp was één glanzende kronkelende massa bloedzuigers.

Hij hernam zich en stuurde een bundel verdovingsstralen naar de beesten. Het regende bloedzuigers in zee. Ze zouden de schok waarschijnlijk wel overleven, maar hij durfde geen kracht- of vuurtreffer op de romp te gebruiken.

Terwijl steeds meer bloedzuigers in zee vielen kwam het schip langzaam weer recht op de golven te liggen, maar helde vervolgens naar stuurboord over. Dannyl stak het dek over en leunde aan de andere kant over de reling. Opnieuw bestookte hij de zeebloedzuigers en verdoofd vielen ze in het water. Het schip helde steeds minder over. Hij liep weer naar bakboord en zag dat de bemanning zich nu volop bezig kon houden met de beesten die aan dek lagen eraf te vegen, of ze van de touwen te slaan en uit hoeken en gaten te spuiten.

Het ergste was nu achter de rug, maar de strijd was nog lang niet gestreden, aangezien de beesten, op zoek naar bloed, het schip bleven beklimmen. Al spoedig was Dannyl de tel kwijt hoe vaak hij van bak- naar stuurboord was gegaan om de romp aan beide zijden van het gevaar te ontdoen. Hij bleef op de been dankzij de inzet van genezersmagie, maar naarmate de uren verstreken kreeg hij barstende koppijn van de onophoudelijke mentale inspanning.

Uiteindelijk begon de aanval te verzwakken en kwamen er alleen nog wat vasthoudende exemplaren aan boord, die men gemakkelijk weer wegveegde. Hij hoorde iemand zijn naam roepen en merkte dat alles door de zonsopkomst in een vaag licht was gehuld. Er stond een kleine groep mensen om hem heen. De kapitein pakte zijn hand en stak hem de lucht in; driemaal juichten de zeelieden hem toe.

Verrast glimlachte Dannyl en begon toen mee te juichen. Hij was kapot, maar ook opgetogen.

Ergens werd een klein vaatje vandaan getoverd en een mok ging rond. Ook Dannyl nam de beker siyo aan en hij rook de bekende scherpe geur. De slok maakte hem weer helemaal warm van binnen. Hij keek om zich heen waar Tayend was, maar hij kon hem niet ontdekken.

'Vriend slaapt,' zei een van de matrozen.

Opgelucht nam Dannyl nog een teug siyo. 'Komen jullie nou vaak eyoma tegen?'

'Zo nu en dan,' zei de kapitein. 'Maar niet zoveel.'

'Nooit zo'n massa gezien,' beaamde een matroos. 'Goed dat u passagier bent. Anders wij vandaag vissenvoer.'

De kapitein keek plotseling op en zei iets in het Vins. Toen de bemanning naar de touwen ging merkte Dannyl dat er een briesje was opgestoken. De kapitein zag er uitgeput maar gelukkig uit.

'Jij nu slapen,' stelde hij Dannyl voor. 'Goed geholpen. Misschien vannacht weer.'

Dannyl knikte en ging naar zijn hut. Daar lag Tayend in diepe slaap verzonken, met een frons op zijn voorhoofd. Ongerust keek Dannyl naar de donkere kringen rond de ogen van zijn vriend. Hij wilde dat hij hem kracht kon schenken en stond op het punt hem een beetje genezersmagie toe te dienen.

Maar hij besefte nog net op tijd dat hij door dat te doen het vertrouwen dat er tussen hen was gegroeid zou beschamen, en Dannyl wilde zijn nieuwe vriendschap niet verknallen.

Zuchtend ging hij naar zijn eigen kooi en werd spoedig door slaap overmand.

11

Nieuwkomers

Het zoete sap van de pachi stroomde Sonea's mond in toen ze haar tanden in de gele vrucht zette. Ze hield hem tussen haar tanden en sloeg de bladzijden van Porils schrift om tot ze de juiste tekening vond.

'Deze is het,' zei ze nadat ze de vrucht weer uit haar mond had genomen. 'De bloedsomloop. Vrouwe Kinla zei dat we alle onderdelen uit ons hoofd moeten leren.'

Poril keek naar de bladzij en kreunde.

'Maak je geen zorgen,' zei ze geruststellend. 'We vinden wel een manier zodat je het kan onthouden. Rothen heeft me echt prima ezelsbruggetjes geleerd.'

Ze slikte een zucht in toen ze zijn bedenkelijke gezicht zag. Ze was er al snel achtergekomen waarom Poril het zo zwaar had met leren. Hij was noch sterk, noch slim en van tentamens schoot hij helemaal in de stress. En het ergste van alles was dat hij daardoor zo moedeloos geworden was dat hij de hoop ooit een magiër te worden eigenlijk al had opgegeven.

Maar hij hongerde naar gezelschap. Hoewel ze niet gezien had dat de andere novicen hem opzettelijk wreed behandelden of pestten, bleek uit alles dat ze hem niet mochten. Hij kwam van het Huis Heril, dat uit de gunst was bij het Hof, al had ze geen idee waarom. Maar ze dacht niet dat men hem daarom links liet liggen. Hij had een aantal ergerlijke gewoonten, zoals zijn irritant hoge, hinnikende lachje waardoor het glazuur van je tanden sprong.

De rest van de klas negeerde haar ook. Ze had al snel door dat ze niet opzettelijk uit haar buurt bleven, en ze hadden geen hekel aan haar zoals aan Poril. Maar iedereen had gewoon al zijn eigen maatje en niemand had behoefte aan een driemanschap.

Trassia en Narron waren echter meer dan gewoon vriendjes. Ze liepen vaak hand in hand en heer Ahrind hield ze dan ook nauwlettend in het oog. Narron was vastbesloten een Genezer te worden en zijn cijfers waren dan ook de hoogste van de klas. Ook Trassia had veel interesse in Geneeskunst, maar die was voornamelijk passief, waardoor het leek alsof ze alleen door Narrons enthousiasme werd meegesleept, of door het idee dat genezen nu eenmaal het vrouwenvak bij uitstek was.

De enige Elyneeër van de klas, Yalend, bracht veel van zijn tijd door met de kletsgrage Vindo-jongen, Seno. Hal, de jongen uit Lan met het hooghartige gezicht, en zijn Kyraliaanse vriend, Benon, vormden een ander stel. Hoewel ze rustiger waren dan de jongens in Regins klas, konden ze eveneens eindeloos bomen over paardenrennen en ongeloofwaardige verhalen ophangen over meiden aan het hof. Soms dolden ze met elkaar alsof ze nog niet op het punt stonden volwassen te worden.

En dat stonden ze ook nog niet, besloot Sonea. De sloppenkinderen groeiden veel sneller op, omdat ze wel moesten. Deze novicen hadden altijd een luxeleventje geleid en hadden geen enkele reden om snel groot te worden zoals hun leeftijdgenootjes buiten het Gilde. Tot ze afstudeerden hadden ze geen verantwoordelijkheden ten opzichte van hun familie: ze hoefden zich nog niet aan het hof te presenteren, nog niet te trouwen, en geen inkomsten binnen te halen. Zat je eenmaal in het Gilde, dan kon je vijf jaar langer van je jeugd genieten.

Al was Poril de oudste van de klas, hij was tegelijkertijd de kinderlijkste. Zijn vriendelijkheid was oprecht, maar ze verdacht hem ervan ook te genieten van het feit dat hij niet meer degene was van de laagste komaf.

Tot haar verbazing en opluchting had Regin haar met rust gelaten sinds ze van klas was veranderd. In de Eetzaal ving ze elke dag wel een glimp van hem op en ze zag hem kletsen met zijn bende volgelingen in de gangen, maar hij viel haar niet meer lastig. Zelfs het gerucht dat zij een relatie met Rothen had gehad leek vergeten. Leraren keken haar niet meer argwanend aan en ze hoorde vrijwel nooit Rothens naam vallen wanneer ze door de gangen liep.

'Wisten we maar over welke onderdelen ze ons vragen gaat stellen,' verzuchtte Poril. 'Over de grotere bloedvaten, natuurlijk, maar waarschijnlijk ook over een stel kleine, de haarvaten.'

Sonea haalde haar schouders op. 'Verspil je tijd nou maar niet, je komt er toch niet achter wat ze vraagt. Je zult ze toch allemaal moeten leren.'

Er weerklonk een gongslag. Ze zaten net als de anderen onder de bomen te genieten van een van de laatste warme herfstdagen. Sonea zag de anderen met tegenzin opstaan, hun spullen pakken en naar de universiteit lopen.

Ze stond op en rekte zich uit. 'Laten we na school naar de bibliotheek gaan om te leren.'

Poril knikte. 'Oké.'

Ze liepen snel de tuin uit en gingen naar binnen. De anderen zaten al in hun banken. Toen Sonea ging zitten kwam heer Skoran het lokaal in. Hij legde een stapeltje boeken op zijn bureau, schraapte zijn keel en keek de novicen aan. Toen hoorden ze voetstappen op de gang en iedereen keek op toen drie personen de klas binnenstapten. Sonea kreeg een vreselijk voorgevoel toen bleek dat Regin er een van was.

Directeur Jerrik keek de klas rond. Zijn blik gleed over de gezichten van de leerlingen tot hij Sonea fronsend in de ogen keek. 'Regin heeft de halfjaarlijkse test gehaald,' zei hij met enige weerzin. 'Ik heb hem naar deze klas overgeplaatst.'

Sonea's maag keerde zich om. De magiërs vertelden nog het een en ander, maar ze hoorde niets meer. Ze kreeg het benauwd alsof een onzichtbare hand haar longen samenkneep. Haar hart bonsde luid in haar oren. Gelukkig herinnerde ze zich op tijd dat ze adem moest halen.

Met een duizelig gevoel sloot ze haar ogen. Toen ze ze weer opendeed, stond Regin met zijn charmantste glimlach voor de klas. Hij keek de anderen een voor een aan, voor hij zijn oog op haar liet vallen. Hoewel zijn mond bleef glimlachen leek zijn uitdrukking volledig te veranderen.

Ze wendde haar ogen af. *Dit is onmogelijk. Hoe had hij haar bij kunnen benen? Hij moet vals gespeeld hebben.*

Maar ze begreep niet hoe hij de leraren had kunnen bedriegen en toch zijn test had kunnen halen. Er was maar één mogelijkheid. Hij was extra lessen gaan volgen vlak nadat zij eraan begonnen was – waarschijnlijk zodra hij te weten was gekomen wat ze van plan was. En dat had hij stiekem gedaan, waarschijnlijk eveneens met hulp van zijn mentor.

Maar *waarom*? Al zijn vrienden zaten in de oude klas. Misschien dacht hij dat hij snel een nieuwe groep bewonderaars om zich heen zou krijgen. In dat geval was er nog hoop, want het was onwaarschijnlijk dat wie dan ook de indeling in paren van deze klas zou kunnen doorbreken. Tenzij...

Regin kennende zou hij meteen alles in het werk stellen om de leerlingen in zijn nieuwe klas voor zich te winnen. Hij moest zeker weten dat hij welkom was.

Het verbaasde Sonea dan ook dat ze Narron met een frons naar Regin zag kijken. Hij scheen niet blij te zijn met Regins komst. Toen herinnerde ze zich dat men haar verteld had dat er in deze klas geen tijd was voor 'flauwe spelletjes'.

Misschien zou Regin dus bot vangen bij haar klasgenoten. Maar ondanks die onzekerheid had hij veel moeite gedaan om naar een hogere klas te gaan. Hij vond het waarschijnlijk onverdraaglijk dat een sloppenmeid kennelijk intelligenter was dan hij. Fergun had tenslotte ook veel op het spel gezet om haar uit het Gilde te krijgen omdat hij tegen toetredingen uit de laagste klasse was. Misschien wilde Regin haar alleen maar dwarsbomen in haar studie om er zeker van te zijn dat ze zakte en mensen uit de lagere klassen nooit meer werden toegelaten.

Dan moet ik er maar goed mijn best voor doen dat dat hem niet zal lukken!

Ze was hem eenmaal te slim af geweest, ze kon het ook een tweede keer, gewoon door harder te studeren en snel naar de volgende klas over te gaan.

Maar zodra ze dat bedacht, begreep ze al dat dat niet mogelijk zou zijn. Elke avond en Vrijdag had ze gestudeerd om de stof van een halfjaar in drie maanden te proppen, en ze moest nog inhalen wat deze klas had geleerd in de periode dat ze nog in haar oude klas zat. Ze had gewoon niet genoeg tijd om ook nog eens de stof van de tweedejaars in haar hoofd te stampen.

Ze moest maar net doen of hij gewonnen had. Ze hoefde niet eens de beste novice van deze klas te zijn om aan te tonen dat niet alleen leden van een Huis het konden maken als magiër.

Desnoods kon ze zich weer terug laten zetten naar haar oude klas. Regin zou haar dan vast niet weer volgen! Maar dat was ook geen goed idee. De zomerklas stond nog steeds onder Regins bevel, al was hij er weg. Haar huidige klas was tenminste niet en bloc tegen haar...

Ze sperde haar ogen open toen bleek dat heer Skorans hoge, trillende stem al enige tijd het enige geluid in de klas was geweest.

'– en in aansluiting op de behandeling van de Sachakaanse Oorlog, wil ik dat jullie alles opschrijven wat jullie kunnen vinden over de vijf opperheren die de strijd in het tweede stadium aangingen. Ze waren afkomstig uit landen buiten Kyralia en ze waren opgeroepen door een jonge magiër die Genfel heette. Kies een van deze opperheren en schrijf een opstel van vierduizend woorden over zijn leven voor hij verwikkeld raakte in de oorlog.'

Sonea pakte haar pen en begon te schrijven. Regin mocht dan de hogere klas gehaald hebben, hij had nog heel wat werk te doen eer hij bij zou zijn. De eerste weken zou hij het zeker te druk hebben om haar te treiteren, en tegen die tijd zou ze weten of hij enige invloed had weten te krijgen bij de anderen. Zonder steun van hen zou hij haar maar heel moeilijk tot doelwit van zijn kwellingen kunnen maken.

'Jebem, *halat*!'

Bij het horen van die kreet keek Dannyl verheugd op.

'Wat zegt hij?' vroeg Tayend.

Dannyl trok zijn neus op en zette zijn bord opzij. Hoewel de gedroogde vispasta overheerlijk was, kon niets de stokoude scheepsbeschuiten eetbaar maken. 'Jebem in zicht,' zei hij en stond op. Gebukt, zodat hij zijn hoofd niet zou stoten, liep Dannyl naar de deur. Toen hij naar buiten klom werd hij verblind door het felle licht. De zon hing laag boven zee en de golven waren één grote schittering. De hitte hing nog in de lucht en sloeg van het dek af.

Toen hij naar het noorden keek stokte zijn adem even. Hij dook naar de ingang en gebaarde naar Tayend dat hij moest komen. Toen liep hij naar de boeg om een goed uitzicht op de verre stad te hebben.

Lage huizen van grijze steen vormden een eindeloze streep langs de kust. Ertussen rezen duizenden obelisken omhoog.

Tayend verscheen naast hem. 'Behoorlijk uitgestrekt, hè?' merkte de jonge geleerde op.

Dannyl knikte. De kleine kustplaatsen die ze de afgelopen dagen gepasseerd waren, hadden bestaan uit huisjes van dezelfde stijl, met een paar obelisken ertussen. De huizen van Jebem waren niet veel groter, maar de afmetingen van de stad waren overdonderend. De obelisken leken wel een woud van stenen naalden, en de ondergaande zon schilderde ze helemaal oranjerood.

Ze keken toe terwijl het schip langs de kust bleef varen. Er verscheen een reeks rotsachtige uitsteeksels parallel aan de kustlijn, als bewakers in zee. Toen ze bij de plek waren waar de obelisken het dichtst opeen stonden, minderde het schip vaart en wendde het de steven om een smal kanaal tussen de rotswanden in te varen. Aan beide zijden verschenen mannen met een donkere huidskleur op de stenen oevers. De matrozen kregen touwen toegeworpen die aan het schip vastgemaakt werden. De uiteinden waren al aan het juk van twee paar gorins vastgemaakt. De sterke dieren begonnen het schip het kanaal door te trekken.

Het volgende uur waren de Lonmarische havenarbeiders bezig met de doorvaart van het kanaal tot het schip een kunstmatige haven bereikte. Er lagen nog andere schepen te dobberen, sommige wel tweemaal zo groot als dat van hen. Toen het schip aan de meerpalen werd vastgemaakt, gingen Dannyl en Tayend terug naar hun hut om hun bagage te pakken.

Na een kort en formeel afscheid van de kapitein liepen ze de loopplank naar de kade af. Hun hutkoffers werden aan vier sterke mannen overgedragen. Een vijfde liep op hen af en maakte een buiging.

'Gegroet, ambassadeur Dannyl, jongeheer Tremmelin. Ik ben Loryk, uw tolk. Ik zal u naar het Gildehuis brengen. Als u mij maar wilt volgen...'

Hij wenkte de dragers en liep de stad in. Ze volgden hem en kwamen langs een aantal scheepswerven voor ze een brede straat in sloegen. Het was er erg stoffig en de kleuren waren vaal. De zeewind was vervangen door een verstikkende hitte en een mengsel van parfum, kruiden en stof. Er liep veel volk op straat, gehuld in sobere Lonmarische kledij. Er klonken overal stemmen op, maar de vloeiende klanken waren onverstaanbaar. De mannen die hen passeerden bekeken Dannyl en Tayend zonder enige schroom, maar hun uitdrukking verried niets. Alleen Tayend, die zijn fraaiste hofkostuum had aangetrokken en hier behoorlijk uit de toon viel, kreeg af en toe wat afkeurend blikken toegeworpen.

De geleerde was erg stil voor zijn doen. Dannyl keek eens naar zijn kameraad en herkende nu de tekenen die verrieden dat Tayend zich niet op zijn gemak voelde: boven zijn neusbrug zat een diepe rimpel en hij liep een halve pas achter Dannyl. Toen hij Dannyl aankeek, glimlachte deze geruststellend.

'Niet piekeren. Het is altijd een beetje verwarrend om voor het eerst in een vreemde stad te zijn.'

Tayends frons verdween en hij ging naast Dannyl lopen terwijl ze de tolk

125

door een steegje volgden. Dat kwam uit op een groot plein. Dannyl stond meteen stil en keek ontzet in het rond.

Houten stellages stonden in de rondte opgesteld. Op de dichtstbijzijnde stond een vrouw met de handen op haar rug vastgebonden. Naast haar stond een man in het wit met een geschoren hoofd en tatoeages; hij had een zweep in zijn hand. Een andere man liep met grote passen door een gangpad dat door de toeschouwers werd vrijgelaten. Toen hij stil bleef staan begon hij iets op te lezen van een vel papier.

Dannyl liep snel naar de tolk. 'Wat zegt hij?'

Loryk luisterde. 'O, die vrouw heeft haar man en zijn familie onteerd door een andere man in haar slaapkamer te ontvangen.' Hij gebaarde om zich heen. 'Dit is het Plein der Veroordeling.'

Er werd geschreeuwd en geroepen en de rest van de proclamatie werd overstemd. Rond een van de andere stellages had zich een hele menigte verzameld. Toen Dannyl de dragers volgde, zag hij een jongeman bij het schavot van de vrouw staan. Zijn donkere ogen glinsterden van tranen, maar zijn gezicht stond strak en beheerst.

Echtgenoot of minnaar? vroeg Dannyl zich af.

Het midden van het plein was minder druk. De dragers staken het over naar een doorgang tussen twee schavotten in. De mannen in het wit op beide platforms hielden een zwaard vast. Dannyl bleef strak naar de rug van de tolk kijken, maar toen een stem boven het gejoel uitsteeg, begon de tolk met een vertaling.

'Aha... hij zegt: deze man heeft zijn familie beschaamd met onnatuurlijke... hoe zeggen jullie dat? Lusten? Hij heeft de hoogste straf verdiend omdat hij lichaam en ziel van meerdere mannen heeft misbruikt. Zoals de zon ondergaat en de duisternis de wereld van zonden reinigt, zo zal alleen de dood de zielen van hen die hij besmeurd heeft weer witwassen.'

Ondanks de hitte voelde Dannyl zijn lichaam verkillen. De veroordeelde was aan een paal vastgebonden en hij keek gelaten voor zich uit. Het publiek begon te schreeuwen. Sommige gezichten waren vertrokken van haat. Dannyl keek de andere kant op, zijn woede en walging verbergend. Deze man werd gedood voor een misdaad die je in Kyralia alleen met schande en schaamte overlaadde, en in Elyne werd het volgens Tayend niet eens als misdaad beschouwd. Dannyl moest terugdenken aan het schandaal dat was gevolgd op het gerucht dat hem als novice in de problemen had gebracht. Hij was beschuldigd van dezelfde 'misdaad' als deze man hier. Bewijs was niet belangrijk; zodra het gerucht zich had verspreid werd hij verstoten door zowel de leerlingen als de leraren. Hij huiverde toen het gebrul van de menigte voor de laatste maal opsteeg. *Als ik de pech had gehad in Lonmar geboren te worden, zou ik misschien al dood zijn geweest.*

Loryk sloeg een ander steegje in en liet het gejoel achter zich. Dannyl keek naar Tayend. Het gezicht van de geleerde was lijkbleek.

'Je kunt nog zoveel over de strenge wetten van een ander land lezen, als je ze in uitvoering ziet is het toch een ander verhaal,' mompelde hij. 'Ik zweer dat ik nooit meer over de buitensporigheden van het hof van Elyne zal klagen.'

Even verderop stopte de tolk voor een laag gebouw. 'Het Gildehuis van Jebem,' kondigde hij aan. 'Ik laat u hier alleen.' De man boog en wandelde weg.

Dannyl ontdekte een plaquette met het Gildesymbool in de muur. Verder zag het gebouw er precies zo uit als alle andere gebouwen die ze hadden gezien. De deur stond open en hij stapte naar binnen. Er stond een Elynese magiër in de hal.

'Gegroet,' sprak de man. 'Ik ben Vaulen, Eerste Gildeambassadeur van Lonmar.' Hij had grijs haar en was erg mager.

Dannyl neeg het hoofd. 'Tweede Gildeambassadeur van Elyne, Dannyl.' Vervolgens presenteerde hij Tayend, die een sierlijke buiging maakte. 'Tayend van Tremmelin, geleerde aan de Grote Bibliotheek en mijn assistent.'

Vaulen knikte beleefd naar zijn landgenoot. Zijn ogen gleden over Tayends paarszijden hemd. 'Welkom in Jebem. Ik moet u echter waarschuwen, Tayend van Tremmelin, dat de Lonmarianen veel waarde hechten aan deemoed en eenvoud, en felgekleurde kleding ten zeerste afkeuren, hoe modieus die ook mag zijn. Ik kan u een goede kleermaker aanbevelen die u een kwaliteitskostuum kan leveren dat zeer geschikt is zolang u in dit land verblijft.'

Dannyl verwachtte een opstandige glinstering in Tayends ogen te zullen ontdekken, maar Tayend boog gracieus zijn hoofd. 'Dank voor de waarschuwing, heer. Ik zal uw kleermaker morgen meteen opzoeken als dat gelegen komt.'

Vaulen knikte en vervolgde: 'Ik heb kamers voor u in orde laten maken. U bent waarschijnlijk wat vermoeid na uw reis. We hebben diverse gescheiden baden; de bedienden zullen u wel vertellen waar u ze kunt vinden. Als u gereed bent nodig ik u uit om met mij het avondmaal te gebruiken.'

Ze volgden een bediende een gang door. De man gebaarde naar twee open deuren, boog weer en ging zijns weegs. Tayend stapte een van de twee kamers binnen, en stond toen plotseling stil, met een treurige blik in de ogen.

Dannyl aarzelde. 'Alles goed met je?'

Tayend rilde. 'Ze gaan hem de doodstraf geven, hè? Dat hebben ze waarschijnlijk al gedaan...'

Dannyl knikte. 'Waarschijnlijk wel, ja.'

'En we konden er niets aan doen. Ander land, andere zeden enzovoort.'

'Helaas wel, ja.'

Tayend zuchtte en plofte op een stoel neer. 'Ik wil je avontuur niet voor je bederven, maar ik heb nu al een hekel aan Lonmar.'

Dannyl knikte. 'Het Plein der Veroordeling was nu niet direct een leuke binnenkomer,' gaf hij toe. 'Maar ik wil niet te snel oordelen. Er moeten toch ook andere kanten aan dit land zijn. Als je eerst de sloppen van Imardin zag, zou je van Kyralia ook geen hoge dunk hebben. Hopelijk hebben we het ergste nu achter de rug en kan de rest alleen maar beter worden.'

Tayend zuchtte en maakte toen zijn hutkoffer open. 'Je zult wel gelijk hebben. Ik zal eerst maar eens wat eenvoudiger kleren aantrekken.'

Dannyl glimlachte vermoeid. 'Soms heeft dit uniform zijn voordelen,' zei hij terwijl hij aan de mouwen van zijn gewaad trok. 'Elke dag dezelfde ouwe purperen lappen, maar ik kan ze tenminste in alle Geallieerde Landen zonder probleem dragen.' Hij liep naar de deuropening. 'Als ik je niet in de badruimte zie, zien we elkaar wel bij het eten.'

Zonder op te kijken wuifde Tayend naar Dannyl. Deze liet de jongeman alleen met zijn veel te fel gekleurde kleding en ging de andere kamer binnen.

Hij kalmeerde wat toen hij over de komende weken nadacht. Nadat hij zijn plichten als ambassadeur volbracht zou hebben, zouden ze de Glorieuze Tempel bezoeken als deel van hun onderzoek. Het moest een plek van uitzonderlijke schoonheid zijn, al was het het centrum van de zeer strenge Mahga-godsdienst, die de straffen uitvaardigde die ze vandaag hadden kunnen aanschouwen. Plotseling had hij niet meer zoveel zin in een bezoek aan de tempel.

Toch zouden ze daar misschien aanwijzingen over oude magie kunnen vinden. Na een maand in de krappe behuizing van het schip te hebben doorgebracht, was hij blij dat hij eindelijk weer de benen zou kunnen strekken en zijn geest verruimen. Hij hoopte maar dat hij gelijk had en dat de rest van Lonmar wat uitnodigender zou zijn dan het Plein der Veroordeling.

Het was al laat toen Lorlen naar zijn kantoor terugging. Hij pakte Dannyls laatste verslag uit de beveiligde doos, ging zitten en las het nogmaals door. Toen hij daarmee klaar was, zakte hij achterover in zijn stoel en zuchtte.

Hij had al weken over dat dagboek van Akkarin zitten piekeren. Als het bestond, zou het ergens in het huis van de opperheer liggen. Als zijn idee van wat erin stond klopte, leek het onwaarschijnlijk dat het in Akkarins bibliotheek tussen de andere boeken zou staan. Vermoedelijk was het in de kelder onder het gebouw verstopt, en Lorlen kon op zijn vingers natellen dat die goed afgesloten zou zijn.

Een kille windvlaag streelde zijn huid. Hij huiverde en vloekte toen binnensmonds. Zijn kantoor was altijd al tochtig geweest, iets waar de vorige administrateur onophoudelijk over had geklaagd. Hij stond op en ging op zoek naar de bron van de tocht, zoals hij al zo vaak gedaan had, maar zoals altijd verdween de windvlaag net zo snel als hij gekomen was.

Hij schudde het hoofd en begon te ijsberen. Dannyl en zijn metgezel zouden nu snel in Lonmar aankomen om daar de Glorieuze Tempel te bezoeken. Lorlen hoopte maar dat ze niets zouden vinden – het idee dat informatie over zwarte magie op die plek gevonden zou worden was te weerzinwekkend om over na te denken.

Hij bleef staan toen er op de deur werd geklopt. Hij liep ernaartoe en trok hem open, in de verwachting een vriendelijke preek van heer Osen te krijgen over hoe slecht het was altijd te laat naar bed te gaan. In plaats daarvan stond er een duister silhouet voor hem.

'Goedenavond, Lorlen,' zei Akkarin met een glimlach.

Lorlen keek verbaasd naar de opperheer.

'En, laat je me nog binnen?'

'Natuurlijk!' Hoofdschuddend deed hij een stap opzij.

Akkarin wandelde naar binnen en liet zich in een van de grote, met dikke kussens beklede stoelen zakken. De blik van de opperheer dwaalde over Lorlens bureau.

Hij volgde de blik van zijn vriend en schrok hevig toen hij de brief van Dannyl open en bloot zag liggen. Hij moest zich uit alle macht beheersen om er niet meteen naar toe te rennen en de pagina's in de doos te stoppen. In plaats daarvan liep hij rustig de kamer door, zette een tafeltje recht en ging op zijn bureaustoel zitten.

'Zoals gewoonlijk is het hier weer een puinhoop,' mompelde hij. Hij pakte Dannyls brief en stopte hem weg in de doos. Nadat hij nog wat papieren op een stapeltje had gelegd deed hij de doos in een la. 'Wat brengt je hier op dit late uur?'

Akkarin haalde zijn schouders op. 'Niets bijzonders. Je komt altijd naar mij toe, dus vond ik het eens tijd worden dat ik jou een bezoek bracht. En jij bent nu eenmaal een late werker.'

'Klopt.' Lorlen knikte. 'Ik nam nog even wat post door, maar dan is het voor mij ook bedtijd.'

'Nog nieuws? Hoe is het met Dannyl?'

Lorlens hart sloeg een slag over. Had Akkarin Dannyls handtekening kunnen zien, of had hij het handschrift herkend? Hij fronste zijn voorhoofd terwijl hij bedacht wat er op de openliggende pagina had gestaan.

'Hij is op weg naar Lonmar om die ruzie over de Koyhmar-stam te beslechten. Ik had Errend gevraagd dat te regelen, aangezien hij nu een tweede ambassadeur heeft om de zaken in Elyne waar te nemen als hij op reis is, maar Errend heeft blijkbaar besloten Dannyl in zijn plaats te sturen.'

Akkarin glimlachte. 'Lonmar. Een plaats die je interesse in reizen aanwakkert of voorgoed dooft.'

Lorlen leunde voorover. 'Wat werd het voor jou?'

'Hmmm.' Akkarin dacht lang over zijn antwoord na. 'Ik kreeg er niet alleen zin in om meer van de wereld te zien, maar bovendien werd ik daar als reiziger wat geharder. Lonmarianen zijn misschien wel het meest beschaafde volk van de Geallieerde Landen, maar er zitten veel wrede en ongevoelige kanten aan die beschaving. Je went gaandeweg aan hun harde gevoel voor gerechtigheid, en misschien kan je er na een tijd zelfs begrip voor opbrengen, wat tot gevolg heeft dat je in je eigen idealen en streven wordt gestaald. Je kunt hetzelfde zeggen van de Elynese frivoliteit of de obsessie met handel van de Vindo's. Het leven is meer dan mode en geld.'

Akkarin zweeg even, zijn blik op oneindig. Hij ging verzitten en vervolgde: 'En je ontdekt dat, net zoals niet elke Elyneeër frivool is, en niet elke Vindo inhalig, ook niet elke Lonmariaan zo rechtlijning is. De meesten zijn vriendelijke en vergevensgezinde lieden, en regelen hun geschillen het liefst binnen vier muren. Ik ben veel over hen te weten gekomen, en hoewel de hele reis ernaartoe tijdverspilling geweest is vanuit het oogpunt van mijn onderzoek, blijkt die ervaring toch heel waardevol voor de rol die ik hier speel.'

Lorlen sloot zijn ogen en masseerde deze even. Tijdverspilling? Was Dannyl ook tijd aan het verspillen?

'Je bent moe, mijn vriend,' zei Akkarin en zijn stem werd warmer. 'Ik hou je maar wakker met die verhalen van me.'

Lorlen knipperde met zijn ogen en keek de opperheer aan. 'Nee, let maar niet op mij. Ga alsjeblieft verder.'

'Nee.' Akkarin stond op; zijn zwarte gewaad ruiste. 'Je viel erbij in slaap. De rest komt wel een andere keer.'

Met een combinatie van teleurstelling en opluchting liep Lorlen achter Akkarin aan naar de deur. Toen hij de gang in stapte, keek Akkarin Lorlen nog een keer aan, met een scheve glimlach.

'Welterusten, Lorlen. Slaap lekker, je bent doodop.'

'Ja. Welterusten, Akkarin.'

Hij sloot de deur en zuchtte. Had hij eindelijk iets bruikbaars te pakken? Akkarin zei misschien wel dat hij niets in Lonmar had gevonden om te verbergen dat hij juist wél iets had ontdekt. Vreemd dat hij nu opeens over die reis begon, terwijl hij dat onderwerp toch altijd omzeild had.

Lorlen vertrok zijn gezicht toen een tochtvlaag zijn nek verkilde. Het leidde hem af van zijn gedachten, en hij gaapte en liep naar zijn bureau om de beveiligde doos op zijn vaste plek in de kast te zetten. Meteen voelde hij zich wat beter. Hij verliet het kantoor en liep naar zijn slaapvertrek.

Hij moest geduld hebben. Dannyl zou snel genoeg uitvinden of zijn reis naar Lonmar tijdverspilling was geweest of niet.

12

Niet wat ze zich
voorgesteld hadden

Hoe had hij het voor elkaar gekregen? Sonea liep langzaam de gang door. Ze droeg haar kistje met haar pen, inktpot, map met aantekeningen en nieuw papier.

De map was leeg.

Nogmaals liep ze die dag na. Wanneer had ze Regin de gelegenheid gegeven in haar spullen te snuffelen? Ze was altijd zo voorzichtig en verloor haar aantekeningen geen moment uit het oog.

Maar als ze les hadden van vrouwe Kinla moesten de novicen vaak naar voren komen om een proefje bij te wonen. Het was mogelijk dat Regin ze uit de map had gehaald toen hij langs haar tafeltje liep. Ze had gedacht dat lenige vingers alleen toebehoorden aan sloppenkinderen. Blijkbaar had ze zich vergist.

Ze had haar hele kamer overhoop gehaald en was zelfs 's nachts teruggegaan naar de universiteit om de klas te doorzoeken, hoewel ze wist dat ze haar aantekeningen toch niet zou vinden, in elk geval niet als één geheel voor de mondelinge overhoring vandaag.

Toen ze de klas binnenkwam werd haar vermoeden bevestigd door Regins ontspannen grijns. Ze weigerde te laten merken hoe ze zich voelde, boog voor vrouwe Kinla en ging op haar gewone plaats naast Poril zitten.

Vrouwe Kinla was een lange Genezeres van middelbare leeftijd. Vrouwelijke genezers droegen hun haar altijd in een wrong in hun nek, en bij Kinla had dat een streng effect, hoe ze ook keek. Toen Sonea zat schraapte de Genezeres haar keel en keek iedereen doordringend aan.

'Vandaag zal ik de lessen die we de afgelopen drie maanden hebben geleerd mondeling overhoren. Je mag je aantekeningen gebruiken.' Ze pakte een paar velletjes papier en haar ogen vlogen over de eerste pagina. 'Om te beginnen, Benon...'

Sonea voelde haar hart bonzen toen de overhoring begon. Vrouwe Kinla liep heen en weer voor de klas, en iedereen kreeg vraag na vraag. Toen Sonea haar naam hoorde verstijfde ze even, maar gelukkig was het een makkelijke vraag die ze uit haar hoofd kon beantwoorden. De vragen werden echter langzamerhand steeds moeilijker. Toen andere leerlingen aarzelden en er snel hun aantekeningen op na sloegen, begon Sonea zich zorgen te maken. Ze hoorde Kinla's gewaad ruisen toen die langs haar bank liep.

Toen bleef de lerares vlak voor haar tafel staan, zodat ze boven Sonea uittorende, en keek haar doordringend aan.

'Sonea,' zei ze en zette een vinger op haar tafeltje. 'Waar zijn je aantekeningen?'

Sonea slikte. Heel even overwoog ze te zeggen dat ze ze vergeten was. Maar als ze zo'n smoes verzon zou Regin alleen maar meer plezier hebben van zijn streek. Er schoot haar een ander excuus te binnen.

'U had gezegd dat dit een overhoring zou zijn, vrouwe,' zei ze. 'Ik wist niet dat ik mijn aantekeningen nodig zou hebben.'

De wenkbrauwen van vrouw Kinla schoten omhoog en ze keek Sonea onderzoekend aan. Ergens klonk gesmoord gegiechel.

'Juist ja,' zei de lerares op dreigende toon. 'Noem dan maar eens twintig botten van het menselijk lichaam op, te beginnen bij het kleinste.'

Sonea vloekte inwendig. Haar antwoord had de Genezeres kwaad gemaakt en daarom had ze haar zo'n moeilijke vraag gegeven, in de verwachting dat niemand zich dat zou kunnen herinneren.

Maar ze moest het proberen. Langzaam, maar geleidelijk met meer en meer zelfvertrouwen, diepte Sonea de namen uit haar geheugen op terwijl ze ze op haar vingers aftelde. Toen ze klaar was staarde vrouwe Kinla haar zwijgend aan, met haar lippen samengeknepen.

'Goed beantwoord,' zei de Genezeres, glimlachend als een boer met kiespijn.

Met een onhoorbare zucht van verlichting zag Sonea de lerares doorlopen en de overhoring vervolgen. Regin keek haar vals aan.

Ze keek de andere kant op. Gelukkig had ze Poril met zijn aantekeningen geholpen en kon ze die overschrijven. Ze betwijfelde of ze die van haar ooit nog te zien zou krijgen.

Een paar dagen na aankomst beantwoordden de priesters van de Glorieuze Tempel Dannyls verzoek de collectie boekrollen te mogen zien. Hij was blij dat hij even zijn ambtelijke taken kon laten rusten. Het gekibbel van de Lonmarische Raad van Ouderlingen begon aardig op zijn zenuwen te werken.

Lorlen had er alle reden toe gehad een Gildeambassadeur naar Lonmar te sturen. Een van de Grote Stammen was uit de gratie geraakt. Zonder geldelijke ondersteuning konden ze hun leerlingen en magiërs niet onderhouden en dus werd dat de verantwoordelijkheid van de andere stammen.

De studie van de overeenkomsten tussen het Gilde en de andere landen had deel uitgemaakt van Dannyls voorbereiding op zijn nieuwe baan. De

Kyraliaanse koning besteedde een deel van zijn belastinggelden aan de behoeften van de Kyraliaanse magiërs en liet de selectie van nieuwe hofmagiërs aan het toeval over. Andere landen kozen voor een andere aanpak. De koning van Elyne had elk jaar een paar plaatsen te vergeven en koos zijn mensen vanwege hun toekomstige mogelijkheden op het politieke vlak. De Vindo's stuurden zo veel mogelijk magiërs, maar dat waren er nooit veel, want dat volk had weinig magisch potentieel.

De Lonmarianen werden geregeerd door een Raad van Ouderlingen, samengesteld uit afgevaardigden van de Grote Stammen. Elke stam bekostigde de opleiding van zijn eigen magiërs. De eeuwenoude overeenkomst tussen de Lonmarianen en de koning van Kyralia behelsde dat, mocht een stam zijn eigen magiërs niet kunnen bekostigen, de andere stammen evenredig aan die kosten moesten bijdragen. Het Gilde wilde ten koste van alles voorkomen dat magiërs tot armoede zouden vervallen en mogelijk tot onethische toepassing van magie zouden overgaan om te overleven.

Niet verwonderlijk dat verscheidene stammen tegen deze regeling protesteerden. Ambassadeur Vaulen had Dannyl uitgelegd dat ze er alleen maar vriendelijk doch duidelijk aan herinnerd moesten worden dat nietigverklaring van de overeenkomst onaangename gevolgen zou hebben, namelijk dat hun magiërs naar huis gestuurd zouden worden en hun de toegang tot de Gildeopleidingen zou worden ontzegd. Daarna zouden ze ongetwijfeld netjes meewerken. Vaulen zou ze op vriendelijke wijze proberen over te halen, en Dannyl zou de rol van strenge doch rechtvaardige Kyraliaan spelen.

Maar nu even niet.

Toen hij hoorde dat Dannyls verzoek aan de Tempel ingewilligd was, had Vaulen onmiddellijk een Gilderijtuig gereed laten maken.

'Vandaag hebben we een rustdag,' zei hij. 'Wat inhoudt dat de Ouderlingen elkaar bezoeken en erover zullen discussiëren wat ze moeten doen. En jij moet onze bezienswaardigheden maar eens gaan bekijken.' Terwijl ze op het rijtuig wachtten bood hij hun zuidvruchten geweekt in honingwater aan.

'Moet ik nog iets over die priesters weten voor ik erheen ga?' vroeg Dannyl.

Vaulen dacht even na. 'Volgens de leer van de Mahga vinden alle mensen een evenwicht tussen vreugde en verdriet in hun leven. Aangezien magiërs de gave van magie bezitten, zijn ze uitgesloten van priesterschap. Er zijn echter enkele uitzonderingen.'

'O ja?' Dannyl spitste zijn oren. 'Welke dan?'

'Lang geleden meende men dat er enkele magiërs waren die zeer veel leed te verduren hadden gekregen. Ze konden hun evenwicht herwinnen door priester te worden, mits ze dan al hun krachten opgaven. En hogere rangen zouden ze ook nooit bereiken.'

'Ik hoop maar dat ze me geen pijn of verdriet bezorgen om me in evenwicht te brengen met mijn gaven.'

133

Vaulen glimlachte. 'Je bent een ongelovige. Daarmee is je balans al in orde.'

'Wat weet u van hogepriester Kassyk?'

'Hij heeft respect voor het Gilde en heeft veel waardering voor de opperheer.'

'Waarom juist voor Akkarin?'

'Akkarin heeft tien jaar geleden de Tempel een bezoek gebracht en hij schijnt toen grote indruk te hebben gemaakt op de hogepriester.'

'Dat is hem wel toevertrouwd.' Dannyl keek naar Tayend, maar de geleerde werd helemaal door zijn snoeperij in beslag genomen. Tayend was de dag na hun aankomst al naar de kleermaker gegaan en was teruggekomen, gehuld in de typische kleurloze Lonmarische kleren. 'Ze zitten erg gemakkelijk,' had Tayend verklaard. 'En zo heb ik meteen een souvenir van onze reis.' Hoofdschuddend had Dannyl geantwoord: 'Alleen jij kunt een blijk van nederigheid zien als een teken van luxe.'

'Je rijtuig staat klaar,' zei Vaulen terwijl hij opstond.

Dannyl hoorde het geklepper van hoeven en het gekraak van de veren. Hij liep naar de deur, gevolgd door Tayend, die met een vochtig doekje zijn kleverige vingers afveegde.

'Geef mijn complimenten aan de hogepriester,' zei Vaulen.

'Zal ik doen,' antwoordde Dannyl terwijl hij naar buiten liep. Daar werd hij meteen overvallen door de hitte die afsloeg van het door de zon beschenen gebouw tegenover het Gildehuis. Het stof dat door het rijtuig werd opgeworpen irriteerde zijn keel.

Een bediende deed het portier open. Dannyl zuchtte toen hij de verstikkend hete koets binnenging. Tayend ging kreunend tegenover hem zitten. De bediende gaf hun twee flessen water en gebaarde naar de koetsier ten teken dat hij kon vertrekken.

Dannyl deed snel de raampjes open om een beetje wind te vangen. De wolken stof die binnenwaaiden spoelde hij weg met flinke slokken water. De straten waren nauw, waardoor ze ten minste in de schaduw reden, maar het vele volk op straat belemmerde de doorgang van het rijtuig. Sommige straten waren overdekt met een houten dak waardoor het leek alsof ze door een tunnel reden.

Na een tijdje spraken ze niet meer. Hun mond werd er maar stoffig van. Het rijtuig kwam moeizaam vooruit door de eindeloze stad. Dannyl had er binnen de kortste keren genoeg van de mensen en gebouwen te bekijken, die er allemaal eender uitzagen. Hij leunde tegen de zijkant van het voertuig en sluimerde in.

Het geluid van hoeven op plaveisel wekte hem. Toen hij naar buiten keek zag hij gladde wanden aan beide kanten. Na zo'n honderd passen eindigde de gang en reden ze een uitgestrekte binnenplaats op. En tenslotte kwam de Glorieuze Tempel in zicht.

134

Zoals alle andere Lonmarische architectuur had ook dit gebouw maar één verdieping en was er geen decoratie op te ontdekken. De muren waren echter van marmer en de blokken waren zo naadloos tegen elkaar aan gezet dat het gebouw uit één blok steen gehouwen leek. Op regelmatige afstanden waren er obelisken voor het gebouw neergezet. Ze waren aan de voet even breed als het gebouw hoog was, en rezen hoger op dan ze door het raam van het rijtuig konden zien.

Ze stopten en Dannyl stapte uit zonder te wachten tot de koetsier het portier zou openen, zo graag wilde hij dat hete compartiment verlaten. Zijn aden stokte toen hij zag hoe hoog de obelisken waren. Ze stonden overal in de rondte, zo'n vijftig passen van elkaar, zodat het leek of de spitsen de hemel vulden.

'Moet je dat zien,' zei Dannyl tegen Tayend. 'Het lijkt wel een woud van reusachtige bomen.'

'Of van reusachtige zwaarden.'

'Of masten van schepen die zielen komen meevoeren.'

'Of een enorm spijkerbed.'

'Wat ben jij weer vrolijk vandaag,' merkte Dannyl droogjes op.

Tayend grijnsde scheef. 'Ja, vind je ook niet?'

Toen ze naar de deur van de tempel stapten kwam een man in een wit gewaad hen al tegemoet. Ook zijn haar was wit, wat mooi afstak tegen zijn pikzwarte huid. Hij maakte een kleine buiging, sloeg zijn handen tegen elkaar en opende ze in het rituele gebaar van Mahga-gelovigen.

'Welkom, ambassadeur Dannyl. Ik ben hogepriester Kassyk.'

'Dank u dat u ons wilt ontvangen,' antwoordde Dannyl. 'Dit is mijn assistent en vriend, Tayend van Tremmelin, geleerde van de Grote Bibliotheek van Capia.'

De hogepriester herhaalde het gebaar. 'Welkom, Tayend van Tremmelin. Zouden jullie eerst iets van de Glorieuze Tempel willen zien voor jullie de boekrollen bekijken?'

'Het zou ons een eer zijn,' antwoordde Dannyl.

'Volg me maar.'

De hogepriester draaide zich om en leidde hen de koelte van de tempel binnen. Ze liepen een lange gang door en de priester legde de religieuze betekenis van de verschillende symbolen erin uit. Lange gangen kruisten die waardoor ze liepen. Licht viel door kleine smalle raampjes onder het gebogen dak naar binnen. Af en toe staken ze een kleine binnenplaats over met breedbladige planten, die opvallend weelderig groeiden. En soms stopten ze even bij fonteintjes die in de muren waren ingebouwd om een slok water te drinken.

De hogepriester liet hun de cellen zien waar de priesters woonden en hun tijd doorbrachten met studie en contemplatie. Hij leidde hen door grote, grotachtige zalen waar iedere dag gebeden werd en rituelen werden uitge-

135

voerd. En uiteindelijk kwamen ze in een afdeling met hokjes waarin boekrollen en boeken werden tentoongesteld.

'Welke teksten hadden jullie willen zien?' vroeg Kassyk.

'De rollen van Dorgon hebben mijn speciale belangstelling.'

De priester keek Dannyl strak aan voor hij antwoord gaf. 'Niet-gelovigen mogen deze teksten niet lezen; dat is niet toegestaan.'

'O.' Dannyl fronste teleurgesteld zijn voorhoofd. 'Dat is geen prettig nieuws. Men heeft me verteld dat de boekrollen geraadpleegd mochten worden, en ik ben van ver gekomen om ze te zien.'

'Ja, dat is inderdaad erg naar voor u.' De hogepriester leek met hem begaan.

'Als ik het mis heb moet u het zeggen, maar is het niet zo dat u al eerder een ongelovige toestemming gegeven heeft ze te bekijken?'

Kassyk sperde zijn ogen verbaasd open. Hij knikte langzaam. 'Uw opperheer, die hier tien jaar geleden een bezoek bracht, heeft me kunnen overhalen ze hem voor te lezen. Hij verzekerde me toen dat niemand deze informatie nogmaals zou opvragen.'

Dannyl wisselde een blik met Tayend. 'Akkarin was toen nog geen opperheer, maar al was hij dat wel geweest, hoe had hij dat dan kunnen beloven?'

'Hij zwoer ons nooit te vertellen wat hij had gehoord.' De priester keek hen fronsend aan. 'Of anderen over de boekrollen te vertellen. Hij zei ook dat de informatie geen enkele waarde voor het Gilde had. En ook niet voor hem, want hij zocht naar oude magie, niet naar oude religieuze wijsheden. Zoekt u soms naar hetzelfde materiaal?'

'Dat kan ik niet zeggen, aangezien ik niet weet waarnaar Akkarin op zoek was. Deze rollen kunnen voor mijn onderzoek wel van belang zijn, al waren ze dat niet voor de opperheer.' Dannyl bleef de priester aankijken. 'Als ik dezelfde eed zweer, zou u ze dan niet aan mij kunnen voorlezen?'

De priester dacht erover na terwijl hij Dannyl bleef aankijken. Na een lange stilte knikte hij. 'Goed dan, maar uw vriend moet hier blijven.'

Tayend liet zijn schouders zakken, maar toen hij zich in een stoel liet neervallen, zuchtte hij van opluchting. Terwijl hij zich koelte toe waaierde, liep Dannyl achter de hogepriester aan naar het vertrek met de boekrollen. Na een tocht door een doolhof van gangen bereikten ze een vierkant kamertje.

De wanden waren bedekt met planken waarop zo op het oog ontelbare glazen platen lagen. Bij nader inzien bleken het snippers en grotere fragmenten papier te zijn die tussen glas werden bewaard.

'De rollen van Dorgon.' De priester wees ernaar. 'Ik zal ze voor u vertalen indien u zweert op de eer van uw familie en het Gilde dat u de inhoud ervan nooit aan iemand mee zal delen.'

Dannyl ging rechtop staan en keek Kassyk aan. 'Ik zweer op de eer van mijn familie, het Huis, en het Magiërsgilde van Kyralia dat ik nooit zal meedelen wat ik opmaak uit deze rollen, aan man noch vrouw, oud noch jong, tenzij mijn zwijgen een onvoorstelbaar grote ramp zou betekenen voor de Geallieerde Landen.' Hij zweeg even. 'Kan dat ermee door? Ik kan niet anders zweren.'

De kraaienpootjes rond de ogen van de oude heer trokken samen toen hij glimlachte, maar hij antwoordde ernstig. 'Het kan ermee door.'

Opgelucht ging Dannyl naast de hogepriester zitten, die de eerste glasplaat pakte en met voorlezen begon. Langzaam werkten ze de hele kamer af, en Kassyk legde af en toe een schema of een tekening uit. Toen het laatste snippertje gelezen was, bleef Dannyl even zwijgend op de bank in het midden van de kamer zitten.

'Wie had dat kunnen denken?' zei hij tenslotte.

'Niemand, zeker niet in die tijd,' antwoordde Kassyk.

'Nu snap ik waarom u zo terughoudend bent ze te laten lezen.'

Kassyk grinnikte en ging naast Dannyl zitten. 'Iedereen die priester wordt weet dat Dorgon een bedrieger was die zijn povere krachten gebruikte om duizenden van zijn heiligheid te overtuigen. Maar het ging erom wat later gebeurde. Hij begon door te krijgen dat er wonderen gebeurden terwijl hij de zaak fleste, en dat die wonderen eigenlijk bedrog waren van de Grote Macht. Maar dat zou iemand die deze stukken las niet begrijpen.'

'Waarom bewaart u deze teksten dan?'

'We hebben niets anders van Dorgon zelf. Zijn latere werken werden gekopieerd, maar dit zijn de enige originele teksten die de eeuwen hebben overleefd. Ze werden bewaard en gekoesterd door een familie die weigerde de Mahga-godsdienst te accepteren.'

Dannyl keek de kamer rond en knikte. 'Er is hier inderdaad niets wat kwaad kan, of van enig nut is. Ik ben voor niets naar Lonmar gekomen.'

'Dat zei uw opperheer ook, voor hij opperheer werd,' zei Kassyk glimlachend. 'Ik herinner me zijn bezoek nog goed. U was heel beleefd, ambassadeur Dannyl. De jonge Akkarin echter barstte in lachen uit toen ik hem hetzelfde verhaal voorlas. Misschien zoeken jullie toch dezelfde waarheden.'

Dannyl knikte. 'Misschien wel.' Hij keek Kassyk aan. 'Dank u dat u me hebt laten delen in deze kennis, hogepriester. Ik verontschuldig me dat ik u niet geloofde toen u zei dat ze geen oude kracht bevatten.'

De man stond op. 'Ik wist dat u altijd nieuwsgierig zou blijven als ik het u niet zou laten horen. Nu weet u het, en ik vertrouw erop dat u uw woord houdt. Ik zal u naar uw vriend terugbrengen.'

Zwijgend doorkruisten ze voor de tweede keer het doolhof van gangen in de Tempel.

'Zijn alle boeken over de Sachakaanse oorlog uitgeleend?' vroeg Sonea.

Heer Julien keek op. 'Dat zei ik toch.'

Sonea draaide zich om. Rothen zou haar een fiks standje gegeven hebben als hij de smerige vloek had gehoord die ze nu geluidloos liet ontsnappen. Toen de klas een opdracht had gekregen waarbij boeken uit de bibliotheek gebruikt moesten worden, voltrok zich een ingewikkelde dans waarbij alle leerlingen op beleefde wijze streden om de beste boeken. Sonea had geen zin om daaraan mee te doen, dus was ze eerst naar Rothens bibliotheek gegaan, maar hij bleek niets over dat onderwerp in huis te hebben. Toen ze eindelijk bij de novicebibliotheek aankwam was er niets bruikbaars meer over. Dus bleef alleen de magiërsbibliotheek over, maar ook die bleek geplunderd.

'Allemaal uitgeleend,' zei ze toen ze weer naast Rothen kwam zitten.

Hij trok zijn wenkbrauwen op. 'Allemaal? Hoe kan dat nu weer? Iedereen mag maar een beperkt aantal boeken lenen.'

'Weet ik veel. Hij heeft Garrel waarschijnlijk overgehaald er ook een stel te lenen.'

'Je weet niet of Regin het gedaan heeft, Sonea.'

Ze snoof zacht.

'Waarom laat je geen kopieën maken?'

'Dat is nogal duur, nietwaar?'

'Maar daar is je toelage voor bestemd, dat weet je toch.'

Ze trok een lelijk gezicht en keek de andere kant op. 'Hoe lang duurt dat?'

'Hangt van het boek af. Een paar dagen voor een gedrukt exemplaar, een paar weken voor een manuscript. Je leraar weet wel welk deel het nuttigst is.' Hij grinnikte en fluisterde: 'Niet vertellen waarom je het laat doen, dan zal hij onder de indruk zijn van je schijnbare interesse in het onderwerp.'

Ze pakte haar map met aantekeningen. 'Ik kan net zo goed gaan. Ik zie je morgen wel weer.'

Hij knikte. 'Wil je dat ik even met je meeloop?'

Ze aarzelde en schudde toen van nee. 'Heer Ahrind houdt iedereen goed in de gaten.'

'Welterusten, dan.'

'Welterusten.'

Heer Julien keek haar argwanend na toen ze de magiërsbibliotheek verliet.

Het was kil buiten en ze liep haastig naar de novicenvertrekken. Toen ze binnenkwam zag ze een groepje novicen in de gang bijeen staan en ze hield haar pas in. Toen ze haar zagen begonnen ze te grijnzen. Toen ze de gang in keek zag ze de woorden die iemand met vegen inkt op haar deur had geschreven. Tandenknarsend liep ze verder.

Plotseling maakte Regin zich los uit het groepje novicen. Ze zette zich schrap voor zijn spottende commentaar, maar hij verdween net zo snel als hij gekomen was.

'Hé! Sonea!'

Ze herkende de stem en draaide zich pijlsnel om. Twee personen liepen de gang door, een lange en een kleine. Heer Ahrind kneep zijn ogen half samen toen hij de tekst op haar deur zag. Hij draaide zich om naar de novicen en riep: 'Kan me niet schelen wie het gedaan heeft. Jij maakt het schoon! Nú!'

Sonea hoorde het protest van de novicen, maar dat interesseerde haar niet. Haar aandacht was helemaal gericht op dat bekende, vrolijke gezicht.

'Cery!' zei ze ademloos.

Cery's grijns verdween terwijl hij het tafereel achter haar bekeek. 'Ze maken het je niet makkelijk, geloof ik.' Het was een constatering.

Ze haalde haar schouders op. 'Het zijn maar kinderen. Ik –'

'Sonea.' Heer Ahrind kwam bij hen staan. 'Je hebt bezoek, zoals je ziet. Je mag op de gang of buiten met hem spreken, maar onder geen beding in je kamer.'

Sonea knikte. 'Ja, heer.'

Tevreden beende Ahrind naar zijn kamer en ging naar binnen. Sonea keek achter zich en zag dat alle andere novicen waren verdwenen, op eentje na, een jongen die met een norse blik de woorden van haar deur poetste. Waarschijnlijk was hij gewoon een van de toeschouwers geweest, niet degene die ze erop geschreven had.

Hoewel de gang verder leeg was, kon Sonea zich voorstellen dat er hier en daar oren tegen deuren werden gedrukt om haar gesprek met Cery op te vangen. 'Laten we maar naar buiten gaan. Maar wacht even, ik moet eerst wat pakken.'

Ze glipte haar kamer binnen en pakte een klein pakketje. Toen nam ze Cery mee naar de tuinen. Ze vonden een beschut bankje. Sonea vormde een koepel van warmte om hen heen, waarop Cery haar verbaasd aankeek.

'Handige trucjes leer je hier.'

'Ja, soms wel.'

Zijn ogen schoten heen en weer en hij hield de schaduwen onophoudelijk in de gaten. 'Weet je nog, toen we hier voor het eerst samen waren? We slopen hier rond tussen de bomen. Dat is al bijna een jaar geleden.'

Ze grijnsde. 'Hoe zou ik dat kunnen vergeten?'

Haar lach verdween toen haar te binnen schoot waarvan ze getuige was geweest in de kelder onder de ambtswoning van de opperheer. Die keer had ze snel willen weghollen om Cery te vertellen wat ze had gezien. Later vertelde ze dat ze een magiër bezig had gezien met magie, maar ze had niet vermoed dat het om verboden zwarte magie ging. En nu had ze de administrateur beloofd om het er met niemand dan met Rothen over te hebben.

'Die jongen is de leider, hè? Die zich verstopte toen die magiër eraan kwam, die heer Ahrind.'

Ze knikte.

'Hoe heet die knul?'

'Regin.'

'Valt hij je vaak lastig?'

Ze zuchtte. 'Dag en nacht.' En toen ze hem alles vertelde over het pesten en het treiteren voelde ze zich zowel beschaamd als opgelucht. Wat fijn was het om te kunnen praten met haar oude vriend, en te zien hoe kwaad Cery werd.

Hij vloekte zoals alleen een sloppenkind dat kon. 'Die hufter verdient een lesje, als je het mij vraagt. Zal ik het hem eens leren?'

Sonea grinnikte. 'Je zou niet eens bij hem in de buurt kunnen komen.'

'O?' Hij glimlachte sluw. 'Maar magiërs mogen toch geen mensen kwetsen?'

'Nee.'

'Dus mag hij zijn krachten niet gebruiken in een gevecht met een niet-magiër?'

'Hij zal niet met je vechten, Cery. Hij beschouwt het als beneden zijn waardigheid om met een schooiertje te vechten.'

Cery maakte een honend geluid. 'Is hij een lafaard dan?'

'Nee.'

'Hij heeft er anders niks tegen om jou de godganse dag te pesten. Jij was ook een schooiertje.'

'Hij vecht niet met me. Hij wil alleen dat niemand ook maar een dag vergeet waar ik vandaan kom.'

Cery dacht daar even over na en haalde toen zijn schouders op. 'Dan moeten we hem maar doodmaken.'

Verbaasd door dit absurde voorstel lachte ze. 'Hoe dan?'

Zijn ogen begonnen te glanzen. 'We kunnen hem... in een gangetje lokken en dat helemaal volgooien met stenen.'

'Is dat alles? Hij zou een schild om zich heen optrekken en de rotzooi wegschuiven.'

'Niet als hij zijn magie heeft opgebruikt. Als we hem nu eens met véél stenen bedekken? Van een heel huis bijvoorbeeld?'

'Nee, je zal echt met wat beters moeten komen.'

Hij kneep zijn lippen samen. 'We kunnen hem in een poepton doen en het vat verzegelen.'

'Hij zou het laten ontploffen.'

'Dan lokken we hem een schip op en laten het ver op zee zinken.'

'Dan maakt hij een luchtbel om zich heen en blijft hij drijven.'

'Maar dat houdt hij niet eeuwig vol. Als hij moe wordt, verzuipt hij alsnog.'

'Zo'n basisschild kunnen we behoorlijk lang vasthouden. Hij hoeft alleen maar in de geest van heer Garrel te kruipen en het Gilde zou een boot sturen om hem te redden.'

'Als we zijn schip nou heel ver van de kust laten zinken, sterft hij van de dorst.'

'Zou kunnen,' gaf ze toe. 'Maar ik betwijfel het. We leven een stuk langer dan gewone mensen, en trouwens, we hebben geleerd zout aan water te onttrekken. Hij zou geen dorst lijden en vis vangen en hem nog bakken ook om op te eten.'

Cery werd nu ongeduldig. 'Hou eens op zeg! Je maakt me jaloers. Kan je hem niet een beetje moe maken voor me? Dan kan ik hem een goed pak op zijn lazer geven.'

Sonea lachte. 'Nee, Cery.'

'Hoezo niet? Is hij sterker dan jij?'

'Weet ik niet.'

'Wat dan?'

Ze keek van hem weg. 'Het is het niet waard. Wat je ook doet, hij pakt me toch weer terug.'

Cery werd weer ernstig. 'Volgens mij heeft hij nu wel genoeg lol gehad. Het is niks voor jou om zo over je te laten lopen. Bijt van je af, Sonea. Je hebt niks te verliezen, eigenlijk.' Hij kneep zijn ogen half samen. 'Ik zou het op de Dievenmanier aanpakken.'

Ze keek hem streng aan. 'Nee.'

Hij wreef zich in de handen. 'Hij doet mijn familie pijn, dan doe ik zijn familie pijn.'

'Nee, Cery.'

Hij scheen het niet te horen. 'O, ik zou ze niet doodmaken of de zwakkeren te pakken nemen, alleen de mannen van de familie de stuipen op het lijf jagen. Regin zal er snel genoeg achterkomen hoe het zit, want hij krijgt heus wel door dat er altijd een boodschapper bij een familielid langskomt als hij een streek met je heeft uitgehaald.'

Sonea rilde. 'Geen grapjes, Cery. Het is niet grappig.'

'Ik maak geen grapjes. Maar hij zou je met geen vinger meer aanraken.'

Ze greep hem bij zijn arm en dwong hem haar aan te kijken. 'We zijn hier niet in onze wijk, Cery. Als jij denkt dat Regin zijn kop zal houden omdat hij anders zou moeten toegeven wat hij uitspookt, heb je het mis. Je reikt het hem op een dienblaadje aan. Iemands familie kwaad berokkenen is een grotere belediging dan een andere novice een beetje plagen. Ik zou ervan worden beschuldigd mijn connecties met de Dieven te hebben misbruikt om de familie van een andere novice kwaad te doen. Ik zou waarschijnlijk op staande voet uit het Gilde worden gezet.'

'Connecties met de Dieven.' Cery fronste zijn voorhoofd. 'O, ik vat het.'

'O, Cery.' Sonea trok een vermoeid gezicht. 'Ik waardeer het heus dat je wilt helpen. Echt.'

Hij keek chagrijnig naar de bomen. 'Ik kan niets doen om hem tegen te houden, hè?'

'Nee.' Ze glimlachte. 'Maar het is wel een leuke gedachte: Regin die spartelend in zee ligt of onder een huis bedolven wordt.'

Hij glimlachte weer. 'Dat zou ik ook zeggen.'

'En ik vind het geweldig dat je zomaar langskomt. Ik heb je niet meer gezien sinds ik op de universiteit begon.'

'Druk, druk, druk,' zei hij. 'Heb je over die moorden gehoord?'

Sonea fronste haar wenkbrauwen. 'Nee.'

'Achter elkaar, de laatste tijd. Nogal vreemd. De Garde zit achter de moordenaar aan, en dat is voor ons nogal lastig, dus willen de Dieven hem ook pakken.' Hij haalde zijn schouders op.

'Heb je Jonna en Ranel nog gezien?'

'Ja, daar gaat het goed mee. Je neefje is sterk en gezond. Kom je gauw eens langs? Zij missen je ook een beetje.'

'Ik zal het proberen. Ik heb zoveel huiswerk en opdrachten.' Ze pakte het pakketje uit haar zak. 'Kan je dit aan hen geven?' Ze drukte het hem in zijn hand.

Hij schatte het gewicht en keek haar verrast aan. 'Munten?'

'Een deel van mijn toelage. Zeg maar dat het een deel van hun belastinggeld is dat bij hen beter besteed zal worden. En als Jonna het niet aan wil nemen, geef het dan aan Ranel. Die is niet zo koppig.'

'Maar waarom geef je het aan mij om te bezorgen?'

'Omdat ik niet wil dat iemand het hier te weten komt. Zelfs Rothen niet. Hij zou het wel waarderen maar... nou ja, ik hoef niet alles te vertellen.'

'En je zegt het wel tegen mij?'

Ze glimlachte en dreigde met haar vinger. 'Ik weet precies hoeveel erin zit.'

Hij trok een pruillip. 'Alsof ik een vriendin zou bestelen.'

Ze lachte. 'Nee, dat weet ik ook wel. Alleen alle anderen maar.'

'Sonea!' riep iemand.

Ze keken op. Heer Ahrind stond bij de ingang van de novicenvertrekken en keek rond alsof hij haar zocht. Sonea ging staan en de magiër zag haar. Hij wenkte ongeduldig dat ze binnen moest komen.

'Ik kan maar beter gaan,' zei ze.

Cery schudde zijn hoofd. 'Gek om jou "ja, heer" te horen zeggen en je meteen op te zien springen als ze je roepen.'

Ze stak haar tong tegen hem uit. 'Net alsof jij dat niet voor Faren doet. En ik kan tenminste zeggen dat ik ze over vijf jaar precies kan laten doen wat ík wil.'

Cery keek haar even heel vreemd aan. Toen lachte hij en joeg haar plagend weg. 'Hup dan. Neus in de boeken. Ik probeer gauw weer langs te komen.'

'Daar hou ik je aan.'

Ze begon met tegenzin naar de novicenvertrekken te lopen, waar heer Ahrind haar opwachtte, de armen over elkaar.

'En zeg tegen die knul dat ik allebei zijn armen breek als-ie jou niet met rust laat,' riep Cery, net luid genoeg voor haar om het te horen.

Ze draaide zich grijnzend om. 'Doe ik zelf wel, als hij te ver gaat. Per ongeluk, natuurlijk.'

Hij knikte goedkeurend en zwaaide. Toen ze bij de ingang was keek ze nog één keer om. Hij stond er nog steeds. Toen ze zwaaide gaf hij haar snel een teken in de gebarentaal van de straat. Ze glimlachte en liet zich door heer Ahrind naar binnen jagen.

13

Houd de dief!

Toen ze de novicenvertrekken uitstapte hield Sonea van puur genot een ogenblik haar adem in. De hemel was stralend strakblauw, met hier en daar een veeg oranje. Ergens achter de Sarikaheuvel kwam de zon op.

Ze was erachter gekomen dat ze van deze vroege ochtenduren hield, als alles nog stil en vredig was. De winter was in aantocht, de dag begon steeds later, en vandaag zag ze het met eigen ogen.

Gapende bedienden negeerden haar toen ze de Eetzaal binnenkwam, en een meisje legde zonder wat te zeggen een vers broodje voor haar neer om mee te nemen. Ze waren nu wel gewend aan de onvoorspelbare tijdstippen waarop ze opdook. Sonea pakte het broodje en ging op weg naar het badhuis. Van alle plekken binnen het Gilde was dit een van de veiligste gebleken. Vrouwen en mannen werden er strikt gescheiden gehouden, en om dit te waarborgen zat er een dikke muur tussen de twee gedeelten. Noch Issel, noch Bina had ooit geprobeerd haar hier lastig te vallen. Er was vrijwel altijd wel een andere magiër aan het baden, dus de kans op getreiter was maar klein.

Regin was er al snel achtergekomen dat zijn beledigingen en bespottingen geen indruk maakten op haar nieuwe klasgenoten. Zoals ze had gehoopt was het hem niet gelukt ze voor zich te winnen, en zijn poging om vriendjes te worden met Poril was haast komisch verlopen, aangezien de jongen ongelovig achteruit gedeinsd was.

Tijdens de lunch ging Regin dan ook altijd bij zijn vroegere klas zitten. Sonea vermoedde dat hij niet van zins was zijn oude kornuiten in de steek te laten, nu zijn huidige klasgenoten geen interesse toonden in een nieuwe club. En nu ze weer begonnen waren met haar te grazen te nemen, moesten ze hun plannen tijdens het eten bespreken. Om haar te vinden en te beschimpen hadden ze alleen het uur voor het eerste lesuur en na de laatste gongslag. Ze zorgde er altijd voor dat ze pas op het laatste nippertje voor de les begon opdook. Maar na de laatste les kon ze slechts weinig doen om hem te ontlopen, en ze lagen altijd wel ergens op de loer. Al deden haar klasgenoten er niet aan mee, ze deden ook niets om haar te helpen. En Poril was geen belemmering. Hij bleef bibberend op een afstandje staan terwijl zij Regins beledigingen over zich heen liet komen.

Soms kon ze ongedeerd langs de bende glippen wanneer ze had aangeboden iets voor de leraar te dragen, of hem een vraag had gesteld waarop het antwoord de hele wandeling door de universiteit in beslag nam. Als er ook maar één magiër in de gang liep, kon zij aan hen ontsnappen. Rothen stond haar vaak na de les op te wachten, maar dat werd haar de volgende dag met spottende opmerkingen betaald gezet.

In de novicenvertrekken werd ze met rust gelaten. Eén keer waren ze binnengevallen en hadden ze al haar spullen overhoop gegooid. Ze had Ahrind mentaal gevraagd hoe ze met ongenode gasten moest afrekenen, en hij was binnen komen stormen om te vragen wat dit te betekenen had. Daarna hadden ze het niet meer gewaagd bij haar binnen te dringen – voor zover ze wist.

Ze had een stevig kistje met handvat gekocht om al haar bezittingen in mee te nemen, moe als ze was om steeds maar weer de boeken op te rapen die haar uit handen werden geslagen, de in brand gestoken aantekeningen te blussen, en haar pennen en inktpot op te ruimen. Ze beschermde het kistje met een magisch schild.

Toen ze uit het badhuis kwam, keek Sonea snel om zich heen wie er op de binnenplaats waren. Ze klemde het handvat van haar kistje steviger vast en liep vlug de trappen van de universiteit op. Op de gang van de tweede verdieping keek ze weer om zich heen. Bij haar klas stond een stelletje novicen te smoezen. De moed zonk haar in de schoenen.

Even verderop in de gang was een magiër in gesprek gewikkeld met een novice. Zou hij kunnen horen wat er tegen haar gezegd zou worden? Misschien wel.

Ze liep zo rustig mogelijk in de richting van de novicen. Toen ze vlakbij hen was draaide de magiër zich om en liep de trappen af. Tegelijkertijd keek Issel op en zag Sonea.

'Jakkes!' Issels heldere stem weerklonk door de hele gang. 'Waar *stinkt* het hier toch opeens naar?'

Regin keek haar aan en glimlachte. 'O, dat is de stank van de sloppen. Kijk, het wordt erger als je naar haar toe loopt.' Hij ging voor haar staan en richtte zijn aandacht op haar kistje. 'Misschien zit daar een stinkend zaakje in?'

Sonea deed een stap terug toen Regin een greep naar haar kistje deed. Toen stapte een lange persoon in het zwart uit een gangetje vlak bij hen. Regin versteende ter plekke, zijn arm nog uitgestrekt.

Sonea deed nog een stap naar achter om nog verder buiten Regins bereik te komen en besefte dat ze de enige was die nog bewoog. Alle andere novicen in de gang stonden doodstil, hun aandacht gericht op de magiër.

De magiër in het zwart. De opperheer.

Ergens in haar achterhoofd klonk een stemmetje: *Het is 'm! Rennen!* Ze stond op het punt zich om te draaien. *Nee,* dacht ze toen, *dat zou juist opvallen. Gedraag je zoals van je verwacht wordt.* Ze vermande zich en maakte een diepe buiging.

Hij liep verder zonder op haar te letten. Haar voorbeeld volgend, bogen de anderen eveneens. Ze besloot gebruik te maken van de gelegenheid en glipte langs Regin de klas in.

Meteen voelde ze het effect van de aanwezigheid van de opperheer verdwijnen. De novicen in de klas hingen een beetje verveeld op hun stoel. Heer Vorel werd zo in beslag genomen door zijn lectuur dat hij haar buiging niet opmerkte. Ze ging naast Poril zitten en slaakte een diepe zucht.

In die paar ogenblikken, toen iedereen bijna bevroor van schrik, leek het net of alleen zij en de duistere gestalte uit haar nachtmerries bestonden. En ze had voor hem gebogen. Ze keek naar haar handen, die nog steeds het handvat van haar kistje omklemden. Ze boog tegenwoordig zo vaak dat ze er niet eens meer bij stilstond. Maar dit was anders. Het maakte haar kwaad. Ze wist immers wie hij was, en wat hij deed...

Plotseling weerklonk het geschraap van stoelen die achteruit geschoven werden, en iedereen stond op. Sonea besefte dat de laatste leerling binnen was gekomen en dat heer Vorel iets gezegd had. De Krijger maakte een gebaar naar de deur en de magiërsleerlingen gingen in een rij naar buiten. Bevreemd liep Sonea achter Poril aan.

'Boeken hier laten, Sonea.'

Sonea keek naar haar kistje en zag dat de anderen ook al hun spullen hadden achtergelaten. Met tegenzin zette ze haar kistje op haar tafel en holde weg om de rest van de klas in te halen.

Ze praatten allemaal opgewonden door elkaar. Maar Poril zweette en zag bleek.

'Waar gaan we heen?' fluisterde ze tegen hem.

'D-de Arena,' antwoordde hij met een trillend stemmetje.

Sonea's hart sloeg een slag over. De Arena. Tot nu toe had hun training in strijdvaardigheid bestaan uit geschiedenislessen en eindeloze oefeningen in het vormen van blokkades, maar ze wisten dat ze op een dag meegenomen zouden worden naar de Arena om de aanvallende aspecten van het vak te leren.

Een vreemd gevoel – maar geen angst – maakte zich van haar meester toen de klas de trap af liep en het gebouw verliet. Ze was niet meer in de buurt van de Arena geweest sinds Rothen haar mee had genomen om een demonstratie van Krijgers bij te wonen als onderdeel van zijn pogingen haar over te halen bij het Gilde te blijven. De aanblik van novicen die magie naar elkaar wierpen, had haar van streek gemaakt. Het herinnerde haar aan die dag dat ze een steen naar de magiër geworpen had en voor de eerste keer magie had toegepast. Ze hadden per ongeluk een jongen gedood van wie ze dachten dat hij de dader was. Het was een vergissing, maar er was wel een onschuldige jongen in een verkoold lijk veranderd. De lessen over veiligheid, waar de anderen altijd zo makkelijk over deden, herinnerden haar ook altijd aan die dag. Ze vroeg zich af hoe vaak er van die fouten voorkwamen.

Vooraan liepen Regin, Hal en Benon met grote stappen, alsof ze er zin in hadden. Zelfs de gezichten van Narron en Trassia bloosden van opwinding. Misschien dat de gedachte aan het per ongeluk doden van iemand van de Huizen of een edelman uit een ander land hen zou ontnuchteren. Maar zou de dood van een sloppenmeisje de pret voor hen bederven?

Toen ze de weidse vlakte rond de Arena bereikten keek Sonea vooral naar de acht naar binnen gebogen zuilen die eromheen waren geplaatst. Ze voelde de flauwe vibratie van de magische barrière die rond de zuilen liep. Ze liep naar de rand en bekeek het bouwwerk. De basis was een verzonken stenen cirkel die bedekt was met wit zand. De zuilen waren er op regelmatige afstanden omheen gezet en vormden zo de steunberen van een onzichtbare koepel. Vanuit de voet ervan voerden stenen trappen naar het niveau van de tuinen. Aan één kant was een stenen portaal waardoor je via een ondergrondse trap de Arena binnen kon komen.

'Volg me,' beval heer Vorlen. Hij liep de trap af en de Arena in. 'Stel je op in een rij.'

De novicen gehoorzaamden. Poril stond helemaal achteraan. Heer Vorel wachtte tot ze helemaal stil waren en schraapte toen zijn keel.

'Dit wordt jullie eerste les in de basistreffers. Bovendien zal het de eerste keer zijn dat jullie je magie op volle kracht inzetten. Daarom deze waarschuwing: wat jullie vandaag gaan doen is gevaarlijk.' Hij keek hen stuk voor stuk aan. 'We moeten allemaal uiterst voorzichtig zijn bij deze oefeningen. Zelfs op jullie niveau kunnen er doden vallen. Denk daaraan. Ik tolereer geen geintjes. Onvoorzichtigheid zal streng gestraft worden.'

Sonea huiverde. *Ik hoop dat die straf streng genoeg is om Regin ervan te overtuigen dat een 'ongelukje' niet de makkelijkste weg is om me uit de weg te ruimen.*

Vorel glimlachte opeens en wreef zich in de handen. 'Ik zal jullie de drie basistreffers leren. Maar laten we eerst eens zien wat jullie instinctief gebruiken. Regin.'

Regin kwam naar voren.

Heer Vorel deed een paar stappen naar achteren tot hij bijna tegen de rand van de Arena stond, hief toen zijn handen en liet ze gespreid naar beneden zakken. Een gloeiende schijf van transparante energie verscheen voor hem. Hij deed een stap opzij en knikte naar Regin. 'Goed. Bundel al je kracht en stuur die naar dit schild.'

Regin hief een hand en strekte die uit naar het doel. Hij fronste even en toen schoot er een schitterende lichtflits uit zijn hand naar het middelpunt van het schild.

'Mooi,' zei heer Vorel. 'Een krachttreffer, maar je verspilde veel energie met dat licht en die hitte. Hal.'

Sonea staarde naar de gloeiende magische schijf. Het was waarschijnlijk Vorels bedoeling erachter te komen met wat voor energiesoort de novicen de schijf troffen... maar ze bleef maar dat beeld van vroeger voor zich zien, en ze begon er draaierig van te worden.

Opnieuw raakte een energietreffer de schijf, deze keer blauw van kleur. Een herinnering aan licht en geschreeuw flitste door haar hoofd.

'Hittetreffer,' zei Vorel en hij legde het verschil tussen een krachttreffer en een hittetreffer uit. Een deel van haar geest borg deze informatie op. Maar de beelden bleven door haar hoofd spoken...

De menigte die zich verspreidde... het zwartgeblakerde lijk... de stank van geschroeid vlees...

'Benon.'

De Kyraliaanse jongen deed een stap naar voren. De straal die aan zijn hand ontsprong was bijna doorzichtig.

'Krachttreffer.' Vorel klonk verheugd. 'Narron...'

Weer een treffer suisde door de lucht.

'Voornamelijk krachttreffer, maar wel veel hitte. Trassia...'

Een treffer van vlammen verblindde Sonea.

'Vuurtreffer.' Vorel klonk verbaasd. 'Seno...'

De Vindo-jongen aarzelde lang voor een lichtflits aan zijn hand ontsprong. De straal week af, miste de schijf en trof de barrière van de Arena. Er klonk een gedempt gerinkel, als van vallend glas. Fijne draden van energie schoten alle kanten op. Sonea slikte; ze was bijna aan de beurt.

'Yalend.'

De jongen naast haar stapte naar voren en raakte de schijf zonder mankeren.

'Sonea...'

Ze staarde naar de schijf,. maar ze kon alleen een jongen zien die haar aanstaarde. Angstig en niet-begrijpend.

'Sonea?'

Ze haalde diep adem en knipperde met haar ogen om het beeld uit haar hoofd te krijgen. *Toen ik besloot om bij het Gilde te gaan wist ik dat ik dit moest leren. En deze gevechten zijn gewoon spelletjes.* Gevaarlijke spelletjes om er zeker van te zijn dat hun strijdvaardigheden intact bleven voor het geval de Alliantie werd aangevallen.

Heer Vorel deed een stap in haar richting, maar bleef staan toen ze haar hand hief. Voor de eerste keer sinds de aanvang van haar beheersingslessen reikte ze bewust naar de energie binnen in zich. De anderen begonnen ongeduldig te schuifelen.

Het beeld van de jongen was terug. Ze moest het zien kwijt te raken of ze zou een zenuwinzinking krijgen. Toen Regin iets mompelde van schijtluis, verscheen er een ander beeld voor haar geestesoog en ze glimlachte. Ze richtte haar wilskracht en stuurde een woedende treffer door de lucht.

Gevloek klonk boven het geluid van versplinterend glas uit. Sonea's maag draaide zich om. Had ze de schijf gemist?

Lichtgolven stegen op naar de gebogen zuilen boven de Arena en verdwenen daar in het niets. De schijf was verdwenen. Verward keek ze naar heer Vorel, die zijn slapen masseerde.

'Ik zei toch niet dat je al je kracht in de treffer moest leggen, Sonea?' zei hij. 'Dat was een combinatie van een vuurtreffer en een krachttreffer – neem ik aan.' Hij wendde zich tot Poril, die meteen verstijfde. 'Ik zal zo een nieuwe schijf maken. Niet richten voor ik het zeg.'

Hij bleef een paar minuten stil staan, met zijn ogen gesloten. Toen haalde hij diep adem en maakte een nieuwe schijf.

'Toe maar, Poril.'

De jongen zuchtte. Hij stak zijn hand naar voren en stuurde een bijna onzichtbare treffer naar het schild.

'Mooi,' zei Vorel en knikte. 'Krachttreffer zonder verspilde magie. Nu doen jullie hetzelfde nogmaals, maar dit keer op volle kracht. Daarna gaan we kijken met welk doel we de treffers kunnen gebruiken. Regin?'

Sonea keek hoe de anderen de schijf aanvielen. Het was moeilijk te zien of de treffers veel sterker waren, maar Vorel leek tevreden. Toen Sonea aan de beurt was leek hij te aarzelen, maar haalde toen zijn schouders op.

'Toe maar. Zie maar of je het nog eens kan.'

Met een glimlachje bundelde ze haar kracht en liet hem vrij. De schijf leek het even te houden, maar begon toen toch te trillen en verdween. Wit licht steeg op, boven de barrière van de Arena uit, en sommige klasgenoten doken instinctief ineen. De lucht trilde van het oorverdovende geluid, en toen werd alles stil.

Vorel keek haar peinzend aan. 'Het ligt natuurlijk voor een deel aan je leeftijd,' zei hij als tegen zichzelf. 'Net als Poril heb je controle over je werk.' Hij maakte weer een schild. 'Poril, een krachttreffer graag.'

De slag van de jongen was vrijwel onzichtbaar. Vorel gebaarde naar het schild.

'Zoals jullie konden zien – of níét konden zien – waren Porils treffers heel economisch. Geen overbodige lichtflitsen of hitte. De kracht ging recht vooruit. Nu moeten jullie je energie bundelen in een krachttreffer. Regin, jouw beurt.'

Terwijl iedereen om de beurt een treffer plaatste, begon Sonea er plezier in te krijgen. De treffers een bepaalde vorm geven was een uitdaging, maar het was eenvoudig toen ze doorkreeg hoe elk soort treffer aanvoelde. Toen Vorel hen weer naar de klas terugstuurde was ze dan ook teleurgesteld dat het al voorbij was.

Ze keek om zich heen en zag iedereen opgewonden met elkaar praten.

Ze renden de trappen op van de universiteit op en de gangen weerklonken van hun geklets. Pas toen ze weer op hun plaats zaten bedaarden ze een beetje.

Heer Vorel wachtte tot de stilte was weergekeerd, met de armen over elkaar geslagen.

'De volgende les gaan we door met de verfijning van de blokkades en schilden.' Iedereen trok een lelijk gezicht. 'Door wat jullie vandaag gezien hebben, zou het toch duidelijk moeten zijn waarom het zo belangrijk is om een degelijk schild om je heen te kunnen optrekken,' zei hij ernstig. 'Tot de middagpauze wil ik graag dat jullie omschrijven wat jullie vanochtend geleerd hebben.'

Zacht gekreun steeg op uit de mond van een aantal novicen. Toen ze hun papier te voorschijn haalden tastte Sonea naar haar kistje, en ze besefte dat ze het niet afgesloten had.

Ze maakte het open en haalde opgelucht adem toen bleek dat er niets ontbrak. Ze pakte haar map met notities, maar op hetzelfde ogenblik viel er iets uit de map dat met een metalig geluid op de vloer kletterde.

'Dat is mijn pen!'

Sonea keek op en zag Narron naar haar kijken. Ze fronste en zag een goudkleurige pen op de vloer liggen. Ze bukte zich en raapte hem op.

Iemand trok de pen uit haar hand. Ze keek op en zag heer Vorel boven haar uittorenen. Hij wendde zich tot Narron.

'Is dit die pen die je kwijt was?'

'Ja.' Narron keek Sonea boos aan. 'Sonea had hem in haar kistje.'

Vorels gezicht verstrakte toen hij haar weer aankeek. 'Waar heb je die vandaan?'

Sonea keek verbaasd naar haar kistje. 'Hij zat hierin,' zei ze.

'Ze heeft mijn pen gestolen!' zei Narron verontwaardigd.

'Dat heb ik niet gedaan!' protesteerde ze.

'Sonea.' Vorels vingers sloten zich om de pen. 'Kom maar even mee.'

Hij draaide zich om en liep naar de deur. Sonea keek hem ongelovig aan. 'Nu!' blafte hij.

Sonea deed haar kistje dicht en volgde hem, de ogen die op haar gericht waren negerend. Ze zouden toch niet echt denken dat zij Narrons pen... Het was toch duidelijk dat Regin weer een streek had uitgehaald?

Maar ze keken haar argwanend na. Poril vermeed haar blik en staarde naar zijn tafeltje. Dat deed haar pijn.

Ze was een sloppenmeisje. Het meisje dat had toegegeven als kind gestolen te hebben. De vreemde eend in de bijt. Een vriendin van de Dieven. Ze hadden gezien dat Regin haar treiterde, maar niet dat hij haar aantekeningen en boeken gestolen had, of alle andere pesterijen. Ze wisten niet hoe sluw en vastbesloten hij was.

Ze kon Regin echter niet beschuldigen. Zelfs als ze het durfde, en daarmee een waarheidslezing riskeerde, kon ze nog niet bewijzen dat hij het had gedaan. Ze kon hoogstens haar eigen onschuld bewijzen, en daarvoor wilde ze geen lezing riskeren, want als de directeur haar niet toestond haar eigen waarheidslezer te kiezen, zou er nóg iemand achter de misdaad van de opperheer kunnen komen.

Vorel bleef bij de deur staan. 'Narron, kom ook maar mee,' zei hij. 'De rest gaat door met het opstel. Ik ben pas na de pauze terug.'

Toen Rothen het kantoor van de universiteitsdirecteur binnenkwam, liet hij snel zijn blik over de aanwezigen gaan. Jerrik zat aan zijn bureau, met de armen over elkaar en een grimmige uitdrukking op zijn gezicht. Sonea zat gebogen in haar stoel, haar ogen op de vloer gericht. Een andere novice zat rechtop op het puntje van zijn stoel. Achter hem stond de Krijger, heer Vorel, die boosheid uitstraalde.

'Wat is hier aan de hand?' vroeg Rothen.

Jerriks voorhoofd kreeg nog diepere rimpels. 'Je novice bleek in het bezit te zijn van een pen van haar klasgenoot Narron.'

Rothen richtte zijn blik op Sonea, maar ze keek niet op of om.

'Klopt dat, Sonea?'

'Ja.'

'Hoe zit dat dan?'

'Ik deed mijn kistje open, pakte mijn aantekeningen en de pen viel op de grond.'

'Hoe is hij er dan in gekomen?'

Ze haalde haar schouders op. 'Dat weet ik niet.'

Jerrik boog zich naar haar toe. 'Je hebt hem er niet ingestopt?'

'Dat weet ik niet.'

'Hoe bedoel je?'

'Ik weet niet of ik hem erin heb gestopt.'

Jerrik fronste zijn voorhoofd weer. 'Hoe kan je dat nou niet weten? Je hebt hem erin gestopt of niet.'

Ze spreidde haar handen. 'Hij kan tussen mijn aantekeningen hebben gelegen toen ik ze gister opborg.'

Jerrik schudde wanhopig zijn hoofd en haalde diep adem. 'Heb jij Narrons pen gestolen?'

Sonea dacht na. 'Niet opzettelijk.'

Rothen glimlachte, want hij had vaker dergelijke gesprekken met Sonea gevoerd. Maar dit was geen tijdstip om woordspelletjes te spelen. 'Dus je bedoelt dat je hem per ongeluk gestolen kan hebben?' vroeg hij.

'Hoe kan je nu iets per ongeluk stelen?' riep Jerrik uit. 'Stelen is altijd met voorbedachten rade.'

Vorel snoof verachtelijk. 'Sonea, als je het niet ontkent moeten we maar aannemen dat je schuldig bent.'

Ze keek naar haar leraar en kneep haar ogen samen. 'Wat maakt het uit? Jullie hebben je oordeel allang klaar. Wat ik ook zeg, het maakt toch niets meer uit.'

Even was het stil in de kamer. Toen Rothen zag dat Vorel een kleur kreeg, legde hij een hand op Sonea's schouder.

'Wil je even buiten op me wachten, Sonea?'

Ze liep de kamer uit en sloot de deur.

'Wat moet ik hier nu mee?' riep Jerrik uit. 'Als ze onschuldig is, waarom komt ze dan met die ontwijkende antwoorden?'

Rothen keek de andere novice strak aan. Jerrik volgde zijn blik. 'Je mag weer naar je klas, Narron.'

De jongen stond op. 'Mag ik mijn pen terug, directeur?'

'Zeker.' Jerrik knikte naar Vorel. Toen Rothen de gouden pen zag schudde hij het hoofd. Waarschijnlijk een cadeau ter gelegenheid van zijn toetreding tot het Gilde.

Toen Narron weg was, keek Jerrik Rothen vol verwachting aan. 'U zei, heer Rothen?'

Rothen sloeg zijn handen ineen achter zijn rug. 'Bent u op de hoogte van de pesterijen die Sonea heeft moeten doorstaan van de andere leerlingen?'

Jerrik knikte. 'Jazeker.'

'Kent u de leider van de lastposten?'

De directeur vertrok zijn mond. 'Bedoelt u dat die leider deze diefstal op zijn geweten heeft?'

'Ik wil alleen dat u dat als een mogelijkheid onderkent.'

'Dan zult u met bewijzen moeten komen. Zoals het er nu voorstaat, hebben we alleen een pen die kwijt was en in Sonea's kistje zat. Ze weigert te ontkennen dat ze hem gestolen heeft, en heeft niet gezegd dat Regin hem daar in gestopt heeft. Wat moet ik dan geloven?'

Rothen knikte dat hij het probleem begreep. 'Ik weet zeker dat Sonea graag bewijs van het tegendeel zou hebben, maar aangezien ze niemand beschuldigt, kan ze dat waarschijnlijk ook niet. Moeten we dan niet gewoon aannemen dat ze onschuldig is?'

'Het is toch geen bewijs dat ze het niet gedaan heeft?' zei Vorel.

'Nee, maar jullie vroegen me haar gedrag te verklaren, niet te bewijzen dat ze onschuldig is. Ik kan alleen maar voor haar karakter instaan en ik geloof niet dat ze dit gedaan heeft.'

Vorel snoof weer, maar zweeg. Jerrik keek hen allebei aan, en gebaarde toen dat ze konden gaan. 'Ik zal over jullie woorden nadenken. Bedankt.'

Sonea stond tegen de muur van de gang geleund en keek moedeloos naar haar laarzen. Vorel liep langs haar zonder iets te zeggen. Rothen kwam ook tegen de muur aan staan en zuchtte.

'Het ziet er niet best uit.'

'Weet ik.' Ze zei het beheerst.

'Waarom zei je niets over Regin?'

'Hoe kan ik dat nou doen?' Ze keek hem aan. 'Ik kan hem niet beschuldigen, al had ik bewijzen.'

'Waarom dan n–' Het antwoord flitste al door hem heen. Gilderegels. Degene die een ander beschuldigde moest een waarheidslezing ondergaan. Dat risico kon zij niet lopen. Er zouden geheimen onthuld kunnen worden voor het daar tijd voor was. Verstoord keek hij naar de vloer.

'Geloof je ze?' vroeg ze.

'Natuurlijk niet.'

'Geen spoortje twijfel?'

'Helemaal niets.'

'Misschien kan je dat toch beter wel doen,' zei ze verbitterd. 'Iedereen zat te wachten tot iets dergelijks zou gebeuren. Het maakt niet uit wat ik zeg of doe. Ze weten dat ik het ooit eerder heb gedaan, dus denken ze dat ik ermee doorga, al heb ik er totaal geen reden meer voor.'

'Sonea,' zei hij zachtjes. 'Wat je zegt en wat je doet maakt wél verschil uit. Als jij een onweerstaanbare drang tot stelen zou hebben, hadden we dat al veel eerder moeten merken. Je moet gewoon ontkennen, luid en duidelijk, al denk je dat niemand je gelooft.'

Ze knikte, al was ze nog niet helemaal overtuigd. Ze keken op toen de middaggong weerklonk. Rothen ging rechtop staan.

'Kom met me mee lunchen. We hebben al weken niet samen gegeten.'

Ze glimlachte spottend. 'Ik denk ook niet dat ik voorlopig welkom ben in de Eetzaal.'

14

Slecht nieuws

Een voor een liepen de novicen langs heer Elbens tafel en pakten er een glazen potje vanaf. Omdat ze alleen maar vijandige blikken kon verwachten als ze tussen hen in ging staan, wachtte Sonea tot ze achteraan kon gaan staan. Tot haar ontzetting was Regin de op een na laatste in de rij. Hij keek haar aan voor hij naar de tafel stapte en pakte de laatste twee potjes. Heer Elben fronste zijn voorhoofd toen Regin beide potjes vergeleek, maar toen de leraar er iets van wilde zeggen, gooide Regin snel een van de potjes naar Sonea.

'Hier!'

Ze dook naar voren om het op te vangen, maar voor haar vingers het potje raakten viel het aan diggelen op de grond.

'O, sorry zeg, wat onhandig van me,' riep Regin uit. Hij liep weg van de scherven.

Heer Elben keek naar Regin en toen naar Sonea. 'Regin, ga een bediende zoeken om het op te vegen. Sonea, je moet maar even toekijken bij de les.'

Sonea was totaal niet verrast en ging zitten. Die pen van Narron had niet alleen de mening van de leerlingen over haar veranderd. Vóór de 'diefstal' zou Elben tegen Regin gezegd hebben haar het laatste potje te geven of een nieuw te halen.

Haar officiële straf was elke avond een uur lang boeken terug zetten op de planken van de novicebibliotheek, wat eigenlijk niet eens zo vervelend was – als Regin tenminste niet rondhing om haar het leven zuur te maken. De straf was afgelopen Vierdag afgelopen, maar zowel de leraren als haar klasgenoten behandelden haar nog steeds met achterdocht.

Ze werd meestal genegeerd in de klas. Wanneer ze te dicht bij een ander kwam, of over iemand durfde te spreken, waren koele blik haar deel. In de Eetzaal was ze niet meer bij hen gaan zitten. Ze was weer in haar oude gewoonte vervallen om de maaltijd over te slaan of met Rothen te eten.

Maar niet alles was in haar nadeel veranderd. Nu ze sinds de Arenales wist dat haar krachten zoveel groter waren dan die van andere magiërsleerlingen, had ze nieuw zelfvertrouwen opgedaan. Ze hoefde haar krachten niet te sparen voor lessen op school, zoals iedereen werd aangeraden, dus hulde ze zich altijd in een stevig schild, dat voorkwam dat ze geraakt werd door voorwerpen die in haar richting gegooid werden, of viel wanneer men haar wilde laten struikelen. En zo kon ze ook makkelijk langs Regin en zijn volgelingen komen als ze haar in de gang in wilden sluiten.

Haar kamerdeur werd beschermd door een door haar gemaakt schild, net als haar raam en haar kistje. Ze gebruikte dag en nacht magie en voelde zich nooit vermoeid of slap. Niet eens na een inspannende strijdvaardigheidles.

Maar ze was wel eenzaam. Ze keek naar de lege bank voor zich en zuchtte. Poril had zichzelf een week geleden verwond; hij had zijn handen hevig gebrand terwijl hij aan het studeren was. Ze miste hem. Vooral omdat het hem niets had kunnen schelen dat ze als dief was gebrandmerkt.

'Heer Elben?'

Sonea keek op. In de deuropening stond een vrouw in een groen gewaad. Ze schoof een kleine leerling de klas in. 'Volgens mij is Poril nu weer fit genoeg om de lessen te volgen. Hij kan nog steeds niets met zijn handen doen, maar hij kan wel luisteren en kijken.'

Poril keek alleen Regin aan, liep verder, boog voor heer Elben en ging zitten. De Geneźeres knikte naar de leraar en vertrok.

Terwijl Elben begon uit te leggen wat ze zouden doen, lette Sonea scherp op Porils rug. Haar vriend leek niet erg op te letten. Hij zat stijfjes naar zijn handen te staren, waarop verse, rode littekens te zien waren. Toen er op de gong werd geslagen, wachtte hij tot de rest van hun klas de deur uit was en snelde toen naar de deur.

'Poril!' riep ze hem na. Ze maakte snel een buiging voor Elben en haalde hem in op de gang. 'Welkom terug, joh.' Ze glimlachte naar hem. 'Moet ik je helpen met inhalen?'

'Nee.' Hij versnelde zijn pas.

'Poril?' Sonea greep zijn arm. 'Wat is er?'

Poril keek haar aan en keek toen naar de anderen. Regin liep achter in de groep en wierp telkens een onheilspellende blik naar hen over zijn schouder, wat Sonea deed huiveren.

Ook Poril beefde. 'Ik kan niet met je praten. Ik kan het niet.' Hij rukte zich los.

'Maar –'

'Nee, laat me met rust.' Hij liep weg, maar ze greep zijn arm weer en hield hem staande.

'Ik laat je niet met rust tot je me verteld hebt wat er aan de hand is,' siste ze tussen haar tanden door.

Hij aarzelde voor hij sprak. 'Het komt door Regin.'

Toen ze Porils bleke gezicht zag, stokte de adem haar in de keel. Hij bleef de andere novicen in de gaten houden, en ze wist dat hij haar niets meer zou vertellen. Hij wilde verder lopen, maar ze hield hem tegen. 'Wat heeft hij gezegd?'

Poril slikte. 'Hij zegt dat ik niet meer met je mag praten. Sorry...'

'En je doet gewoon wat hij zegt?' Het was niet eerlijk, dat wist ze ook wel, maar ze was zo woedend opeens. 'Waarom zei je niet dat hij op moest hoepelen en in de Taralirivier kon springen?'

Hij stak zijn gewonde handen op. 'Heb ik gedaan.'

Sonea's woede verdween op slag. Ze staarde Poril aan. 'Heeft híj dat gedaan?'

Poril knikte zo kleintjes dat ze het haast niet opmerkte. Ze keek naar de klas, maar die begon de trap al af te lopen.

'Maar dat is... Waarom heb je dat aan niemand verteld?'

'Ik kan het niet bewijzen.'

Een waarheidslezing zou het bewijzen. Had Poril soms ook een geheim, net als zij? Of was hij er gewoon te bang voor?

'Hij kan niet zomaar jouw handen verbranden omdat jij toevallig mijn vriend bent,' gromde ze. 'Als hij je nog eens bedreigt, moet je het meteen zeggen. Ik zal hem... Ik zal hem...'

'Wat zal je? Je kan er niks tegen doen, Sonea.' Hij was helemaal rood geworden. 'Het spijt me, maar ik kan het niet. Het kan echt niet.' Hij draaide zich om en rende de gang door en de trap af.

Hoofdschuddend bleef Sonea hem op een afstandje volgen. Langzaam liep ze de trap af. Toen ze de begane grond bereikte hoorde ze geroezemoes. Ze keek de gang naar de Grote Zaal in en zette grote ogen op.

De gang was vol magiërs. Ze stonden in groepjes of met zijn tweeën te praten. Sonea vroeg zich af wat de reden kon zijn dat er zoveel bijeengekomen waren. Het was tenslotte geen Ontmoetingsdag.

'Ik zou maar geen aandacht op mezelf vestigen als ik jou was,' zei een stem dicht bij haar oor.

Ze deinsde terug. Het was Regin.

'Ze komen misschien tot de conclusie dat ze er een gemist hebben,' zei hij, zijn ogen schitterend van leedvermaak. Ze deed een paar stappen achteruit. Zijn ogen flitsten van pret toen hij haar onbegrip zag en hij kwam dichterbij.

'O, je begrijpt het niet helemaal, hè?' Een vuil grijnsje. 'Ben je het dan al vergeten? Het is vandaag de feestelijkste dag van het jaar voor sloppenvolk als jij. De dag van de Opruiming, of Zuivering zoals het tegenwoordig heet.'

Het was een klap in haar gezicht. De Zuivering. Elk jaar, sinds de eerste van dertig jaar geleden, stuurde de koning zijn Garde en het Gilde erop uit om de straten te zuiveren van 'zwervers en ander schoelje'. Het was de bedoeling de stad veiliger te maken door dieven en zakkenrollers op te ruimen. Niet dat het de Dieven ook maar iets uitmaakte, zij hadden hun eigen in- en uitgangen van de stad. Alleen de arme, vaak dakloze bevolking werd bijeengedrongen in hun sloppenwijk. En de mensen die kamers huurden in 'overbevolkte en onveilige' huurkazernes – waarvan een jaar geleden haar eigen familie het slachtoffer was geweest. Ze was zo kwaad geworden dat ze zich had aangesloten bij een bende knullen die stenen naar de magiërs gooiden, en bij die gelegenheid had ze voor het eerst haar krachten vrij spel gegeven.

Regin lachte gemeen. Om haar opkomende woede te beteugelen, draaide Sonea zich om en liep weg. Regin rende naar voren om haar weg te blokkeren. Zijn gezicht was vertrokken van triomf en wreed genoegen. Wat een geluk dat novicen nog niet mee mochten doen aan de Zuivering. Regin zag kennelijk uit naar de dag dat hij weerloze zwervers en straatarme gezinnen de stad uit kon drijven.

'Ga nu niet weg,' bedelde Regin en knikte naar de zaal. 'Wou je niet even weten hoeveel pret je mentor gehad heeft?'

Rothen? Hij zou nooit... Ze wist zeker dat Regin haar op de kast wilde krijgen. Ze draaide zich weer om en liet haar blik over de gezichten glijden... en daar stond hij, in een groepje dichtbij. Rothen.

Ze versteende. Hoe had hij kunnen meegaan als hij wist hoe ze over de Zuivering dacht? Maar hij had natuurlijk een bevel van de koning niet mogen weigeren...

Maar dat kon wel! Niet alle magiërs deden mee! Hij had kunnen weigeren en een ander in zijn plaats kunnen laten gaan!

Alsof hij haar blik op zich voelde rusten, keek Rothen op en ze keken elkaar aan. Zijn blik gleed over Regin en hij fronste zijn wenkbrauwen. Regin grinnikte. Plotseling wilde Sonea alleen maar heel hard wegrennen. Ze beende langs Regin naar de uitgang van de universiteit. Regin liep mee en tergde haar tot ze bij de Magiërsvertrekken aankwam. Daar liet hij haar eindelijk met rust. Ze ging Rothens vertrek binnen en was blij dat er niemand was. Ze had op dit moment weinig behoefte aan Tania, al was het maar omdat ze haar uit frustratie misschien zou afsnauwen.

IJsberend hoorde ze de deur opengaan.

'Sonea.'

Rothen had een verontschuldigende blik in de ogen. Ze zei niets terug maar bleef staan bij het raam en staarde naar buiten.

'Het spijt me. Dit zal wel aanvoelen als verraad,' zei hij. 'Ik wilde je vertellen dat ik van plan was te gaan. Ik heb het steeds maar uitgesteld en uitgesteld en opeens werd ik vanmorgen opgeroepen.'

'Je hoefde toch niet te gaan?' zei ze. Ze klonk als een vreemde, met een stem verstikt van woede.

'Ik moest wel,' zei hij.

'Nee, dat hoefde niet. Er had best iemand anders kunnen gaan.'

'Dat is waar,' zei hij. 'Maar dat is niet de reden dat ik moest gaan.' Hij kwam naderbij, zijn stem klonk zacht en vriendelijk. 'Sonea, ik moest ernaartoe om erop toe te zien dat er geen fouten gemaakt zouden worden. Als ik niet gegaan was, en er was iets gebeurd...' Hij zuchtte. 'Iedereen was een beetje gespannen dit jaar. Misschien moeilijk te begrijpen, maar het zelfvertrouwen van het Gilde was toch enigszins geschonden door wat er verleden jaar gebeurd is. Of dat nu kwam doordat er fouten gemaakt zijn, of,' – hij grinnikte – 'doordat er een loslopend schoffie was dat met magie in het rond smeet, het maakt niet uit. Het Gilde had iemand nodig die een oogje in het zeil hield.'

Sonea keek naar de vloer. Het klonk redelijk. Haar woede zakte langzaam. Ze zuchtte en knikte kleintjes. Hij glimlachte hoopvol.

'Vergeef je me?'

'Ik zal wel moeten,' zei ze nors. Ze keek naar de tafel en zag dat Tania gedekt had; er stonden broodjes en koud vlees op. Een maal voor iemand van wie niet bekend was wanneer hij zou komen om te eten.

'Kom, eet met me mee,' zei Rothen.

Ze nam de uitnodiging aan, trok een stoel naar achteren en ging zitten.

Het Gilderijtuig stopte voor een eenvoudig, twee verdiepingen tellend gebouw. Lorlen stapte uit en negeerde de nieuwsgierige blikken van de mensen op straat. Met grote passen liep hij naar de ingang van de Hoofdbureau van de Stadsgarde en toen een bediende de deur voor hem geopend had naar een klein zaaltje. Het vertrek was met weinig kosten smaakvol ingericht. Gemakkelijke stoelen stonden overal in groepjes bijeen. Het deed Lorlen aan de Nachtzaal van het Gilde denken. Een gang liep van de zaal naar de rest van het gebouw.

'Administrateur.'

Lorlen zag hoe Derrils zoon uit een van de stoelen oprees. 'Kapitein Barran. Gefeliciteerd met je promotie.'

De jongeman glimlachte. 'Dank u, administrateur.' Hij gebaarde naar de gang. 'Laten we naar mijn kantoor gaan, dan zal ik u het laatste nieuws vertellen.'

Barran leidde Lorlen naar een deur aan het eind van de gang. Een kleine, maar prettige kamer lag daarachter. Eén wand werd geheel in beslag genomen door ladekasten, en een bureau verdeelde het vertrek in tweeën. Er was een zitje van twee stoelen, waar ze plaatsnamen.

'Je vader vertelde dat je van gedachten bent veranderd over die vrouw over wie we het hadden,' viel Lorlen met de deur in huis. 'Je denkt nu dat het toch een moord was.'

'Ja,' zei Barran. 'Er hebben namelijk meer zelfmoorden plaatsgevonden met exact dezelfde kenmerken. Steeds ontbrak het moordwapen en waren er tekenen die op een indringer wezen. Elk slachtoffer droeg sporen van vingerafdrukken op de wonden. Dat is geen toeval meer.' Hij zweeg even. 'De eerste moord in de reeks deed zich voor een maand nadat de rituele

158

moorden waren gestopt. Alsof de moordenaar dacht dat hij te veel aandacht trok en zijn methode heeft aangepast in de hoop dat men zou denken dat het zelfmoord was.'

'Het kan ook een andere moordenaar zijn.'

'Dat kan,' zei Barran aarzelend. 'Maar er is nog iets anders, al hoeft dat niet te betekenen dat er een verband is. Ik vroeg aan mijn voorganger of hij ooit zoiets vreemds had meegemaakt. Hij vertelde me dat er vier, vijf jaar geleden wel vaker van die moorden plaatsvonden, zo nu en dan.' Hij grinnikte. 'Dat heb je nu eenmaal in de grote stad, zei hij.'

Lorlen huiverde. Akkarin was vijf jaar geleden van zijn reis teruggekeerd. 'En daarvoor nooit?'

'Ik dacht het niet. Dan had hij het wel verteld.'

'En die moorden leken op die van de afgelopen tijd?'

'Ten dele. Eerst gebeurden ze een tijdje zus, en dan weer zo. Mijn voorganger vermoedde dat een van de Dieven het op een concurrerende groep gemunt had. Ze zouden hun slachtoffers op een bepaalde manier merken, zodat hun rivalen zouden weten wie de moord op zijn geweten had. Maar de slachtoffers stonden in geen enkel verband met elkaar, en hadden geen connecties met Dieven.

Toen bedacht hij dat er een moordenaar moest rondlopen die een reputatie wilde krijgen door herkenbare moorden. Maar de slachtoffers hadden geen grote schulden of een andere reden om vermoord te worden. Volslagen willekeurige slachtoffers waren het, en dat is ook mijn conclusie.'

'Worden ze niet eens beroofd?'

Barran schudde het hoofd. 'Er werden er een paar bestolen, maar zeker niet allemaal.'

'En getuigen?'

'Zo nu en dan. Hun beschrijvingen lopen nogal uiteen. Eén detail kwam echter vrijwel altijd voor.' Barrans ogen glommen. 'De moordenaar draagt een ring met een grote rode edelsteen.'

'Echt waar?' Lorlen fronste zijn voorhoofd. Was het hem ooit opgevallen dat Akkarin een ring droeg? Nee. Akkarin droeg geen sieraden. Dat betekende natuurlijk niet dat hij niet af en toe een ring om kon doen als hij uitging. Maar waarom zou hij dat doen?

Lorlen zuchtte en schudde het hoofd. 'Zou het kunnen dat deze mensen door middel van magie zijn vermoord?'

Barran glimlachte. 'Vader zou dat verdomd opwindend vinden, maar nee. Er zit een luchtje aan deze moorden, maar er is nooit sprake van brandwonden, schroeiplekken of andere dingen waarvoor we geen verklaring hebben.'

Natuurlijk, een moord door zwarte kunst zou heus geen sporen nalaten die Barran als zodanig zou herkennen. Lorlen wist niet eens zeker of hij ze zelf wel zou herkennen. Maar hij moest niettemin zo veel mogelijk details zien te achterhalen. 'Wat valt er nog meer over te vertellen?' vroeg hij.

'Wilt u de details van elke moord?'

'Ja, graag.'

Barran wees naar de muur met ladekasten. 'Ik heb alle verslagen van vreemde seriemoorden in deze kasten. Het zijn er nogal wat.'

Lorlen keek wanhopig naar al die laatjes. Bijna onbegonnen werk... 'En die van de afgelopen tijd?'

Barran knikte. Hij trok een laatje open en haalde er een dikke map uit. 'Het is prettig dat het Gilde zoveel interesse toont in deze zaak,' zei hij.

Lorlen glimlachte. 'Het is voornamelijk mijn persoonlijke interesse, maar als er iets is dat het Gilde voor je doen kan, laat je het me wel weten, niet? Verder ben ik van mening dat het onderzoek in handen is van de bekwaamste man die ik ken, die alles zeker op zal lossen.'

Barran glimlachte wat wrang. 'Ik help het u hopen, administrateur. Ik help het u hopen.'

Boven de koepelvormige barrière van de Arena dreven donkergrijze wolken langzaam naar het Noorderkwartier. De bomen in de tuinen zwiepten heen en weer terwijl de wind hun takken deed kraken. Die takken waren bijna zwart nu het koude jaargetij naderde, maar de laatste paar bladeren die eraan bungelden waren fel rood en geel.

Binnen in de Arena was de lucht doodstil. De onzichtbare barrière tussen de hoge gebogen zuilen beschermde het gebouw tegen wind, maar niet tegen kou. Sonea kon zich er maar net van weerhouden haar armen stevig om zich heen te slaan om de dikke laag wollen ondergoed dichter tegen haar lichaam te drukken. Heer Vorel had hen bevolen alle schilden te laten verdwijnen, inclusief eventuele warmteschilden.

'Denk aan deze wetten der magie!' riep hij. 'Eén: bij een trefferaanval kost het meer moeite een schild heel te houden, dan de treffer te sturen die ertegen wordt gebruikt. Twee: een afgebogen of veranderde treffer kost meer kracht dan een rechte slag. Drie: licht en warmte reizen sneller dan kracht, dus een krachttreffer kost meer moeite dan een vuurtreffer.'

Heer Vorel stond voor de klas met zijn benen iets uit elkaar en de handen in de zij. Hij keek naar Sonea.

'Treffers zijn makkelijk. Daarom komt het zo vaak voor dat men overdrijft bij de toepassing ervan. En daarom moet elke Krijgsmagiër zo bedreven zijn in het optrekken van schilden, en moeten novicen zoveel tijd besteden aan het snel optrekken en hanteren ervan. Denk aan de regels van de Arena. Zodra je buitenste schild gevallen is, heb je verloren. Nadere uitleg lijkt me overbodig.'

Sonea rilde, en ze wist dat het niet alleen door de kou kwam. Dit zou de eerste les zijn waarin de novicen het tegen elkaar opnamen. Alle waarschuwingen die Vorel hen had ingeprent warrelden door haar hoofd. Ze keek

160

naar de anderen. De meesten hadden rode wangen van opwinding, maar Poril was zo wit als een doek. Aangezien zij en Poril meestal samen oefeningen deden, zou Vorel hen vast tegen elkaar laten vechten. Ze nam zich voor het kalm aan te doen tegen haar vroegere vriend.

'Ik maak paren op basis van kracht,' zei Vorel. 'Regin, jij vecht tegen Sonea. Benon, jij met Yalend. Narron vecht tegen Trassia. Hal, Seno en Poril gaan om de beurt.'

Sonea verkilde tot op het bot. *Ik moet tegen Regin!*

Maar zo onlogisch was het niet. Ze waren de sterksten van de klas. Plotseling wenste ze dat ze dit had zien aankomen en net gedaan had of ze zwakker was dan ze was.

Nee, zo moet ik niet denken. Vorel had hun vaak genoeg verteld dat een wedstrijd al verloren was als een magiër eraan begon met het idee dat hij verslagen zou worden. *Ik zal winnen van Regin,* zei ze in zichzelf. *Ik ben sterker. Het zal mijn wraak voor Porils brandwonden zijn.*

Makkelijk was het niet om die vastbesloten woorden te blijven herhalen terwijl heer Vorel hen naar voren riep en hen naast elkaar zette. Hij legde een hand op haar schouder en ze voelde de magic om haar heen stromen toen hij een binnenschild optrok. Een tweede Krijger, heer Makin, deed hetzelfde bij Regin.

'De anderen gaan allemaal naar buiten,' beval hij. Toen de novicen gehoorzaam het gangpad afliepen, dwong Sonea zichzelf ertoe Regin aan te kijken. Zijn ogen schitterden en zijn lippen krulden tot een scheef lachje.

'Nu,' zei Vorel toen de anderen op de tribune rond de Arena hadden plaatsgenomen. 'Op jullie plaatsen.'

Sonea slikte terwijl ze naar één kant van de Arena liep. Regin slenterde naar de andere kant en draaide zich om. Vorel en Makin gingen beiden naar een kant en Sonea voelde dat ze schilden rond zichzelf optrokken. Haar hart bonsde sneller dan anders.

Vorel keek van haar naar Regin en maakte een gebaar. 'Start.'

Sonea trok een krachtig schild op en zette zich schrap, maar het spervuur van treffers dat ze had verwacht bleef uit. Regin stond met zijn gewicht op één been en zijn armen over elkaar aan de overzijde van de Arena. Hij wachtte.

Sonea kneep haar ogen half samen. De eerste treffer was belangrijk, hij vertelde wat over het karakter van de Krijger. Toen ze goed keek zag ze dat Regin niet eens een schild om zich heen had. Hij verwisselde van standbeen, trommelde met zijn vingers op een arm, en keek vragend naar de leraar.

Sonea keek ook naar Vorel. De Krijger was schijnbaar onberoerd door het ontbreken van een gevecht.

Regin zuchtte zo overdreven dat zelfs de novicen buiten het konden horen. Toen gaapte hij. Sonea smoorde een glimlach. Dit was geen gevecht van magie, dit was een strijd om te zien wie het eerst zijn geduld verloor.

Ze zette haar handen op haar heupen, keek naar de leerlingen en liet haar concentratie op Regin varen. Sommige klasgenoten keken gespannen toe, anderen wisten niet wat ze ervan moesten denken. Ze keek de leraar weer aan. Heer Vorel keek koeltjes naar haar terug.

Misschien kon ze Regin overhalen de eerste treffer toe te dienen. *Als ik nu mijn schild eens liet zakken...*

Voorzichtig liet ze haar beschermende buitenschild wat oplossen. Onmiddellijk stond de wereld door wit vuur in brand. Het schild dat ze haastig optrok om de treffers tegen te houden hield het maar een paar seconden uit, scheurde en viel uiteen. Hitte prikte op haar huid waar Regins magie tegen Vorels binnenschild ketste.

'Stop!'

De treffers hielden op. Er zweefden zwarte nabeelden voor Sonea's ogen en ze knipperde, terwijl heer Vorel naar voren schreed en in het midden van de Arena plaatsnam.

'Regin heeft gewonnen,' riep hij. Een zwak gejuich steeg op van de tribune. Regin maakte een sierlijke buiging.

'Sonea,' zei Vorel, 'je schild laten zakken of oplossen is geen goed idee tenzij je in staat bent het vliegensvlug weer op te trekken. Als je deze strategie vaker wilt toepassen raad ik je aan je in de verdediging te verdiepen en goed te oefenen. Jullie kunnen vertrekken. Benon en Yalend zijn nu aan de beurt.'

Sonea boog en liep zo snel ze kon naar het portaal. Toen ze de doorgang betrad werd ze overvallen door teleurstelling. 'Het is het eerste gevecht maar,' mompelde ze in zichzelf. Ze kon niet verwachten altijd te winnen, zeker niet tegen Regin, wiens mentor tenslotte ook Krijger was.

Als ze altijd op kracht tegenover elkaar gezet werden, zou ze elke les met Regin moeten vechten. Het was zonneklaar dat Regin de Krijgerkant zou kiezen, en ze had Hal iets horen zeggen over de privé-lessen van Regin. Aangezien zij geen Krijger wilde worden en er ook geen extra les in nam, wist ze dat hij altijd beter zou zijn dan zij.

Vorel had gezegd dat hij om te beginnen paren vormde door hun kracht te meten. Als paren echter naar vaardigheid en talent ingedeeld werden, en zij was er minder bedreven in dan Regin, zou Vorel haar misschien tegen een ander laten vechten.

Dus had ze twee opties: goed haar best doen en gedwongen zijn tot het bittere eind tegen Regin te vechten, of zich slechter voordoen dan ze was zodat ze van hem verlost zou worden.

Zuchtend kloste Sonea de trap op en ging bij de anderen op de tribune zitten. Hoe dan ook, ze zou nog vaak genoeg verslagen worden, en ze dacht met weemoed terug aan de Koepel, dat oude bolle gebouw naast de novicenvertrekken waar de novicen werden getraind voor de Arena was gebouwd. De dikke muren hadden buitenstaanders beschermd tegen treffers die de verkeerde kant op schoten, en het zicht op het gevecht was voorbehouden aan leraar en leerling. Een nederlaag was dus niet voor iedereen zichtbaar.

Ze zag Benon en Yalend hun gevecht beginnen, maar het verveelde Sonea al snel. Ze zag niet in hoe deze lessen, met al hun regeltjes, magiërs konden voorbereiden op een echte oorlog. Nee, deze Krijgers brachten hun hele leven door met een gevaarlijk spelletje, terwijl hun magie voor nuttiger doeleinden kon worden ingezet – genezen bijvoorbeeld.

Ze schudde haar hoofd. Als het tijd werd een richting te kiezen, zou een rood gewaad weinig kans maken.

15

Verrassingsaanval

Zodra Sonea het klaslokaal binnenstapte voelde ze het verschil, als een zweem magie in de lucht. Ze aarzelde in de deuropening en haar opluchting dat ze Regin had weten te ontlopen op de gang verdween op slag.

Heer Kiano keek op met zoveel aandacht dat Sonea de indruk kreeg dat hij haar binnenkomst als een welkome afleiding zag.

'Geen les vandaag, Sonea.'

Ze keek verbaasd naar de leraar. 'Geen les vandaag, heer?'

Kiano weifelde. Gesis trok haar aandacht naar het midden van de klas. Slechts vier leerlingen waren voor haar binnengekomen. Benon hield zijn hoofd in zijn handen. Trassia en Narron hadden hun stoelen naast hem geschoven. Regin zat achter hen, met opvallend matte, uitdrukkingsloze ogen. Trassia keek Sonea beschuldigend aan.

'Er is een novice gestorven,' legde Kiano uit. 'Shern.'

Sonea herinnerde zich de novice van de zomerklas wiens krachten zo vreemd hadden aangevoeld. Gestorven? Vragen rezen in haar op. Hoe? Waarom?

'O, hoepel toch op,' snauwde Trassia.

Verbouwereerd keek Sonea haar aan.

'Hij was een neef van Benon,' zei Kiano zacht.

Langzaam begon het haar te dagen. Omdat ze gevraagd had waarom er geen les was, had Kiano over Sherns dood moeten spreken waar Benon bij was. Toen ook Narron haar kwaad aankeek rende ze de gang op.

Na een paar passen hield ze al weer in. Kwaad en verward. Hoe kon zij nu weten dat Shern dood was, of dat Benon zijn neef was? Het was alleen maar redelijk dat ze had gevraagd waarom de les niet doorging.

Ja toch?

Haar gedachten gingen terug naar Shern. Ze voelde zich hoogstens een beetje droef. Shern had nooit een woord met haar gewisseld, maar ook met de anderen niet. De hele zomerklas had hem eigenlijk genegeerd.

Toen ze bij de trap kwam liep Rothen net naar boven en ze voelde zich opgelucht dat ze hem zag.

'Daar ben je,' zei hij. 'Heb je het gehoord?'

'Geen les vandaag.'

'Ja.' Hij knikte. 'Dat doen ze altijd wanneer er zoiets gebeurt. Kom maar mee, dan gaan we wat warms drinken.'

Ze liep zwijgend naast hem. Ze vond het bijzonder dat de universiteit sloot vanwege de dood van een novice die hier tenslotte maar een paar weken had doorgebracht. Maar aangezien iedereen behalve zij van een Huis was, was hij waarschijnlijk een verwant van een of meer magiërs.

'Shern zat in je eerste klas, niet?' vroeg Rothen toen ze zijn ontvangstkamer binnen gingen.

'Ja.' Sonea aarzelde. 'Mag ik vragen wat er met hem gebeurd is?'

'Natuurlijk.' Rothen pakte een kan en bekers van een zijtafel en pakte twee potjes uit de kast. 'Weet je nog wat ik je vertelde over Beheersing die vervliegt wanneer een magiër sterft?'

'Ongebruikte magie zweeft vrij rond en keert zich tegen het lichaam.'

Rothen knikte. Hij zette het aardewerk op tafel. 'Shern raakte de Beheersing over zijn magie kwijt.'

Er trok een rilling over Sonea's rug. 'Maar hij zat toch al op het Tweede Niveau?'

'Maar niet helemaal goed blijkbaar. Zijn geest was nooit stabiel genoeg.' Rothen schudde het hoofd. 'Dat komt niet vaak voor, maar het gebeurt wel. Als er kinderen gevonden worden met magische aanleg, testen we ze daar ook altijd op. Sommigen hebben nu eenmaal niet de mentale kracht of zijn te instabiel om magie te beheersen.'

'Ik snap het,' zei Sonea.

Rothen goot water uit de kan in een beker en deed er wat sumiblaadjes uit een van de potjes bij. Sonea pakte het andere potje, schudde wat raka-poeder in haar beker, schonk er water bij en verwarmde het met een beetje magie.

'Helaas worden sommige mensen instabieler wanneer ze ouder worden,' vervolgde Rothen. 'Of wanneer ze met magie gaan werken. Dan is het te laat. Vroeg of laat raken ze de beheersing over hun magie kwijt – gewoonlijk in de eerste jaren. Shern vertoonde al maanden geleden tekenen van instabiliteit. Het Gilde heeft hem naar een plek gestuurd die we speciaal voor dergelijke leerlingen hebben gemaakt. We proberen hen rustig en tevreden te houden, en ze worden behandeld door Genezers die op dit vlak zijn gespecialiseerd. Maar een behandeling ervoor bestaat niet, en een binding voor hun krachten houdt nooit lang.'

Sonea huiverde. 'Toen ik hem de eerste dag zag vond ik hem al vreemd.'

Rothen fronste zijn voorhoofd. 'Voelde je die instabiliteit al zo snel? Niemand had het door. Dat moet ik aan –'

'Nee!' Sonea schrok. Als Rothen iemand vertelde dat zij voelde dat er iets mis was met Shern, zouden de andere novicen iets hebben om haar de schuld van te geven. 'Doe nou niet. Alsjeblieft.'

Rothen keek haar nadenkend aan. 'Niemand zal jou lelijk aankijken dat je niet meteen wat gezegd hebt. Je kon toch ook niet weten wat je voelde.'

Ze keek hem strak aan. Rothen zuchtte. 'Oké dan. Het maakt nu toch niet meer uit.' Hij klemde de beker in zijn handen. Meteen begon er damp uit op te stijgen. 'Wat vind je hier nu van, Sonea?'

Ze haalde haar schouders op. 'Ik kende hem helemaal niet.' Ze vertelde hem wat er was gebeurd toen ze vanochtend de klas binnenkwam. 'Net of het allemaal mijn schuld was.'

Rothen nam een slok van de sumi. 'Ze snauwden je af omdat je op een verkeerd moment binnenkwam. Maak je geen zorgen over wat ze zeiden. Morgen is het weer vergeten.'

'Maar wat zal ik vandaag dan doen?'

Rothen nam nog een slok en glimlachte. 'Ik vind dat we maar eens wat plannetjes moesten maken voor Dorriens bezoek.'

De kapitein van de *Anyi* was zeer in zijn sas toen Dannyl hem vroeg of hij soms naar de Vin-eilanden op weg was. Eerst dacht Dannyl dat de man gewoon zijn thuisland wilde zien, maar hij werd achterdochtig toen de kapitein erop stond dat Dannyl en Tayend in zijn hut hun intrek zouden nemen. Hij wist wel iets van Vindo-zeelieden, en er zou toch wel meer voor nodig moeten zijn dan eerbied of heimwee om je hut ervoor op te geven.

De avond voor ze vertrokken kwam Dannyl achter de ware reden van het enthousiasme van de kapitein.

'De meeste schepen naar Kiko gaan eerst naar Capia,' zei de kapitein terwijl ze van een copieuze maaltijd genoten. 'Dit gaat veel sneller.'

'Waarom varen ze dan niet altijd meteen naar Kiko?' vroeg Tayend.

'Er wonen woeste mannen op de boveneilanden van Vin,' zei de kapitein somber. 'Beroven schepen, vermoorden bemanning. Gevaarlijk volk.'

'O,' zei Tayend met een blik op Dannyl. 'En wij varen dus langs die eilanden?'

'Deze keer geen gevaar.' De kapitein glimlachte naar Dannyl. 'Wij hebben magiër aan boord. Hijsen Gildevlag. Durven ons niet aan te vallen!'

Toen hij zich dit gesprek herinnerde, lachte Dannyl in zichzelf. Hij vermoedde dat koopvaardijschepen deze route toch af en toe waagden te nemen, door de Gildevlag te hijsen zonder een magiër aan boord te hebben. De piraten hadden dit natuurlijk ook wel doorgekregen, en het zou hem niet verbazen als er ergens ook nog een Gildegewaad in een kast verborgen lag voor het geval dat de vlag alleen niet voldoende was om de rovers op afstand te houden.

Hij was zo blij geweest dat hij uit Lonmar kon vertrekken dat hij er niet lang bij stil had gestaan. De discussie met de Raad van Ouderlingen had een maand van gekonkel en geruzie opgeleverd voor er ook maar iets was geregeld. Hoewel hij maar weinig zaken in Vin te regelen had, vroeg hij zich af of de onderhandelingen daar ook vermoeiender zouden verlopen dan ze er op het eerste gezicht uitzagen.

Toen de afstand tussen hen en Lonmar groter werd en er een gespannen sfeer aan boord ontstond, begon Dannyl te beseffen dat de dreiging van piraterij geen grapje was geweest. Uit de afgeluisterde gesprekken, die Tayend voor hem vertaald had, maakte Dannyl op dat een ontmoeting met zeerovers geen risico was, maar zekerheid. Hij vond het niet zo'n prettig idee dat deze lieden hun leven van zijn aanwezigheid aan boord lieten afhangen.

Hij keek naar Tayend, die op het tweede smalle bed lag. De jonge geleerde was bleek en mager. De zeeziekte had alweer toegeslagen. Hoewel hij zich zwak en helemaal niet lekker voelde, weigerde hij zich door Dannyl te laten behandelen. Tot nu toe was de reis niet het spannende avontuur geweest waarop Tayend gehoopt had. Dannyl wist dat de geleerde net zo opgelucht was geweest als hij dat ze Lonmar achter zich konden laten. Wanneer ze eenmaal in Kiko waren, besloot hij, zouden ze eerst een week of twee rust nemen. De Vindo's stonden bekend om hun vriendelijkheid en gastvrijheid. Hopelijk zouden ze hen de hitte en strengheid van Lonmar doen vergeten en zou Tayend weer zin krijgen in het vervolg van de reis.

Twee kleine patrijspoorten boden een blik op zee aan beide kanten. De hemel was nog wolkeloos blauw, maar het werd al schemerig, zo in de late namiddag. Toen hij goed keek, zag Dannyl de verre schaduw van eilanden aan de horizon – en twee schepen.

Hij hoorde een gaap en keek naar Tayend. Zijn vriend zat op zijn bed en rekte zich eens lekker uit.

'Hoe voel je je?' vroeg Dannyl.

'Wat beter. Hoe is het buiten?'

'O, prettig, zo te zien.' De schepen waren kleiner dan de *Anyi*. Ze vlogen haast over de golven en kwamen snel dichterbij. 'Ik denk dat we voor het avondeten al bezoek krijgen.'

Tayend drukte zich tegen de wand van de hut aan en schoof voorzichtig naar Dannyl toe. Hij gluurde door het raampje. 'Piraten?'

Haastige voetstappen naderden de kapiteinshut, gevolgd door een snel geklop.

'Ik heb ze gezien,' riep Dannyl.

Tayend sloeg hem op zijn schouders. 'Tijd om de held uit te hangen, magische vriend.'

Dannyl gaf Tayend een vernietigende blik voor hij de deur opendeed en de gang opstapte. De scheepsjongen van een jaar of veertien gebaarde dat hij aan dek moest komen. 'Kom gauw!' zei hij met grote ogen van ontzetting.

Dannyl liep snel achter de jongen aan, de gemeenschappelijke hut door, het trapje op. Hij zag de kapitein op de achtersteven staan, vond zijn weg onder de touwen door, en klom een trapje op om bij hem te komen.

'Slechte mannen,' zei de kapitein terwijl hij wees.

De boten waren nog maar driehonderd voet van hen verwijderd, Dannyl keek achterom naar de mast, waaraan de Gildevlag klapperde in de wind. Hij liet zijn blik over het dek gaan en zag dat elk lid van de bemanning, tot het ketelbinkie aan toe, een mes of een kort zwaard in de handen had. Sommigen hadden pijl en boog in de aanslag, gericht op de naderende schepen.

Tayend snoof. 'De bemanning schijnt niet veel vertrouwen in je te stellen,' mompelde hij.

'Ze nemen geen risico,' zei Dannyl. 'Zou jij dat doen?'

'Jij bent onze held en beschermer. Ik weet wel wie ons uit de puree gaat halen.'

'Kan je niet eens ophouden?'

Tayend grinnikte. 'Ik wil alleen dat je voelt dat we je nodig hebben en waarderen.'

De voorste boot minderde geen vaart op weg naar de *Anyi*. Bezorgd dat de piraten van plan waren het schip te rammen, liep Dannyl naar de reling, klaar om de steven te laten wenden. Op het laatste moment voer het schip hen voorbij en streek wat zeilen zodat het nu naast de *Anyi* voort voer.

Het wemelde van de flinke, gespierde kerels op de kleinere boot. Grote houten schilden werden opgehouden aan de kant van hun schip, klaar voor een regen van projectielen. Daartussenin ving Dannyl een glimp op van licht dat op zwaardklingen weerkaatste. Twee mannen rolden een touw op, dat aan één kant was verzwaard met een enterhaak.

De mannen die hij kon zien waren donkerder en wat groter dan de gemiddelde Vindo, misschien waren ze een mengeling van Vindoos en Lonmarisch bloed. Ze keken allemaal naar hem. Hun uitdrukking verried niets. Soms keek er een naar de man die op de voorsteven van de boot stond. Dat moest hun leider zijn, vermoedde Dannyl.

Toen ook de tweede boot naast de *Anyi* voer, hief de leider een hand en riep iets in het Vins. Tayend maakte een bang geluidje, maar de bemanning van de *Anyi* bleef zwijgen. Dannyl keek snel naar de kapitein.

'Wat zei hij?'

De kapitein schraapte zijn keel. 'Hij willen weten hoeveel jij vraagt voor je mooie vriendje. Hij goed geld mee kan verdienen, als hij hem in Westen als slaaf verkoopt.'

'Echt waar?' Dannyl keek schattend naar Tayend. 'Wat denk je? Vijftig goudstukken?'

Tayend keek Dannyl woest aan.

De kapitein grinnikte. 'Ik weet niet goed prijs voor manslaaf.'

Dannyl schudde lachend het hoofd. 'Ik ook niet. Zeg maar tegen de piraat dat mijn vriend niet te koop is. Zeg maar' – Dannyl keek de piratenkapitein aan – 'dat hij zich ook de lading van dit schip niet kan veroorloven.'

De kapitein herhaalde de boodschap in het Vins. De piraat grijnsde en gaf een teken aan de andere boot. De mannen stopten de touwen en haken weer in kisten en binnen de kortste keren waren de boten op de terugweg naar hun eilanden.

De kapitein deed een stap naar Dannyl. 'Jij doden nu,' zei hij dringend. 'Voor ze weg zijn.'

Dannyl schudde het hoofd. 'Nee.'

'Maar piraten slechte kerels. Altijd beroven schepen. Zij vermoorden. Zij nemen slaven.'

'Ons hebben ze niet aangevallen,' antwoordde Dannyl.

'Jij doden hen, hele zee veiliger.'

Dannyl wendde zich tot de kapitein. 'Als ik die mannen op een of twee boten dood, maakt dat nauwelijks wat uit. Er komen zo anderen voor in de plaats. Als de Vindo's willen dat de piraten verdwijnen door toedoen van magiërs moeten ze dat met het Gilde opnemen. Het is zo geregeld dat ik mijn kracht alleen ter verdediging kan inzetten, tenzij ik een direct bevel van mijn koning heb.'

De kapitein boog zijn hoofd en beende weg. Dannyl hoorde hem in zijn eigen taal mopperen voor hij de bemanning bevel gaf weer aan het werk te gaan. Een aantal matrozen keek chagrijning, maar ging zonder morren aan de slag.

'Ze zijn niet de enigen die een tikkeltje teleurgesteld zijn door je optreden,' zei Tayend.

Dannyl keek zijn vriend vragend aan. 'Vind je dan ook dat ik ze had moeten doden?'

Tayend kneep zijn ogen half samen terwijl hij naar de zich terugtrekkende piraten keek. 'Ik zou er niets op tegen hebben gehad.' Toen haalde hij zijn schouders op. 'Maar ik keek vooral uit naar een staaltje magie. Niets speciaals. Gewoon een beetje vuurwerk, je weet wel.'

'Vuurwerk?'

'Ja. Zoiets als een fontein midden op zee.'

'Sorry dat ik je in je hoop beschaamd heb,' antwoordde Dannyl droog.

'En wat was trouwens dat gedoe over dat je me als slaaf wilde verkopen? En dan ook nog voor maar vijftig goudstukken! Het idee!'

'Het spijt me. Wat had je zelf in gedachten – honderd?'

'Nee. En ik vind het niet bepaald spijtig klinken ook.'

'Dan bied ik mijn excuses aan voor het feit dat mijn verontschuldigingen niet verontschuldigend overkomen.'

Tayend rolde met zijn ogen. 'Hou op! Ik ga naar binnen.'

Sonea drukte haar kistje met aantekeningen tegen haar borst en zuchtte. Het werd snel donkerder. Het zonlicht had lange schaduwen op haar pad geworpen toen ze op stap ging, maar nu was er nog maar een mistig schemerlicht, waardoor ze de omtrekken van de dingen niet goed kon zien. Ze weerhield zich ervan een bollichtje op te roepen, waardoor ze al te makkelijk te vinden zou zijn.

Er knapte een takje dichtbij.

Ze bleef staan en speurde de struiken af. In de verte zag ze de lichtjes van het Genezerspaviljoen tussen de stammen door pinkelen. Ze zag geen beweging, hoorde geen enkel geluid.

Ze liet de adem die ze had ingehouden ontsnappen en begon weer te lopen.

Een paar weken terug had heer Kiano de klas meegenomen naar de velden en kassen achter het paviljoen, waar de geneeskruiden werden gekweekt. Hij had hun diverse soorten laten zien en vertelde ze hoe ze elke plant konden determineren. Daarna zei hij dat hij elke week een leerling na de les mee zou nemen naar de kruidentuinen, waar hij hen zou testen op hun kennis.

Die middag was het haar beurt geweest. Na de test had hij haar laten gaan en liep ze in haar eentje terug naar de novicenvertrekken. In de wetenschap dat Regin geen kans voorbij zou laten gaan om haar te jennen als er geen magiër in de buurt was, was ze rond blijven hangen in de hoop dat ze met Kiano terug kon wandelen. Maar toen de leraar een eindeloze conversatie met een tuinman was begonnen besefte ze dat ze dan wel eens heel lang kon wachten.

Dus besloot ze haar andere plan uit te proberen. In de verwachting dat Regin haar op het gebruikelijke pad zou opwachten, had ze een route genomen door het bos, waarbij ze dacht rond het Genezerspaviljoen te lopen om zo uit te komen bij het pad dat recht naar de universiteit leidde.

Nu kraakte er iets links van haar en ze bleef weer staan. Ze voelde zich verstenen toen ze een gesmoord lachje hoorde en begreep dat haar plan gefaald had.

'Ook goeienavond, Sonea.'

Ze draaide zich om en zag een bekend silhouet tussen de bomen opdoemen. Ze bracht met haar wilskracht een bollichtje tot stand, en de duisternis week terug. Regin bleef stilstaan en er verscheen een brede glimlach op zijn gezicht toen er nog twee anderen uit de duisternis te voorschijn kwamen: Issel en Alend. Ze hoorde overal geluiden en zag toen ook Gennyl, Vallon en Kano opduiken uit de schaduwen.

'Mooie avond voor een boswandelingetje,' vond Regin en keek rond. 'Zo rustig. Zo vredig. Niemand die ons zal storen.' Hij kwam dichterbij. 'De leraren geven jou helemaal geen speciale behandeling meer, hè? Wat jammer nou. Het is niet eerlijk dat wij zoveel speciale aandacht krijgen en jij niet. Dus vond ik dat ík jou maar eens wat bijles moest geven.'

Het geluid van sneeuw die onder meerdere laarzen kraakte liet Sonea weten dat ze haar omcirkelden. Ze maakte haar schild nog wat steviger, maar tot haar verbazing schoven ze langs haar heen om zich achter Regin te scharen.

'Hm,' vervolgde Regin. 'Misschien kan ik je een trucje leren dat heer Balkan me geleerd heeft.' Hij keek de anderen aan en knikte. 'Ja, volgens mij interesseert dat je wel.'

Sonea slikte; ze wist dat Regin extra les in strijdvaardigheden kreeg, maar niet dat heer Balkan, het hoofd van die afdeling, hem lesgaf. Toen Regin zijn handpalmen hief gingen de anderen nog dichter bij hun aanvoerder staan en legden hun handen op zijn schouders.

'Verdedig jezelf,' zei Regin op de bekende toon van heer Vorel.

Ze vlocht meer magie in haar schild en blokkeerde de energiestralen die uit Regins handen sloegen. De treffers waren zwak, maar namen snel in kracht toe tot ze vernietigender waren dan ze ooit in de Arena had meegemaakt. Verrast verwerkte ze meer en meer magie in haar schild.

Hoe was dit mogelijk? Ze had nu vaak genoeg met Regin gevochten om te weten hoe sterk hij was. Hij was altijd een stuk zwakker geweest dan zij. Had hij zich ingehouden, en gewacht tot hij haar kon verrassen met zijn ware kracht?

Maar plotseling vertrok Regin zijn gezicht in een akelige grijns, en hij deed een stap naar voren en verzond een treffer. Maar de aanval ging als een nachtkaars uit en hij keek ontzet om naar de anderen. Die haastten zich naar voren met hun handen uitgestrekt om ze weer op zijn schouders te leggen.

Toen ze Regin weer aanraakten, ging hij verder met zijn treffers. Ze dacht even na wat dit te betekenen had. Het was zo klaar als een klontje dat de anderen hem hun krachten gaven. Ze had er nog nooit van gehoord, maar er was zoveel van de strijdvaardigheden waarvan ze niets wist – of dat ze gemist kon hebben tijdens Vorels lange, oersaaie lessen.

Haar zintuigen zinderden van de magie die in de lucht hing. De sneeuw tussen hen in was sissend in een plas modder veranderd. Zoveel kracht... de gedachte aan wat er op haar gericht werd was stuitend en haar hart begon sneller te slaan. Als ze haar schild niet in stand wist te houden zou het allemaal snel zijn afgelopen. Hij nam een enorm risico... of niet soms?

En als hij er nu eens op uit is om me te doden?

Vast niet. Hij zou uit het Gilde gezet worden.

Maar toen ze voor zich zag hoe Regin voor de verzamelde magiërs in de Gildehal zou staan, kon ze zich precies voorspellen wat de magiërs zouden zeggen. Een betreurenswaardig ongeval. Haar gebrek aan bedrevenheid kon hem toch moeilijk verweten worden. Vier weken bibliotheekwerk, en laat het niet nog eens gebeuren.

Woede begon de angst te verdrijven. Toen ze de novicen aankeek zag ze dat die onderling aarzelend blikken uitwisselden. Regin grijnsde niet meer, maar had al zijn concentratie nodig. Hij gromde wat over zijn schouder en

171

de anderen maakten protesterende geluiden. Wat ze ook aan het doen waren, het had niet het gewenste effect.

Was dit dan alles wat ze met zijn allen voor elkaar konden krijgen? Ze glimlachte. Ze kon ze makkelijk op een afstand houden. Hij had haar onderschat – en het bollichtje dat boven haar zweefde diende als bewijs dat ze nog lang niet aan het eind van haar krachten was.

Hoe zou dit dan aflopen? Als ze een treffer uitdeelde zou dat hun aanval stoppen. Maar als ze zichzelf er niet tegen konden verdedigen zou zíj degene worden die voor de hoofdmagiërs moest verschijnen om verbannen te worden.

En als ze hun schild wel konden vasthouden, zouden ze haar natuurlijk de hele verdere weg tot de novicenvertrekken uitjouwen. Hoe kon ze zorgen dat ze haar met rust lieten? Ze keek naar het bollichtje. Als ze het uitmaakte, zouden hun ogen een paar minuten moeten wennen aan het duister. Dan kon ze er stiekem vandoor gaan. Helaas zou zij door dezelfde nachtblindheid getroffen worden als zij...

Blindheid?

Ze glimlachte. Ze kneep haar ogen dicht en deed haar wilskracht gelden. Het licht dat opflitste was zo fel dat het door haar oogleden heen drong. De aanval van Regin zakte als een pudding in elkaar. Toen ze haar ogen opende wreven de novicen zich hard in de ogen of knipperden tot de tranen hen over de wangen biggelden.

'Ik kan niks zien!' riep Kano uit.

Het had gewerkt! Ze grijnsde toen Alend zijn armen uitstak omdat hij bijna zijn evenwicht verloor op de ongelijke grond. Issel tastte in het rond tot ze een boom te pakken had en klemde hem vast alsof ze bang was dat hij ervandoor zou gaan.

Sonea deed een stap terug. Regin hoorde het kraken van de sneeuw en deed een stap in haar richting. Zijn laars kwam midden in het modderplasje terecht dat de gesmolten sneeuw had laten ontstaan en hij gleed zijdelings uit. Hij belandde met zijn gezicht in de viezigheid. Een uitroep van walging en frustratie ontsnapte hem terwijl hij opkrabbelde.

Sonea hield haar hand voor haar mond van het lachen. Een moordzuchtige blik vloog over Regins besmeurde gezicht en hij sprong op het geluid van haar gelach af. Ze kon zijn klauwende handen makkelijk met een zijwaarts sprongetje ontwijken en vond het pad dat ze had willen volgen.

'Bedankt voor de les, Regin. Ik wist niet dat je een man met zo'n *visie* was!'

Grinnikend draaide ze zich om en begon naar de lichtjes van de universiteit te lopen.

16

De Regel bij beschuldigingen

othen was bezig een tere constructie van buisjes, klepjes en glazen ditjes en datjes te ontmantelen toen iemand zijn naam noemde. Hij keek op en zag een bediende met een groene sjerp in de deuropening staan, die te kennen gaf dat hij met een boodschap van de Genezers kwam.

'Ja?' zei Rothen.

'Vrouwe Vinara verzoekt om uw aanwezigheid in het Genezerspaviljoen.'

Rothens hart sloeg een slag over. Wat zou ze willen? Was er iets gebeurd met Sonea? Was een van Regins pesterijen uit de hand gelopen? Of was het wat anders? Zijn oude vriend Yaldin misschien? Of Ezrille, zijn vrouw?

'Ik kom er meteen aan,' antwoordde hij.

De boodschapper boog en haastte zich weg. Rothen keek de leerling aan die na schooltijd was gebleven om hem te assisteren.

Farind glimlachte. 'Ik maak het wel af als u wilt, heer.'

Rothen knikte. 'Prima. Maar zorg ervoor dat je het zuur veilig opbergt.'

'Natuurlijk.'

Hij haastte zich door de gang en verbood zichzelf nog redenen te bedenken waarom vrouwe Vinara hem geroepen kon hebben. Hij zou het snel genoeg weten. De nachtlucht was ijskoud, dus omhulde hij zich met een schild en verwarmde de lucht eronder. Bij het Genezerspaviljoen stond vrouwe Vinara hem al in de deuropening op te wachten.

'Je wilde me spreken?' hijgde Rothen.

Haar lippen vormden een flauw glimlachje. 'Je hoefde je niet zo te haasten, Rothen,' zei Vinara. 'De novicen hier die beweren het slachtoffer van je favoriete leerling te zijn, staan niet op het punt te bezwijken. Weet jij waar Sonea is?'

Slachtoffers? Wat had ze gedaan? 'Waarschijnlijk aan haar bureau in haar kamer.'

'Je hebt haar vanavond nog niet gesproken?'

'Nee.' Rothen fronste zijn voorhoofd. 'Wat is er allemaal aan de hand?'

173

'Zes novicen kwamen hier een uur geleden binnenstrompelen. Ze beweren dat Sonea hen in het bos in een hinderlaag heeft gelokt en hen verblind heeft.'

'Verblind heeft? Hoe dan?'

'Met een uitzonderlijk fel licht.'

'O.' Rothen ontspande zich, maar toen hij de barse uitdrukking op het gezicht van de Genezeres zag werd hij toch bezorgd. 'Niet permanent, hoop ik?'

Ze schudde haar hoofd. 'Nee. Niemand heeft wonden van betekenis – zeker niet ernstig genoeg om er Genezerstijd aan te verspillen. Ze komen er wel overheen.'

'Nog andere verwondingen behalve die verblinding?'

'Schrammen en blauwe plekken die ze hebben opgelopen bij hun blindemanstocht door het bos.'

'Juist ja.' Rothen knikte langzaam. 'Kan het zijn dat een van deze slachtoffers Garrels pupil is, Regin?'

'Ja.' Ze kneep haar lippen samen. 'Ik hoorde dat Sonea een grote hekel aan deze knaap heeft.'

Rothen lachte bitter. 'Dat gevoel is wederzijds, kan ik je verzekeren. Mag ik Regin even spreken?'

'Natuurlijk. Ik breng je naar hem toe.' Vinara stapte de hoofdgang van het gebouw in. Terwijl hij snel achter haar aanliep, dacht Rothen na over wat Vinara hem verteld had. Hij geloofde er geen barst van dat Sonea in een hinderlaag gelegen had om Regin en zijn vrienden aan te vallen. Het was eerder andersom. Maar dat er iets was misgegaan, was een ding wat zeker was.

Misschien hadden ze zichzelf verblind om haar de schuld te kunnen geven, maar dat was niet erg waarschijnlijk. Als dat hun plan was geweest, hadden ze daar wel anderen voor op laten draaien, die zij dan naar de genezers hadden kunnen brengen. Het feit dat zij in hun verblinde staat geen mentale hulp hadden ingeroepen, gaf al aan dat zij aarzelden om al te veel aandacht te trekken.

Vinara stopte bij een deur en liet hem voorgaan. In de kamer zat een bekende jongeman in een met modder besmeurd gewaad op de rand van een bed. Regins gezicht was rood. Hij kneep zijn vuisten af en toe samen en zijn brandende ogen waren gericht op een punt ver voorbij zijn mentor, heer Garrel.

De magiër wendde zich naar Rothen en Vinara en zijn uitdrukking verstrakte. Rothen negeerde hem en luisterde naar wat Regin te vertellen had, die juist aan het einde van zijn boze klaagzang was aanbeland.

'Ik zweer u, ze probeerde ons gewoon te vermoorden! Ik ken de Gildewetten. Ze zou verbannen moeten worden!'

Rothen keek naar Vinara, toen weer naar de jongen, en er verscheen een glimlach op zijn gezicht. 'Dat is wel een heel ernstige beschuldiging, Regin,' zei hij rustig. 'En het zou wel heel ongepast van je mentor zijn om dit zonder meer te bevestigen.' Hij keek naar de Genezeres. 'Misschien kan vrouwe Vinara iemand aanbevelen?'

Vinara kneep haar ogen even samen, maar haar ogen schitterden toen ze begreep waar Rothen naartoe wilde.

'Ik zal zelf de waarheidslezing uitvoeren,' zei ze.

Regins adem stokte hem in de keel. Toen Rothen de jongen weer aankeek, zag hij met genoegen dat hij bleek was weggetrokken. 'Nee, ik bedoelde niet...' schutterde Regin. 'Ik ben niet –'

'Trek je die beschuldiging dan in?' vroeg Rothen.

'Ja,' zei Regin hees. 'Ik trek mijn beschuldiging in.'

'Wat is er dán precies gebeurd?'

'Ja,' zei Vinara dreigend. 'Waarom zou Sonea jou aanvallen, zoals je beweert?'

'Ze wilde natuurlijk dat Regin en zijn vrienden een paar dagen de lessen niet bij konden wonen,' antwoordde Garrel.

'Juist ja,' zei Rothen. 'Wat is er dan de komende dagen aan de hand dat ze jullie daar niet bij wilde hebben?'

'Weet ik veel. Misschien wilde ze ons gewoon pijn doen.'

'Dus volgde ze zes novicen het bos in,' zei Rothen en keek Vinara betekenisvol aan. 'En ze was er dus van overtuigd dat ze jullie gecombineerde kracht de baas kon? Dan is ze beter in strijdvaardigheden dan haar cijfers suggereren.'

Regins blinde ogen richtten zich op waar hij zijn mentor vermoedde, alsof hij hulp zocht.

'Wat waren jullie zessen eigenlijk in het bos aan het doen?' vroeg Vinara.

'We waren aan het spoorzoeken – voor de lol.'

'Hm,' zei ze. 'Je vrienden vertelden me wat anders.'

Regin deed zijn mond open, maar sloot hem meteen weer.

Garrel stond op. 'Mijn pupil heeft veel letsel opgelopen en heeft rust nodig. Deze ondervraging kan best wachten tot hij hersteld is.'

Rothen aarzelde, maar nam het risico toch. Hij wendde zich tot Vinara. 'Hij heeft gelijk. We hoeven Regins antwoorden niet te horen. Ik weet zeker dat Sonea graag mee zal doen aan een waarheidslezing om haar onschuld te bewijzen.'

'Nee!' riep Regin uit.

Vinara kneep haar ogen dreigend samen. 'Als ze daarmee instemt kan jij dat niet voorkomen, Regin.'

De magiërsleerling vertrok zijn gelaat alsof hij een bittere smaak in zijn mond kreeg. 'Oké dan. Ik zal het vertellen. We volgden haar het bos in en haalden een streek met haar uit. Niks gevaarlijks. We oefenden gewoon. Wat we bij de les geleerd hadden.'

'Ik begrijp het,' zei Vinara koel. 'Dan kun je ons beter meteen maar vertellen wat die streek inhield – en onthoud dat Sonea's geheugen alles wat je zegt zal bevestigen of ontkennen.'

Zuchtend legde Sonea een reepje papier als boekenlegger in haar boek en stond op om de deur open te doen. Ze opende hem voorzichtig en zette hem op een kier vast met magie voor het geval Regin zich met geweld toegang wilde verschaffen. Enigszins verbaasd zag ze heer Osen buiten op de gang wachten.

'Vergeef me dat ik je stoor,' zei heer Osen. 'Administrateur Lorlen wenst je te spreken in zijn kantoor.'

Sonea keek hem met grote ogen aan, en ze verstijfde van angst. De administrateur... ze had in geen maanden met hem van doen gehad. Wat wilde hij? Had Akkarin ontdekt dat ze zijn geheim kenden?

'Wees maar niet bang,' zei Osen glimlachend. 'Hij wil je alleen maar wat vragen.'

Ze liep achter hem aan, over de binnenplaats en terug naar de universiteit. Hun stappen echoden in de lege gangen. Toen hij de deur naar het kantoor opendeed, stokte Sonea de adem in haar keel. De hele kamer was vol magiërs. Sommigen zaten in stoelen, anderen stonden. Toen ze naar binnen ging zag ze dat het voornamelijk hoofdmagiërs waren.

Toen ze Rothen zag kon ze weer opgelucht ademhalen. Maar toen ze ook heer Garrel ontdekte, zonk de moed haar weer in de schoenen. Het ging dus over haar vechtpartij met Regin. Hij zou wel een mooi verhaal hebben opgedist om de hoofdmagiërs tegen haar in het harnas te jagen.

Rothen glimlachte en wenkte haar verder te komen. Moedeloos ging ze bij hem staan.

'Sonea.'

Ze wendde zich tot heer Lorlen die achter een breed bureau zat. De magiër in het blauwe gewaad keek haar neutraal aan.

'Een incident tussen jou en zes novicen van eerder deze avond is ons ter ore gekomen. We willen graag van jou horen wat er gebeurd is.'

Ze keek de kamer door en slikte moeizaam. 'Heer Kiano heeft me naar de kruidentuin meegenomen voor een test. Ik ben met een omweg teruggegaan, om het Genezerspaviljoen heen. Regin en zijn vrienden hielden me staande in het bos.' Ze aarzelde, want ze wist niet goed hoe ze verder moest gaan zonder meteen een beschuldiging uit te spreken.

'Ga verder,' zei Lorlen. 'Vertel ons maar precies wat er gebeurde.'

Ze haalde diep adem en vervolgde haar verslag. 'Regin zei dat hij me iets wilde laten zien dat hij van heer Balkan had geleerd,' – ze keek steels naar de in het rood geklede magiër – 'en toen legden de anderen hun handen op zijn schouders. Zijn treffer kwam harder aan dan anders en ik begreep dat de anderen hem op de een of andere manier extra kracht gaven.'

'Wat deed je toen?'

'Ik bracht mijn schild aan.'

'Dat was alles?'

'Ik wilde niet terugslaan. Misschien hadden zij zichzelf niet goed genoeg beschermd.'

'Heel verstandig. Wat gebeurde er toen?'

'Ik had mijn bollichtje nog boven me, dus kon hij weten dat ik nog genoeg kracht over had.'

Iemand haalde diep adem naast haar en ze keek op. Vrouwe Vinara keek haar goedkeurend aan.

'Ga verder,' zei Lorlen.

'Ik wist dat ze het niet op zouden geven, en ik wilde wegkomen voor ze zouden besluiten iets anders uit te proberen. Dus om te voorkomen dat ze me zouden volgen, verblindde ik hen met licht.'

Ze hoorde allerlei stemmen door elkaar heen. Lorlen maakte een handgebaar en het geluid verstomde.

'Ik vraag me toch het een en ander af,' zei hij. 'Waarom nam je een omweg door de bossen vanuit de kruidentuin?'

'Omdat ik wist dat ze me zouden opwachten,' antwoordde Sonea.

'Wie?'

'Regin en de anderen.'

'Waarom zouden ze dat doen?'

'Altijd proberen ze...' Ze schudde haar hoofd. 'Ik wou dat ik het wist, administrateur.'

Lorlen knikte. Hij keek Vinara aan. 'Haar verhaal stemt overeen met dat van Regin.'

Sonea keek de Genezeres aan. 'Heeft Regin u dat verteld?'

'Niet meteen. Hij beschuldigde jou van een poging tot moord,' legde Rothen uit. 'Toen hij zich realiseerde dat hij dan een waarheidslezing moest ondergaan, trok hij de beschuldiging in. Dus zei ik dat ik jou eraan zou onderwerpen om je onschuld te bewijzen. Toen kwam de aap uit de mouw.'

Ze keek hem verbijsterd aan. Had hij voorgesteld om haar aan een waarheidslezing te onderwerpen? En als Regin nu eens níét opgebiecht had hoe de vork in de steel zat? Rothen moest er wel verdomd zeker van zijn geweest dat Regin bakzeil zou halen en de waarheid zou vertellen. 'Maar waarom is er dan een bijeenkomst belegd?' zei ze. 'Waarom zitten alle hoofdmagiërs hier?'

Rothen kreeg geen kans te antwoorden, want Lorlen vroeg: 'Iemand een vraag voor Sonea?'

'Ja.' Heer Sarrin ging staan en deed een stap naar voren. 'Voelde je je vermoeid na die confrontatie? Uitgeput?'

Sonea schudde haar hoofd. 'Nee, heer.'

'Heb je nog andere magie toegepast vanavond?'

177

'Nee– o ja. Ik heb een blokkade voor mijn deur gemaakt.'

Heer Sarrin kneep zijn lippen op elkaar en keek heer Balkan aan. De Krijger bekeek haar peinzend. 'Heb je strijdvaardigheid in je vrije tijd geoefend?' vroeg hij.

'Nee, heer.'

'Heb je al eerder meegemaakt dat novicen hun krachten bundelden en met je wilden vechten?'

'Nee, ik had er zelfs nog nooit van gehoord.'

Heer Balkan leunde achterover in zijn stoel en knikte. Lorlen keek de kamer door. 'Meer vragen?'

De magiërs keken elkaar aan en schudden het hoofd.

'Dan kun je gaan, Sonea.'

Ze stond op en boog naar de magiërs. Ze keken zwijgend toe terwijl ze hen passeerde. Maar toen ze de deur had dichtgetrokken hoorde ze geroezemoes opklinken, te gedempt om te verstaan.

Ze keek naar de deur en begon te glimlachen. Door te proberen haar in de problemen te brengen, had Regin zichzelf in een lastig parket gebracht. Ze liep langzaam terug naar de novicenvertrekken en was voor één keer niet beducht dat iemand haar onderweg zou lastigvallen.

'Zo jong en dan al zo sterk.' Heer Sarrin schudde het hoofd. 'Zo'n snelle ontwikkeling kom je maar zelden tegen.'

Lorlen knikte. Zijn eigen krachten waren ook zo snel vooruitgegaan. Die van Akkarin ook. En ze waren allebei gekozen voor de hoogste posten van het Gilde. Hij zag de ontzetting in hun ogen toen dit ook tot hen doordrong.

Gewoonlijk zouden ze in hun nopjes zijn geweest met zo'n veelbelovende leerling. Maar Sonea was het sloppenkind, en ze had onlangs haar twijfelachtige karakter getoond door een pen te stelen. Hoewel Lorlen bereid was dit als een eenmalig incident te beschouwen, misschien als reactie op het getreiter van de anderen, waren andere magiërs er niet zo lichtvaardig overheen gestapt.

'We mogen nog niet te hoge verwachtingen koesteren,' zei hij, als om zichzelf gerust te stellen. 'Misschien ontwikkelt ze zich gewoon sneller dan de anderen, en bereikt ze binnenkort haar top.'

'Maar ze is nu al sterker dan veel van haar leraren, en' – Sarrin keek Rothen aan – 'misschien wel haar eigen mentor.'

'Is dat een probleem?' vroeg Rothen koeltjes.

'Nee.' Lorlen glimlachte. 'Dat is het tenminste nooit geweest. Je moet alleen wel uitkijken.'

'Moeten we haar nog een klas opschuiven?' Jerrik sloeg zijn armen over elkaar en fronste zijn wenkbrauwen.

'Het is alleen haar kracht die zo goed ontwikkeld is,' antwoordde Vinara. 'Ze heeft nog heel wat te leren over het gebruik ervan.'

'We moeten dus alleen haar leraren waarschuwen,' zei Lorlen. 'Bij krachttesten moeten ze voorzorgsmaatregelen nemen.'

Tot Lorlens tevredenheid knikten alle magiërs. Regins daden hadden niet alleen zijn eigen wrede aard onthuld, maar ook iedereen duidelijk gemaakt waartoe Sonea in staat was. Lorlen vermoedde dat zelfs Rothen er even van had staan te kijken hoe sterk ze echt was.

Toen ging Lorlens aandacht naar heer Garrel. Die had gedurende de hele discussie geen woord gesproken. Lorlen fronste zijn voorhoofd. Ze moesten niet vergeten welk incident hen had samengebracht.

'Wat moeten we met Regin doen?' zei hij op een toon die het geroezemoes doorbrak.

Balkan glimlachte. 'Ik denk dat die jongen zijn lesje wel geleerd heeft. Hij zou wel gek zijn als hij haar nu nog provoceerde.'

De anderen knikten en mompelden hun instemming.

'Hij kan nog wel wat discipline gebruiken,' zei Lorlen met nadruk.

'Hij heeft geen regels gebroken,' protesteerde Garrel. 'Balkan heeft hem toestemming gegeven deze methode met zijn klasgenoten te oefenen.'

'Een andere leerling opwachten en te dwingen mee te doen is geen onderdeel van "oefenen",' was Lorlens repliek. 'Het is gevaarlijk en onverantwoordelijk.'

'Daarmee ben ik het eens,' sprak Vinara ferm. 'En zijn straf zou dat moeten weerspiegelen.'

De magiërs wisselden blikken uit.

'Regin heeft bijlessen genomen in strijdvaardigheden,' zei Balkan. 'Aangezien die de oorzaak van zijn problemen zijn, zal ik daarmee stoppen voor, zeg, drie maanden.'

Lorlen trok een zuinig mondje. 'Verleng dat maar tot halverwege het tweede jaar. Ik dacht dat zijn klas dan alle lessen betreffende eer en oprechtheid dan achter de rug heeft.'

Rothen bracht zijn hand naar zijn gezicht om zijn neus te krabben en een glimlach te verbergen, merkte Lorlen. Garrel keek als een donderwolk, maar hij bleef zwijgen. De mondhoek van Balkans mond krulde omhoog.

'Goed dan,' ging de Krijger akkoord. 'Tot de halfjaarlijkse test van het tweede jaar voorbij is, dan.'

Lorlen keek op naar de anderen. Ze knikten goedkeurend.

'Dat is dan geregeld.'

Jerrik zuchtte, keek naar de anderen en stapte naar voren. 'Als dat alles is, ga ik weer aan het werk.'

Lorlen zag Vinara en Sarrin ook opstaan en de directeur volgen toen hij de gang opstapte. Heer Garrel was de volgende.

Balkan keek Rothen aan. 'Jammer hoor, dat Sonea geen interesse heeft in Krijgskunst. We maken niet vaak vrouwelijke Krijgers met haar capaciteiten mee... noch met haar vindingrijkheid.'

179

Rothen wendde zich tot de Krijger. 'Ik kan niet doen alsof ik haar gebrek aan enthousiasme betreur,' zei hij.

'Heb je haar ontmoedigd?' Balkans stem kreeg een waarschuwend toontje.

'Helemaal niet,' antwoordde Rothen. 'Het was een bepaald incident op het Noordplein dat haar ontmoedigde, en ik betwijfel of ik dat ooit nog recht zal kunnen zetten. Het heeft me lang genoeg gekost om haar ervan te overtuigen dat we niet allemaal slechteriken waren die van donder en bliksem hielden.'

Balkan glimlachte moeizaam. 'Dat gelooft ze hopelijk toch niet meer?'

Rothen zuchtte en keek de andere kant op. 'Soms lijkt het wel of ik de enige ben die het probeert.'

'De vijandelijkheid van haar klasgenoten was onvermijdelijk en zal na haar afstuderen ook niet over zijn. Ze moet er maar mee leren omgaan. Maar deze keer heeft ze tenminste magie gebruikt in plaats van minder nette methoden.'

Rothen keek met samengeknepen ogen naar de andere magiër. Balkan keek ijskoud terug. Toen Lorlen de spanning tussen de twee vakbroeders opmerkte, tikte hij zacht op zijn bureau.

'Zie er nu maar op toe dat ze hun gevechten voor de Arena bewaren,' zei hij. 'Als het zomer was geweest hadden ze het hele bos wel in de hens kunnen zetten. Ik heb genoeg te doen en kan zulke rampen er niet nog eens bij hebben. Nu, alstublieft.' Hij gebaarde met beide handen naar de deur. 'Ik wil graag mijn kantoor terug.'

De twee magiërs negen hun hoofd. Verontschuldigingen uitend stapten ze de gang op. Toen de deur achter hen dicht ging liet Lorlen een zucht van opluchting en ergernis ontsnappen.

Magiërs, net kinderen!

17

Een echt maatje

De paden in de tuin waren sneeuwvrij geveegd, maar de bomen droegen nog steeds een dikke witte laag op hun naakte takken. Rothen richtte zijn blik op de universiteit. IJspegels hingen aan de raamkozijnen, en voegden zo extra versiering aan de stenen omlijsting toe.

Op het moment dat ze de ingang van het gebouw bereikten, begon het weer te sneeuwen, dus leidde Rothen Sonea snel de grote hal binnen om te schuilen.

Rothen?

Dorrien!

Ik hoop dat je een stuk of tien warmtebollen in je kamer hebt. Niet te geloven hoe koud het is. Zoiets heb ik nog nooit meegemaakt. Ik rijd nu de poort door.

Rothen keek naar Sonea. Haar ogen waren tot spleetjes geknepen en ze tuurde naar de weg buiten de poort.

'Daar is-ie,' mompelde ze.

Rothen keek ook en zag een eenzame ruiter naderbij komen. De ruiter hief een hand, en een van de hekken draaide langzaam naar binnen open. Nog voor de beweging helemaal voltooid was, spoorde de ruiter zijn paard aan tot galop. Het dier vloog met kletterende hoeven over de rotonde, en de groene gewaden van de berijder flapperden in de wind. Dorrien grijnsde en zijn gezicht gloeide.

'Vader!' Het paard gleed bijna uit omdat er zo hard aan de teugels werd getrokken. Dorrien gooide zijn been over het zadel en sprong veerkrachtig op de grond.

'Wat sloof je je weer uit, jongen,' zei Rothen droog en liep de trappen weer op. 'Op een dag val je nog eens plat op je gezicht.'

'Ongetwijfeld vlak voor je voeten,' antwoordde Dorrien terwijl hij zijn vader omhelsde en zijn groene gewaad om hem heen sloeg, 'zodat je me kan verwijten: "Ik heb het je nog zó gezegd."'

'Zou ik dat zeggen?' vroeg Rothen onschuldig.

'Ja, dat zou je zeggen.' Dorrien keek over zijn vaders schouder en zijn blauwe ogen begonnen te schitteren. 'Zo,' zei hij, 'en dit is dus je nieuwe novice.'

'Sonea.' Rothen wenkte haar, en ze liep de trap af.

Dorrien duwde de teugels van zijn paard in Rothens handen en kwam haar tegemoet. Zoals altijd wanneer hij na lange afwezigheid de glimlach van zijn zoon weer zag, maakte dat Rothen droef te moede. Zoals Dorrien nu was, op zijn charmantst, deed hij Rothen altijd denken aan zijn overleden vrouw. De jongen had bovendien Yilara's bijna obsessieve toewijding aan de Geneeskunst geërfd.

Hij is geen jongen meer, herinnerde Rothen zichzelf eraan. Dorrien was een paar maanden geleden vierentwintig geworden. *Toen ik zo oud was,* mijmerde Rothen, *had ik een vrouw en een zoon.*

'Gegroet, vrouwe Sonea.'

'Gegroet, heer Dorrien,' antwoordde Sonea en maakte een sierlijke buiging.

Een stalknecht was naar buiten gekomen terwijl ze aan het praten waren, en hij nam de teugels van Rothen over. 'Waar zal ik de zadeltassen heen brengen, heer?' vroeg de knecht.

'Mijn vertrekken,' zei Rothen.

De man knikte en nam het paard mee.

'Laten we naar binnen gaan, van die kou heb ik nu wel genoeg,' stelde Dorrien voor.

Rothen liep ook de universiteitstrap op. Toen ze in de beschutting van het gebouw waren, zuchtte Dorrien opgelucht.

'Fijn om terug te zijn,' zei hij. 'Hoe gaat het hier, vader?'

Rothen haalde zijn schouders op. 'Zijn gangetje – al hebben de enige drama's die hier het afgelopen jaar hebben plaatsgevonden wel met ons te maken.' Hij glimlachte naar Sonea. 'En daar weet je alles van.'

Dorrien grinnikte. 'Ja. En hoe is het met *ambassadeur* Dannyl?'

'Hij heeft al in geen maanden direct met me gecommuniceerd, maar ik heb een stel brieven gehad en een kistje Elynese wijn.'

'Is er nog wat van over?'

'Ja.'

'Zo mag ik het horen.' Dorrien wreef in zijn handen.

'Hoe staan de zaken in het noordoosten?

Dorrien haalde zijn schouders op. 'Niets bijzonders. Een epidemie van winterkoorts was de grootste belevenis van het afgelopen jaar. Zoals gewoonlijk probeerde een stel boeren het te negeren en kregen longrot op de koop toe. Verder een paar ongelukken, een paar oudjes die zijn gestorven, en een paar baby's die hun plaats hebben ingenomen. O, en een van die reberherdersjongens kwam met akelige brandwonden naar me toe. Beweerde dat hij was aangevallen door wat de lokale bevolking de Sakankoning noemt.'

182

Rothen fronste het voorhoofd. 'De Sakankoning? Heeft dat niet te maken met dat oude bijgeloof over een of andere geest die op de Kanlorberg woont?'

'Ja, maar aan de wonden te zien leek het me eerder dat hij brandende houtsplinters over zich heen heeft gekregen.'

Rothen grinnikte. 'Jongens kunnen verbazend fantasievol zijn wanneer ze niet willen toegeven dat ze wat stoms hebben uitgevreten.'

'O, het was een zeer vermakelijk verhaal,' beaamde Dorrien. 'Die knaap gaf een vrij levendige beschrijving van de Sakankoning.'

Rothen glimlachte. Mentale communicatie was veel te direct voor dit soort onschuldige gebabbel. Het was ook zo veel prettiger om elkaar te kunnen zien bij het vertellen. Uit zijn ooghoek zag hij Sonea naar Dorrien kijken. Toen zijn zoon even een blik in de Eetzaal wierp nam zij hem nog eens wat beter op.

Dorrien zag waarnaar Rothen keek en keek ook even naar haar. Ze vatte dit op als een uitnodiging aan het gesprek deel te nemen.

'Was het een zware reis?' vroeg ze.

Dorrien kreunde. 'Afschuwelijk. Zware sneeuwstormen in de bergen. De sneeuw hield maar niet op met vallen. Maar als het Gilde roept, heb je maar te komen, al moet je met al je kracht een pad door de sneeuw zien te banen en er met je magie voor zorgen dat jij en je paard niet bevriezen.'

'Maar kon je dan niet tot de lente wachten?'

'De lente is het drukste jaargetij voor de reberherders. De rebers krijgen dan hun lammeren, en de boeren werken dag en nacht en krijgen ongelukken.' Hij schudde het hoofd. 'Niet zo'n goed tijdstip.'

'En de zomer dan?'

Dorrien schudde opnieuw zijn hoofd. 'Altijd weer lieden die uitgeput raken of zonnesteek krijgen. En dan die zomerhoest.'

'Herfst?'

'Oogsttijd.'

'Dus de winter is nog het beste seizoen.'

'Je hebt er altijd bij die bevriezingsverschijnselen hebben, en het gebrek aan buitenlucht heeft ook zijn schaduwkanten, en –'

'Er is dus eigenlijk helemaal geen goed tijdstip voor een reisje?'

Hij grijnsde. 'Nee.'

Ze bereikten de achterkant van de universiteit en liepen door de vallende vlokken verder naar de trap die naar de Magiërsvertrekken leidde. Dorrien stapte op de eerste trede en zweefde een eindje de lucht in.

'Gebruik je nog altijd de trap, vader?' Dorrien sloeg zijn armen over elkaar en schudde het hoofd. 'Ik vrees dat ik nu weer een preek krijg over lichaamsbeweging en luiheid. Maar moet je je magische vaardigheden niet net zo goed in vorm houden?'

'Het verbaast me alleen dat je nog energie over hebt voor levitatie na al die beproevingen van de reis hier naartoe,' antwoordde Rothen. Hij keek nog eens goed naar Dorrien en zag lijnen van inspanning op het gezicht van zijn zoon. De jongen hield zich wel degelijk groot. *Dus hij doet gewoon stoer,* bedacht Rothen. Yaldin had eens in een gesprek laten vallen dat Dorrien met zijn charme de wol van een reber kon laten krullen. Rothen keek naar Sonea. Ze staarde naar Dorriens voeten en voelde waarschijnlijk het energieveld eronder.

Ze kwamen boven aan de trap. Dorrien stapte met een zucht van opluchting op het bordes. Hij nam Sonea nog eens goed op. 'Heeft mijn vader je nog niet geleerd te leviteren?'

Ze schudde haar hoofd.

'Nou, daar moeten we dan maar snel eens wat aan doen.' Dorrien keek zijn vader met een opgetrokken wenkbrauw aan. 'Het kan af en toe goed van pas komen, of niet soms?'

Om jongedames te imponeren, bedoel je?

Dorrien ging er niet op in. Rothen glimlachte en leidde hen naar de deur. Ze gingen de warme ontvangstkamer binnen en Tania heette hen daar welkom.

'Warme wijn, heren?'

'O graag!' riep Dorrien uit.

'Voor mij niet,' zei Sonea. 'Ik moet nog drie hoofdstukken kruidenleer doen.'

Dorrien keek alsof hij wilde protesteren, maar veranderde van mening. 'Je zit tegen het einde van je eerste jaar, is het niet, Sonea?'

'Ja, nog twee weken voor de eerstejaarsexamen.'

'Veel stampwerk dus.'

Sonea knikte. 'Ja. Ik laat jullie twee alleen om bij te praten. Het was me een eer u te leren kennen, heer Dorrien.'

'Het was alleraangenaamst kennis met je te maken, Sonea. En zeg alsjeblieft "jij".' Dorrien hief zijn glas. 'Ik zie je later wel weer, of bij het avondeten.'

De deur sloot zachtjes achter haar. Dorriens ogen bleven erop rusten. 'Je zei niet dat ze kort haar had.'

'O, vorig jaar was het een stuk korter.'

'Ze ziet er zo breekbaar uit.' Dorrien fronste zijn voorhoofd. 'Ik verwachtte... een stevige volksmeid, denk ik.'

'Je had eens moeten zien hoe mager ze was toen ze hier aankwam.'

'Ach ja,' begreep Dorrien. 'In de sloppen opgegroeid. Geen wonder dat ze klein van stuk is.'

'Klein misschien,' zei Rothen, 'maar zeker niet zwak. Niet in de magische zin, althans.' Rothen keek nog eens naar zijn zoon. 'Ik hoop eigenlijk dat je haar wat verstrooiing kunt bieden. Ze heeft al die tijd alleen maar haar studie en die problemen met die andere novicen aan haar hoofd gehad.'

De glinstering was weer terug in Dorriens ogen. 'Verstrooiing? Daar kan ik wel voor zorgen — als je denkt dat ze een plattelandsgenezer niet stomvervelend zal vinden.'

De hoofdstraat van Kiko wond zich als een spiraal om het eiland, en eindigde bij het paleis van de Vindokeizer op de top. De stad was op deze manier gebouwd, zo vertelde Dannyls gids, om de vijand in verwarring te brengen en een aanval te verijdelen, en werd natuurlijk ook gebruikt voor parades bij festiviteiten, waardoor iedereen in de stad verzekerd was van een goede plaats.

Het oogstfestival was net in volle gang toen Dannyl en Tayend arriveerden en was drie dagen later nog net zo bruisend. De taken die Errend aan Dannyl gegeven had waren niet van groot belang, maar wel groot in aantal. Dannyl kon er niet aan beginnen voor het festival voorbij was. Dus hij en Tayend rustten een beetje uit in het Gildehuis, en gingen alleen naar buiten om de straatoptredens te zien of wijn en andere lekkernijen in te slaan.

Zangers, dansers en muzikanten waren de hele dag overal te zien en te horen, en maakten het iedereen moeilijk om ergens snel te komen. De optocht kon vermeden worden door de steile voetgangersbruggen te gebruiken die bij elke lus over de spiraalweg waren gebouwd. De weg noordwaarts was dus niet al te makkelijk en Tayend hijgde toen ze eindelijk hun bestemming bereikten: een wijnhandelaar aan de hoofdstraat, een aantal bruggen ten noorden van het Gildehuis.

Terwijl hij tegen een huis bleef staan nahijgen, gebaarde hij dat Dannyl maar alleen de winkel in moest gaan. 'Even uitpuffen,' zei hij naar adem snakkend. 'Ga jij maar.'

Op dat moment stapte een meisje met haar armen vol bloemenarmbanden uit de optocht en probeerde de jonge geleerde over te halen er eentje te kopen. Tayend was nogal ondersteboven van de vrijpostigheid van de Vindovrouwen, maar de gids had hun verteld dat de vriendelijkheid gewoon bij de goede manieren op de eilanden hoorde.

Dannyl zag dat Tayend nu genoeg aan zijn hoofd had en ging de winkel binnen om wat wijn uit te kiezen. Hij wist dat Tayend iets bekends zou waarderen, en koos daarom een paar flessen Elynese wijn. Zoals de meeste Vindo's sprak de verkoper Dannyls taal goed genoeg om hem de prijs te vertellen, maar niet goed genoeg om te pingelen.

Terwijl de man de flessen in een doos stopte, liep Dannyl naar het raam. Het bloemenmeisje was verder gegaan, en Tayend stond nu met zijn armen over elkaar tegen de hoek van een gebouw leunend naar een groepje acrobaten te kijken.

Toen schoot plotseling een hand naar voren die Tayends arm vastgreep en hem in de schaduw van het steegje trok.

Dannyl stapte verder de erker van de winkel in en verstijfde. Hij zag dat

185

Tayend tegen de muur van het steegje werd gedrukt. Een groezelige Vindo met verward lang haar hield één hand om de nek van de geleerde en drukte met de andere een mes tegen Tayends zij.

Spierwit van angst keek Tayend naar de overvaller. De lippen van de vent bewogen. Waarschijnlijk eiste hij geld, dacht Dannyl. Hij stapte naar de deur van de winkel, maar bedacht zich. Wat zou er gebeuren als de boef opeens tegenover een tovenaar stond?

Dannyl kon het zich levendig voorstellen. Hij zag de boef Tayend als gijzelaar meenemen... en hem doodsteken als Dannyl uit het zicht was...

Maar als Tayend hem gewoon zijn geld gaf, zou de man dat eenvoudig aannemen en ervandoor gaan.

Tayends ogen draaiden naar het winkelraam en hij keek Dannyl strak aan. Dannyl knikte naar de overvaller en vormde met zijn mond de zin: 'Geef het maar.' Tayend fronste zijn voorhoofd.

De schurk zag de uitdrukking van zijn slachtoffer veranderen en keek ook in de richting van het raam. Dannyl dook weg achter wat dozen en vloekte. Had de man hem gezien? Hij gluurde om een hoekje.

Tayend haalde zijn beurs vanonder zijn jas vandaan. De rover greep hem en schatte het gewicht. Met een triomfantelijke grijns stak hij hem in zijn zak. Toen, met een snelle beweging, stak hij het mes in Tayends zij.

Dodelijk geschrokken rende Dannyl de winkel uit. Tayend hing dubbelgeslagen voorover; het bloed gutste uit de wond. Toen hij zag dat de boef zijn mes hief om een tweede keer toe te steken, stak Dannyl zijn hand vol magie uit. De boef keek verbijsterd en angstig toen hij Dannyl ontwaarde, en op hetzelfde moment vloog hij door de lucht. Hij werd door de steeg gesmeten en kwam met een klap tegen een tegenovergelegen gebouw terecht, waarbij zijn hoofd misselijkmakend kraakte. Toen hij op de grond viel holden de feestvierders alle kanten op.

Even keek Dannyl verbaasd en vol afschuw naar de man. Hij had niet zo fel willen reageren. Toen kreunde Tayend, en Dannyl zette de overvaller uit zijn hoofd. Met één sprong was hij bij zijn vriend die hij nog net op kon vangen en op de grond kon neerleggen. Hij trok het bebloede hemd weg en legde zijn hand op de wond.

Hij sloot zijn ogen en richtte zijn blik op het inwendige van Tayend. Het mes was diep naar binnen gedrongen en had aders, slagaders en organen geraakt. Dannyl riep geneeskracht op en richtte die op het aangetaste gebied. Hij liet het bloed een omweg maken, het weefsel zich weer aaneensluiten en moedigde Tayends lichaam aan het vuil van het smerige mes af te voeren. Genezers werkten hoogstens tot een wond dicht was om vervolgens naar de volgende patiënt te gaan, maar Dannyl gebruikte alle energie die hij in zich had, tot er alleen nog wat littekenweefsel aan de gebeurtenis herinnerde en hij gecheckt had of alles weer goed werkte.

Andere signalen van het lichaam drongen tot hem door. Tayends hart

186

ging als een razende tekeer. Zijn spieren stonden stijf van de spanning. Een mengsel van opluchting en angst vervulde Dannyls geest. Hij fronste zijn voorhoofd. Wat resterende angst was te verwachten, maar er was iets anders met deze angst aan de hand. Zijn gevoel richtend op het mentale niveau, hoorde hij Tayends gedachten verward heen en weer schieten.

Misschien ziet hij het niet... Nee, het is te laat! Hij heeft het waarschijnlijk allang gezien. Nu wil hij natuurlijk niets meer met me te maken hebben. Zo zijn die Kyraliaanse magiërs. Ze denken dat we pervers zijn. Onnatuurlijk. Ach nee! Hij zal het wel begrijpen. Hij zegt dat hij weet wat het is. Maar hij is zelf geen makker... of wel? Hij verbergt het misschien. Nee, onmogelijk. Hij is een Kyraliaanse magiër. Hun Genezers zouden het hebben ontdekt en hem eruit hebben gegooid...

Verbaasd trok Dannyl zich terug uit Tayends geest, maar hij hield zijn ogen gesloten en zijn hand op de wond. Dus daarom weigerde Tayend zijn magische hulp! Hij was bang dat Dannyl zou voelen dat... dat hij dezelfde neigingen als Dem Agerralin had. Tayend hield van mannen...

Herinneringen aan de afgelopen maanden schoten door Dannyls hoofd. Hij herinnerde zich de dag na de aanval van de zeebloedzuigers. Tayend had een stel bloedzuigers gevonden die om elkaar en een eind touw gewikkeld zaten. Een matroos had Tayends interesse bemerkt.

'Ze paren,' zei de man.

'Wie is het jongetje en wie het meisje?' vroeg Tayend.

'Geen jongen of meisje. Zelfde.'

Tayends wenkbrauwen gingen omhoog en hij staarde naar de zeeman. 'Echt?'

De man ging verder met zijn kom siyo. Tayend bekeek de bloedzuigers nog eens goed.

'Boffen jullie even,' zei hij.

En in Elyne had Errend een raadselachtige opmerking gemaakt. *'Hij is de jongste zoon van Dem Tremmelin. Een geleerde van de Grote Bibliotheek, dacht ik. Ik zie hem maar zelden aan het hof — al heb ik hem wel eens met Dem Agerralin zien optrekken. En als er hier iemand rondloopt met dubieuze connecties...'*

En toen de Dem zelf: *'We zijn allemaal reuze benieuwd naar u...'*

We?

En Tayend zelf in het Paleis: *'Het hof van Elyne is zowel afstotelijk door de decadentie die er heerst, als befaamd om zijn vrijheid. We verwachten gewoon dat iedereen wel wat interessante of excentrieke eigenaardigheden heeft.'*

Tayend had zich in Lonmar geen moment op zijn gemak gevoeld. Dannyl wist dat hetgeen ze op het Plein der Veroordeling gezien hadden een grote schok voor Tayend was geweest, maar hij had gedacht dat de geleerde het na een tijdje wel zou vergeten en verder zou gaan met het 'avontuur'. Maar Tayend was schuw en teruggetrokken gebleven.

En nu is hij uiteraard bang hoe ik zal reageren. De Kyralianen staan nou niet bepaald bekend om hun tolerantie jegens mensen zoals Tayend. Dat weet ik maar al te goed. Geen wonder dat hij zo bang was toen ik hem wilde aanraken om zijn zeeziekte te beteugelen. Hij gelooft dat een Genezer kan voelen of een man andere mannen begeert, alsof het een ziekte is.

Dannyl keek peinzend voor zich heen. Wat stond hem nu te doen? Moest hij Tayend laten weten dat hij zijn geheim had ontdekt, of zou hij maar gewoon doen alsof hij niets had gemerkt?

Ik weet het niet. Ik moet er even over nadenken. Dus zal ik voorlopig maar doen alsof ik van niets weet.

Tayend deed zijn ogen open en zag Dannyl naar hem kijken. Met een glimlach trok Dannyl zijn hand weg. 'Voel je je –?'

'Heer?'

Toen Dannyl opkeek zag hij pas dat ze omringd waren door omstanders die waren toegestroomd. De man die hem had aangesproken was een gardist. Andere gardisten waren mensen aan het ondervragen. Een van hen onderzocht de overvaller die languit voorover lag. De gardist pakte de beurs die uit zijn zak gevallen was.

Naast Tayends voet lag een bebloed mes op de grond dat de eerste gardist met de voorkant van zijn sandaal heen en weer schoof. 'Geen rechtszaak,' zei hij en keek Dannyl nerveus aan. 'Mensen zeggen u heeft slechte man gedood. Is uw recht.'

Dannyls blik viel op de starende ogen van de straatrover die achter de mensenmassa lag. Dood. Een rilling trok over zijn rug. Hij had nooit eerder iemand gedood. Nog iets waar hij later over na zou moeten denken. Toen het merendeel van de gardisten weer verder ging, wendde Dannyl zich tot Tayend en keek hem vragend aan.

'Voel je je weer wat beter?'

Tayend knikte snel. 'Als je even vergeet dat ik sta te trillen op mijn benen.'

De wijnhandelaar stond in de deuropening van zijn winkel en keek onzeker om zich heen. Een jongen stond naast hem met een doos in zijn armen. 'Kom op,' zei Dannyl, 'dan halen we onze wijn op. Ik weet niet hoe het met jou gesteld is, maar ik heb opeens vreselijke dorst.'

Tayend nam een paar wankele stappen maar kreeg snel zijn zelfvertrouwen weer terug. Een gardist duwde hem zijn beurs in zijn handen. Dannyl glimlachte om de uitdrukking op het gezicht van zijn vriend, gebaarde dat de loopjongen met de doos hem moest volgen en vertrok naar het Gildehuis.

De woorden op de pagina die Sonea aan het lezen was verdwenen plotseling onder dikke zwarte druppels. Ze keek over haar schouder, maar er stond niemand in haar buurt. Ze hoorde nog meer druppels op het boek vallen, keek omhoog en zag een protserige inktpot boven zich zweven.

Van achter de planken aan haar linkerkant hoorde ze gegiechel. Het inktpotje zweefde iets verder, zodat er inkt op Sonea's gewaad zou komen

188

als het kantelde. Ze kneep haar ogen iets samen en stuurde er een krachtige flits naar toe. De inkt siste en verdampte meteen en de inktpot werd roodgloeiend. Hij schoot weg tussen de boekenplanken, en ze hoorde een kreet van pijn.

Ze glimlachte grimmig en wilde weer verder lezen, maar haar glimlach verdween toen ze de inkt op de pagina zag, die al begon op te drogen. Ze pakte een zakdoek en begon de vloeistof op te deppen. Ze vloekte gesmoord toen de inkt zich alleen maar verder verspreidde.

'Geen goed idee. Je maakt het zo alleen maar erger,' zei iemand achter haar.

Ze schrok, draaide zich om en zag dat het Dorrien was. Voor ze wist wat ze deed sloeg ze het boek dicht.

Hij schudde het hoofd. 'En dat helpt al helemaal niet.'

Sonea fronste een beetje nijdig en zocht naar een repliek, maar hij stak zijn arm al uit en pakte het boek.

'Zo, laat eens even kijken.' Hij lachte. '*Alchemie voor beginners*. De moeite niet waard om het op te lappen.'

'Maar het is van de bibliotheek.'

Dannyl sloeg de bekladde pagina's open en trok een lelijk gezicht. 'Niets aan te doen,' zei hij hoofdschuddend. 'Maar maak je geen zorgen. Rothen laat wel een kopie maken.'

'Maar...'

Dannyl haalde zijn wenkbrauwen op. 'Nou?'

'Dat kost —'

'Geld?' maakte Dorrien haar zin af. 'Dat is heus geen probleem, Sonea.'

Sonea deed haar mond open om te protesteren, maar sloot hem weer snel.

'Je denkt toch niet dat hij het moet betalen, wel?' Dorrien liet het boek op een van de stoelen naast haar vallen. 'Jij hebt het tenslotte niet smerig gemaakt.'

Sonea beet op haar lip. 'Heb je ze dan gezien?'

'Ik kwam een novice tegen met een brandblaar op zijn vingers en een andere die iets vasthield wat eruitzag als een gesmolten inktpotje. Toen ik zag wat er met je boek gebeurd was, kon ik wel raden wat ze geprobeerd hadden.' Zijn mondhoeken trilden. 'Rothen heeft me alles over je bewonderaars verteld.'

Ze keek hem zwijgend aan. Hij lachte toen hij haar uitdrukking zag, maar hij lachte haar duidelijk niet uit.

'Ik was ook niet bepaald populair in mijn eerste jaar. Ik herken een beetje wat je moet doormaken. Het is pure marteling, maar je kunt jezelf eraan onttrekken.'

'Hoe dan?'

Hij legde het boek voor zich op tafel, ging zitten en leunde achterover.

'Voor ik je dat vertel, moet je eerst maar eens opdissen wat ze tot nu toe met je hebben uitgespookt. Ik moet een idee hebben wat voor types het zijn, vooral die Regin, voor ik je kan helpen.'

'Helpen?' Ze keek hem weifelend aan. 'Wat kan jij dat Rothen niet kan?'

Hij glimlachte. 'Misschien niets, maar we zullen gewoon moeten proberen om daarachter te komen.'

Met enige tegenzin vertelde ze hem over de eerste dag, over Issel en hoe de hele klas tegen haar werd opgezet. En hoe hard ze toen was gaan werken om een klas hoger te komen, om te ontdekken dat Regin haar volgde om haar verder te treiteren. Hoe hij Narrons pen in haar kistje gedaan had zodat iedereen zou denken dat zij een dievegge was. En tenslotte over de hinderlaag in het bos.

'Ik weet niet waarom, maar toen de bijeenkomst met die hoofdmagiërs voorbij was had ik het idee dat er iets gaande was waar ik niets van wist,' besloot ze. 'Ze vroegen helemaal niet wat ik verwacht had.'

'Wat verwachtte je dan?'

Sonea haalde haar schouders op. 'Nou, dat ze zouden vragen wie dat hele gevecht begonnen was. Maar ze vroegen alleen of ik moe was.'

'Je had net laten zien hoe sterk je was, Sonea,' legde Dorrien uit. 'Ze hadden veel meer interesse in je kracht dan in gekibbel tussen jou en die novicen.'

'Maar Regin mag tot de tweede helft van volgend jaar niet meer naar Balkans lessen komen.'

'O, ze moesten hem voor de vorm wel een soort straf geven.' Dorrien wuifde het weg. 'Maar daar ging het hen niet om. Ze wilden dat jij zijn verhaal bevestigde, maar bovenal wilden ze weten waar jouw grenzen lagen.'

Sonea ging het onderzoek in gedachten na en knikte traag.

'Als ik het zo hoor ben je nu al sterker dan veel van je eerstejaarsleraren,' vervolgde hij. 'Sommigen gaan ervan uit dat je je krachten al jong hebt ontwikkeld en niet veel verder zal komen dan dit, anderen denken dat je nog zult groeien en net zo sterk als Lorlen kan worden. Wie zal het zeggen? Maar het heeft allemaal niets te betekenen tot je weet hoe je je kracht kunt gebruiken.'

Dorrien boog zich voorover en wreef zich in de handen. 'Maar de magiërs hebben nu eindelijk erkend dat Regin en zijn maatjes het op jou gemunt hebben. Helaas kunnen ze daar alleen wat tegen doen als ze bewijs hebben. Ik denk dat wij hen ervan moeten overtuigen dat hij het was die Narrons pen in je kistje legde.'

'Hoe dan?'

'Hm.' Dorrien leunde achterover en trommelde peinzend met zijn vingers op het boekomslag. 'Het zou ideaal zijn als we hem zover konden krijgen dat hij zou proberen jou opnieuw als dief te kijk te zetten. Als hij daarbij wordt gepakt, zal het iedereen duidelijk zijn dat je er de vorige keer ook bent ingeluisd. Maar we moeten er wel voor zorgen dat niemand zal denken dat wij hém erin hebben geluisd...'

Terwijl ze ideetjes bespraken en verwierpen voelde Sonea haar humeur opklaren. Misschien kon Dorrien haar inderdaad helpen. Hij was helemaal niet hoe ze gedacht had dat hij was. Eigenlijk, bedacht ze, was hij anders dan alle magiërs die ze ooit had ontmoet.

Ik geloof dat ik hem wel mag, mijmerde ze.

18

Vriendschap

Toen Sonea de deur van haar kamer opendeed keek ze verbaasd naar haar bezoeker.

'Genoeg gestudeerd,' deelde Dorrien mee. 'Je hebt de hele week elke avond binnengezeten. Het is Vrijdag en we gaan uit.'

'Uit?' herhaalde Sonea.

'Uit,' bevestigde hij.

'Waar naar toe?'

'Dat,' zei Dorrien met fonkelende ogen, 'is een geheim.'

Sonea wilde protesteren, maar hij legde een vinger op haar lippen. 'Sst,' zei hij. 'Geen vragen meer.'

Nieuwsgierig, maar ook een beetje geërgerd, trok ze de deur dicht en volgde hem de gang van de novicenvertrekken in. Ze ving een geluidje achter zich op en keek over haar schouder. Regin keek om de hoek van zijn deur, een sluw lachje om zijn lippen.

Ze draaide zich om en volgde Dorrien naar buiten. De zon scheen, al lag het hele terrein nog onder de sneeuw. Dorrien liep snel en ze moest zich haasten om hem bij te houden.

'Hoe ver is dat geheim van je?'

'Niet zo ver.' Dorrien glimlachte.

Niet zo ver. Zoals zoveel antwoorden van Dorrien was het totaal nietszeggend. Ze klemde haar lippen op elkaar, vastbesloten geen enkele vraag meer te stellen.

'Ben je vaak buiten het Gildegebied geweest sinds je hier woont?' vroeg hij, wat langzamer lopend toen ze de universiteit binnengingen.

'Een paar keer maar. En dan nog voor ik op de universiteit kwam.'

'Maar dat is alweer zes maanden geleden.' Dorrien schudde het hoofd. 'Rothen moet je echt wat vaker mee uit nemen. Heel ongezond om altijd binnen te zitten.'

Vrolijk omdat hij zijn vader een standje gaf, glimlachte ze. Ze kon hem zich inderdaad niet lang binnenshuis voorstellen. Hij was licht gebruind, wat aangaf dat hij veel buiten was. Hij maakte grote stappen en leek niet moe te worden, en ze moest haar best doen hem bij te benen.

Ze had zich een jongere versie van Rothen voorgesteld. Hoewel Dorrien dezelfde helderblauwe ogen als zijn vader had, was hij wat smaller en tengerder. Maar het grootste verschil lag in hun karakter. Of was het wel zo? Rothen was gek op lesgeven, Dorrien hield van het zorgen voor een heel dorp. Ze hadden alleen verschillende specialisaties en leefden op heel verschillend terrein.

'En waar ging je dan heen?' vroeg Dorrien.

'Ik ben een paar keer naar mijn tante en oom in de sloppenwijk geweest,' zei ze. 'Als ik dat deed, waren er altijd een paar magiërs bang dat ik weg zou lopen.'

'Heb je ooit overwogen weg te lopen, Sonea?'

Die vraag kwam nogal onverwacht en ze keek hem strak aan. Zijn blik was ernstig.

'Soms,' gaf ze toe en hief haar hoofd.

Dorrien glimlachte. 'Je bent niet de enige die dat heeft gedaan, hoor,' zei hij rustig. 'Vrijwel iedereen denkt daar wel eens over na – vooral als de tentamens naderen.'

'Maar je bent er uiteindelijk pas later vandoor gegaan, hè?' vroeg Sonea.

'Zo zou je het kunnen zien,' antwoordde hij lachend.

'Hoe lang werk je nu al op het platteland?'

'Vijf jaar.' Ze liepen de trap bij de hoofdingang op.

'Mis je het Gilde nooit?'

Hij kneep zijn lippen samen. 'Soms. Ik mis mijn vader natuurlijk het meest, maar ook de mogelijkheid allerlei medicijnen te kunnen krijgen en nieuwe dingen te leren. Als ik kennis nodig heb over hoe ik een bepaalde ziekte moet behandelen kan ik wel communiceren met genezers hier, maar het gaat nogal traag, en dan nog heb ik niet alle benodigde medicijnen bij de hand.'

'Is er geen ander genezerscentrum bij jou in de buurt?'

'O nee,' zei Dorrien, 'ik woon in een klein huis op een heuvel, in mijn eentje. Er komen mensen langs die ziek zijn, of ik ga bij hen langs. Soms moet ik uren reizen, en ik sleep altijd al mijn spullen mee.'

Sonea stelde zich dit voor terwijl ze de tweede trap op liepen. Toen ze boven waren merkte ze dat zij hijgde, maar dat Dorrien totaal geen last van de klim had.

'Deze kant op.' Hij wenkte en liep de gang in. Ze waren op de tweede verdieping van de universiteit. Sonea vroeg zich af wat er hier zo interessant kon zijn.

Dorrien sloeg een smalle zijgang in. Na een aantal keer de hoek te zijn omgeslagen en door een lege kamer te zijn gegaan, bleef hij voor een houten deur staan. Sonea hoorde een klikje en de deur ging naar binnen open.

Dorrien ging een donker trappenhuis in en wenkte Sonea hem te volgen. Zodra de deur achter haar dicht was gegaan sprong het licht aan boven Dorriens hoofd.

'Waar zijn we?' zei Sonea ademloos. Ze waren zo vaak links en rechts af geslagen dat haar oriëntatie haar geheel in de steek had gelaten. Ze dacht dat ze ergens aan de voorkant van de universiteit waren. Er waren niet meer verdiepingen boven hen, en toch liep de trap naar boven.

'We zijn in de universiteit,' zei Dorrien.

'Ja, dat vermoedde ik ook al.'

Hij grinnikte en ze liepen de trap op tot een ander deurtje openging zodra Dorrien ernaar wees. Een ijskoude windvlaag stroomde naar binnen en bezorgde haar kippenvel.

'Nu zijn we búíten de universiteit,' zei Dorrien terwijl ze door de deuropening stapten. Sonea hield haar adem verrast in. Ze stonden op het dak.

Het dak had een flauwe bolling om regen en sneeuw te laten afglijden. Ze kon het glazen dak van de Grote Zaal in het midden zien. Op elk paneeltje lag een beetje sneeuw. De versierde fronten voor en achter vormde een stevige reling om over heen te kijken.

'Ik had geen idee dat je op het dak kon komen,' zei ze verwonderd.

'Er mogen maar een paar magiërs komen,' zei Dorrien. 'De sloten gehoorzamen alleen hen. Ik kreeg toegang van vrouwe Vinara's voorganger, heer Garen.' Dorrien keek opeens wat melancholiek. 'Nadat mijn moeder gestorven was, werden hij en ik vrienden. Een soort extra grootvader, zou je kunnen zeggen. Iemand die altijd klaarstond om met me te praten. Hij gaf me onderricht toen ik besloot om –'

Een windvlaag blies zijn woorden weg en liet hun gewaden hoog opwaaien. Sonea's pony sloeg tegen haar voorhoofd en kwam in haar ogen. Ze reikte achter haar hoofd en pakte de klem waarmee ze haar haar kon vastzetten. Ze ging tegen de wind in staan en pakte de ontsnapte lokken om ze stevig op hun plaats te houden.

Toen ging de wind plotseling liggen. Ze voelde het schild dat Dorrien om hen heen gelegd had en keek naar hem op. Zijn ogen schitterden in het zonlicht.

'Kom eens hier,' wenkte hij. Hij liep het hellende dak af naar de reling. Sonea volgde hem en zag dat er groeven in het dak waren gemaakt om te voorkomen dat je zou uitglijden bij nat weer. Dorrien stopte precies in het midden van het gebouw. Hij veegde wat sneeuw van de reling af en ze boog zich voorover om naar beneden te kijken. Het was een duizelingwekkende afstand.

Een groepje bedienden haastte zich over het pad door de tuinen naar het Genezerspaviljoen. Ze kon het dak van het ronde gebouw door de toppen van de bomen heen zien. Rechts zag ze de novicenvertrekken liggen, de Koepel, het gebouw van de Zeven Ogen en het Badhuis. Daarachter lag de

Sarikaheuvel, het bos met sneeuw bedekt. Boven op de heuvel was de ongebruikte, bouwvallige uitkijktoren nog net zichtbaar achter de bomen.

Ze draaide zich een halve slag om en zag nu de stad liggen, met daarachter de blauwe streep van de Taralirivier, die kronkelend van Imardin naar de horizon liep.

'Kijk,' wees Dorrien. 'Je ziet schuiten de rivier op varen.'

Sonea hield haar hand boven haar ogen en zag een lange rij platte schuiten die net buiten de stad op de rivier voeren. Op elke schuit stond een mannetje met een duwstok waarmee die zich onophoudelijk afzette tegen de rivierbodem. Ze fronste haar voorhoofd.

'Is die rivier dan niet diep?'

'Zo dicht bij de stad niet,' vertelde Dorrien haar, 'en verderop valt het ook wel mee. Als de schuiten in de stad aankomen komt er een loods die ze naar de haven leidt. Ze voeren producten uit het noordwesten aan, denk ik. Zie je de weg aan de andere kant van de rivier?'

Sonea knikte. Een smalle bruine streep liep langs het blauwe water.

'Als ze hun lading hebben uitgeladen worden de schuiten aan gorins gebonden, die ze weer stroomopwaarts trekken. De gorins brengen andere waren weer stroomafwaarts – ze zijn langzamer maar goedkoper. Om bij mij thuis te komen, volg je die weg.' Dorrien wees. 'Het Staalbandgebergte bereik je na een paar dagen rijden.'

Sonea volgde zijn wijsvinger met haar ogen. Donkere bossen verschenen verderop langs de weg en daarachter zag ze velden die tot aan de horizon reikten.

Ze had kaarten van Kyralia gezien en wist dat bergen de grens vormden tussen Kyralia en Sachaka, net als in het noordwesten de Grijze Bergen de grens met Elyne vormden. Starend in de verte werd ze door een vreemd gevoel bevangen. Daar lagen plaatsen die ze nooit had gezien – en nooit over nagedacht had – maar ze maakten wel deel uit van haar land.

En daarachter lagen andere landen waarover ze op de universiteit van alles zou leren.

'Ben je ooit in het buitenland geweest?'

'Nee,' antwoordde Dorrien. 'Misschien ga ik ooit nog wel eens op reis. Ik heb er nooit reden toe gehad en ik vind het niet prettig lang weg te blijven uit mijn dorp.'

'En Sachaka dan? Je woont toch in de buurt van de bergpassen? Heb je nooit eens een kijkje genomen?'

Hij haalde zijn schouders op. 'Een paar herders hebben het wel eens gedaan, om te zien of daar goed grasland was. Er liggen geen steden aan de andere kant, dan moet je eerst dagen rijden. Het is een woestenij.'

'Het slagveld van de oorlog?'

'Ja. Goed opgelet bij geschiedenis zeker?'

Ze trok een gezicht. 'Het enige leuke onderwerp. Al dat andere – over de Alliantie en de oprichting van het Gilde – is dodelijk saai.'

Hij lachte, en ze liepen langzaam terug naar de deur. Hij bleef even boven aan de trap staan en legde een hand op haar arm.

'En, hoe vond je mijn verrassing?'

Ze lachte. 'Prachtig.'

'Leuker dan studeren?'

'Natuurlijk.'

Hij grijnsde en deed een stap naar voren. Sonea's adem stokte in haar keel toen hij van de trap stortte. Even later was hij weer boven, zwevend op een magische schijf en met een grote grijns op zijn gezicht. Ze drukte een hand tegen haar borst – haar hart bonsde ervan.

'Ik schrok me dood, Dorrien!' zei ze kwaad.

Hij lachte. 'Wil je ook leren leviteren?'

Ze schudde van nee.

'Dat wil je best.'

'Ik moet nog drie hoofdstukken doen.'

Zijn ogen fonkelden. 'Dat kan vanavond ook wel. Of wil je het leren terwijl alle anderen toekijken tijdens de les? Als ik het je nu leer, kan alleen ik zien wat je fout doet.'

Ze beet op haar lip. Dat was natuurlijk wel waar...

'Toe nou maar,' drong hij aan. Hij spreidde zijn armen uit en draaide rond op zijn hakken. 'Ik laat je niet door de tweede deur als je weigert.'

Sonea rolde met haar ogen. 'O, oké dan!'

Het Gildehuis in Kiko was op een steile helling gebouwd. De talloze balkon- netjes boden de bezoekers uitzicht op zee, de stranden en de lange weg die zich rond het eiland wikkelde, en die nog steeds gevuld was met een schijn- baar eindeloze optocht. De ritmische klanken stegen op naar Dannyls oren. In zijn ene hand had hij een glas Elynese wijn, in de andere de fles. Hij nam een slok en ging van de reling naar een stoel, waarin hij ging zitten na de fles op tafel gezet te hebben. Hij strekte zijn benen en liet zijn gedachten dwalen.

Zoals gewoonlijk dwaalden ze meteen af naar Tayend.

Sinds de overval was de jonge geleerde erg nerveus geweest in Dannyls gezelschap. Hoewel Dannyl zijn best deed om zich te gedragen alsof hij niets bijzonders had opgemerkt, scheen Tayend er nog niet zeker van te zijn dat zijn geheim bewaard was gebleven. Hij was bang dat Dannyl van zijn heimelijke neigingen wist, en Dannyl zou hem alleen kunnen overtuigen van het tegendeel door te verklaren dat het niet zo was. Waarmee hij tegelijk te kennen zou geven dat hij het geheim kende!

Tayend was natuurlijk bang dat het uit zou zijn met hun vriendschap. Een heel redelijke angst. Alhoewel Kyralianen mensen met 'onnatuurlijk' gedrag niet ter dood veroordeelden zoals de Lonmarianen, werd het iemand wel ernstig aangerekend. Heren werden hun titels afgenomen en hun familie werd behandeld of ze allemaal met dergelijke neigingen behept waren. Wanneer een familie merkte dat een van hen een onnatuurlijke voorkeur vertoonde, zonden ze hem weg naar een verafgelegen landgoed of op reis.

Magiërs van het Gilde werden niet meteen geroyeerd, maar wel op elke andere manier als paria behandeld. Toen Dannyl novice was en ervan verdacht werd met mannen te hebben geslapen, vertelde men dat als de geruchten waar bleken te zijn, hij niet zou kunnen afstuderen.

In de daaropvolgende jaren had hij goed opgelet om geen verdachtmakingen meer op zich te laden. Maar aangezien Tayends voorkeuren uiteraard bekend waren in Elyne, was het onvermijdelijk dat het hof zo zijn gedachten zou hebben over de geaardheid van Dannyl. Het gerucht uit het verleden – wat, zoals gebleken was, nog altijd speelde – zou olie op het vuur zijn, en al was dat allemaal niet zo'n probleem in Elyne, het bericht zou in Kyralia wel eens anders ontvangen kunnen worden...

Dannyl schudde het hoofd. Door zoveel maanden alleen met Tayend te reizen, zou er sowieso geroddeld worden. Om zijn reputatie op te vijzelen zou hij zich van Tayend moeten distantiëren zodra hij weer in Elyne was. Hij zou het heel duidelijk moeten maken hoe ontzet hij was te ontdekken dat zijn assistent, zoals men het in Elyne noemde, een 'makker' was.

Tayend zal het wel begrijpen, zei een stemmetje in zijn achterhoofd. *O ja?* zei een andere stem. *En als hij nu eens kwaad wordt en Akkarin vertelt over Lorlens onderzoek?*

Nee, antwoordde de eerste stem. *Het zou zijn integriteit als geleerde alleen maar schaden. En misschien kan je de vriendschap op een aardige manier beëindigen, zonder zijn gevoelens te kwetsen.*

Dannyl keek nors naar zijn wijnglas. Waarom moest het altijd weer zo lopen? Tayend was een prima metgezel, een man die hij graag mocht en voor wie hij grote waardering had. Hij moest er niet aan denken om uit angst voor geroddel binnen het Gilde hun vriendschap op te zeggen. Waarom zou hij niet gewoon van zijn gezelschap kunnen blijven genieten? Daar hoefde zijn reputatie toch niet onder te lijden?

Laat ze maar kletsen, dacht hij. *Ik laat ze niet opnieuw een goede vriendschap kapotmaken.*

Maar als het Gilde ervan hoorde en men kwaad genoeg was om hem naar huis te roepen...

Nee, zo'n dramatische actie zullen ze toch niet ondernemen als het alleen maar een gerucht betreft. Ze weten hoe het er aan het Elynese hof aan toegaat. Ze zullen niets drastisch doen tenzij ze echt belastende verhalen horen.

En die krijgen ze niet te horen, zei Dannyl tegen zich zelf. Hij moest zich er maar bij neerleggen dat hij dit soort speculaties niet kon ontlopen. En ermee moest leren omgaan. Misschien kon hij het zelfs ten eigen voordeel gebruiken...

'Je was toch niet van plan die hele fles in je eentje leeg te drinken, hè?'

Dannyl schrok op uit zijn gedachten en zag Tayend op de drempel van de balkondeur staan.

'Natuurlijk niet,' antwoordde hij.

'Mooi,' zei Tayend. 'Want het ziet er nogal idioot uit als ik hier de hele tijd mee rond blijf lopen.' Hij hield zijn lege glas op.

Terwijl Dannyl hem inschonk voelde hij Tayends blik op hem rusten, maar de jonge geleerde keek snel weg toen Dannyl hem in de ogen keek. Hij liep naar het balkon en keek uit over zee.

Het is tijd, besloot Dannyl. *Tijd om hem de waarheid te vertellen en dat ik niet van plan ben hem daarom de deur uit te schoppen.*

'We moeten eens praten,' zei Tayend plotseling.

'Ja,' stemde Dannyl in. Hij koos zijn woorden zorgvuldig. 'Ik vermoed dat ik weet waarom je me niet wilde laten helpen met je zeeziekte.'

Tayend kromp ineen. 'Je hebt eens gezegd dat je begreep hoe moeilijk het was voor... mannen zoals ik.'

'Maar jij zei dat mannen zoals jij geaccepteerd werden in Elyne.'

'Ja en nee.' Tayend keek naar zijn glas en dronk het in één teug leeg. Hij keek Dannyl aan. 'Maar in elk geval worden ze niet verstoten,' zei hij beschuldigend.

Dannyl keek bedrukt. 'Als natie staat Kyralia inderdaad niet bekend om zijn tolerantie. Je weet dat ik dat aan den lijve ondervonden heb. Maar niet alle inwoners hebben dergelijke vooroordelen.'

Tayend fronste zijn voorhoofd. 'Eens was het de bedoeling dat ik magiër zou worden. Een neef van me heeft me aan een proef onderworpen en vond dat ik enige aanleg had. Ze zouden me naar het Gilde sturen.' Er gleed een waas over Tayends ogen en Dannyl zag het verlangen uit zijn trekken spreken, maar toen schudde de geleerde zijn hoofd en zuchtte. 'Toen hoorde ik wat er met jou gebeurd was en ik besefte dat het er niet toe deed of de geruchten waar waren of niet. Het was duidelijk dat ik nooit ofte nimmer magiër zou kunnen worden. Het Gilde zou erachter komen wat ik was en me linea recta naar huis sturen.'

Dannyl voelde een grote woede in zich opkomen. Met zijn enorme geheugen en scherpe intellect zou Tayend een indrukwekkend magiër geworden zijn. 'Wat deed je toen om te voorkomen dat je ergens heen gestuurd werd?'

'Ik zei tegen mijn vader dat ik er geen zin meer in had.' Tayend haalde zijn schouders op. 'Hij vermoedde nog niets. Later, toen ik met bepaalde mensen begon om te gaan, dacht hij dat hij mijn ware reden gevonden had. Hij denkt nog steeds dat ik de kans heb laten schieten omdat ik me wilde vermaken op een manier die het Gilde niet toe zou staan. Hij heeft nooit ingezien dat ik niet in staat zou zijn te verbergen wat ik was.' Tayend staarde in zijn lege glas, liep naar de tafel en pakte de fles. Hij schonk zich nog eens in en sloeg de wijn in een keer achterover.

'Nou ja,' zei hij met een blik op de oceaan, 'misschien een schrale troost, maar ik wist altijd al dat die geruchten over jou nooit waar konden wezen.'

'Hoezo dan?'

'Nou, als jij zoals mij was, en het ook niet kon helpen wat je voelde, dan hadden de genezers het allang ontdekt. Ja toch?'

'Dat hoeft helemaal niet.'

De geleerde zette grote ogen op. 'Maar je bedoelt toch niet...'

'Ze voelen fysieke aspecten van iemand. Dat is alles. Als er al iets in een lichaam zit dat veroorzaakt dat de betreffende persoon op mannen valt, dan hebben de genezers het nog niet gevonden.'

'Maar ze zeiden altijd... ze zeiden dat genezers kunnen zeggen of er iets is met iemand.'

'Dat kunnen ze ook.'

'Dus er is... ofwel niets mis of...' Tayend fronste zijn voorhoofd en keek Dannyl aan. 'Maar hoe wist jij het dan van mij?'

Dannyl glimlachte. 'Je geest schreeuwde het praktisch uit; ik kon het moeilijk negeren. Mensen met een magische aanleg, die niet hebben geleerd die te gebruiken, projecteren hun gedachten vaak.'

'O?' Tayend keek de andere kant op met een kop als een boei. 'Hoeveel heb je... in mijn gedachten gelezen?'

'Niet veel,' stelde Dannyl hem gerust. 'Voornamelijk je angsten. Verder heb ik niet geluisterd. Dat is niet netjes.'

Tayend knikte. Hij dacht even na en sperde toen zijn ogen wijd open. 'Je bedoelt dat ik gewoon bij het Gilde had kunnen komen! Hoewel... ik ben er niet meer zo zeker van of ik dat nu wel zo leuk zou hebben gevonden.' Hij schoof zijn stoel naast die van Dannyl en ging zitten. 'Mag ik je iets persoonlijks vragen?'

'Ja hoor.'

'Wat is er nu écht voorgevallen tussen jou en die novice?'

Dannyl zuchtte. 'Niets.' Hij keek naar Tayend en zag dat die hem vol verwachting aankeek. 'Oké dan. Het hele verhaal, voor deze ene keer.

Ik was niet erg populair. Nieuwe novicen zoeken vaak ouderen om hen met hun studie te helpen, maar het lukte me maar niet iemand te vinden die ermee instemde mij te helpen. Ik had allerlei verhalen gehoord over een van de oudere jongens, en dat andere leerlingen hem uit de weg gingen vanwege die verhalen, maar hij was een van de beste leerlingen van zijn jaar en ik besloot die geruchten te negeren. Toen hij me wilde helpen was ik behoorlijk in mijn sas.' Hij schudde het hoofd. 'Maar er zat een novice in mijn klas die een gloeiende hekel aan me had.'

'Heer Fergun?'

'Ja. Vanaf de eerste dag hadden we elkaar beledigd en mekaar erin laten lopen. Hij had de verhalen gehoord over degene die mij hielp, en dus was het voor hem een eitje om nieuwe geruchten de wereld in te helpen. Binnen de kortste keren werd ik op het matje geroepen door de hoofdmagiërs.'

'En toen?'

'Ik ontkende die geruchten natuurlijk. Ze besloten dat het het beste was om ons te scheiden, zodat de roddels zouden ophouden. Ik mocht dus niet meer bij die oudere leerling in de buurt komen. En dat kwam bij de novicen natuurlijk over als bevestiging van de geruchten.'

'En hij? Wat gebeurde er met hem?'

'Hij is afgestudeerd en naar zijn land teruggekeerd. Meer weet ik er ook niet van.' Dannyl zag dat Tayend hem aankeek met ogen die glinsterden van nieuwsgierigheid, en hij voegde eraan toe: 'Nee, ik ga je zijn naam niet verklappen.'

Teleurgesteld liet Tayend zich achterover in zijn stoel vallen. 'En wat gebeurde er toen?'

Dannyl haalde zijn schouders op. 'Ik bleef vlijtig studeren en zorgde ervoor zo onopvallend mogelijk mijn gang te gaan. Na een tijd was iedereen het weer vergeten, op Fergun na dan – en het hof van Elyne, zo viel me op.'

Tayend lachte niet. Een diepe rimpel verscheen tussen zijn wenkbrauwen. 'En wat ben je nu van plan?'

Dannyl schonk zijn glas bij. 'Aangezien de Tomben van Witte Tranen tijdens het festival gesloten zijn, kunnen we niet veel anders doen dan drinken en lekker uitrusten.'

'En dan?'

'Dan gaan we de Tomben bekijken.'

'En dan?'

'Dat hangt af van wat we daar vinden. Maar hoe dan ook, daarna gaan we terug naar Elyne.'

'Dat bedoel ik niet.' Tayend bleef Dannyl strak aankijken. 'Als gezien worden met een novice die misschien wel of misschien niet een makker was jou al zoveel ellende heeft bezorgd, dan zal je contact met iemand die bekendstaat als makker je nog veel, veel meer ellende kunnen bezorgen. Je zei dat je wilde vermijden om verdenking op je te laden. Ik kan je nog steeds in de Grote Bibliotheek assisteren, maar ik zal wat ik vind door een koerier laten brengen.'

Dannyl voelde iets knagen in zijn binnenste. Hij had niet verwacht dat Tayend zoiets zou voorstellen. Toen hem te binnen schoot dat hij er even aan gedacht had de vriendschap te beëindigen, werd hij overvallen door schuldgevoel.

'O nee,' antwoordde hij. 'Zó makkelijk kom je niet van me af.'

'Maar wat kan nu meer verdenking op je laden dan omgang met een –'

'– geleerde van de Grote Bibliotheek,' vulde Dannyl aan. 'Een nuttig en waardevol assistent. En een vriend. Als de roddelaars willen kletsen, zijn ze allang begonnen. Ze zullen zelfs meer te kletsen hebben als ze erachter komen dat we in het geheim berichten uitwisselen.'

Verrast opende Tayend zijn mond om iets te zeggen, maar schudde in plaats daarvan het hoofd. Hij keek naar zijn glas en hief het als om te toosten. 'Op de vriendschap dan maar.'
Met een brede glimlach hief Dannyl zijn glas om te klinken.

Rothen streek met een vinger langs de boekruggen terwijl hij zocht. Hij stopte toen de deur van de magiërsbibliotheek openging en hij Dorrien en Sonea zag binnenkomen. Hij fronste zijn voorhoofd. Sonea had hem gevraagd een paar boeken voor haar uit de bibliotheek te halen, maar nu kwam ze zelf met Dorrien binnen.
Heer Julien keek nors en zei dat ze haar kistje op de planken bij de deur neer moest zetten. Ze haalde een paar velletjes papier te voorschijn en zette het kistje op een plank. Dorrien knikte beleefd naar de bibliothecaris en liep met Sonea naar de lange boekenstellingen achterin.
Rothen besloot de gevraagde boeken te pakken voor hij het stel achterna ging. Hij ging door met zoeken en vond uiteindelijk het eerste boek van zijn lijstje een paar planken onder die waar het had moeten staan. Hij verwenste de magiër die het verkeerd had teruggezet.
Vaag merkte hij dat er iemand naar heer Julien toeliep en om hulp verzocht omdat hij iets niet kon vinden, maar hij hoorde wel dat Dorrien een vriendelijk gesprek met heer Galin in de volgende rij was begonnen. Iemand begon luid achter hem te hoesten en hij keek om. Heer Garrel stond daar met een zakdoek tegen zijn mond gedrukt akelig te kuchen. Toen werd er geroepen.
'Regin!' blafte Galin en beende het gangpad uit. Door de gaten in de boekenplanken heen kon Rothen Regin naast Juliens bureau zien staan.
'Ja, heer?' Hij straalde een al onschuld en verbazing uit.
'Wat heb je net in dit kistje gedaan?'
'Welk kistje, heer?'
Galin kneep zijn ogen tot spleetjes.
'Wat is er aan de hand, heer Galin?' Heer Garrel liep ook naar Juliens bureau.
'Ik zag dat Regin iets van Juliens bureau pakte en het in dit kistje deed.' Galin pakte Sonea's kistje van de plank en zette het voor Regin op het bureaublad neer.
Mompelend kwamen er nog meer magiërs aangelopen die benieuwd waren hoe dit drama zou aflopen. Ook heer Julien kwam van tussen de stellingkasten te voorschijn. Hij keek van de magiër naar de novice en vervolgens naar het kistje. 'Wat is hier nou weer aan de hand? Dit is Sonea's kist.'
Galins wenkbrauwen schoten omhoog. 'O ja? Hógelijk interessant.' Hij herhaalde wat hij had gezien. Heer Juliens wenkbrauwen vormden een diepe v op zijn voorhoofd.
'Zullen we maar eens kijken welk voorwerp van u Sonea volgens Regin

graag in haar bezit wenste te krijgen?' sprak Galin op formele toon.

Regin verbleekte. Rothen begon te glimlachen, maar schrok op toen er een hand op zijn schouder werd gelegd. Daar stond Dorrien naast hem, met de bekende ondeugende fonkeling in zijn ogen.

'Wat heb je nu weer gedaan?' fluisterde Rothen beschuldigend.

'Niets hoor,' antwoordde Dorrien met een blik van vermoorde onschuld. 'Regin heeft het zichzelf allemaal aangedaan. Ik heb er alleen maar voor gezorgd dat iemand het zág.'

Toen hij Sonea's kistje hoorde openklikken keek Rothen naar Julien, die er een zwart glimmend voorwerp uithaalde. 'Mijn tweehonderd jaar oude Elynese inktpot!' De bibliothecaris keek Regin aan. 'Kostbaar, maar hij lekt. Gefeliciteerd, Regin. Zelfs al had Sonea het zelf teruggezet zonder gesnapt te worden, dan nog zouden haar spullen onder de inkt gezeten hebben.'

Regin keek wanhopig naar zijn mentor.

'Ach, hij wilde alleen haar aantekeningen maar besmeuren,' zei Garrel. 'Gewoon een kwajongensstreek.'

'Dat lijkt me onwaarschijnlijk,' viel Galin hem in de rede. 'Want dan zou hij simpelweg de inkt over haar papieren hebben heen gegooid en de inktpot hebben teruggezet.'

Garrel keek nu zeer nijdig, maar Galins beschuldigende blikken verdwenen niet.

Heer Julien keek van de ene naar de andere magiër en toen naar de boekenkasten. 'Heer Dorrien,' riep hij.

Dorrien stapte naar voren. 'Ja?'

'Haal Sonea eens even voor me en breng haar hier.'

Dorrien knikte, liep de rijen boeken langs en kwam met Sonea terug. Rothen zag hoe ze een behoedzame houding aannam toen ze de magiërs naderde. Toen Julien uitlegde wat er was gebeurd, keek ze Regin kwaad aan.

'Ik vrees dat je aantekeningen onbruikbaar zijn geworden, Sonea,' zei Julien en hij liet haar de inhoud van haar kistje zien. Ze keek erin en trok een vies gezicht. 'Als je wilt zal ik je kistje voortaan in mijn kast zetten.'

Ze keek verrast naar hem op. 'Dank u, heer Julien,' zei ze rustig.

Hij sloot het kistje en zette het in de kast achter zijn bureau. Galin keek Regin aan. 'Je kunt weer aan het werk, Sonea. Regin en ik gaan eens een babbeltje maken met de directeur.'

Ze keek Regin nog een keer aan en liep toen terug naar de boekenplanken. Dorrien aarzelde maar volgde haar.

Galin wierp een blik op Garrel. 'Kom je mee?'

De Krijger knikte.

Terwijl de twee magiërs en de novice de bibliotheek verlieten, kwamen Dorrien en Sonea naar Rothen toe. Ze keken allebei zeer zelfvoldaan.

Hoofdschuddend keek hij hen streng aan. 'Dat was behoorlijk riskant. En als niemand het nu had gezien?'

Dorrien glimlachte. 'Ach, ik heb er gewoon voor gezorgd dat iemand het zag.' Hij keek naar Sonea. 'En jij kan behoorlijk verrast uit de hoek komen.' Ze glimlachte sluw. 'Ik was dan ook echt verrast dat het werkte.'

'Hmpff!' zei Dorrien quasi wanhopig. 'Heeft er dan niemand vertrouwen in me?' Zijn blik werd weer ernstig toen hij zich tot zijn vader wendde. 'Heb je trouwens gezien wie Julien van zijn bureau weglokte en iedereen afleidde zodat Regin zijn kwalijke daad kon uitvoeren?'

Rothen dacht even na. 'Garrel? Ach nee. Doe niet zo belachelijk. Regin nam gewoon zijn kans waar. Dat Garrel net om informatie vroeg en moest hoesten op het moment dat Regin tot actie overging, betekent nog niet dat hij meedoet met dat kinderachtige getreiter.'

'Ik hoop dat je gelijk hebt,' zei Dorrien. 'Maar ik zou hem toch maar in de gaten houden als ik jou was.'

19

De tentamens

e hemel kreeg net de warme tint van de dageraad toen Sonea het badhuis verliet. De lucht was echter nog fris, dus trok ze een schild rond zichzelf op waarbinnen ze de lucht verwarmde. Toen ze even bleef staan om haar gewaad recht te trekken, kwam een gestalte in een groen gewaad uit het gedeelte van het badhuis waar de mannen hun bad namen.

Toen ze Dorrien herkende, verbeterde haar stemming op slag. Aangezien hij van plan was om vanochtend vroeg te vertrekken, hadden ze gisteren afscheid genomen tijdens het diner in Rothens vertrek. Maar nu kreeg ze een extra mogelijkheid om hem te spreken voor hij weer naar huis ging.

'Ik had kunnen weten dat je een vroege vogel was,' zei ze.

Hij draaide zich om en keek haar verbaasd aan. 'Sonea! Wat doe je hier, de zon is net op!'

'Ik begin altijd vroeg. Dan kan ik tenminste wat afkrijgen zonder lastig-gevallen te worden.'

Hij trok één mondhoek op. 'Heel verstandig, maar laten we hopen dat het niet meer nodig is. Regin heeft je al een tijdje met rust gelaten toch?'

'Ja.'

'Mooi zo.' Hij hield zijn hoofd een beetje scheef en keek haar met fon-kelende ogen aan. 'Ik wilde nog even een oud lievelingsplekje van me op-zoeken voor ik vertrek. Wil je het zien?'

'Waar is het?'

'In het bos.'

Ze keek naar de takken van de bomen boven zich. 'Nog zo'n geheim plekje van je?'

Dorrien glimlachte. 'Ja, maar deze keer is het echt geheim.'

'O? Maar als je het mij laat zien, dan is het geen geheim meer.'

Hij grinnikte. 'Niet echt, nee. Het is alleen maar een plaats waar ik als jongen graag speelde. Ik verstopte me er altijd als ik weer wat op mijn geweten had.'

'Je zat er zeker heel vaak...'

'Wat dacht je!' Hij grijnsde. 'Nou, ga je mee?'

Ze keek naar haar kistje. Ze had naar de Eetzaal gewild. 'Maar duurt het niet lang?'

Hij schudde zijn hoofd. 'Ik breng je ruim op tijd voor de tentamens terug.'

'Oké dan,' zei ze.

Hij liep het pad op dat in het bos uitkwam. Terwijl ze naast hem liep, dacht ze terug aan de laatste keer dat ze hier gelopen had. Het was een koude nacht, een jaar geleden bijna, toen ze nog 'gevangene' van het Gilde was. Rothen had besloten dat ze frisse lucht en een beetje beweging nodig had. Niet ver in het bos lag een oude begraafplaats en Rothen had haar uitgelegd wat er met magiërs gebeurde wanneer ze stierven.

Ze huiverde toen ze het zich herinnerde. Wanneer het leven van een magiër ten einde was, liet hij de beheersing over zijn kracht varen. De resterende magie in zijn lichaam verteerde het, zodat vlees en botten in as en stof veranderden. Omdat er niets te begraven was, waren de graven leeg, en het bestaan van de oude begraafplaats was een mysterie.

Dorrien nam grote passen en ze moest snel lopen om hem bij te houden. Ze dacht terug aan het gesprek van de vorige avond en zag weer voor zich hoe enthousiast hij was geweest om terug te keren naar zijn dorp, maar ze had toch stilletjes gehoopt dat hij nog wat langer had kunnen blijven. Hoewel Rothen goed gezelschap was, was Dorrien wat energieker en altijd op zoek naar vermaak. Hij had haar levitatie geleerd, en een paar spelletjes. Al die spelletjes hadden met magie te maken, en hij genoot er zichtbaar van dat hij een maatje had om ze mee te spelen.

'Hoe is het eigenlijk om de enige magiër zijn te midden van gewone mensen?' vroeg ze.

Dorrien dacht daar even over na. 'Het is bevredigend en een uitdaging. De mensen vergeten geen moment dat je anders bent, hoe goed je elkaar ook leert kennen. Ze voelen zich altijd een beetje ongemakkelijk omdat je dingen kunt die ze niet begrijpen. Er zijn boeren die voor geen goud willen dat ik ze aanraak, al zijn ze dolblij dat ik hun vee beter kan maken.'

Ze knikte. 'Zo zijn de mensen in de sloppenwijk ook. Als de dood voor magiërs.'

'De meeste boeren waren eerst erg bang voor me. Het heeft heel wat tijd gekost eer ze me een beetje vertrouwden.'

'Voel je je nooit alleen?'

'Soms wel. Maar het is het waard.' Ze waren bij het bospad aangekomen en Dorrien sloeg linksaf. 'Het *klopt* gewoon wat ik doe. Er zijn mensen in die bergen die nu dood zouden zijn als ik er niet geweest was om hen te helpen.'

'Dat moet geweldig zijn, om te weten dat je mensenlevens gered hebt.'

Dorrien glimlachte. 'Het is de beste toepassing van magie die ik ken. In vergelijking daarmee bestaat de rest uit lichtzinnige spelletjes. Vader is het natuurlijk niet met me eens, maar ik heb alchemie altijd verspilling van krachten gevonden, om over krijgskunst maar te zwijgen.'

'De Alchemisten zeggen dat ze manieren gevonden hebben om mensen veiliger en comfortabeler te laten leven,' zei Sonea. 'En de Krijgers zeggen dat ze van levensbelang zijn voor de verdediging van Kyralia.'

Hij knikte. 'De Alchemisten hébben ook wel goed werk verricht, en het is ook niet goed om magiërs te laten vergeten hoe ze zichzelf moeten verdedigen. Ik denk dat ik gewoon een hekel heb aan hen die lekker doen waar ze zin in hebben, terwijl ze anderen hadden kunnen helpen. Degenen die al hun tijd verspillen aan hun fantastische hobby's.'

Sonea glimlachte toen ze dacht aan Dannyls experimenten met het overbrengen van beelden in het hoofd naar papier – waar hij nu geen tijd meer voor had omdat hij Gildeambassadeur van Elyne was geworden. Dorrien had het waarschijnlijk niet zo op Dannyls 'hobby'.

'Er zijn te veel Alchemisten en te weinig Genezers,' ging Dorrien voort. 'De Genezers houden zich voornamelijk bezig met de zieken met geld of status omdat ze geen tijd hebben om iedereen te helpen. We leren allemaal algemene geneeskunst. Er is geen enkele reden waarom Alchemisten en Krijgers de Genezers niet een handje zouden kunnen helpen. Daar zouden meer mensen bij gebaat zijn.

Ik help iedereen die mijn hulp nodig heeft: herders, handwerkslieden, boeren, reizigers. Er is geen enkele reden waarom Genezers hier niet hetzelfde zouden kunnen doen. De handwerkslieden betalen belasting en een deel van die belasting vormt ondersteuning van het Gilde. Dan zouden ze toch ook recht moeten hebben op diensten van het Gilde, dat zijn bestaan aan hen dankt.'

Hij sprak steeds harder. Dit was blijkbaar een zaak die hem echt ter harte ging.

'En de mensen in de sloppen?' vroeg ze.

Hij paste zijn tempo aan dat van haar aan. 'Ook,' zei hij. 'Al denk ik dat we erg voorzichtig moeten zijn hoe we dat aanpakken.'

Ze fronste haar voorhoofd. 'Hoezo?'

'De sloppen maken deel uit van een veel groter probleem en dan zouden we misschien veel tijd en moeite verspillen. Het zijn een soort – neem me niet kwalijk dat ik het zeg – zweren op de huid van de stad, die wijzen op een ziekte die dieper in het lichaam zit. De zweren zullen niet verdwijnen tot de dieper gelegen oorzaken worden opgelost.'

'Dieper gelegen oorzaken?'

'Ja.' Dorrien bekeek haar snel van terzijde. 'Als ik bij mijn analogie blijf zou ik zeggen dat de stad in een vette, taartjes etende oude Krijger veranderd is. Hij weet niet, of het kan hem geen barst schelen, dat zijn gulzigheid zijn lichaam aantast en dat zijn vette pens hem een afschuwelijk uiterlijk geeft. Hij is al niet fit meer, maar als hij ook geen vijanden meer heeft om zich druk over te maken, vindt hij het wek best om op de bank te liggen en zichzelf te verwennen.'

Sonea keek hem vol bewondering aan. Wat hij zei, was dat de koning en de Huizen hebzuchtig en lui waren, en de rekening werd betaald door de rest van de stad.

Hij keek haar ietwat onzeker aan. 'Dat wil natuurlijk niet zeggen,' voegde hij er haastig aan toe, 'dat we er niets aan moeten doen omdat het zo'n groot probleem is. Natuurlijk moeten we er wat aan doen.'

'Zoals?'

Hij glimlachte. 'Zeg, ik wil onze wandeling niet bederven door een tirade af te steken tegen het systeem. Hier is de weg al.'

Ze liepen langs de huisjes van de oudere bewoners van het Gildeterrein die met pensioen waren. De weg kwam uit in het bos en Dorriens laarzen deden de sneeuw kraken. Sonea volgde hem op de voet.

Spoedig werd de grond wat minder vlak. Haar zware kistje maakte haar het lopen over het smalle pad steeds lastiger, dus liet ze het achter op een omgevallen boom, beschermd door magie. De steile helling maakte haar aan het hijgen. Tenslotte stopte Dorrien ook en leunde tegen de stam van een enorme boom.

'Eerste herkenningspunt. Prent deze boom in je geheugen, Sonea. Loop over het pad tot je er bent, ga dan naar het oosten en klim verder tot je de muur vindt.'

'De Buitenmuur?'

Hij knikte. Sonea onderdrukte een gekreun. De Buitenmuur was behoorlijk ver het bos in.

Ze klauterden nog een paar minuten heuvelopwaarts door de sneeuw, tot Sonea geen adem meer over had. 'Stop!' riep ze toen haar benen haar niet verder wilden dragen. Dorrien draaide zich grinnikend om en ze was blij te zien dat hij ook behoorlijk hijgde. Hij gebaarde naar een hoop door sneeuw bedekte rotsblokken verderop.

'De muur.'

Sonea staarde naar de sneeuw en besefte toen dat de rotsblokken eronder grote rechte stukken metselwerk waren, die verspreid door het bos lagen. Die uiteengevallen brokken waren alles wat er over was van de Buitenmuur.

'En nu,' zei Dorrien tussen twee happen adem in, 'moeten we naar het noorden.'

Voor ze kon protesteren was hij alweer op weg. Ze hoefden niet meer omhoog te klimmen dus liep het wat makkelijker, en ze kwam geleidelijk aan weer op adem. Dorrien bereikte een rotsachtig uitsteeksel, klom eroverheen en was verdwenen. Sonea volgde zijn sporen in de sneeuw en stond plotseling in een kring van enorme rotsblokken. Aangezien er veel grote bomen omheen stonden zag ze wel in dat deze plek goed verborgen zou zijn wanneer de bladeren weer zouden verschijnen. Aan één kant sijpelde er water langs de rotsen naar beneden dat terechtkwam in een poeltje met een rand van ijs, voor het verder omlaag stroomde. Dorrien stond een paar stappen verderop, met een grijns op zijn gezicht.

'Dit is het. De bron. De oorsprong van het Gildewater.'

Ze liep naar waar het water uit een spleet tussen de rotsen kwam stromen.

'Het is schitterend,' zei ze. 'Wat moet het hier mooi zijn in de zomer.'

'Wacht niet tot het zomer is.' Dorriens ogen fonkelden. 'In de lente is het net zo mooi. Als het begon te dooien ging ik er zo vaak mogelijk heen.'

Sonea stelde zich Dorrien als jongen voor terwijl hij de heuvel opklauterde en hier in zijn eentje zat. Het jongetje dat een novice werd en vervolgens een Genezer. Ze zou hier terugkomen, besloot ze. Het zou een plek zijn waar ze heen kon gaan als het nodig was een tijdje alleen te zijn, weg van Regin en de andere leerlingen. Misschien was dat Dorriens bedoeling geweest.

'Waar denk je aan, kleine Sonea?'

'Ik wilde je bedanken.'

Hij trok zijn wenkbrauwen op. 'Bedanken?'

'Omdat je Regin verslagen hebt. Omdat je me mee hebt genomen op het dak van de universiteit.' Ze grinnikte. 'En me leerde leviteren.'

'Ah joh,' zei hij en wuifde het weg. 'Dat was een makkie.'

'En omdat je me geleerd hebt weer een beetje te genieten. Ik geloofde al bijna dat tovenaars gewoon geen lol kunnen hebben.' Ze glimlachte verlegen. 'Ik weet dat je terugmoet, maar ik wou dat je langer kon blijven.'

Hij keek haar ernstig aan. 'Ik zal jou ook missen, kleine Sonea.' Hij kwam naar haar toe en het leek alsof hij iets wilde zeggen, maar er kwam geen woord uit. Hij legde een vinger onder haar kin, tilde haar hoofd op, boog zich naar haar toe en kuste haar op de mond.

Verrast deed ze een stapje achteruit. Hij stond heel dichtbij, met schitterende, vragende ogen. Opeens werd haar gezicht heel warm en haar hart begon sneller te kloppen. Ze glimlachte timide en ze kreeg die lach niet van haar gezicht. Dorrien lachte zachtjes en boog zich voorover om haar nogmaals te kussen.

Deze keer bleven zijn lippen op de hare rusten en ze werd er zich bewust van hoe zacht en warm ze aanvoelden. Een rilling liep langs haar ruggengraat, maar koud had ze het niet. Toen hij zich terugtrok bleef ze iets voorover hangen om het langer te laten duren.

Hij deed een stap achteruit en zijn glimlach verdween. 'Sorry, dat was niet eerlijk van me.'

Ze slikte. Schor zei ze: 'Niet eerlijk?'

Hij keek naar zijn voeten met een ernstige blik. 'Omdat ik wegga. Omdat je ongetwijfeld iemand anders tegen zult komen tussen nu en Joost mag weten wanneer, en dan stuur je hem vanwege mij weg.'

Sonea lachte, een beetje verbitterd. 'Dat betwijfel ik.' Dacht hij nu heus dat ze zijn kus alleen verwelkomde omdat ze dacht dat er niemand anders romantische gevoelens voor haar zou kunnen koesteren?

Deed ze dat dan? Een paar minuten geleden had ze niet eens de mogelijkheid overwogen dat hij ooit meer zou kunnen worden dan een vriend. Ze schudde haar hoofd en glimlachte. 'Wat een verrassing was dat, Dorrien.'

De glimlach speelde weer rond zijn mond.

Dorrien?

Ze herkende Rothens stem in haar hoofd.

Vader, antwoordde Dorrien.

Waar ben je?

Even een ochtendwandeling maken.

De stalmeester is hier.

Ik kom eraan. Dorrien glimlachte verontschuldigend. 'Ik ben bang dat we er langer over gedaan hebben hier te komen dan ik dacht.'

Ze kreeg een angstig voorgevoel. Zou ze te laat zijn voor de eerstejaarstentamens? 'Kom op.'

Ze klauterden over de rotsen en liepen snel terug. Na een snelle afdaling kwamen ze bij de boomstam waarop ze haar kistje had neergezet. Daarna bereikten ze de weg en begonnen ze te rennen.

Af en toe keek ze naar Dorrien en vroeg zich af waaraan hij dacht. Soms merkte ze ook dat hij naar haar keek, en ze keek glimlachend terug. Hij reikte naar haar hand. Zijn vingers waren warm, en beteuterd voelde ze dat hij haar losliet toen het Gildeterrein in zicht kwam.

Toen zij bijna bij de Magiërsvertrekken waren kwam Rothen hen al tegemoet.

'Je paard staat al een tijdje voor, Dorrien.' Hij bekeek hen van boven tot onder, en trok zijn wenkbrauwen op toen hij de sneeuw op haar laarzen en gewaad zag. 'Gaan jullie je eerst maar eens afdrogen.'

Stoom steeg op uit Dorriens kleren toen ze over het pad rond de universiteit liepen. Ook Sonea concentreerde zich en verhitte de lucht om zich heen om haar kleren te drogen. Er stond een stalknecht voor de hoofdingang van de universiteit met de teugels van Dorriens paard in de hand.

Dorrien omhelsde eerst Rothen en toen Sonea, allebei even stevig.

'Pas goed op elkaar,' zei hij.

'Pas jij maar goed op jezelf,' antwoordde Rothen. 'En dwing jezelf niet door een sneeuwstorm te rijden om een paar uur eerder thuis te zijn.'

Dorrien sprong in het zadel. 'Er is nog nooit een sneeuwstorm geweest die mij kon tegenhouden!'

'Waar heb je afgelopen weken dan over lopen klagen?'

'Ik? Klagen?'

Lachend sloeg Rothen zijn armen over elkaar. 'En nou wegwezen, jij.'

Dorrien grijnsde. 'Tot ziens, vader.'

'Tot ziens, Dorrien.'

Dorriens ogen fonkelden toen hij Sonea aankeek. Ze voelde een aarzelende aanraking aan de randen van haar geest.

Tot ziens, Sonea. Leer snel.

Toen galoppeerde Dorriens paard weg, door de poort en naar de met sneeuw bedekte straten van de stad. Ze bleven een paar minuten naar de poort kijken; toen zuchtte Rothen en wierp een blik op Sonea. Hij kneep zijn ogen half toe.

'Hm,' zei hij. 'Hier is iets aan de hand.'

Ze keek zo neutraal mogelijk. 'Zoals?'

'Maak je geen zorgen.' Hij glimlachte en liep met een wetende blik de trappen van de universiteit op. 'Ik ben er helemaal voor. Ik geloof niet dat het leeftijdsverschil een probleem zal zijn. Het duurt nog maar een paar jaar. Maar je realiseert je toch wel dat je hier tot na je afstuderen moet blijven, hè?'

Sonea deed haar mond open om te protesteren, maar sloot hem meteen toen ze iemand door de hoofdingang zag lopen. Ze pakte Rothen bij de arm.

'Het kan me niet schelen dat je vermoedens koestert, Rothen,' zei ze zacht. 'Maar ik zou het fijn vinden als je daar binnenskamers over mijmert.'

Hij fronste zijn voorhoofd en keek haar verrast aan. Ze hield haar aandacht op de ingang gericht. Toen ze binnenkwamen echoden er snelle voetstappen op de treden. Sonea zag een bekende novice die zich naar boven haastte.

Haar maag kromp ineen. Ze kende die blik op Regins gezicht maar al te goed. Ze mocht dan wat sympathie van de leraren hebben gewonnen nu Regin op heterdaad was betrapt terwijl hij van plan was haar als dief te boek te stellen, maar ze twijfelde eraan of ze verlost zou zijn van zijn getreiter. De voorbereidingen voor de eerstejaarstest hadden de jongen beziggehouden, maar ze verdacht hem van een pittige wraakactie.

'Ik zie je vanavond,' zei ze tegen Rothen.

Hij knikte ernstig. 'Veel succes, Sonea. Ik weet dat het wel zal lukken.'

Ze glimlachte en liep de trap op. Bovenaan keek ze voorzichtig de gang in. Die stond vol novicen, die zacht maar gespannen met elkaar praatten – angst en verwachting hingen in de lucht. Toen ze bij haar lokaal kwam stapte ze naar binnen.

Regin zat al op zijn gebruikelijke plaats en keek haar oplettend aan. Ze maakte een buiging voor de twee leraren die voor de klas stonden en ging zitten. Ze deed haar kistje open en nam het geschiedenisopstel voor heer Skoran eruit. Ze bladerde het snel door, maar het was nog helemaal compleet. Al had ze het kistje waarin het opstel zat verzegeld, ze had het niet vreemd gevonden als Regin het toch te pakken had weten te krijgen.

Skoran knikte goedkeurend toen ze hem de pagina's overhandigde. Tot haar tevredenheid stopte hij ze in een doos die hij op slot deed.

Regin zat onophoudelijk naar haar te kijken; ze deed of ze het niet zag en richtte haar blik op de binnenkomende leerlingen die hun werk aan de leraar gaven. Toen ze er allemaal waren, stapte heer Vorel naar voren met zijn armen over elkaar.

'Vandaag zullen jullie de eerstejaarstentamens in strijdvaardigheden afleggen,' deelde hij mee. 'Jullie zullen het allemaal tegen elkaar moeten opnemen en zullen cijfers krijgen voor vaardigheid, beheersing en uiteraard gewonnen wedstrijden. Volg me alsjeblieft.'

Sonea stond met de rest van de klas op. Toen de eerste novicen de klas verlieten, draaide Regin zich met een mierzoete glimlach naar haar toe.

Ze was bedreven genoeg geraakt in het negeren van zijn blikken. Maar nu daalde er een kilte over haar neer. Hoewel ze nog steeds veel sterker was dan de anderen, hadden de beperkingen van heer Vorel ervoor gezorgd dat ze haar kracht niet altijd in haar voordeel mocht gebruiken. Via het binnenschild dat hij rond de leerlingen legde voor hun bescherming kon hij blijkbaar voelen of haar treffers krachtiger waren dan hij fatsoenlijk vond. Regin was nog altijd beter als Krijger en hoewel hij geen extra lessen meer kreeg van heer Balkan, had niemand iets gezegd over de extra lessen die hij van heer Garrel had gekregen.

Toen ze het lokaal uitstapte, kwam er opeens een bediende in een koeriersuniform naar haar toe. 'Vrouwe Sonea,' zei de jongen, 'u wordt dringend verzocht om onmiddellijk naar heer Rothens kamer te komen.'

Verbaasd keek ze op naar heer Vorel. De magiër fronste zijn voorhoofd. 'We kunnen niet op je wachten, Sonea. Als je binnen een uur niet terugbent moeten we volgend jaar maar een herexamen voor je organiseren.'

Sonea knikte. Ze bedankte de boodschapper en holde snel weg.

Waarom liet Rothen haar halen? Hij had nauwelijks genoeg tijd gehad om zijn vertrek binnen te gaan nadat ze elkaar gedag hadden gezegd. Misschien had hij ontdekt dat Regin inderdaad een nieuwe val had gezet en had hij een idee om dat plan te verijdelen.

Ze schudde haar hoofd. Zoiets deed Rothen niet. In zo'n geval zou hij proberen heer Vorel in te lichten in plaats van haar van een belangrijk tentamen weg te halen. Tenzij hij haar alleen wilde vertellen wat Regin zou proberen. Dan kon ze zich daarop voorbereiden en nog voor de partijen begonnen in de Arena zijn.

Maar als dat zo was, waarom had hij haar dan zelf niet buiten de klas opgewacht?

Toen ze naar de uitgang liep, bedacht ze dat de boodschapper niet had gezegd dat het een boodschap *van* Rothen was. Het kon een boodschap *over* Rothen zijn! Misschien was hij ziek geworden. Hij was niet oud, maar zeker niet jong meer. Wie weet was hij—

Hou op met piekeren! zei ze streng tegen zichzelf. *Er is waarschijnlijk niets aan de hand.* Desondanks bleef ze rennen naar de Magiërsvertrekken, de hele binnenplaats over. Haar hart bonsde toen ze de trap opstoof en de gang in holde.

Rothens deur zwaaide open toen ze hem aanraakte. Rothen stond bij het raam. Hij draaide zich om toen ze binnenkwam. Ze wilde net vragen wat er aan de hand was, toen ze zijn waarschuwende uitdrukking opmerkte. Ze voelde dat hij hier was. Haast tastbaar en onverhuld. Zijn aanwezigheid hing in de kamer als een dikke verstikkende rookwolk. De angst sloeg haar om het hart, maar het lukte haar een verraste, respectvolle uitdrukking op haar gezicht te leggen. *Je weet niet waarom hij hier is,* zei ze tegen zichzelf. *Laat niet merken hoe bang je voor hem bent.* Ze hield haar ogen op de grond gericht, draaide zich om naar de bezoeker en boog.

'Mijn excuses, opperheer.'

Geen antwoord.

'Sonea.' Rothens stem was laag en gespannen. 'Kom eens hier.'

Ze keek Rothen aan en voelde haar maag een kwartslag draaien. Zijn gezicht was doodsbleek. Hij wenkte haar en zijn hand trilde licht. Omdat hij klaarblijkelijk zo bang was liep ze snel naar hem toe.

Rothen sprak de opperheer ogenschijnlijk kalm toe. 'Sonea is hier, zoals u verzocht. Hoe kunnen we u van dienst zijn?'

Akkarin keek Rothen aan met een blik die haar had kunnen bevriezen. 'Ik ben hier om de bron van een zeker... gerucht te vinden. Een gerucht waarover de administrateur mij heeft ingelicht en waarbij jullie beiden betrokken zijn.'

Rothen knikte. Hij leek zijn woorden met uiterste zorgvuldigheid te kiezen. 'Ik dacht dat het gerucht nu wel ontzenuwd was. Niemand scheen er eigenlijk in te geloven, en —'

De donkere ogen bliksemden. 'Niet dát gerucht! Ik heb het over een gerucht dat míjn nachtelijke activiteiten betreft! Een gerucht dat onmiddellijk de kop ingedrukt moet worden.'

Sonea's keel werd dichtgeknepen door een onzichtbare hand; ze kon haast geen adem meer halen. Rothen fronste zijn voorhoofd en schudde het hoofd.

'Ik vrees dat u een vergissing maakt, opperheer. Ik weet niets van uw —'

'Lieg toch niet tegen me, Rothen.' Akkarin kneep zijn ogen tot spleetjes. 'Ik zou hier niet staan als ik er niet verdomd zeker van was.' Hij deed een stap in hun richting. 'Ik heb alles zojuist in Lorlens geest gelezen.'

Het laatste spoortje bloed trok uit Rothens gezicht weg. Hij staarde Akkarin in stilte aan. Als Akkarin Lorlens geest gelezen had, dan wist hij alles! Sonea voelde haar knieën knikken, en bang dat ze ineen zou zakken greep ze zich aan het raamkozijn achter zich vast.

De opperheer trok zijn mondhoeken licht op. 'Ik was nogal onder de indruk van wat ik zag: hoe Sonea op het terrein van het Gilde rondsloop toen ze nog een rebel was, waar ze die avond getuige van was, hoe Lorlen dit via een waarheidslezing gedurende de hoorzitting ontdekte en dat hij jullie opdracht gaf hier met niemand over te spreken zodat hij uit kon vissen hoe hij de wetten van het Gilde kon aanpassen. Een verstandige beslissing. En bijzonder gelukkig voor jullie alle drie.'

Rothen rechtte zijn rug en keek Akkarin weer aan. 'We hebben het er met niemand over gehad.'

'Dat zeg jij.' De stem van de opperheer was zachter geworden, maar nog steeds ijskoud. 'Hoe kom ik te weten of dat waar is?'

Sonea hoorde Rothen moeizaam ademhalen. De twee magiërs staarden elkaar diep in de ogen.

'En als ik weiger?'

'Ik zal alle maatregelen te baat nemen als je me dwingt, Rothen. Je kunt niet voorkomen dat ik je gedachten lees.'

Rothen keek de andere kant op. Meteen schoot Sonea de beschrijving van Cery's gedachtelezing te binnen. Cery had haar verteld dat toen Akkarin hem ontdekte, gevangen in een kamer onder de universiteit, hij de opperheer had toegestaan zijn gedachten te lezen zodat de waarheid kon worden achterhaald. Het scheen in niets te lijken op Lorlens waarheidslezing, zo snel en makkelijk ging het, en ze kwam tot de conclusie dat het verhaal dat Akkarin in staat was ieders gedachten te lezen, of ze er nu in toestemden of niet, een kern van waarheid moest bevatten.

Stijfjes, alsof hij de botten had van een man van twintig jaar ouder, schuifelde Rothen op de opperheer af. Sonea keek verbijsterd toe, want ze vond het ongelooflijk dat hij zo makkelijk toegaf.

'Rothen...'

'Het is in orde, Sonea.' Rothens stem klonk gespannen. 'Blijf waar je bent.'

Akkarin verkleinde de afstand tussen hem en haar mentor tot enkele stappen. Hij legde zijn handen tegen de zijkanten van Rothens hoofd. Hij sloot zijn ogen, zijn gezicht ontspande zich en werd onverwacht vredig.

Rothen haalde diep adem en wankelde. De handen werden als klemmen tegen zijn hoofd gedrukt en ontspanden zich weer. Sonea deed een stap naar voren maar stopte. Ze durfde zich er niet mee te bemoeien, want stel dat Akkarin Rothen dan pijn zou doen? Gefrustreerd en angstig balde ze haar vuisten tot haar nagels in haar handpalmen sneden.

De twee magiërs bleven zwijgend een ondraaglijk lange tijd stilstaan. Toen, zonder waarschuwing, haalde Akkarin diep adem en opende zijn ogen. Even keek hij strak naar de man voor zich, trok toen zijn handen van hem af en stapte naar achteren.

Sonea zag ongerust hoe Rothen lang en rasperig ademhaalde en weer enigszins wankelde. Akkarin sloeg zijn armen over elkaar en hield zijn ogen op de oude magiër gericht. Sonea deed een paar stappen voorwaarts en nam Rothen bij de arm.

'Niks aan de hand,' zei hij uitgeteld. 'Alles in orde.' Hij wreef over zijn slapen en kneep even in een van haar handen om haar gerust te stellen.

213

'Welnu, Sonea...'

Een golf van angst sloeg door haar lichaam. Rothens handen grepen haar vast.

'Nee!' protesteerde hij schor. Hij sloeg beschermend een arm om haar schouders. 'U weet nu alles. Laat haar met rust.'

'Dat kan ik niet.'

'Maar u hebt nu alles gezien,' wierp Rothen tegen. 'Ze is nog maar een—'

'Kind?' Akkarin trok zijn wenkbrauwen op. 'Een meisje? Kom nou, Rothen. Je weet best dat ik hier niemand kwaad doe.'

Rothen slikte en wendde zich langzaam tot haar. Hij keek haar diep in de ogen. 'Hij weet alles, Sonea, er valt niets voor hem te verbergen. Laat hij het voor zichzelf bevestigen, als hij zo nodig moet. Pijn doet het niet.'

Zijn vochtige ogen bleven haar aankijken. Sonea voelde hoe hij in haar handen kneep en haar toen losliet. Hij stapte achteruit. Er steeg een vreselijk gevoel van verraad in haar op.

Vertrouw me. We moeten samenwerken. Dat is alles wat we nu kunnen doen.

Ze hoorde Akkarin achter zich bewegen. Haar hart bonsde toen ze zich omdraaide. Het zwarte gewaad ruiste terwijl de opperheer naderbij kwam. Ze voelde Rothens handen om haar schouders. Akkarin fronste terwijl hij zijn handen naar haar uitstak. Koele vingers gleden over haar gezicht en ze kromp ineen. Toen drukte hij zijn handpalmen stevig tegen haar slapen.

Alsof een wezen zonder persoonlijkheid haar geest aanraakte. Gedachten of gevoelens had het wezen niet. Misschien hád hij geen emoties. Dat was geen rustgevend idee.

Toen schoot er een beeld door haar hoofd. Ze schrok en besefte dat ze had zitten wachten tot hij de barrière in haar geest zou slechten. Dat was hem dus gelukt.

Hetzelfde beeld bleef haar geest doorkruisen. Het bestond uit een ondergrondse kamer onder zijn huis, door een open deur gezien. Er ontstond een herinnering aan het gebeuren waarvan ze getuige was geweest, die avond dat ze hem bespioneerd had.

De herinnering werd beetgepakt en uiteengereten op zoek naar details. Sonea herinnerde zich hoe Lorlen haar herinneringen gemanipuleerd had en hoe ze ze had kunnen verbergen door ze buiten haar gedachten te houden. Misschien kon ze dat ook nu doen. Ze probeerde haar herinnering te onderdrukken, maar de gedachtelezer ging zonder te stoppen door met zijn onderzoek. Haar pogingen hadden geen succes, besefte ze, omdat Akkarin de herinnering beheerste, terwijl Lorlen haar alleen aangemoedigd had.

Van die ontdekking raakte ze haast in paniek. In haar wanhoop probeerde ze haar herinnering te bedelven onder andere gedachten en beelden.

Ophouden!

Een ondertoon van woede onderstreepte het woord. Sonea stopte even, en een triomfantelijk gevoel maakte zich van haar meester toen ze inzag dat ze een manier gevonden had om hem dwars te zitten. Haar angst veranderde in vastbeslotenheid. Ze haalde een stortvloed aan lessen, jaartallenlijstjes, beelden van werk dat ze had gedaan naar boven. Ze bombardeerde hem met plaatjes uit lesboeken en onzingedichtjes die ze in de bibliotheek had ontdekt. Ze smeet herinneringen uit de sloppenwijk naar hem, onbeduidende feitjes uit haar oude dagelijkse leven.

Er verscheen een afbeelding van een wervelstorm in haar hoofd, een wirwar van beelden waarbinnen hij gevangenzat. Ze wist niet of het beeld echt was of iets dat haar geest had gevormd...

Au! Messen gingen in haar schedel tekeer. Een kreet weerklonk in haar oren. Toen tot haar doordrong dat hij uit háár mond kwam deed ze haar ogen open en haar bewustzijn schommelde heen en weer tussen de tastbare en de innerlijke wereld. Handen grepen haar schouders vast. Er kwam een stem van boven haar.

'Hou op. Werk me niet tegen,' was het bevel.

Handen drukten hard tegen haar slapen. Ze viel terug in het domein van haar innerlijk. Gedesoriënteerd en geschokt door de pijn probeerde ze haar evenwicht te herwinnen. Het wezen kwam terug om door te gaan met het graven in haar herinneringen naar de details die hij zocht. Meedogenloos riep hij beeld na beeld op. Nu herleefde ze weer de gebeurtenissen op het Noordplein. Opnieuw gooide ze de steen en vluchtte ze voor het vuur van de magiërs. Kamers en gangetjes van de sloppenwijk schoten voorbij. De dag dat ze Rothens zoekende geest had gevoeld en instinctief haar aanwezigheid verborgen had. Cery, Harrin en zijn bende. Faren van de Dieven, Senfel, de magiër van de Dieven.

En toen sloop ze weer door het bos op het Gildeterrein. De herinneringen werden scherper en nauwkeurig bekeken. Nogmaals klom ze over de muur bij het Genezerspaviljoen en zag de novicen aan het werk. Opnieuw voelde ze de vibratie rond de Arena. Ze gluurde door raampjes van de universiteit. Haar reis bracht haar naar de achterkant van het Gilde om een kijkje in de novicenvertrekken te nemen en door de bossen eromheen te ploeteren. Toen, nadat Cery weggegaan was om de boeken te stelen, sloop ze naar het vreemde, twee verdiepingen tellende huis. De bediende kwam, waardoor ze zich achter de bosjes moest verstoppen. Toen ze licht door de ventilatieroosters zag schijnen, kroop ze naderbij en keek erdoorheen.

Ze voelde ergernis opflakkeren. *Ja*, dacht ze, *ik zou ook nijdig worden als mijn geheimen zo simpel ontdekt konden worden.* Ze zag de met bloed besmeurde man zijn kleren uittrekken, zichzelf schoonmaken en uit beeld verdwijnen. Hij keerde terug, gekleed in een zwart gewaad, en sprak met zijn bediende. 'Het gevecht heeft me verzwakt. Ik heb je kracht nodig.' De man haalde een kostbaar bewerkt mes te voorschijn en maakte een snede in de arm van zijn bediende, en legde toen zijn hand op de wond. Weer voelde ze een vreemd soort magie.

De herinnering stopte en ze voelde ook niets meer van het wezen dat in haar op de loer lag. Waar dacht hij aan, vroeg ze zich af...

Heb je dit ook maar aan iemand anders laten weten dan Lorlen en Rothen?
Nee, dacht ze.

Ze ontspande zich, want dit moest alles zijn wat hij wilde weten, maar er volgde nog een niet-aflatende ondervraging terwijl hij haar geheugen af-speurde naar andere herinneringen. Hij wroette in delen van haar leven, van haar jeugd tot aan de lessen aan de universiteit. Hij rommelde in haar gevoe-lens, van haar genegenheid voor Rothen en de eeuwige loyaliteit voor Cery en de sloppers, tot aan de nieuwe gevoelens die ze voor Dorrien had gekre-gen.

En ongevraagd steeg er woede in haar op omdat hij haar dit durfde aan te doen. Hij wilde weten wat ze voelde voor zijn praktijken van zwarte magie, en haar geest beantwoordde met walging en angst. Zou ze hem verraden als ze kon? *Ja!* Maar alleen als ze wist dat Rothen en anderen daar geen schade van zouden ondervinden.

Toen verdween het wezen in haar geest en de druk op haar slapen viel weg. Ze deed haar ogen open en knipperde tegen het licht. Akkarin liep langzaam uit hun buurt. Ze voelde Rothens handen nog op haar schouders, standvastig en geruststellend.

'Jullie zouden me beiden verraden als jullie konden,' zei Akkarin. Hij zweeg een tijdje en keek hen toen weer aan. 'Ik neem Sonea's mentorschap over. Ze is goed opgeschoten en, zoals Lorlen al vermoedde, haar kracht is ongewoon groot. Niemand zal mijn keuze in twijfel trekken.'

'Nee!' riep Rothen ontzet uit. Zijn vingers grepen haar schouders vast.

'Ja,' zei Akkarin rustig. 'Zij zal ervoor zorgen dat jij zwijgt. Jij zal niemand laten weten dat ik aan zwarte magie doe terwijl zij onder mijn hoede staat.' Zijn ogen gleden naar Sonea. 'En Rothens welzijn hangt af van jouw mede-werking.'

Sonea staarde hem vol afschuw aan. Ze werd door hem gegijzeld!

'Jullie spreken niet meer met elkaar behalve als jullie zwijgen argwaan zou wekken. Jullie gedragen je alsof er niets meer gebeurd is dan een wisseling van mentor. Is dat begrepen?'

Rothen hapte naar adem. Sonea draaide zich ongerust om. Hij keek haar aan en ze zag schuldgevoelens in zijn ogen.

'Het alternatief is minder aangenaam,' sprak Akkarin waarschuwend.

Rothen klonk gespannen. 'Ik... begrijp het. We doen wat u vraagt.'

'Mooi.'

Akkarin stapte dichterbij en Sonea keek omhoog om zijn priemende blik te zien.

'Er is een kamer in mijn woning voor de novice van de opperheer. Je komt meteen met me mee. We sturen later een bediende om je bezittingen op te halen.'

Sonea keek Rothen aan, met toegeknepen keel. Hij keek haar smekend aan.

Het spijt me.

'Nu, Sonea.' Akkarin maakte een gebaar naar de deur. Hij zwaaide open. Ze voelde Rothens handen van haar schouders glijden. Hij gaf haar een miniem zetje. Ze keek even naar Akkarin en begreep dat Rothen het vreselijk zou vinden als ze meegesleept moest worden. Hij zou wel iets bedenken om haar te helpen. Hij zou alles doen wat in zijn macht was. Maar nu konden ze niets anders doen dan gehoorzamen.

Ze haalde diep adem en liep talmend van Rothen weg, de gang op. Akkarin keek Rothen nog één keer taxerend aan en liep naar de deur. Toen de opperheer zich omdraaide, kneep Rothen zijn ogen van haat samen.

Toen viel de deur in het slot en kon hij haar niet meer zien.

'Kom maar mee,' zei Akkarin. 'De novicekamer thuis heeft tientallen jaren geen bewoner gehad, maar hij staat dag en nacht gereed. Je zult het er in elk geval een stuk aangenamer vinden dan in je vertrek bij de novicen.'

Deel Twee

20

Wat een bof...

De deur van zijn kantoor ging open en de directeur van de universiteit keek op wie er binnenkwam. Voor de eerste keer in haar leven zag Sonea de gebruikelijke zure uitdrukking van Jerriks gezicht verdwijnen. Hij sprong overeind.

'Wat kan ik voor u doen, opperheer?'

'Ik wil Sonea's opleiding bespreken. Ik heb je verslag gelezen, en haar gebrek aan bedrevenheid in sommige vakken baart me zorgen.'

Jerrik keek verbaasd. 'Maar Sonea gaat toch uitstekend vooruit.'

'Haar cijfers voor strijdvaardigheden zijn maar zwakjes.'

'Ach.' Jerrik keek naar Sonea. 'Toch is het niet ongebruikelijk voor een magiërsleerling om in dit stadium van de studie iets minder goed te zijn in een van de vakken. Ze mag dan niet uitblinken in strijdvaardigheden, maar de resultaten zijn toch ruim voldoende.'

'Toch wil ik dat er aan dit vak extra aandacht wordt besteed. Heer Yikmo lijkt me een uitstekende leraar voor haar.'

'Heer Yikmo?' Jerrik trok zijn borstelige wenkbrauwen op. 'Hij geeft 's avonds geen les, maar als Sonea 's avonds een van de andere vakken zou volgen, dan zou er overdag tijd genoeg voor zijn.'

'Ik meen dat ze gisteren haar tentamen strijdvaardigheden heeft gemist.'

'Ja,' antwoordde Jerrik. 'Gewoonlijk zouden we een herexamen na de vakantie inlassen, maar ik denk dat een beoordeling van heer Yikmo in dit geval voldoende is.' Hij keek naar zijn bureau. 'Ik kan Sonea's rooster voor volgend jaar nu al aanpassen, als u wilt. Dat duurt maar eventjes.'

'Ja. Ik laat Sonea hier om het mee te nemen. Dank u, directeur.'

De persoon naast haar verdween. Toen de deur in het slot viel haalde Sonea diep adem en liet de lucht langzaam ontsnappen. Hij was weg. Eindelijk.

Met een plofje liet Jerrik zich weer op zijn stoel zakken. Hij wuifde naar een houten stoel voor het bureau.

'Neem toch plaats, Sonea.'

Ze gehoorzaamde. Haar ademhaling kreeg ze weer onder controle, waardoor ze de spanning uit haar spieren voelde vloeien.

Alles dat gebeurd was nadat ze Rothen had moeten verlaten was een nachtmerrie geweest. Ze was met Akkarin meegelopen naar zijn villa, waar een bediende haar haar kamer op de eerste verdieping had laten zien. Niet lang daarna was er een kist gebracht met haar spullen uit de novicenvertrekken. Een andere bediende had haar een dienblad met een bord eten gebracht, maar Sonea was veel te rusteloos om een hap door haar keel te krijgen. In plaats daarvan ging ze bij een van de kleine ramen zitten, niet om naar de magiërs en novicen te kijken die over het terrein wandelden, maar om te proberen een uitweg uit deze situatie te vinden.

Allereerst overwoog ze naar de sloppen te ontsnappen. De Dieven zouden haar maar wat graag willen beschermen, nu ze haar magie wist te beheersen. Het was hen gelukt Senfel te verbergen, de dolende magiër die Faren niet had weten over te halen haar les te geven. Ze zouden haar ook een schuilplaats kunnen geven.

Als ze wegliep, zou Akkarin echter met Rothen kunnen doen wat hij wou. Maar als ze Rothen waarschuwde, kon hij bekendmaken dat Akkarin zwarte magie toepaste vóór de opperheer zou merken dat zij gevlogen was. Ze zou ook Lorlen moeten waarschuwen, want ook hij zou in gevaar zijn als zij ervandoor ging. Ja, als zij hun allebei zou vertellen dat ze ging ontsnappen, en het op het juiste moment deed, zou Akkarin geen kans hebben te beletten dat Lorlen en Rothen hem zouden verraden.

Maar dan. Het Gilde zou Akkarin vragen stellen. Lorlen dacht echter dat zij zo'n strijd nooit zouden kunnen winnen, en Lorlen kende Akkarin nu eenmaal beter dan wie dan ook. Dus als ze ontsnapte zou ze een confrontatie tussen magiërs op haar geweten hebben waardoor het Gilde vernietigd zou kunnen worden, misschien met heel Kyralia erbij...

En op dat moment drong het tot haar door dat het lot van het Gilde in haar handen lag. De handen van een arm sloppenkind. Met deze macht over het lot van het Gilde was ze nu niet direct in de wolken – ze was bang en in de war.

Lang nadat de tuin in de schaduwen van de nacht was opgenomen, kwam de bediende terug met een drankje. Ze herkende de geur van een mild, slaapverwekkend kruid en ze dronk de beker leeg, waarna ze wegkroop in een vreemd, veel te zacht bed. Ze was blij toen ze zich langzaam voelde wegzakken in een diepe, verdovende slaap.

De volgende ochtend brachten redderende bedienden haar nieuwe gewaden en een flink ontbijt. Ze nam er een paar hapjes van, maar toen Akkarin langskwam had ze er al spijt van. Ziek van angst was ze hem naar de universiteit gevolgd. Naar Jerriks kantoor. Was ze novicen tegengekomen onderweg? Hadden ze zoals gewoonlijk geen woord durven uitbrengen? Ze kon zich er niets van herinneren.

Jerrik was nu zenuwachtig haar rooster aan het samenstellen, ogen toe-geknepen van concentratie. De paar keer dat ze de opperheer te midden van andere magiërs had gezien, had ze gemerkt dat hij met respect en ontzag benaderd werd. Was dit uit eerbied voor de positie van de opperheer? Of was het iets anders? Vreesden ze hem instinctief, zonder te weten wat de achtergrond hiervoor was?

Ze keek naar Jerrik en schudde haar hoofd. Al die lesroosters en tenta-mens waren nu totaal onbelangrijk. Als Jerrik wist wat er werkelijk aan de hand was, zou die hele papierwinkel hem geen barst kunnen schelen. En zou hij ook geen greintje respect meer voor Akkarin kunnen opbrengen.

Maar hij wist nergens van, en zij kon het hem niet vertellen.

Plotseling stond Jerrik op, liep naar een kast en haalde er drie dozen uit: een groene, een rode en een paarse. Hij ging naar de hoge smalle deuren die een wand van de kamer bedekten en maakte met zijn hand een halve cirkel in de lucht voor het handvat. Sonea hoorde iets klikken en een deur sprong open. Erachter stond een rek vol planken.

Hij liet zijn vinger langs de laagste plank gaan en stopte bij een mapje, dat hij eruit haalde. Hij legde het op tafel neer en Sonea zag haar naam in een net handschrift voorop staan. Ze werd razend nieuwsgierig toen hij het mapje opende en een aantal vellen papier begon door te lezen. *Wat staat daar?* vroeg ze zich af. *Aanmerkingen van de leraren, waarschijnlijk. En een verslag over de pen die ik gestolen zou hebben.*

Jerrik deed de drie dozen open. Er zaten ook vellen papier in, met de namen van leraren en tabellen erop. Hij nam er een paar uit, pakte een leeg vel van zijn bureau en begon een nieuw rooster op te stellen. Een paar minuten lang hoorde ze niets anders dan Jerriks ademhaling en het gekras van zijn pen.

'Jij boft maar weer, Sonea,' zei hij zonder op te kijken.

Sonea smoorde een honend lachje. 'Ja, directeur,' bracht ze uit.

Hij keek naar haar op en fronste zijn formidabele wenkbrauwen, daarna richtte hij zijn aandacht weer op zijn werk. Toen hij het rooster afhad, pakte hij een ander leeg vel en begon het te kopiëren.

'Je zult niet veel tijd voor jezelf hebben, volgend jaar,' vertelde hij. 'Heer Yikmo geeft er de voorkeur aan overdag les te geven, dus zal je wat privé-lessen in alchemie moeten nemen. De Vrijdagen zijn voor de studie. Als je je tijd goed indeelt, zou je wat Vrijdagochtenden voor persoonlijke zaken kunnen houden.' Hij zweeg en keek met een droef knikje neer op zijn werk. 'Als heer Yikmo tevreden over je is, zou je ook af en toe een middag vrij kunnen nemen.'

Sonea gaf geen antwoord. Wat moest ze tenslotte met vrije tijd? Akkarin had haar verboden met Rothen te spreken, en vrienden onder de novicen had ze niet. Ze zag behoorlijk tegen de komende weken op. Geen lessen tot na de vakantie... Wat moest ze dan doen? In haar nieuwe kamer blijven? Ze huiverde. Nee, ze zou er zo veel mogelijk vandaan blijven. Als dat mocht. En als hij haar nu eens dicht in zijn buurt wilde houden? *Als hij me nu eens voor zijn slechte praktijken wil gebruiken?* Ze wilde er niet aan denken, maar hoe erg het ook was, het zou een mogelijkheid zijn. Hij kon haar tenslotte alles laten doen als hij maar dreigde Rothen wat aan te doen. *Alles...*

Haar handen deden pijn. Ze keek naar beneden en ontspande haar vuisten. Vier stel halvemaanvormige inkepingen stonden in elke handpalm. Ze wreef haar handen af aan haar gewaad; ze moest niet vergeten haar nagels te knippen.

Jerrik was geheel verdiept in zijn papieren. Ze keek toe hoe zijn pen zich naar de onderkant van het vel bewoog. Toen hij klaar was, gromde hij goedkeurend en gaf het vel aan haar.

'Als de uitverkorene van de opperheer zul je veel voorrechten genieten, maar je zult ook moeten bewijzen dat hij de juiste keuze gemaakt heeft. Aarzel niet om je voordeel te doen met je nieuwe status – dat zal je wel moeten, wil je aan zijn verwachtingen voldoen.'

Ze knikte. 'Dank u, directeur.'

'Je kunt gaan.'

Ze slikte, stond op, boog en ging naar de deur.

'Sonea.'

Ze keek over haar schouder en zag zowaar een mager glimlachje om Jerriks lippen verschijnen. 'Ik weet dat je Rothen als mentor zult missen,' zei hij. 'Akkarin mag dan misschien niet zo gezellig zijn, maar door jou te kiezen wordt je situatie hier wel sterk verbeterd.' De glimlach verdween. 'Ga nu maar.'

Ze dwong zichzelf ten antwoord te knikken. Toen ze de deur achter zich dichttrok, zag ze Jerrik in gedachten verzonken zitten. Ze stopte haar rooster in haar kistje en liep de brede, bekende gang in.

Er hingen een paar leerlingen bij de deuropeningen rond. Ze keken naar haar toen ze passeerde. Ze voelde zich ongemakkelijk door dat gestaar en liep wat sneller. *Hoeveel mensen weten het?* vroeg ze zich af. *Iedereen waarschijnlijk. Ze hebben een hele dag gehad om erachter te komen.* Het nieuwtje dat de opperheer eindelijk een novice had gekozen om mentor van te worden zou zich sneller dan een griepje over het Gildeterrein verspreiden.

Er kwam een leraar een zijgang uitgelopen. Hij keek haar weifelend aan en toen viel zijn blik op haar mouw. Hij trok zijn wenkbrauwen op en schudde ongelovig zijn hoofd. Ze keek ook naar het kleine gouden vierkantje op haar mouw. Incals waren familiesymbolen die leden van Huizen altijd droegen. Magiërs droegen ze niet omdat ze, wanneer ze zich aansloten bij het Gilde, geacht werden familie en politieke banden achter zich te laten. De bediende die haar de gewaden had gebracht, had uitgelegd dat de opperheer het Gildesymbool als incal droeg, omdat hij levenslang in deze functie moest blijven. Het Gilde werd zijn familie en dus zijn Huis.

En zij was nu zijn novice.

Ze vouwde haar mouw tegen haar buik om de incal te verbergen en liep naar de deur van haar klas. Vlak voor de drempel bleef ze even stilstaan om moed te verzamelen.

'Goedemorgen, Sonea.'

Ze draaide zich om en zag heer Elben door de gang op haar afkomen. Hij glimlachte, maar zijn ogen deden niet mee.

'Gefeliciteerd met je nieuwe mentor,' zei hij toen hij vlak bij haar was. Sonea boog. 'Dank u, heer Elben.'

Hij beende de klas in. Sonea vermande zichzelf en liep achter hem aan.

'Zitten allemaal,' baste heer Elben. 'We hebben heel wat voor de boeg.'

'Aha!' Een bekende stem steeg uit boven het gekletter en geschraap van tafels en stoelen. 'Het lievelingetje van de opperheer vereert ons nederige klasje met haar aanwezigheid.'

Je kon een speld horen vallen. Iedereen keek naar Sonea. Ze zag het ongeloof op hun gezichten en voelde wat leedvermaak. Ironisch dat haar klasgenoten de laatsten waren om erachter te komen. Op een na natuurlijk. Regin leunde grijnzend achterover, zeer voldaan over het effect dat zijn mededeling op de klas had gehad.

'Ga eens rechtop zitten, Regin,' gromde Elben.

Regin leunde nu op zijn tafeltje en staarde naar Sonea, die ook ging zitten. Ze zette haar kistje op tafel, en toen ze dat deed viel haar mouw naar beneden, waarop ze iemand naar adem hoorde happen. Ze zag Narron met grote ogen naar haar incal kijken.

'Sonea,' zei Elben, 'ik heb een plaats helemaal vooraan voor je gereed laten maken.'

Het was Porils plaats. Ze draaide zich om en zag dat haar oude vriend helemaal achter in de klas was gezet. Hij kreeg een kleur en ontweek haar blik.

'Dank u, heer,' zei ze. 'Dat is heel voorkomend van u, maar ik zou echt liever hier blijven zitten.'

De ogen van de magiër knepen zich half samen. Hij leek haar tegen te willen spreken, maar een snelle blik op de klas deed hem van gedachten veranderen.

'Zoals je wilt.' Hij ging achter zijn bureau zitten en legde een hand op een stapel papier. 'Vandaag dus het alchemietentamen,' zei hij tegen de klas. 'Ik deel de vragen nu uit en daarna zullen we wat oefeningen doen. Na de lunch volgt dan het praktijkgedeelte.'

Terwijl hij de velletjes uitdeelde, voelde Sonea een oude, vrijwel vergeten angst terugkeren. De tentamens. Ze liet haar ogen snel over de vragen dwalen en zuchtte opgelucht. Ondanks de neerbuigendheid van de leraren, ondanks al dat huiswerk waar ze tot diep in de nacht aan werkte, ondanks al Regins pogingen om haar van haar stuk te brengen, had ze de stof in haar

225

hoofd gekregen. Ze pakte een pen uit haar kistje en begon te schrijven.

Uren later, toen de gong liet weten dat de tijd voor het tentamen voorbij was, zuchtte de hele klas opgelucht.

'Dat was het dan,' zei heer Elben. 'Jullie kunnen gaan.'

Als één man stonden de leerlingen op, bogen en verlieten het lokaal. Sonea ving een paar blikken in haar richting op, en toen ze zich herinnerde waarom sloeg haar nervositeit weer toe.

'Eén momentje, Sonea,' zei Elben toen ze langs zijn bureau liep. 'Ik wilde je even spreken.'

Hij wachtte tot de klas leeg was. 'Na de middagpauze,' zei hij, 'zou ik graag zien dat je de plaats nam die ik voor je in orde heb gebracht.'

Sonea slikte. Was dit nu wat Jerrik bedoelde met de voorrechten die de leraren haar zouden geven? Zou ze er haar voordeel mee doen, zoals hij had aangeraden?

Maar wat won ze erbij als ze vooraan zou zitten? Ze wist alleen dat Poril nog verder in achting gedaald was dankzij haar.

Ze schudde haar hoofd. 'Ik hou liever mijn plaats bij het raam.'

Elben keek haar donker aan. 'Het zou veel passender zijn als je vanaf nu voor in de klas zat.'

Pássender? Ze werd woedend. Dit had niets te maken met een betere plek om de stof op te nemen; dit was alleen maar Elbens manier om over haar rug heen bij de opperheer in een goed blaadje te komen. Hij verwachtte zeker dat ze elke begunstiging aan Akkarin zou doorbrieven. Ze smoorde een verbitterd lachje. Ze zou haar nieuwe mentor uiteraard zo veel mogelijk uit de weg gaan.

Als ze ook maar iets had geleerd de laatste zes maanden, dan was het wel dat je de sociale rangorde in een klas zo min mogelijk op zijn kop moest zetten. Als zij Porils plek innam, betekende dat meer dan een wisseling van plaats. De novicen hadden al weinig met haar op en ze wilde dat niet nog erger maken. Ze keek Elben aan, die met zijn armen over elkaar voor haar stond, en haar boosheid ging over in minachting.

'Ik houd mijn oude plaats aan,' zei ze langzaam.

Elbens ogen knepen zich samen, maar er was iets in haar blik waardoor hij zweeg. Hij tuitte nadenkend zijn lippen.

'Je ziet het bord beter en alles is duidelijker te verstaan vooraan,' legde hij uit.

'Ik ben niet doof, heer Elben, en mijn ogen zijn ook prima.'

Zijn kaken verstrakten. 'Sonea,' zei hij terwijl hij zich naar haar toe boog, 'als jij die bank voorin niet neemt, zou het net zijn alsof ik me als jouw leraar... niet om je bekommer...'

'Misschien vertel ik Akkarin wel dat u me niet laat zitten waar ik wil.'

Ontzet sperde hij zijn ogen open. 'Je zou hem toch niet lastigvallen over zo'n kleinigheid?'

Ze glimlachte. 'Ik betwijfel zelfs of het hem ook maar een jota interesseert waar ik zit in de klas.'

Hij keek haar zwijgend aan en knikte. 'Goed dan. Je kunt gaan zitten waar je wilt. Ga nu maar eten.'

Toen ze de gang in stapte voelde ze haar hart tekeergaan. Wat had ze gedaan? Novicen spraken hun leraren *nooit* tegen!

Toen merkte ze pas dat het in de gang opvallend stil was. Langs de kant stonden novicen van allerlei leeftijden stil naar haar te kijken. Haar tevredenheid over haar discussie met Elben verdween als sneeuw voor de zon. Ze slikte en begon naar de trap te lopen.

'Dat is ze,' hoorde ze iemand fluisteren.

'Gisteren,' mompelde iemand, '... zomaar opeens.'

'... opperheer...'

'Waarom zíj?' sneerde iemand, en het was duidelijk de bedoeling dat ze dat zou horen. 'Zo'n kind uit de achterbuurt...'

'... hoort niet...'

'... genoeg anderen...'

'... belediging voor de Huizen...'

Ze snoof zacht. *Als ze de ware reden kenden waarom hij mij gekozen heeft, zouden ze wel anders pie—*

'Opzij voor het lievelingetje van de opperheer!'

Haar keel kneep zich toe toen ze de stem herkende. Regin sprong voor haar en blokkeerde de gang.

'O grootste aller grootsten!' riep hij luid. 'Mag ik misschien een miniem, oneindig klein gunstje van u, de zo bewonderde en invloedrijke vrouwe, vragen?'

Sonea keek hem wantrouwend aan. 'Wat nu weer, Regin?'

'Zou u, als het niet te veel gevraagd is en geen belediging voor iemand met een hoge positie als de uwe, natuurlijk,' – hij glimlachte schalks – 'zou u misschien vanavond mijn schoenen willen lappen? Weet u, ik heb gehoord dat u zeer ervaren bent in zulke hoge en ingewikkelde zaken, en... nou ja, mijn schoenen moeten gelapt worden en dat zou ik het liefst laten doen door de allerbeste schoenmaker van het hele Gilde. Daar kunt u ongetwijfeld begrip voor opbrengen?'

Sonea schudde haar hoofd. 'Was dat alles wat je kon verzinnen, Regin?' Ze liep om hem heen en wandelde door naar de trap. Regin rende achter haar aan.

'O, maar Sonea – ik bedoel – o grootste aller vrouwen. Het zou me zo'n eer –'

Ineens viel hij stil. Ze weerstond de aandrang zich om te keren om te zien wat hem zo plotseling tot zwijgen had gebracht.

'De opperheer is haar méntor!' siste iemand. 'Ben je gék geworden? Laat haar met rust, man.'

Verbaasd herkende ze Kano's stem. Dit zou wel eens te maken kunnen hebben met Jerriks uitspraak dat haar situatie hierdoor sterk verbeterd zou worden. Ze liep de trap af, de hal door en ging op weg naar de Magiërsvertrekken.

Toen bleef ze staan. Waar ging ze naar toe? Rothens kamer? Dat kon niet meer. Ze had honger, dus ging ze naar de Eetzaal. En na het tentamen van vanmiddag? De bibliotheek. Als ze daar tot sluitingstijd bleef, hoefde ze pas heel laat naar Akkarins huis terug te gaan. Als ze geluk had was Akkarin al naar bed en kon ze haar kamer in glippen zonder hem tegen het lijf te lopen.

Ze haalde diep adem, besloot niet te reageren op al die starende blikken en gefluisterde opmerkingen en liep terug naar de universiteit.

Lorlens vertrekken bevonden zich op de begane grond van het gebouw van de magiërs. Hij bracht er maar weinig tijd in door, want hij stond bij het krieken van de dag op en kwam pas terug als de rest van het Gilde al op één oor lag. Hij zag nauwelijks meer van zijn interieur dan zijn bed en zijn kast met gewaden.

Maar de afgelopen dagen had hij tijd genoeg gehad om allerlei details in zijn privé-vertrek weer eens in zich op te nemen. Er stonden ornamentjes en voorwerpen op zijn boekenplanken die hij al helemaal vergeten was. De souvenirs uit het verleden, herinneringen aan zijn familie en zijn wapenfeiten, riepen alleen maar schuldgevoelens en smart in hem op. Ze deden hem denken aan mensen die hij liefhad en respecteerde. Mensen die hij in de steek had gelaten.

Met zijn ogen dicht slaakte Lorlen een diepe zucht. Osen zou vast nog niet ongerust zijn. Het was pas anderhalve dag. Zijn assistent zou nog niet in paniek raken van de groeiende stapel onafgemaakt werk. En Osen had hem tenslotte al tijden aangeraden eens een paar dagen vrij te nemen.

Als hij maar vrij was geweest... Lorlen wreef zich in de ogen en slenterde naar zijn slaapkamer. Misschien was hij nu moe genoeg om in slaap te vallen. Dat had hij al twee nachten niet gedaan, niets sinds...

Toen hij eenmaal lag, werd hij weer bestormd door herinneringen. Hij kreunde en probeerde ze te verdringen, maar hij was te uitgeput om ertegen te vechten, en hij wist dat ze toch meteen weer terug zouden keren als hij zich eenmaal ontspande.

Hoe was het begonnen? Ik zei iets over de Vindo-ambassadeur die in het huis van Akkarin had willen logeren...

'Het bevreemdde hem dat de opperheer geen gasten meer ontving, want zijn vader had nog een tijd bij je voorganger gelogeerd,' herinnerde Lorlen zich gezegd te hebben.

Akkarin had erom geglimlacht. Hij stond bij het kleine tafeltje waar hij de drankjes inschonk, de blik gericht op de in nachtelijk duister gehulde tuinen.

'De beste verandering die ik ooit heb ingevoerd.'

'Je bent nu eenmaal erg op je privacy gesteld,' had Lorlen afwezig opgemerkt.

Akkarin had toen een vinger op een wijnfles gelegd, alsof hij overwoog om nog een glaasje te nemen. Zijn gezicht was niet zichtbaar geweest, iets waarvoor Lorlen erg dankbaar was toen Akkarin het gesprek had hervat.

'En ik betwijfel ook,' zei de opperheer, 'of de ambassadeur zich zo op zijn gemak zou hebben gevoeld met mijn... gewoonten.'

Daar had je het! Wéér een van die vreemde opmerkingen. Alsof hij me testte. Ik waande me veilig, want hij stond met zijn rug naar me toe en kon mijn reactie dus niet zien...

'Gewoonten?' Lorlen sloeg een ongelovig toontje aan. 'Het zou hem toch niet storen dat je het wel eens wat laat maakt, of wat te veel drinkt? Volgens mij ben je gewoon bang dat hij al je beste wijn soldaat maakt.'

'Dat natuurlijk ook.' Akkarin had de fles ondertussen geopend. 'Maar we zouden toch niet willen dat iemand achter al mijn geheimpjes komt, nee toch?'

In een flits was Lorlen een beeld van Akkarin door het hoofd geschoten, gehuld in bloederige bedelaarslompen. Hij had gehuiverd en had het beeld snel gewist, opgelucht dat Akkarin nog steeds met zijn rug naar hem toe stond.

Was het dit wat Akkarin gezien had? Luisterde hij op dat moment soms naar mijn gedachten?

'Nee,' had Lorlen geantwoord, en omdat hij van onderwerp wilde veranderen had hij om het laatste nieuws van het hof gevraagd.

Op dat moment had Akkarin een voorwerp van het tafeltje opgepakt. Edelstenen glinsterden en Lorlen was bijna opgestaan om het van dichtbij te bekijken. Het was een mes. Het mes dat Sonea had gezien op het moment dat hij het voor het ritueel van zwarte magie gebruikte. Geschrokken hield Lorlen zijn adem in en verslikte zich in zijn wijn.

'Wijn is bedoeld om te drinken, vriend,' had Akkarin glimlachend gezegd. 'Niet om in te ademen.'

Lorlen had zijn hoofd afgewend, met zijn handen voor zijn mond, terwijl hij hoestte. Hij probeerde tot bedaren te komen, maar vroeg zich toch af waarom Akkarin het mes naar de ontvangstkamer had meegenomen.

En hij bevroor haast toen de gedachte zijn geest kruiste dat Akkarin het misschien in gebruik had willen nemen.

'Het laatste nieuws?' Akkarin dacht na. 'Eens even denken.'

Lorlen dwong zichzelf zijn vriend rustig aan te kijken. Toen Akkarin zich weer naar de fles wendde, merkte Lorlen een soortgelijke beweging op het tafeltje op. Er stond een blinkend gepoetst zilveren dienblaadje tegen een fles geleund dat Akkarins ogen weerspiegelde. Ogen die op hem waren gericht.

Dus hij had me de hele tijd in de gaten gehouden. Misschien had hij mijn gedachten niet echt gelezen op dat ogenblik, maar had hij wel mijn reactie op zijn opmerkingen gezien, en op het mes, en dat was waarschijnlijk genoeg voor hem geweest om aan te nemen dat ik er meer van wist...

'Ik heb wat verslagen van Dannyl gezien via vrienden uit Elyne en Lonmar,' had Akkarin toen gezegd terwijl hij plotseling van het tafeltje wegliep. 'Ze waren zeer over hem te spreken.'

'Blij dat te horen.'

Akkarin was in het midden van de kamer blijven staan. 'Ik heb zijn voortgang met grote interesse gevolgd. Hij is een efficiënt onderzoeker.'

Dus hij wist ook dat Dannyl wat onderzocht. Wist hij ook wát? Lorlen dwong zich tot een glimlach. 'Ik vraag me af waardoor hij nu weer zo gegrepen is.'

Akkarin had zijn ogen tot spleetjes geknepen. 'Maar heeft hij jou dan niet op de hoogte gehouden?'

'Mij?'

'Ja. Jij hebt hem tenslotte gevraagd om een onderzoek naar mijn verleden in te stellen.'

Lorlen was kalm gebleven bij die woorden. Akkarin wist dus blijkbaar dat Dannyl zijn reizen natrok, maar hoe kon hij weten waarom? 'Zeggen je vrienden dat?'

'Spionnen zou ik het eerder noemen.'

Akkarins hand had bewogen, en angst besprong Lorlen toen hij zag dat Akkarin nog altijd het mes vasthield. Aangezien Akkarin zijn reactie niet had kunnen missen, bleef Lorlen er nu openlijk naar staren.

'Wat is dat?'

'O, iets waar ik tijdens mijn reizen tegenop ben gelopen,' antwoordde Akkarin, en hij stak het de lucht in. 'Ik dacht dat je het wel zou herkennen.'

Lorlen voelde een glimpje triomf. Akkarin had nu min of meer toegegeven dat hij gedurende zijn reizen kennis had gemaakt met zwarte kunst. Dannyls onderzoek zou zijn vruchten dus afwerpen...

'Het komt me vaag bekend voor,' zei Lorlen. 'Misschien dat ik iets dergelijks op een illustratie heb gezien – en zo'n wreed uitziend geval zou zeker in mijn geheugen blijven hangen.'

'Weet je waarvoor het gebruikt werd?'

De herinnering aan Akkarin die een snede maakte in de arm van zijn bediende schoot even door hem heen. 'Het is een mes, dus erg plezierig zal het niet geweest zijn.'

Akkarin legde het mes tot Lorlens opluchting neer op een zijtafel, maar de opluchting was van korte duur.

'Je bent de afgelopen tijd erg op je hoede voor me geweest,' zei Akkarin. 'Mentale communicatie ging je uit de weg, alsof je bang was dat ik iets achter je oppervlakkige gedachten zou oppikken. Toen mijn contactpersonen me informeerden over Dannyls onderzoekingen, intrigeerde me dat bovenmatig. Waarom heb je hem gevraagd mijn verleden na te gaan? Ontken het maar niet, Lorlen, ik heb bewijs genoeg.'

Lorlen was ontsteld dat Akkarin Dannyls opdracht zo snel had achterhaald. Maar hij had zich al op deze ondervraging voorbereid. Hij deed net of die vraag hem in verlegenheid bracht.

'Ik was gewoon nieuwsgierig, en na ons gesprekje over je dagboek wilde ik proberen om een soort reconstructie te maken van wat je verloren had. Jij had geen tijd om weer achter die informatie aan te gaan, dus... Kijk, het háált het waarschijnlijk niet bij je eigen verslag, maar ik wilde je er eigenlijk mee verrassen.'

'Juist, ja.' Akkarins stem had een metalige bijklank gekregen. 'Geloof je het zelf? Want ik heb vanavond iets gedaan dat ik nog nooit eerder gedaan heb, en ook nooit heb willen doen. Maar terwijl we praatten heb ik je gedachten gelezen. Zo heb ik veel, veel wetenswaardigs opgepikt. Ik weet dat je liegt. Ik weet dat je dingen hebt gezien die je niet had mogen zien, en ik moet weten hoe dit heeft kunnen gebeuren. Zeg eens op, hoe lang weet je al dat ik aan zwarte magie doe?'

Een paar woorden maar, en alles was veranderd. Klonk er spijt of wroeging in zijn stem door? Nee. Alleen wrevel...

Ontzet en behoorlijk bang probeerde Lorlen zijn laatste uitvlucht die hij in voorraad had. Hij keek zijn vriend vol afschuw aan.

'Aan *wat* doe?'

Akkarin keek hem nu openlijk geïrriteerd aan. 'Doe niet zo achterlijk, Lorlen,' had hij hem toegebeten. 'Ik heb het in je geest gezien. Ik zou nu maar eens ophouden met liegen.'

Hij besefte dat hij het niet meer kon ontkennen, en keek naar het mes op tafel. Hij vroeg zich af wat er nu gebeuren ging. Hoe Akkarin het uit zou leggen. Als Rothen en Sonea de waarheid kenden en Akkarins wandaden openbaar zouden maken...

Te laat realiseerde hij zich dat Akkarin deze gedachte kon hebben opgevangen. Hij keek op, maar Akkarins gezicht drukte geen verbazing uit, alleen verwachting, en dat gaf Lorlen weer een beetje hoop.

'Hoe lang?' had Akkarin dringend gevraagd.

'Al meer dan een jaar,' had hij opgebiecht.

'En hoe?'

'Op een avond kwam ik hier langs. De deur stond open en ik zag een lichtje onder aan de trap, dus begon ik de trap af te dalen. Toen zag ik wat je aan het doen was... het was een grote schok. Ik wist niet wat ik ervan moest denken.'

'Wat heb je precies gezien?'

Met pijn en moeite beschreef Lorlen wat Sonea gezien had. Terwijl hij sprak keek hij of hij ook maar een greintje schaamte op het gezicht van de opperheer zag, maar diens gezicht drukte alleen maar ergernis uit.

'En wie weet er nog meer van?'

'Niemand,' antwoordde Lorlen iets te snel, in de hoop Rothen en Sonea niet te verraden.

Maar Akkarin kneep zijn ogen half toe. 'Je liegt alweer, mijn vriend.'

'Nee hoor.'

Akkarin had een zucht geslaakt. Lorlen herinnerde zich die zucht nog levendig.

'Dat is dan heel jammer.'

Lorlen was toen opgestaan, vastbesloten Akkarin te overtuigen van het feit dat zijn geheim bij hem veilig was. 'Akkarin, je moet me heus geloven. Ik heb niemand ook maar iets hierover verteld. Het zou te veel beroering in het Gilde wekken. Ik... ik weet ook niet waarom je je hiermee bezighoudt... met die verboden magie. Ik vertrouw er maar op dat je er wel een goede reden voor zult hebben. Denk je dat ik hier nog zou staan als ik dat niet dacht?'

'Dus je vertrouwt me?'

'Absoluut.'

'Vertel dan de waarheid. Ik moet weten wie je in bescherming neemt, Lorlen, en hoeveel je precies weet.'

Akkarin had toen zijn hand naar Lorlen uitgestoken. Geschrokken begreep Lorlen dat Akkarin van plan was zijn geest te doorzoeken. Hij graaide naar Akkarins handen en duwde ze weg, geschokt dat zijn vriend zoiets van hem durfde te vragen. 'Je hebt het recht niet –'

En terwijl Akkarin met zijn vingers het vertrouwde gebaar maakte, loste Lorlens laatste restje vertrouwen op in het niets. Lorlen werd met kracht naar achteren geduwd. Hij plofte neer in een stoel en voelde hoe magie hem dwong te blijven zitten.

'Doe dat nou niet, Akkarin!'

Maar Akkarins mond was een smalle streep geworden. 'Het spijt me, mijn vriend, maar ik móét het weten.'

Toen legde hij zijn vingers tegen Lorlens slapen.

Dit kon toch onmogelijk waar zijn! Het was net of hij er niet was, maar hij was er wel degelijk. Hoe doet hij dat gedachtelezen toch?

Bij de herinnering aan dat moment trok er een huivering door Lorlens leden en hij sloeg zijn ogen open. Hij keek naar de muren van zijn slaapvertrek. Toen hij zijn vuisten balde, voelde hij een smal metalen bandje om een van zijn vingers. Hij spreidde zijn hand, en voelde zijn maag zich samenballen toen de rode steen opgloeide in het vage licht.

Alles was uitgekomen: waar Sonea getuige van was geweest; de waarheidslezing; Rothen die erbij betrokken was geraakt; en alles dat Dannyl te weten was gekomen. Geen spoortje van Akkarins gedachten of gevoelens waren tot zijn geest doorgedrongen. Alleen nadat alles duidelijk was geworden had Lorlen een idee gekregen van de gemoedstoestand van de opperheer: Akkarin ijsbeerde door de ontvangstkamer, meer dan een uur zwijgend in gedachten verzonken. Wat hij te weten was gekomen baarde hem klaarblijkelijk grote zorgen, maar hij straalde nog steeds dezelfde hoeveelheid zelfvertrouwen uit.

En eindelijk was de magische band die Lorlen in zijn stoel gevangen hield weggehaald. Akkarin pakte het mes van tafel. Lorlen was bijna bang geworden dat zijn laatste uurtje geslagen had, maar toen keek hij ongelovig toe hoe Akkarin het lemmet over zijn eigen handpalm liet glijden.

Terwijl het bloed een plasje in zijn hand vormde, pakte Akkarin met zijn andere hand Lorlens lege glas op en sloeg het tegen de tafelrand kapot. Hij greep een van de scherven en gooide hem de lucht in.

De scherf viel pal voor Akkarins voeten neer en begon vliegensvlug in het rond te wervelen. De scherpe kanten gloeiden rood op toen het glas begon te smelten. Toen het weer was afgekoeld, bleek het in een in facetten geslepen bolletje te zijn geworden. Akkarin pakte het met zijn bebloede hand op en kromde zijn vingers eromheen. Toen hij zijn hand weer opende was de snee verdwenen en blonk er een stralend rode edelsteen in zijn handpalm.

Vervolgens had Akkarin met zijn wilskracht een zilveren lepeltje uit het drankkastje naar zijn hand gestuurd. De lepel draaide rond, smolt en vouwde zich tot een dikke ring. De opperheer nam de steen tussen twee vingers en zette hem tegen het dikste deel van de ring aan, die zich als een bloem om de rand van de steen sloot.

Toen had hij Lorlen de ring toegestoken.

'Doe hem om.'

Lorlen had willen weigeren, maar hij wist dat Akkarin maar een fractie van zijn kracht hoefde in te zetten om hem te dwingen, en hij kon een paar vervelende manieren bedenken waarop de ring dan onlosmakelijk met hem verbonden zou kunnen worden. Hij wilde de mogelijkheid behouden dat hij hem eens af zou kunnen doen, dus nam hij de ring aan en deed hij hem talmend om zijn middelvinger.

'Nu zal ik alles wat er om je heen gebeurt kunnen zien en horen,' had Akkarin hem meegedeeld. 'En wij zullen met elkaar kunnen communiceren zonder dat wie dan ook mee kan luisteren.'

Keek Akkarin op dit moment in zijn kamer? Ziet hij hoe ik hier heen en weer loop? Voelt hij zich nu eindelijk een beetje schuldig?

Hoewel Lorlen zich verraden en gekwetst voelde door wat Akkarin hem had aangedaan, kwelde het noodlot van Sonea hem het meest. Had Akkarin meegekeken toen Lorlen een paar minuten geleden Sonea uit de universiteit had zien komen? Ze was plotseling blijven staan, en hij had de pijn in haar ogen gezien toen ze zich herinnerde dat ze niet langer naar Rothens vertrek mocht gaan.

Hij wist niet zeker of hij wilde dat Akkarin haar had gezien. Hij was er niet meer zo zeker van dat zijn 'vriend' ook maar een spoortje wroeging of schuldgevoel in zich kon hebben. Voor hetzelfde geld vermaakte Akkarin zich kostelijk met de aanblik van Sonea in haar deerniswekkende toestand.

Maar ondanks alles wilde Lorlen niets liever dan geloven dat hij ongelijk had.

21

De Tomben van Witte Tranen

erwijl Sonea wegliep van de universiteit stelde ze zich voor dat het kolossale gebouw achter haar rug ineenkromp. Haar rug jeukte van de warmte die erbinnen hing, maar haar gezicht prikte van de kou. Voor haar doemde een zwarte vorm op die steeds groter werd naarmate ze dichterbij kwam.

De ambtswoning van de opperheer. Akkarins huis.

Ze had haar avondmaaltijd zo traag mogelijk opgegeten, en omdat ze zichzelf er niet toe kon brengen de universiteit te verlaten, was ze naar de novicebibliotheek gegaan. Nu ook de bibliotheek gesloten was en de rest van de universiteit in duister en stilte gehuld was, had ze geen andere keus dan terug te keren naar haar nieuwe kamer.

Haar hart sloeg veel te snel toen ze de deur bereikte. Ze slikte even en reikte naar de deurknop. De deur zwaaide vanzelf naar binnen open.

De kamer was verlicht door slechts één bollichtje. Er zat iemand in een van de bijzonder gemakkelijke stoelen, met een boek in zijn lange, bleke vingers. Hij keek op en Sonea voelde hoe haar maag zich samentrok.

'Kom binnen, Sonea.'

Ze dwong haar benen in beweging te komen. Toen ze binnen was, viel de deur achter haar in het slot met een zacht, maar vastbesloten klikje.

'Zijn de tentamens goed verlopen vandaag?'

Ze deed haar mond open om te antwoorden, maar aangezien ze haar stem niet vertrouwde, knikte ze maar.

'Goed zo. Heb je al gegeten?'

Weer knikte ze.

'Dan zou ik maar snel naar bed gaan, want morgen wordt het weer een zware dag.'

Opgelucht boog ze en haastte zich door de deur links van haar. Ze vormde een lichtbol en stuurde hem voor haar uit terwijl ze de wenteltrap op liep.

In het magische licht deed de trap haar denken aan degene die naar de ondergrondse kamer leidde waar ze Akkarin zijn zwarte ritueel had zien uitvoeren. Die trap bevond zich achter de deur aan de andere kant van de ontvangstkamer, vermoedde ze. Aan deze kant gingen de treden alleen maar omhoog.

Bovenaan kwam de trap uit op een lange gang. Achter de eerste deur lag haar slaapkamer. Van de rest van de villa had ze nog niets gezien.

Toen ze de deurkruk naar beneden drukte, hoorde ze voetstappen naderen van de andere kant van de gang. Ze keek die kant op en zag een muur die verlicht werd door een langzaam feller wordend lichtje en de bovenkant van een andere trap.

Ze dimde haar lichtje, deed snel de deur van haar kamer open en glipte naar binnen. Ze liet de deur op een kiertje openstaan, maar toen ze erdoor gluurde vloekte ze inwendig. Slechts de muur van de gang tegenover haar was zichtbaar. Om te zien waar hij naar binnen ging moest ze deur wijder opendoen en dat zou zeker zijn aandacht trekken.

Er gleed een lichtflits over de gangmuur. De voetstappen stopten en er was een zwak klikje hoorbaar. Het licht gleed weg, en het was weer geheel duister toen het geluid van een deur die dichtging de gang in weerkaatste.

Dus daar is zijn slaapkamer, peinsde Sonea. *Een pas of twintig de andere kant op.* De wetenschap dat hij zo dichtbij was, was niet bepaald geruststellend, maar het had niet veel uitgemaakt als zijn bed aan de andere kant van het huis had gestaan. Ze zat met hem in één gebouw en dat was al erg genoeg.

Ze sloot haar deur zo zacht als ze kon, draaide zich om en nam haar kamer in zich op. Maanlicht viel door de twee smalle ramen naar binnen en wierp bleke rechthoeken op de vloer. De kamer had bijna iets gezelligs in dit zachte licht.

Wat een verschil met haar kale hokje in de novicenvertrekken. Het meubilair was gemaakt van donkerrood hout, dat glom van de meubelwas. Een grote kast stond tegen de muur. Een tafel en een stoel voor haar studie stonden ernaast. Tussen de twee ramen stond haar bed. Er lag iets bovenop.

Sonea liep naar het bed en vormde een bollichtje. Een bundeltje van eenvoudige stof, samengebonden met een koord, lag op het dek. Toen ze de knoop losmaakte viel het open, waardoor de groene stof zich naar buiten plooide.

Haar jurk voor de toetredingsceremonie.

Toen ze hem eruit nam gleden er een paar zwaardere dingen uit: haar zilveren kam en spiegel en twee gedichtenbundels die Rothen haar gegeven had. De tranen sprongen haar in de ogen.

Nee, ik ga hier niet staan janken als een verdwaald kind, vermaande ze zichzelf. Ze knipperde en veegde het vocht ruw uit haar ogen. De spullen legde ze op haar werktafel en met de jurk liep ze naar de klerenkast.

Een vaag houtachtige geur sloeg naar buiten terwijl ze de jurk op een hangertje hing. De lucht deed haar denken aan de Gildehal. Een herinnering

236

aan Rothen die de ceremoniële woorden van een mentor sprak flitste door haar hoofd. Ze wist nog hoe trots ze zich naast hem gevoeld had, met het nieuwe gewaad in haar handen. *Maar hij is mijn mentor niet meer.* Met een zucht sloot ze de kastdeur.

Ze liep weer terug naar het bed, en ontdekte nog iets heel kleins op het dek. Ze pakte het en herkende het ruwe houtsnijwerk dat Dorrien aan Rothen gegeven had vlak nadat hij was aangekomen. Het was fascinerend hoe zo'n grof gesneden reberlammetje de essentie van het dier zo goed weergaf.

Dorrien. Ze had niet meer aan hem gedacht sinds zijn vertrek. Het leek al weken achter haar te liggen, maar het was nog maar twee dagen geleden dat ze naar die bron geklommen waren, en dat hij haar gekust had.

Wat zou hij ervan vinden dat ze zomaar een ander mentor had gekregen? Ze zuchtte. Zoals de rest van de magiërs zou hij haar wel feliciteren en vinden dat ze geboft had – maar tegelijkertijd wist ze dat hij, als hij hier was geweest, gemerkt zou hebben dat er iets niet helemaal in de haak was. Hij zou haar angst opgemerkt hebben en Rothens verontrusting en woede.

Maar hij was hier niet. Hij was ver weg in zijn dorpje in de bergen.

Op een dag zou Dorrien weer langskomen bij het Gilde. En dan zou hij haar willen zien. Zou Akkarin dat toestaan? Sonea glimlachte. Al zou Akkarin het verbieden, dan zou Dorrien wel een manier vinden om dat verbod te omzeilen. Het zou trouwens wel argwaan wekken als Akkarin Dorrien verbood haar te spreken.

Of niet? Akkarin kon natuurlijk altijd zeggen dat Dorrien haar maar afleidde van haar studie. En hoewel Dorrien dat wel een beetje betuttelend zou vinden, zouden de anderen daar niets vreemds aan vinden.

Ze fronste haar voorhoofd. En als Dorrien nu eens echt merkte dat er iets niet klopte aan die mentorwisseling? Wat zou Akkarin dan doen? Er liep een rilling over haar rug. Dorrien leefde tenslotte ver uit het zicht van het Gilde. Wie zou er achterdochtig worden wanneer een Genezer uit een of ander bergdorpje door een 'ongeluk' om het leven kwam?

Ze kneep het houten diertje haast fijn. Ze mocht Akkarin geen reden geven Dorrien op te merken. Als Dorrien terug zou komen naar het Gilde, zou ze hem moeten zeggen dat ze geen gevoelens voor hem had. Hij had zelf gezegd dat ze vast wel iemand anders zou vinden in de jaren die haar nog van haar afstuderen scheidden. Ze zou hem laten denken dat dat het geval was.

Niet dat er ooit iemand anders zou zijn. Niet zolang ze gegijzeld werd door Akkarin. Vrienden maken betekende anderen in gevaar brengen. En haar tante en oom en haar kleine neefje dan? Rothen zou geen kwaad gedaan worden zolang zij haar mond hield. Als Akkarin erachter kwam waar haar familie woonde, kon hij die ook gebruiken om haar te laten zwijgen.

Met een zucht viel ze achterover op bed. Wanneer begon het allemaal mis te lopen? Haar gedachten gingen terug naar het Noordplein. Sinds die dag had haar lot in andermans handen gelegen: eerst die van Cery en Harrin, toen van de Dieven, toen van Rothen, en nu die van Akkarin. Daarvóór was ze nog een kind geweest, beschermd door haar oom en tante. Zou ze ooit baas over haar eigen leven zijn?

Maar ik leef tenminste, bracht ze zichzelf in herinnering. *Ik kan alleen maar geduld uitoefenen en hopen dat er iets gebeurt waardoor dit allemaal goed afloopt – en klaarsta om daarbij te helpen als het begint.*

Ze stond op en ging naar haar studeertafel. Als er al iets gebeurde zou daar vast magie bij te pas moeten komen, en hoe grondiger ze voorbereid was, hoe beter. Morgen had ze een tentamen Geneeskunde, en daarvoor kon ze het beste nog een keer haar aantekeningen doornemen.

Hij ging weer bij het raam staan, met uitzicht op het huis van de opperheer. Kleine helverlichte vierkantjes waren de afgelopen twee avonden bij de noordelijke toren verschenen. Hoe langer hij ernaar staarde, hoe zekerder hij wist dat Sonea daar achter haar boeken zat.

Wat moest ze bang zijn. Helemaal in de val. Ze wenste vast dat ze nooit het Gilde was binnengelokt.

Hij merkte dat hij zijn vuisten gebald had. Hij dwong zichzelf terug te gaan naar zijn stoel in de ontvangstkamer, ging zitten en liet zijn ogen over de treurige resten van zijn half-opgegeten maaltijd gaan.

Wat kan ik doen? Er moet toch iets zijn wat ik doen kan.

Hij had zich die vraag al ettelijke malen gesteld. En elke keer was het antwoord hetzelfde.

Zoveel als je durft.

Alles hing af van Sonea's veiligheid. Hij wilde de gang op stappen en de waarheid uitschreeuwen tegen al die magiërs die Akkarins beslissing blindelings geaccepteerd hadden, maar hij wist dat als hij dat deed, juist Sonea Akkarins eerste slachtoffer zou zijn. Haar kracht zou misbruikt worden om het tegen het Gilde op te nemen; haar dood zou Akkarin helpen hen te verslaan.

Wat zou hij nu graag met Lorlen spreken. Hoewel hij snakte naar de verzekering dat Lorlen niet van plan was Sonea's leven op het spel te zetten in een poging om Akkarin te verslaan, wilde hij eveneens de zekerheid dat de administrateur al hun plannen om de opperheer aan te vallen niet onder het tapijt geveegd had. Akkarin had elk contact tussen hen verboden, maar al had Rothen het risico willen nemen om met Lorlen te praten, het was onmogelijk. De administrateur had zich in zijn kamers teruggetrokken; hij had rust nodig. Toen Rothen dit vernomen had was hij meteen bang geweest dat Lorlen gewond was geraakt in een confrontatie met Akkarin. Dat was een afschuwelijk idee. Als Akkarin zijn beste vriend iets aan kon doen, wat zou hij dan kunnen uitspoken met hen om wie hij geen cent gaf?

De opperheer zou waarschijnlijk ervaring hebben met het doden en kracht opdoen van anderen. Misschien deed hij het al jarenlang. Rothen fronste zijn voorhoofd. Hoe lang was Akkarin al bezig met zwarte magie? Zolang hij opperheer was? Langer misschien?

Sinds Sonea hem Akkarins geheim had verteld, vroeg Rothen zich al af waar Akkarin die kennis van zwarte magie vandaan had. Het was algemeen bekend dat het Gilde alle kennis over het onderwerp al eeuwen geleden vernietigd had. De hoofdmagiërs kenden enige karakteristieken waaraan ze het konden herkennen, maar dat was alles. Desondanks was het niet onmogelijk dat Akkarin toegang had tot informatie en spreuken uit vergeten verslagen ergens binnen het Gilde.

Of hij had al lang geleden zwarte magie geleerd, voor hij op reis ging. De zoektocht naar kennis van oude magie kon een excuus geweest zijn om er meer over te weten te komen, of om tijd te winnen om in alle vrijheid te kunnen oefenen. Of misschien had Akkarin juist tijdens zijn reizen de zwarte magie herontdekt. Had hij toevallig de kennis ontdekt en had hij die toegepast om zijn eigen kracht te verveelvoudigen?

Waar kennis van krachten gevonden kon worden, lag de methode om die krachten te verslaan vaak in de buurt. Als Akkarin tijdens zijn reizen zwarte magie had ontdekt, dan zou een ander die ook kunnen vinden. Rothen zuchtte. Kon hij het Gilde maar verlaten, dan zou hij dag en nacht zijn best doen om die kennis te bemachtigen. Maar hij mocht niet weg. Akkarin hield hem scherp in het oog. En hij zou het vast niet goedvinden dat Rothen de Geallieerde Landen doortrok, buiten zijn blikveld.

Dan moet iemand anders het maar doen. Rothen knikte. *Iemand met de vrijheid om te reizen. Iemand die het doen wil zonder al te veel vragen te stellen. Iemand die ik vertrouwen kan.*

Langzaam gleed er een glimlach over Rothens gezicht. Hij kende precies de juiste persoon.

Dannyl.

Honderden fakkels flakkerden in de kille nachtbries. Voor hen uit zigzagde er nog honderden meer omhoog naar de hemel, en terug naar de kust. Het rotsachtige oppervlak van het klif werd erdoor verlicht en heel af en toe werden de openingen van de grotten erin bijgelicht door de vlammen.

De roeiers trokken op het ritme van de drummer aan de riemen. Liederen echoden terug van de kliffen terwijl de zangers langzame harmonische melodieën lieten opstijgen, waarvan Dannyl de rillingen over de rug liepen. Hij keek naar Tayend, die met een verwonderde blik naar de andere boten keek. Na een paar weken rust zag de geleerde er aanmerkelijk gezonder uit.

'Voel je je weer helemaal beter?' vroeg Dannyl zacht.

Tayend knikte ten antwoord en wuifde naar de scheepsromp. 'Nauwelijks rotsen hier.'

Zacht schraapte de bodem van de boot ergens langs. De roeiers sprongen er lenig uit en trokken de lange roeiboot het strand op. Tayend ging staan, bestudeerde even het komen en gaan van de branding en sprong er snel af toen de golven zich terugtrokken. Hij vloekte toen zijn fraaie schoenen wegzonken in het natte zand.

Grinnikend stapte Dannyl uit en keek uit over het strand naar het door toortsen beschenen pad. Een grote groep rouwenden liep in processie de trappen op die in de wand van het klif waren uitgehouwen. Dannyl en Tayend volgden hen op eerbiedige afstand.

Bij elke volle maan bezochten de inwoners van de Vin-eilanden deze grotten. Daarin lagen de tomben van de doden. Geschenken werden bij de overblijfselen van hun nabestaanden neergelegd, en er werden verzoeken aan de geesten gedaan. Sommige tomben waren al zo oud dat er geen nabestaanden meer kwamen om ze te bezoeken, en juist in een van deze oudste tomben waren Dannyl en Tayend geïnteresseerd.

Indachtig de gebruiken waarover men hun had verteld, spraken ze geen woord terwijl ze naar boven gingen. Ze kwamen langs een flink aantal grotten, maar klommen maar door. Tayend hijgde zwaar toen de groep rouwenden voor hem een grot in liep. Na een korte pauze vervolgden hij en Dannyl hun tocht de smalle trap op.

'Wacht. Kijk eens,' fluisterde Tayend terwijl hij op een grotingang wees die Dannyl blindelings voorbij was gelopen. Een lange spleet in het klif werd verborgen door een soort afhangend stuk rots; de spleet was zo nauw dat alleen een niet al te dikke man zich er met moeite zijdelings doorheen kon wurmen. Boven de spleet stond een teken.

Dannyl herkende het teken en gluurde naar binnen door de scheur. Het was pikkedonker daarbinnen. Hij deed een stapje naar achteren en riep een bollichtje op, dat hij naar binnen stuurde.

Tayend smoorde een kreetje toen het licht een gezicht met starende ogen liet opdoemen. De man kneep zijn ogen half samen naar Dannyl en zei iets in het Vins. Toen Dannyl begreep dat dit een grafwachter was, sprak hij de rituele begroeting uit die hij had geleerd.

De man gaf het juiste antwoord, stapte naar achter en wenkte hen. Terwijl Dannyl naar binnen glipte, liet het bollichtje zijn ceremoniële wapenrusting en korte zwaard glinsterend oplichten. De wachter boog stijfjes.

Ze stonden in een kleine ruimte. Een smal gangetje leidde verder het klif in. De muren waren van hoog tot laag beschilderd. Tayend bekeek de muurschilderingen nauwkeurig, en bromde goedkeurend.

'Jullie moeten een gids hebben,' zei de wachter. 'Dan verdwalen jullie niet. Neem niets mee, nog geen steentje.'

Hij haalde een fluitje te voorschijn en blies één enkele noot. Na enkele ogenblikken kwam een kleine jongen in een eenvoudig hemd het vertrek binnen. Hij wenkte en leidde hen verder het klif in, gebarend dat zij voor moesten gaan. Toen ze een lage tunnel in stapten, volgde hij hen zo stil als een muis.

Tayend gaf het tempo aan, en dat was niet al te snel, want hij bleef om de haverklap staan om gefascineerd de muurschilderingen te bestuderen.

'Is er wat belangwekkends bij?' vroeg Dannyl toen Tayend voor de zoveelste keer stopte.

'O ja,' zei Tayend onder de indruk. Hij keek Dannyl aan en glimlachte verontschuldigend. 'Alleen niet in verband met wat jij zoekt.'

Daarna liep hij iets sneller door, al kon hij zijn ogen niet van de wanden afhouden. Maar hij was minder afwezig. Terwijl ze verder liepen werd Dannyl zich bewust van het gewicht aan aarde en steen boven hem en van de wanden die steeds dichter naar elkaar toe leken te buigen. Mocht de tunnel instorten, dan zou hij in ieder geval een blokkadeschild kunnen opwerpen. Dat had hij een jaar geleden immers ook gedaan toen de Dieven, die wilden beletten dat hij Sonea te pakken kreeg, een van hun gangen hadden laten instorten.

Maar dit was andere koek. Er was hier veel meer gesteente boven hen. Waarschijnlijk kon hij er wel voor zorgen dat ze er niet onder bedolven werden, maar hoe het dan verder moest wist hij ook niet. Zou hij een gang naar buiten kunnen toveren? Zou hij daar tijd voor hebben voor de lucht in die kleine ruimte op was? Als het hem niet op tijd lukte, zou hij steeds zwakker worden en dan zou het gewicht van de aarde hen alsnog verpletteren.

Die gedachte verontrustte hem zeer en hij probeerde zijn zinnen te verzetten. De voetstappen van het jongetje achter hen waren nauwelijks hoorbaar. Hij vroeg zich af of het joch wel eens nadacht over de kans levend begraven te worden. En nu schoten hem weer andere gangen te binnen, die onder de universiteit, waar hij probeerde te ontdekken waarom Fergun daar de hele tijd rondsloop. Hij had steeds het idee gehad dat iemand hem volgde, maar net toen hij zichzelf ervan wilde overtuigen dat het onzin was, bleek het de opperheer te zijn.

'Alles in orde?'

Dannyl schrok zich dood van de vraag. Hij keek op en zag dat Tayend hem nauwlettend opnam. 'Ja. Hoezo?'

'Je hijgt opeens zo.'

'O. Echt?'

'Ja.'

Dannyl ademde dus maar een paar keer diep in en uit, en deed wat ontspanningsoefeningen.

Tayend keek hem tersluiks aan en glimlachte. 'Heeft het ermee te maken dat je zo diep onder de grond zit?'

'Welnee.'

'Heel veel mensen voelen zich een beetje ongemakkelijk in dit soort gangen. In de bibliotheek heb ik er tientallen gezien die helemaal over de rooie gingen, dus ik herken de voortekenen een beetje. Je vertelt het me wel als je door gaat draaien, hè? Want ik zie het niet zo zitten om achter een doorgedraaide magiër te lopen.'

Dannyl glimlachte. 'Het gaat al weer. Ik moest alleen aan een paar... minder aangename ervaringen denken die ik in soortgelijke plaatsen heb gehad.'

'O? Vertel eens.'

En op de een of andere manier deed het Dannyl goed even over de twee gebeurtenissen te praten. Toen hij beschreef hoe de Dieven kwamen om hem levend te begraven, kwam hij vanzelf bij de speurtocht naar Sonea terecht. Toen hij het punt bereikte waarin hij de gangen onder de universiteit wilde ingaan en de opperheer zou ontmoeten, vernauwden Tayends ogen zich.

'Dát is degene voor wie je bang bent, niet?'

'Nee. Niet zozeer bang als wel... nou ja, dat hangt helemaal van de situatie af.'

Tayend grinnikte. 'Nou, als zo'n griezel als jij bang is voor de opperheer, blijf ik beslist ver uit zijn buurt.'

Dannyl stond meteen stil. '*Ik*, een *griezel*?'

'En of,' zei Tayend en knikte ernstig. 'Een vreselijke griezel.'

'Maar...' Dannyl schudde zijn hoofd. 'Ik heb helemaal niets gedaan –' Hij zweeg toen hij zich de straatrover herinnerde. 'Tja, sinds kort dus wel.... Maar daarvóór was je toch zeker niet bang voor me?'

'Natuurlijk wel.'

'Waarom dan?'

'Alle magiërs zijn griezels. Iedereen weet wat ze kunnen doen – maar de onbekende dingen die ze kunnen doen, die zijn natuurlijk het griezeligste van alles.'

Dannyl trok een lelijk gezicht. 'Wel, het lijkt me dat je nu wel gezien hebt wat ik in mijn mars heb. En ik wílde hem niet eens doodmaken.'

Tayend keek hem zwijgend aan toen ze verder liepen. 'Wat vind je daar nu van?'

'Nou, een ellendige kwestie natuurlijk,' gaf Dannyl toe. 'En wat vind jij?'

'Ik weet het eigenlijk niet. Net of ik tegelijkertijd twee verschillende en tegengestelde standpunten inneem. Het kan me niet schelen dat je hem dood hebt gemaakt, maar ik vind ook dat doodmaken verkeerd is. Dat onzekere zit me dwars. Wie kan nu zeggen of het goed of fout was? Ik heb meer boeken gelezen dan de meeste mensen die ik ken, en al die boeken verdedigen weer wat anders. Maar ik moet je nog wel iets zeggen.'

Dannyl dwong zichzelf Tayend aan te kijken. 'Nou?'

'Bedankt.' Tayend keek heel ernstig. 'Bedankt dat je mijn leven gered hebt.'

Het leek net of die woorden iets in Dannyl dat in de knoop zat, losmaakte. Hij besefte dat hij behoefte had gehad aan Tayends dankbaarheid. Niet dat het zijn geweten ontlastte, maar het bracht de kwestie wel in een nieuw perspectief.

Hij keek voor zich en merkte dat zijn bollicht de wanden in de verte maar nauwelijks kon verlichten. Dat moest betekenen dat ze een grotere grot naderden. Terwijl ze dichterbij kwamen, rook Dannyl een soort mineraal gesteente. Het scherpe geurtje werd sterker toen ze bij het uiteinde van de gang kwamen. Dannyl stuurde zijn lichtje naar het midden van de ruimte en Tayend hapte naar adem.

De ruimte was zo groot als de Gildezaal en gevuld met glinsterende spierwitte gordijnen van druppeltjes kalk en druipstenen. Het geluid van druipend water echode door de zaal. Toen hij beter keek zag hij druppels vocht van de einden van de stalactieten vallen.

'De Tomben van de Witte Tranen,' zei Tayend zacht.

'Ontstaan door water dat door het dak lekt, en mineralen afzet waar het neerkomt.'

Tayend rolde met zijn ogen. 'Ja, dat weet ik ook wel.'

Een glibberig paadje leidde de druipsteengrot in. Voorzichtig, voetje voor voetje, daalden ze af over de onregelmatige bodem. Terwijl ze de meest fantastische stenen vormen passeerden, kwam er iets bijzonders in zicht. Tayend bleef meteen staan.

'De Muil des Doods,' zei hij, nu haast onhoorbaar.

Verderop doorkruiste een rij stalagmieten en stalactieten de ruimte. Sommige waren samengegroeid en veranderd in een soort zuilen. De gaten tussen de andere waren maar klein, en het was alsof ze elkaar elk ogenblik konden raken. Elke druipsteen was gigantisch breed bij het aanhechtingspunt op de vloer of aan het plafond, maar liep uit in een naaldscherpe punt, zodat het geheel op de muil van een groot, scherpgetand dier leek.

'Zullen we eens zien wat er in zijn maag zit?' vroeg Tayend. Hij wachtte niet op antwoord, dook tussen twee tanden door en was verdwenen.

Dannyl volgde hem en zag hem aan de andere kant van een tunnel staan, driftig wenkend. De muren waren aan beide kanten glinsterend wit, hier en daar onderbroken door donkere alkoofjes. Toen hij naast Tayend ging staan, zag ook hij het witte skelet in een smalle alkoof. Erboven hing een vers gordijn van witte kralen, die de helft van de inham afschermde.

'Ze moeten de grotten hierin hebben uitgehakt hoewel ze wisten dat de muren hen zouden bedekken,' mompelde Tayend.

Ze liepen verder en ontdekten een andere tombe, en nog een. Hoe verder ze liepen, hoe ouder en talrijker ze werden. Tenslotte waren er geen skeletten meer te zien, maar alleen witte muren die de hele inham afsloten.

Dannyl wist dat ze al uren onderweg waren. De Vindo's stonden bezoekers niet toe om overdag in de tomben rond te hangen, en hij werd bang dat ze niet voor zonsopgang bij het strand zouden zijn om de boot te halen. Toen ze het einde van de gang bereikten, ademde hij opgelucht uit.

'Hier houdt het op,' zei Tayend terwijl hij koortsachtig de wanden afzocht met zijn blik. Dannyl schoof naar rechts en bestudeerde de gladde wanden. Hier en daar leken ze wel doorschijnend. Tayend bekeek de linkermuur op dezelfde manier. Na een minuut of twee riep hij Dannyl opgewonden bij zich, en Dannyl kwam naast zijn vriend staan.

Tayend wees naar een klein gaatje. 'Kan je hier wat licht in werpen?'

'Ik zal het proberen.'

Dannyl vormde een piepklein vonkje en stuurde het door het gaatje. De minerale wand was ongeveer een vinger dik, daarachter was het pikdonker. Hij liet het vonkje groeien in de grot achter de witte wand. Toen begon hij te glimlachen.

'Wat is het? Wat is het?' vroeg Tayend zenuwachtig. 'Laat zien! Laat zien!'

Dannyl deed een stap opzij en keek naar Tayend, die gespannen door het gaatje tuurde. De geleerde zette grote ogen op. Achter de witte muur van gesteente lag een kleine grot. In het midden stond een grafkist met schitterend houtsnijwerk. De muren waren deels bedekt met mineraal gesteente, maar een groot deel van de inscripties was nog zichtbaar.

Tayend haalde velletjes papier en een loodstift uit de zakken van zijn jas; zijn ogen glansden van opwinding. 'Hoe lang heb ik nog?'

Dannyl haalde zijn schouders op. 'Een uur, misschien minder.'

'Dat is voor nu wel genoeg. We komen toch terug?'

'Ik zou niet weten waarom niet.'

Tayend grijnsde. 'We hebben het gevonden, Dannyl! We hebben gevonden waar je opperheer naar zocht. Bewijzen van oude magie!'

22

Mijd de opperheer

Toen Sonea het Genezerspaviljoen verliet, renden er allerlei magiërs-leerlingen langs haar heen. Sommigen sprongen in het rond en lachten uitbundig. Sonea luisterde naar al die opwinding rondom haar. Terwijl de laatste gongslag nog in haar oren weergalmde, waren de meeste novicen al druk aan het kletsen over paardrijden, wat ze aan zouden trekken naar het komende hofbal, en over spelletjes waarvan ze nog nooit had gehoord.

De komende twee weken zouden bruine gewaden maar zelden te zien zijn op het Gildeterrein, want de meeste leerlingen – en heel wat magiërs bovendien – zouden de wintervakantie bij hun familie doorbrengen. *Kon ik ook maar weg.* Wat verlangde ze ernaar bij haar oom een tante en hun baby te logeren. *Maar dat verbiedt hij me natuurlijk.*

Ze was bij de trappen van de universiteit aangekomen. Een paar oudere novicen passeerden haar juichend, en een paar achterblijvers haastten zich langs haar heen terwijl ze de trap op liep. Toen ze eenmaal op de tweede verdieping was, leek ze plotseling helemaal alleen in het gebouw.

De stilte in de gang liet haar een leegte voelen die ze nog niet eerder had meegemaakt, zelfs 's avonds laat niet. Ze drukte haar kistje tegen haar borst en snelde naar een zijgangetje.

De magiërsbibliotheek lag op de begane grond, vrijwel aan de achterkant van de universiteit, maar de novicebibliotheek was alleen bereikbaar via een doolhof van gangetjes op de tweede verdieping. Sonea had hem dan ook niet kunnen vinden, de eerste keer dat ze hem zocht, en was uiteindelijk een paar oudere novicen achterna gelopen, maar nu was het geen probleem meer.

Binnen was geen leerling te bekennen. Ze hoorde een deur opengaan en ze boog toen de bibliothecaresse, vrouwe Tya, binnenkwam.

'Het spijt me, Sonea,' zei ze. 'De bibliotheek gaat sluiten. Ik heb net mijn spullen gepakt.'

'Is hij tijdens de vakantie wel open, vrouwe?'

De bibliothecaresse schudde haar hoofd.

Sonea boog, draaide zich om en vertrok weer. Op het kruispunt van gangen stond ze stil en vloekte zacht. Waar moest ze dán heen? Alles was beter dan het huis van de opperheer. Ze keek rillend rechts en links van haar. De rechtergang bracht haar terug naar de hoofdgang. Maar de linker?

Ze begon hem in te lopen tot ze weer op een kruispunt kwam. Ze stopte en dacht terug aan de verwarrende tocht met Dorrien naar het dak. Hij zei dat hij elke gang en elke zaal in het gebouw kende. Om hier al sinds je jeugd te wonen had natuurlijk zijn voordelen.

Sonea klemde haar lippen op elkaar. Ze had elke voorsprong nodig die ze kon krijgen. Het werd tijd dat zij hier de weg eens goed leerde kennen.

Maar als ze nu eens verdwaalde?

Sonea grinnikte. Ze had nog de rest van de dag voor zich. Voor de eerste keer in zes maanden hoefde ze nergens heen. Als ze de weg kwijtraakte, zou ze hem wel weer terugvinden.

Met een vastberaden glimlach begon ze te lopen.

Vier keer werd er hard op de deur geklopt. Lorlen versteende. Dit was niet Osens beleefde klopje, of het zachte tikje van Lorlens bediende. En ook niet de onbekende roffel van zomaar een magiër. Het was de klop waarop hij had gewacht, een klop waarvan hij wist dat hij zou komen.

En nu het eindelijk zover was kon hij geen spier meer bewegen. Hij staarde naar de deur met de vage hoop dat de bezoeker zou denken dat hij afwezig was en zich om zou draaien.

Doe die deur open, Lorlen.

De woorden brachten hem met een schok in beweging. Ze klonken vreemd, alsof ze in zijn hoofd werden uitgesproken.

Lorlen haalde diep adem. Hij kon Akkarin toch niet ontlopen. Waarom zou hij het uitstellen? Met een diepe zucht dwong hij de deur open te gaan.

'Goedenavond, Lorlen.'

Akkarin stapte naar binnen, met datzelfde scheve glimlachje waarmee hij Lorlen altijd begroette. Alsof ze nog steeds oude vrienden waren.

'Opperheer.' Lorlen kreeg een droge keel. Zijn hartslag was versneld en hij wenste dat hij in zijn stoel kon wegzinken. Even kreeg hij een hekel aan zichzelf. *Je bent administrateur van het Gilde,* dacht hij bestraffend, *gedraag je op z'n minst waardig.* Hij ging rechtop zitten en keek Akkarin aan.

'Niet in de Nachtzaal vanavond?' vroeg Akkarin nieuwsgierig.

'Ik was niet in de stemming.'

In de stilte die volgde sloeg Akkarin zijn armen over elkaar. 'Ik heb ze geen pijn gedaan, Lorlen.' Akkarin zei het heel rustig en zacht. 'Jou ook niet. Sonea zal er uiteindelijk voordeel van hebben dat ik haar mentor ben geworden. Haar leraren verwaarloosden haar, hoe Rothen ook zijn best deed. Nu zullen ze in het stof buigen om haar te mogen helpen – en ze zal hun hulp

hard nodig hebben als ze zo hoog op de ladder wil komen als ze van plan is.'
Lorlen keek Akkarin geschrokken aan. 'Je hebt haar geest gelezen?'
Een wenkbrauw werd opgetrokken. 'Natuurlijk. Ze is nog wel jong, maar een kind is ze niet meer. Dat weet je best, Lorlen. Jij hebt haar geest tenslotte ook gelezen.'

'Dat was iets anders.' Lorlen keek een andere kant op. 'Het werd me gevraagd.' Akkarin had ongetwijfeld ook Rothens geest gelezen. Weer voelde hij een golf van schuldgevoel.

'Maar daarvoor ben ik niet gekomen,' sprak Akkarin. 'Niets heeft je ooit weerhouden van een bezoek aan dat clubje roddeltantes in de Nachtzaal. Ze verwachten gewoon dat je komt. Het is tijd dat je ophoudt met dat gemok, mijn vriend.'

Vriend? Lorlen snoof en keek naar de ring. *Welke vriend zou hem zoiets hebben aangedaan? Wat voor een administrateur laat een zwarte magiër zomaar een novice in gijzeling nemen?* Hij zuchtte. *Een administrateur die geen keus heeft.*

Om Sonea te beschermen moest hij net doen of er niets aan de hand was. Alleen maar dat de opperheer eindelijk ook eens mentor van een novice had willen worden, en dat was toevallig dat sloppenkind geworden. Hij knikte.

'Ik zal gaan. Ga je mee?' vroeg hij, al wist hij al wat het antwoord zou zijn.
'Nee, ik ga maar eens naar huis.'

Lorlen knikte. Als Akkarin de Nachtzaal binnen zou komen, zou alle geroddel meteen stoppen. Maar als hij er niet was, zouden alle vragen die niemand de opperheer durfde te stellen de administrateur ter ore komen. En zoals gewoonlijk zou Akkarin een verslag verwachten.

Toen herinnerde Lorlen zich de ring en Akkarins commentaar: *'Nu zal ik alles wat er om je heen gebeurt kunnen zien en horen.'* Akkarin hoefde niet eens op zijn verslag te wachten. Hij zou op zijn gemak mee kunnen luisteren naar alles wat er besproken zou worden.

Lorlen liep naar zijn slaapkamer, plensde wat water uit een schaal in zijn gezicht en bekeek zichzelf in de spiegel. De donkere kringen onder zijn ogen waren het bewijs van de slapeloze nachten die hij te verduren had gehad. Hij streek zijn haar glad, kamde het naar achteren en bond het samen in zijn nek. Zijn gewaad was gekreukeld, maar een magische handbeweging maakte dat in orde.

Hij liep terug naar de ontvangstkamer en keek Akkarin met effen blik aan. Er verscheen een flauw glimlachje rond de mond van de opperheer. Lorlen deed zijn best zijn gezicht in de plooi te houden, beval de deur open te gaan en liep achter Akkarin aan naar buiten.

De magiërs in de gangen bleven even staan wanneer ze langskwamen. Lorlen knikte beleefd. Ze zouden aannemen dat hij ziek geweest was, vanwege de donkere kringen rond zijn ogen. Even later wenste Akkarin hem nog een plezierige avond en wandelde weg.

Onderweg naar de Nachtzaal groette Lorlen twee magiërs die in dezelfde richting liepen. Zoals hij verwacht had, informeerden ze of hij weer helemaal beter was. Hij verzekerde hen dat het weer ging, en bij de deur aangekomen liet hij hen voorgaan.

Toen de binnendeuren open gingen werden alle hoofden omgedraaid om te zien wie er binnenkwam. Het geroezemoes werd eerst wat zachter en nam toen in hevigheid toe. Lorlen baande zich een weg door de volle zaal naar zijn favoriete fauteuil en zag dat er al diverse magiërs, waaronder veel hoofdmagiërs, omheen stonden.

Tot zijn schrik zag hij heer Yikmo in zijn stoel zitten. De jonge Krijger sprong echter meteen op.

'Administrateur Lorlen!' riep hij uit. 'Gaat u alstublieft zitten. Bent u weer in orde? U ziet er nog wel moe uit.'

'O, het gaat wel weer,' antwoordde Lorlen.

'Blij dat te horen,' zei Yikmo. 'We hoopten al dat u vanavond zou komen, maar ik kan me goed voorstellen dat u liever weg zou blijven om alle vragen over Sonea en de opperheer te vermijden.'

Lorlen glimlachte beleefd. 'Maar ik kan jullie toch niet eeuwig in spanning laten, wel?' Lorlen leunde achterover in zijn stoel en wachtte op de eerste vraag. Drie magiërs, onder wie heer Peakin, namen tegelijkertijd het woord. Ze zwegen en knikten naar het hoofd van de afdeling Alchemie.

'Wíst je tevoren al dat Akkarin erover dacht haar mentor te worden?' vroeg heer Peakin.

'Nee,' antwoordde Lorlen. 'Hij heeft nooit meer interesse in haar gehad dan in welke novice dan ook. We hadden het wel eens over haar, maar niets wees op een speciale belangstelling van zijn kant. Niettemin heeft hij misschien al maanden met het idee gespeeld.'

'Maar waarom nu juist Sonea?'

'Nogmaals, dat weet ik niet. Er moet hem iets in haar opgevallen zijn.'

'Misschien was dat haar kracht,' mijmerde heer Yikmo. 'Die zomerleerlingen maakten ons attent op haar uitzonderlijke potentieel toen ze hun krachten combineerden en zij hen desondanks versloeg.'

'Heeft hij proeven met haar gedaan?' vroeg een ander.

Lorlen aarzelde, en knikte. 'Ja.'

De magiërs rondom hem wisselden blikken uit.

'En, wat heeft hij gevonden?' vroeg Peakin.

'Ze bezit inderdaad enorme krachten,' antwoordde Lorlen. 'Hij wenst haar van dichtbij in de gaten te houden tijdens haar opleiding.'

Een van de magiërs ging rechtop staan en liep naar een nieuw binnengekomen magiër, waarschijnlijk om de informatie door te geven. Achter die twee ontwaarde Lorlen een bekend gezicht. Toen Rothen hem aankeek, werd Lorlen bevangen door schuldgevoel.

Dat Rothen hier aanwezig was verraste hem. Had Akkarin ook Rothen bevolen te doen alsof er niets bijzonders aan de hand was?

248

'Jerrik heeft me laten weten dat ze avondlessen volgt,' zei vrouwe Vinara. 'Vind je dit niet een beetje te veel van het goede voor haar?'

Lorlen wijdde zich weer aan de mensen rondom hem en haalde zijn schouders op. 'Daar weet ik niets van. Ik wist niet dat hij al met Jerrik gesproken had.'

'Haar meeste avondlessen zijn gewoon lessen die ze mist vanwege haar privé-lessen strijdvaardigheden. Die volgt ze overdag,' legde heer Yikmo uit.

'Waarom doet ze die niet 's avonds?' vroeg een ander.

'Omdat ik 's avonds geen les geef,' lachte heer Yikmo.

'Vergeef me mijn opmerking, maar je zou toch verwachten dat heer Balkan de uitverkorene van de opperheer les gaf,' zei heer Garrel. 'Maar misschien past uw manier van lesgeven beter bij een meisje als Sonea.'

'Ja, leerlingen met een snelle geest en een minder agressief temperament reageren vaak goed op mijn methode,' antwoordde Yikmo minzaam.

Lorlen voelde dat Rothen hem nog steeds in de gaten hield en hij liet zijn ogen over de menigte glijden. Toen hij weer sprak probeerde hij van onderwerp te veranderen. *Krijgers!* dacht hij. *Altijd en eeuwig die competitiedrang!*

Twee uur later moest Lorlen een geeuw onderdrukken. Hij keek rond en stond op.

'Excuseert u me,' zei hij. 'Het is al laat en ik ga er liever vroeg in. Goedenacht.'

Door de zaal naar de uitgang lopen was geen sinecure. Hij kon geen stap zetten zonder te worden aangehouden om een vraag te beantwoorden. Nadat hij zich een paar maal beleefd had verontschuldigd, draaide hij zich om en keek recht in de ogen van Rothen.

Ze keken elkaar zwijgend aan. Met bonzend hart kon Lorlen alleen maar denken aan Akkarins verbod om met elkaar te spreken. Maar iedereen keek naar hen en als zij geen woord tegen elkaar spraken zou dat weer een stroom van geruchten opleveren.

'Goedenavond, administrateur,' zei Rothen.

'Goedenavond, heer Rothen,' zei Lorlen.

En zo zijn we Akkarin nu al ongehoorzaam, dacht Lorlen. Rothens gezicht zag er ouder uit dan hij zich herinnerde. Hij dacht ineens aan zijn ring en hield zijn handen achter zijn rug ineengestrengeld. 'Ik wilde je mijn... medeleven betuigen. Het moet je pijn gedaan hebben het mentorschap te verliezen over een novice op wie je zo duidelijk gesteld was.'

Rothen fronste zijn wenkbrauwen. 'Dat deed het zeker,' gaf hij toe.

Wat wilde hij Rothen nu graag geruststellen. Als hij nu eens...

'Ik hoorde zojuist dat ze in haar tweede jaar ook nog avondlessen gaat volgen. Ze zit dus vrijwel altijd in de klas, dus betwijfel ik of ze veel van haar nieuwe mentor zal zien – wat waarschijnlijk Akkarins manier is om ervoor te zorgen dat ze hem niet voor de voeten loopt.'

Rothen knikte langzaam. 'Daar zal ze niet rouwig om zijn, lijkt me.' Hij aarzelde en temperde zijn stem. 'Voel je je weer beter?'

'Ja hoor,' lachte Lorlen wat moeizaam. 'Ik was een beetje oververmoeid. Ik –' Hij brak af toen er wat anderen passeerden. 'Dank je wel voor je bezorgdheid. Goedenacht, heer Rothen.'

'Welterusten, administrateur.'

Lorlen liep door de deur naar buiten en stond in de kille nachtlucht van de binnenplaats. Hij stond zichzelf toe even een zucht te slaken. *Moet ik nu heus geloven dat Akkarin hen geen kwaad zal doen?*

Ze lopen geen gevaar. Slim trouwens om Rothen gerust te stellen, sprak Akkarin.

Lorlen versteende van schrik en keek naar de ring. Hij blikte snel om zich heen en opgelucht constateerde hij dat de binnenplaats leeg was en niemand hem had zien verstijven.

Je hebt me wel eens verteld over die gesprekstechnieken van Garrel, maar ik had zo'n denigrerende opmerking nooit zelf gehoord. Doet hij dat bij iedereen?

Lorlen keek naar de ring. De steen ving het licht van de toortsen rond de binnenplaats op en zag er niet anders uit dan een gewone robijn.

Ik heb het je toch gezegd? Alles wat er om je heen gebeurt, zal ik zien en horen.

En denk?

Wanneer ik luister wel – maar jij weet niet wanneer ik luister.

Vol afschuw pakte Lorlen de ring vast en begon hem af te wrikken.

Hou op, Lorlen. Je hebt jezelf al met genoeg schuldgevoelens opgezadeld. Dwing me nu niet om het nog erger te maken.

Hij liet de ring los en balde gefrustreerd zijn vuist.

Dat is beter. Rust nu maar even uit. Je hebt nog heel wat werk in te halen.

Snuivend van woede en verslagenheid beende Lorlen naar zijn kamer.

De weg leren kennen in de doolhof van het gangenstelsel was moeilijker dan Sonea had verwacht. Hoe verder ze kwam, hoe makkelijker het werd om te verdwalen. Zo ondoorzichtig en onvoorspelbaar waren de gangen dat ze zich afvroeg of ze niet speciaal ontworpen waren om indringers in de war te maken.

Het ontwerp leek aan geen enkel patroon te beantwoorden. Elke gang kronkelde en vertakte zich in diverse andere. Soms kwamen ze plotseling weer op de hoofdgang uit, soms liepen ze dood.

Ze nam een vel papier uit haar kistje en begon stappen te tellen en hoeken te markeren. Na een uur had ze een klein gedeelte van het stelsel in kaart gebracht. Maar er ontbraken nog hele stukken. Hoewel ze al tellend terugliep, vond ze geen gangen die naar het witte gedeelte op haar kaart leidden.

Ze stopte en ging even op haar kistje zitten om na te denken. Ze had aangenomen dat de kronkelroute die Dorrien naar het dak had genomen expres zo bedacht was om haar in verwarring te brengen. Maar dat was waarschijnlijk niet het geval. Ze zocht in haar geheugen en herinnerde zich ineens een vreemd kamertje waar ze doorheen gelopen waren. Er stonden wat kasten met ornamenten in, maar veel nut scheen het vertrekje niet te hebben. Misschien, dacht ze, fungeerde het als een soort hal of portaal naar de geheime gangen van de universiteit.

Ze stond op en holde naar een van de doodlopende gangen die ze gevonden had. Hij eindigde in een doodgewone stenen muur, maar nu pas zag ze aan haar linkerkant een deur. Ze pakte de klink... en liet hem weer los.

Als ze het nu eens mis had en het geen zinloos kamertje was? Misschien kwam ze wel midden in een vergadering van de hoofdmagiërs terecht.

Maar misschien was het wel de bedoeling, dat ze daar bang voor was. Ze bekeek de deur eens goed. Hij was van donker hout gemaakt. Geen bijzondere versieringen. De scharnieren waren van zwart ijzer. Ze liep een stukje terug om andere deuren te bekijken. Die zagen er hetzelfde uit.

Ze liep weer naar de deur in het doodlopende stuk en probeerde haar weerzin om hem open te doen te overwinnen. Ze moest er niet aan denken wat er zou gebeuren als ze pardoes de kamer van een ambassadeur binnen liep.

Maar als dat inderdaad gebeurde, kon ze zich nog altijd verontschuldigen en zeggen dat ze zich vergist had. Misschien kon ze eerst kloppen, en als er antwoord kwam kon ze zeggen dat ze op de verkeerde deur geklopt had. Het gebeurde vast wel eens vaker dat leerlingen zich vergisten.

Ze klopte eerst zachtjes en toen wat harder. Ze telde tot vijftig en drukte toen de klink naar beneden. De deur opende met een klikje en zwaaide naar buiten open.

Ze deed een stap en stond in net zo'n kamertje als waarin ze met Dorrien geweest was. Ze was trots op zichzelf en liep naar de deur tegenover die waardoor ze binnengekomen was. Hij zwaaide naar binnen toe open en leidde naar weer een andere gang. Deze zag er anders uit dan die waarin ze net was geweest. De muren waren betimmerd met houten panelen en langs de hele lengte zag ze schilderijen en reliëfjes. Hij rook zelfs anders – iets van boenwas en kruiden.

Langzaam liep ze van schilderij naar schilderij, blij dat ze haar intuïtie gevolgd had.

De kamertjes deden dienst als barrière, bedacht ze. Ze hielden hen die hier niets te maken hadden tegen. De meeste mensen zouden geen deur opendoen als ze niet wisten wat erachter zat, en zelfs al deden ze hem open, dan was het nog een oninteressante ruimte. Ze vroeg zich af hoeveel van die portaalkamertjes er zouden zijn. Een mooie taak om dat de komende twee weken uit te zoeken.

Opeens bedacht ze dat als er barrières waren opgeworpen die tot doel hadden nieuwsgierigen te ontmoedigen, ze zich nu waarschijnlijk op verboden terrein bevond.

Ze hoorde iets kraken en draaide zich vliegensvlug om. Er ging ergens een deur open en ze hoorde voetstappen haar kant opkomen. *Te laat om me te verstoppen,* dacht ze toen ze een magiër op zich af zag komen. Hij fronste zijn voorhoofd.

Nonchalant kijken en doen of je hier moet wezen! Ze rechtte haar rug en liep op hem af alsof ze alleen maar stil was blijven staan om een schilderij te bekijken. Zijn blik viel op de incal op haar mouw. Dichterbij gekomen bleef ze staan om een buiging te maken en liep toen langs hem heen.

Ze hoorde zijn voetstappen in de verte verdwijnen en zuchtte van opluchting. Zo te zien waren leerlingen hier niet welkom. Maar hij had geen vragen gesteld toen hij de incal had gezien, en dacht waarschijnlijk dat ze hier was om een boodschap voor de opperheer te doen. Ze glimlachte om het idee. Zolang ze een gezicht trok alsof ze hier elke dag kwam, zouden de magiërs haar met rust laten.

En hoe nu verder? Ze vouwde het papiertje in haar hand open en begon haar kaart weer te bestuderen.

23

Akkarins belofte

Toen Dannyl vanaf het dek weer terugkeerde naar de hut, vond hij Tayend in kleermakerszit op het smalle bed. De aantekeningen en schetsen lagen verspreid om hem heen.

'Ik heb vertaald wat ik kon lezen,' zei de geleerde. 'Er zit een spreuk op de kist die volgens mij in diverse oude talen wordt herhaald. Dat zoek ik wel uit als in weer in de Grote Bibliotheek ben. De derde regel is in de vroeg-Elynese taal die duizend jaar geleden zo door de Kyraliaanse beïnvloed is.'

'En wat staat daar?'

'Dat deze vrouw schoon en roemrijk was. Dat ze de eilanden met hoge magie beschermde. De woorden voor "hoge magie" waren er diep ingesneden. Er is op dezelfde manier een teken benadrukt in wat volgens mij een oude Vinse taal is – die werd vaak op muren gebruikt.'

Tayend wees het teken aan op een schets. Elke keer dat het teken voor 'hoge magie' opdook, bevond zich erboven een afbeelding van een man die voor een vrouw neerknielde. De hand van de vrouw was uitgestoken om de geheven handpalm van de smekeling aan te raken, alsof ze hem troostte of beloonde.

'Het kan betekenen dat ze die hoge magie uitvoert. Wat denk jij dat ze hier doet?'

Dannyl haalde zijn schouders op. 'Genezen, misschien. Dat is niet zo vreemd, want de geneeskunst stond duizend jaar geleden nog in de kinderschoenen. Alleen door samenwerking en experimenten lukte het het Gilde het vak onder de knie te krijgen, en het is nog steeds de zwaarste studie.'

'Dus de term "hoge magie" zegt je niets?'

Dannyl schudde het hoofd. 'Nee.'

'Dat gat waar we doorheen keken leek me niet van natuurlijke oorsprong. Volgens mij is het door iemand gemaakt. Zou je zoiets met magie voor elkaar kunnen krijgen?'

'Best mogelijk.' Dannyl glimlachte. 'Ik denk dat de laatste bezoeker ons een dienst bewezen heeft.'

'Dat kan je wel zeggen.'

Het schip zakte diep weg in een golfdal voor het weer hoog werd opgetild. Tayend vertrok zijn gezicht en werd lijkbleek.

'Deze reis ga je niet weer in die ellendige toestand doorbrengen,' zei Dannyl streng. 'Geef me je pols.'

Tayend sperde zijn ogen open. 'Maar... ik...'

'Nu heb je geen enkel excuus meer.'

Tot Dannyls schik moest Tayend blozen en keek hij de andere kant op. 'Ik ben nog steeds niet gewend aan, nou ja...'

Dannyl wuifde zijn woorden weg. 'Dit soort van genezen werkt snel. En ik zal heus je gedachten niet lezen. Trouwens, geef het maar toe. Je bent niet bepaald prettig gezelschap als je ziek bent. Als je niet eerst hier, en dan daar over je nek gaat, sta je wel te klágen dat je over je nek gaat.'

'Te *klagen*!?' protesteerde Tayend. 'Ik klaag nooit!' Hij stak zijn pols uit. 'Schiet dan maar op.' Hij kneep zijn ogen dicht.

Dannyl pakte Tayends pols, concentreerde zich en voelde onmiddellijk het zeezieke gevoel dat zijn vriend zo plaagde. Een klein beetje wilskracht liet het verdwijnen. Hij liet Tayends pols los en keek hoe Tayend zijn ogen opende en bedacht hoe hij zich voelde.

'Dat is beter.' Tayend keek Dannyl even onderzoekend aan, haalde toen zijn schouders op en keek weer naar zijn aantekeningen. 'Hoe lang blijft dat zo?'

'Een paar uur. Langer als je een beetje aan dat geschommel gewend raakt.'

Tayend glimlachte. 'Blij dat ik je niet voor niets heb meegenomen. Wat doen we nu als we terug zijn?'

Dannyl snoof. 'Ik zal mijn ambassadeurswerkzaamheden wel moeten inhalen.'

'Nou, terwijl jij daarmee bezig bent, zoek ik dit verder wel uit. We weten waar Akkarin heen reisde dankzij die boeken op de scheepswerf. We komen er ook wel achter waar hij daarna heenging. De Bel Arralade geeft elk jaar een verjaarsfeestje en dat is de perfecte plaats om ons oor te luisteren te leggen. Er ligt een uitnodiging in het Gildehuis op je te wachten.'

'Hoe kan je dat zo zeker weten? Ik ben nauwelijks een paar maanden in Capia en ik heb die hele Bel Arralade nog niet eens ontmoet.'

'Daarom weet ik juist zo zeker dat je uitgenodigd bent.' Tayend glimlachte. 'Een jonge, ongehuwde magiër zoals jij. Trouwens, ambassadeur Errend gaat ook elk jaar. Ook al had je geen uitnodiging, dan zou hij er wel voor zorgen dat je toch mee kon gaan.'

'En jij dan?'

'Ik heb vrienden die me mee kunnen nemen als ik ze lief aankijk.'

'Waarom ga je dan niet met mij mee?'

Tayend keek het gangetje tussen de twee hutten in en boog zich voorover. 'Als we samen gaan, barst er meteen een geroddel los, dat wil je niet weten.'

'We zijn nu al maanden samen op reis,' wierp Dannyl tegen. 'Roddelen doen ze nu toch al.'

'Dat hoeft niet.' Tayend wuifde het weg. 'Niet als mensen zien dat je me behandelt als een bediende, een hulpje. Ze denken misschien dat jij niet weet wat ik ben. Want je bent en blijft een Kyraliaan. Als je het wist, zou je natuurlijk allang een andere assistent gevraagd hebben, denken ze.'

'We hebben wel een slechte naam gekregen, hè?'

Tayend knikte. 'Maar dat kunnen we in ons voordeel gebruiken. Als iemand iets slechts over mij zegt, moet jij in woede uitbarsten omdat mijn naam zo door het slijk wordt gehaald. Ik zal tegen mijn vrienden zeggen dat ze jou niets over mij moeten verklappen, omdat ik anders mijn baantje verlies. Als we het overtuigend genoeg spelen, kunnen we gewoon doorgaan met ons werk zonder dat men vervelende vragen stelt.'

Dannyl fronste zijn wenkbrauwen. Hij wilde het eigenlijk niet toegeven, maar Tayend had wel gelijk. Het lag eigenlijk meer in zijn lijn om zijn schouders op te halen en de roddelaars te laten kletsen, maar als ze iets konden ondernemen om zijn naam hoog te houden zou dat hun beider levens alleen maar makkelijker maken.

'Goed dan. Ik zal de arrogante Kyraliaanse magiër spelen zoals men van me verwacht.' Hij keek Tayend aan. 'Dus als ik hardvochtige of bevooroordeelde uitspraken doe, dan meen ik dat niet, als jij dat maar goed onthoudt.'

Tayend knikte. 'Weet ik toch.'

'Ik zeg het maar. Ik ben een tamelijk goed toneelspeler.'

'O, echt?'

Dannyl grinnikte. 'Ja, echt. Mijn mentor zal het beamen. Hij zei dat als ik de Dieven kon laten geloven dat ik een arme koopman was, ik iedereen erin kon laten vliegen.'

'We zien wel,' zei Tayend. 'We zien wel.'

Heer Osen wachtte geduldig terwijl Lorlen de brief afmaakte. Wapperend met zijn hand liet Lorlen de inkt drogen, vouwde toen het vel papier en verzegelde het.

'Wat nog meer?' vroeg hij terwijl hij de brief aan Osen gaf.

'Dat is alles.'

Lorlen keek verrast op. 'Heb ik de achterstand al ingehaald?'

'Ja.' Osen glimlachte.

Lorlen leunde achterover in zijn stoel en keek Osen aan. 'Ik heb je nog niet bedankt voor al je goede zorgen de afgelopen week.'

Osen haalde zijn schouders op. 'U had uw rust hard nodig. Als u het mij vraagt had u nog wel een weekje langer vrij kunnen nemen. Of uw familie eens kunnen bezoeken, zoals iedereen deze vakantie. U ziet er nog steeds afgepeigerd uit, met uw permissie.'

'Ik waardeer je bezorgdheid,' antwoordde Lorlen. 'Maar iedereen hier nog langer aan hun lot overlaten?' Hij schudde het hoofd. 'Een heel slecht idee.'

De jonge magiër grinnikte. 'Ik hoor het al, u bent al weer bijna de oude. Zullen we met de voorbereidingen voor de volgende Ontmoetingsdag beginnen?'

'Nee.' Lorlen fronste zijn voorhoofd. Hij was het bijna vergeten. 'Ik moet op bezoek bij de opperheer vanavond.'

'Met uw permissie, heer, maar erg enthousiast klinkt het niet.' Osen aarzelde en vervolgde de zin op een rustiger toon: 'Hebt u soms woorden met hem gehad?'

Lorlen keek zijn assistent bedachtzaam aan. Osen had altijd alles door, maar hij bleef zeer discreet. Zou hij het geloven als hij het ontkende? Vast niet helemaal.

Zeg hem maar dat hij gelijk heeft. Over iets onbetekenends.

Lorlen versteende weer toen hij de stem in zijn hoofd hoorde spreken. Akkarin had niet meer via de ring met hem gesproken sinds het gesprek buiten de Nachtzaal, een week geleden.

'Zo zou je het kunnen noemen,' antwoordde Lorlen langzaam. 'Bij wijze van spreken.'

Osen knikte. 'Dat dacht ik al. Ging het over het mentorschap over Sonea? Dat menen enige magiërs tenminste.'

'O, menen ze dat?' Lorlen kon zijn lachen met moeite inhouden. Hij was eindelijk zelf onderwerp van geroddel geworden.

Nou? vroeg hij via de ring.

Het antwoord dat je in je hoofd hebt kan ermee door.

Hij snoof zachtjes en keek Osen waarschuwend aan. 'Ik weet dat ik je kan vertrouwen en dat je het niet doorvertelt, Osen. Die speculaties zijn allemaal goed en wel, maar ik wil niet dat de anderen weten dat ik een verschil van mening heb met de opperheer. In het belang van Sonea.'

Osen knikte. 'Ik begrijp het. Er komt geen woord over mijn lippen – en ik hoop dat u de zaak vanavond bij kunt leggen.'

Lorlen stond op. 'Dat hangt ervan af hoe goed Sonea zich aan de verandering aanpast. Ik vind het nogal veel gevraagd na alles wat ze al heeft moeten doorstaan het afgelopen jaar.'

'Ik zou niet graag in haar schoenen staan,' beaamde Osen terwijl hij met Lorlen naar de deur liep. 'Maar ik weet zeker dat ze het redt.'

Lorlen knikte. *Ik hoop het.* 'Prettige avond, Osen.'

'Goedenavond, administrateur.'

De gangen echoden van de stappen van de magiër terwijl hij naar de uitgang van het universiteitsgebouw liep. Daar aangekomen, voelde hij opeens een koude rilling over zijn rug gaan. Hij ging de grote deur door en bleef boven aan de trap staan.

Hij liet zijn blik over de voorkant van de tuinen gaan en dacht aan het huis

256

van de opperheer. Hij was er niet meer binnen geweest sinds die avond dat Akkarin zijn geest gelezen had. Een huivering ging door al zijn leden.

Hij haalde diep adem en dacht aan Sonea. Voor haar veiligheid moest hij naar dat huis toe en tegenover Akkarin plaatsnemen. Een uitnodiging van de opperheer kon je niet afslaan.

Lorlen dwong zichzelf het ene been voor het andere te zetten, en na enige tijd versnelde hij zijn pas. Hij kon het maar beter achter de rug hebben. Bij de deur van het huis aarzelde hij, maar vervolgens dwong hij zichzelf aan te kloppen. Zoals altijd zwaaide de deur al bij de eerste aanraking open. Hij zuchtte van opluchting toen hij zag dat het vertrek erachter leeg was. Hij ging naar binnen.

Vanuit zijn ooghoek zag hij iets bewegen. Een schaduw maakte zich los van de donkere rechthoek die het begin van de rechtertrap aanduidde. Akkarins zwarte gewaad ruiste zacht terwijl hij naderbij kwam.

Zwarte gewaden, zwarte magie. Ironisch genoeg was zwart altijd al de kleur van de opperheer geweest. *Je had het niet zo letterlijk hoeven nemen,* dacht Lorlen.

Akkarin grinnikte. 'Wijn?'

Lorlen schudde van nee.

'Ga zitten dan. Ontspan je.'

Ontspannen? Hoe kon hij zich nu ontspannen? En wat had hij een hekel aan dat familiaire toontje, die vriendelijkheid. Lorlen bleef staan en keek toe hoe Akkarin een fles uit het kastje pakte.

'Hoe is het met Sonea?'

Akkarin haalde zijn schouders op. 'Ik heb geen idee. Ik weet niet eens waar ze uithangt. Ergens in de universiteit, geloof ik.'

'Ze is niet hier?'

'Nee.' Akkarin draaide zich om en gebaarde naar de zachte stoelen.

'Maar hoe weet je... Je hebt haar geen ring gegeven?'

'Nee.' Akkarin nipte van zijn wijn. 'Ik controleer haar zo nu en dan. Ze was op onderzoek in de universiteit, en nu ze wat nieuwe plekjes heeft gevonden om zich in te verstoppen, leest ze voornamelijk. Avonturenromans, voor zover ik kan zien.'

Lorlen fronste zijn voorhoofd. Hij was blij dat Akkarin Sonea niet had opgedragen de hele vakantie in haar kamer door te brengen, maar ze moest wel bang en ongelukkig zijn als ze haar tijd doorbracht met het zoeken naar schuilplekjes.

'Geen wijn? Weet je het zeker? Dit jaar is de Anuren Donkerrood wel erg bijzonder.'

Lorlen keek naar de fles en schudde het hoofd. Met een zucht liet hij zich in een stoel vallen.

'Het kost me niet zoveel moeite als ik had verwacht om mentor van haar te zijn,' zei Akkarin rustig terwijl ook hij ging zitten. 'Het maakt alles wel wat gecompliceerder, maar dat is nog altijd beter dan het alternatief.'

Lorlen sloot zijn ogen en probeerde niet over dat alternatief na te denken. Hij slaakte een zucht en keek Akkarin strak aan. 'Waarom heb je het toch gedaan, Akkarin? Waarom die zwarte magie?'

Akkarin keek vlak terug. 'Als ik het iemand zou kunnen vertellen zou jij de eerste zijn. Maar je blik spreekt boekdelen. Als je gedacht had dat het mogelijk was me te verslaan, zou je het Gilde tegen me hebben opgezet. Waarom vroeg je niet gewoon waar ik mee bezig was toen het je ter ore kwam?'

'Omdat ik niet wist hoe je daarop zou reageren.'

'Na al die jaren van vriendschap vertrouwde je me niet meer?'

'Na wat ik in Sonea's geest had gezien, begreep ik dat ik je totaal niet kende.'

Akkarin trok zijn wenkbrauwen op. 'Dat kan ik begrijpen. Het is er bij iedereen diep ingehamerd dat zwarte magie iets heel slechts is.'

'En is dat zo?'

Akkarin staarde in de verte. 'Ja.'

'Waarom houd je je er dan mee bezig?' vroeg Lorlen. Hij stak zijn hand met de ring naar hem uit. 'Waarom moet ik dit dragen?'

'Ik kan het niet zeggen. Maar wees gerust, het is niet mijn bedoeling het Gilde over te nemen.'

'Dat hoef je ook niet. Je bent al opperheer.'

Even ging er een mondhoek van de opperheer omhoog. 'Dat ben ik, jazeker. Dus moet je wel geloven dat ik er niet op uit ben het Gilde te vernietigen, of wat dan ook waaraan je gehecht bent.' Hij zette zijn glas neer en liep naar het serveertafeltje. Hij schonk een tweede glas in en overhandigde het aan Lorlen. 'Eens zal ik het je allemaal uitleggen, Lorlen. Dat beloof ik.'

Lorlen staarde naar Akkarin. De donkere ogen namen hem kalm op. Lorlen nam weifelend het glas en de belofte aan.

'Daar houd ik je aan.'

Akkarin opende zijn mond om antwoord te geven, maar sloot hem weer toen er een zacht klopje op de deur klonk. Hij ging rechtop zitten en kneep zijn ogen tot spleetjes.

De deur zwaaide open. Het schijnsel van Akkarins bollicht bereikte nauwelijks Sonea's ogen terwijl ze met gebogen hoofd binnenkwam.

'Goedenavond, Sonea,' sprak Akkarin honingzoet.

Ze maakte een buiging. 'Goedenavond, opperheer; administrateur,' antwoordde ze zacht.

'Wat heb je vandaag gedaan?'

Ze keek naar de boeken die ze tegen haar borst geklemd hield. 'Gelezen.'

'Nu de bibliotheken gesloten zijn is er maar weinig keuze voor je. Zijn er soms boeken die je zou willen kopen?'

'Nee, opperheer.'

'Of heb je behoefte aan ander vermaak?'

'Nee, dank u wel, opperheer.'

Een van Akkarins wenkbrauwen schoot omhoog en hij maakte een gebaar met zijn hand. 'Je kunt gaan.'

Opgelucht liep ze naar de linkertrap. Lorlen voelde een steek van medelijden toen hij haar omhoog zag lopen.

'Ze moet zich wel ellendig voelen,' mompelde hij toen ze weg was.

'Hmm. Die geslotenheid van haar irriteert me mateloos.' Akkarin sprak zacht, alsof hij het in zichzelf zei. Hij ging weer zitten en nam een slok wijn. 'En vertel eens, hebben Peakin en Davin hun ruzie nu eindelijk bijgelegd?'

Tegen het glas geleund, keek Rothen naar het vierkantje licht aan de andere kant van de tuinen. Een paar minuten daarvoor had hij de slanke gestalte het huis zien naderen. Even later was het licht aangegaan. Nu wist hij zeker dat het raam dat van Sonea was.

Er werd zacht op zijn deur geklopt. Tania liep naar binnen met een kan water en een potje. Ze zette ze op tafel.

'Vrouwe Indria zei nog dat u het niet op een lege maag moest innemen,' zei Tania waarschuwend.

'Weet ik,' zei Rothen. 'Ik heb het vroeger ook al gebruikt.' Hij kwam uit de vensterbank en liep naar de tafel. Het slaapmiddeltje was neutraal grijs van kleur, maar hij was niet vergeten hoe smerig het smaakte.

'Dank je, Tania, je kunt gaan.'

'Welterusten,' zei ze. Ze boog en liep naar de deur.

'Wacht eens.' Rothen ging rechtop staan en keek zijn bediende ernstig aan. 'Zou je... kan je...?'

Ze glimlachte. 'Ik laat het u weten als ik iets hoor.'

Hij knikte. 'Bedankt.'

Nadat ze was weggegaan, ging hij zitten en strooide wat poeder in een beker water. Hij dwong zichzelf het in één teug op te drinken, leunde achterover en wachtte tot het medicijn zou gaan werken. De smaak wekte de herinnering op aan een gezicht, waarvan hij soms dacht dat hij het was vergeten, en hij voelde een steek in zijn hart.

Yilara, mijn lieve vrouw. Na zoveel jaren rouw ik nog steeds om je. Maar ik neem aan dat ik het me mezelf nooit zou vergeven als ik met rouwen stopte.

Hij had besloten om altijd aan zijn vrouw te denken zoals ze was toen ze nog gezond was, niet zoals ze aan het eind was geweest, gebroken door haar ziekte. Hij glimlachte toen de blije herinneringen weer in hem opkwamen.

Met die glimlach rond zijn lippen, nog steeds in zijn stoel, gleed hij vredig in slaap.

24

Een verzoek

Terwijl ze het badhuis uitliep mijmerde Sonea over de afgelopen twee weken, en tot haar verbazing vond ze het jammer dat de vakantie voorbij was. Ze had haar tijd voornamelijk doorgebracht met verkenningstochten in de universiteit, met lezen en, als het weer zacht genoeg was, met een wandeling door de bossen naar de bron.

Er was eigenlijk maar weinig veranderd. Ze moest nog steeds haar routes over het Gildeterrein zo nemen dat ze niemand tegenkwam. Akkarin was veel makkelijker te ontwijken dan Regin, wat dat betreft. Ze zag hem hoogstens 's avonds, wanneer ze terugkwam naar het huis om te gaan slapen.

Ze had een bediende toegewezen gekregen. Viola was heel anders dan Tania, koel en zakelijk. Toen ze ontdekt had dat Sonea graag bij het krieken van de dag opstond, was ze ook altijd zo vroeg aanwezig. Het had even geduurd voor de vrouw haar eindelijk een potje rakapoeder bezorgd had, en haar uitdrukking toen het scherpe aroma Sonea's kamer vulde, liet niets te raden over wat betreft haar walging voor het stimulerende drankje van de sloppenbewoners.

Elke morgen ging Sonea allereerst naar het badhuis, waar ze zich in het verrukkelijk warme water liet weken terwijl ze overdacht wat ze vandaag eens zou gaan doen. Doordat ze zich ontspande kreeg ze trek, en na zich te hebben aangekleed liep ze naar de Eetzaal. Een paar koks en diensters stonden klaar voor de paar novicen die in het Gilde waren gebleven. Omdat er niet veel te doen was, spoorden ze de leerlingen aan hun lievelingseten te bestellen, want zo kwamen ze erachter wat men graag in de Huizen at, wat weer een pre was wanneer ze daar ooit zouden solliciteren. Hoewel Sonea heel andere connecties had, verwenden de koks haar net zo goed, wat waarschijnlijk te maken had met de incal op haar mouw.

Na het eten wandelde ze door de gangen van de universiteit om de plattegrond goed in haar geheugen te prenten. Af en toe rustte ze uit in een rustig kamertje met een boek. Soms las ze uren aan een stuk voor ze besloot verder op ontdekkingstocht te gaan. Wanneer het begon te schemeren, werd ze weer wat nerveuzer en kon ze de concentratie om te lezen niet meer opbrengen. Ze hoefde niet voor een bepaalde tijd terug te zijn. Hoewel ze steeds later besloot terug te gaan naar de ambtswoning, zat Akkarin altijd in zijn stoel op haar te wachten. Na een week berustte ze maar in deze dagelijkse ontmoeting, en ging ze weer op een normale tijd naar huis, zodat ze voldoende slaap kreeg.

Net toen ze aan haar nieuwe dagindeling gewend was, was de vakantie voorbij. De dag ervoor had ze de hele middag in een vensterbank van de universiteit gezeten, en de koetsen af en aan zien rijden. Gewoonlijk was het heel makkelijk om te vergeten dat het Gilde niet alleen uit magiërs bestond, maar dat er ook echtgenoten, echtgenotes en kinderen op het terrein woonden. Sonea besefte dat ze er maar een paar bij naam kende. Ze besloot zich meer te verdiepen in haar toekomstige collega's en zocht uit wie bij wie hoorde, en welk incal bij welk Huis hoorde.

Het was een gezellige drukte op de binnenplaats. Terwijl bedienden alle bagage van de rijtuigen haalden en de paarden verzorgden, stonden magiërs en hun man of vrouw te kletsen met anderen. Kinderen renden de tuin in om met de sneeuw te spelen. Novicen stonden bijeen in bruine groepjes en hun geschater was tot in de universiteit te horen.

Maar dat was gisteren. Vandaag liepen de magiërs weer met grote passen over het terrein, als heer en meester van het Gilde. Bedienden schoten alle kanten op, maar van de rest van de gezinnen was niets meer te zien. Van de magiërsleerlingen echter des te meer.

Sonea voelde zich weer net zo ongemakkelijk als voor de vakantie als ze door de universiteit liep. Al wist ze zeker dat Regin het niet zou wagen een uitverkorene van de opperheer lastig te vallen, trok ze toch maar een schild op voor het geval dát. Toen ze bij de trap kwam merkte ze dat de leerling die voor haar liep rilde en over zijn armen wreef. Een nieuwkomer, mijmerde ze. Heer Vorel had al uitgelegd dat de winterlichting altijd eerder leerde zich in een schild te hullen dan de zomerlichting. Nu begreep ze waarom.

'Dat is ze.'

'Wie?'

Het gefluister kwam van achter haar. Ze weerstond de drang om te kijken terwijl ze de trap opging.

'Dat sloppenkind.'

'Dus het is waar?'

'Ja. Mijn moeder vindt het belachelijk. Ze zegt dat er genoeg novicen zijn die net zo sterk zijn als zij. En die niet zo'n slechte achtergrond hebben.'

'Mijn vader vindt het een belediging voor de Huizen – en zelfs de administrateur heeft...'

De rest was niet meer te verstaan toen Sonea de gang op de tweede verdieping insloeg. Ze nam de leerlingen die al door de gang liepen op en vervolgde haar weg. Ze staarden haar nu niet meer aan zoals de eerste keer toen ze als Akkarins novice was verschenen. Ze wierpen een blik op haar, keken minachtend of spottend en draaiden zich om. Betekenisvolle blikken werden uitgewisseld.

Dit gaat niet goed, dacht ze.

Toen ze bij haar klas kwam voelde ze zich banger worden. Ze bleef even in de deuropening staan, haalde diep adem en ging het lokaal binnen. De leraar die naar haar opkeek was opvallend jong. Hij moest kortgeleden zijn afgestudeerd. Ze keek op haar nieuwe rooster om zijn naam te lezen.

'Heer Larkin,' zei ze met een buiging.

Tot haar opluchting glimlachte hij. 'Ga zitten, Sonea.'

De klas was nog maar half gevuld. Een paar leerlingen keken naar haar toen ze naar haar gebruikelijke plaats bij het raam liep. Vriendelijk keken ze niet, maar ook niet afwijzend. De angst ebde weg.

Larkin stond op. Toen ze zag dat hij naar haar tafeltje kwam, zuchtte ze. Die zou haar ook wel weer op een ereplaats vooraan willen zetten.

'De opperheer vroeg me je te zeggen dat hij je direct na je laatste les vanmiddag wil spreken,' zei hij rustig. 'Bij hem thuis.'

Sonea kreeg het ijskoud. Ze zou wel meteen spierwit zijn geworden, dus keek ze naar haar tafel in de hoop dat hij het niet zou merken. 'Dank u, heer.'

Larkin ging weer naar zijn bureau. Sonea slikte. Wat wilde Akkarin nu weer? Ze piekerde zo hard dat ze schrok toen Larkin de klas begon toe te spreken. Iedereen was intussen gaan zitten.

'De geschiedenis van door magiërs ontworpen architectuur gaat ver terug,' vertelde Larkin. 'Sommige stukken zijn gortdroog, maar ik zal voor jullie de krenten uit de pap halen. Ik wilde beginnen met het verhaal over heer Loren, de architect die de universiteit ontworpen heeft.'

Met de kaart die ze had getekend in gedachten spitste Sonea haar oren. Dit zou een interessante les worden. Larkin pakte vellen papier van zijn bureau en deelde ze uit.

'Dit is een ruwe schets van de hoogste verdiepingen van de universiteit – een kopie van een schets die Loren zelf heeft gemaakt,' ging Larkin verder. 'Heer Lorens werk zat vaak wat wankel in elkaar en zag er op het eerste gezicht merkwaardig uit. Men vond hem eerder een kunstenaar met een obsessie voor grote, onpraktische bouwwerken dan een maker van bruikbare gebouwen, maar zijn interesse ging dan ook niet uit naar de constructie, maar naar de vormgeving en versterking van steen met magie. Hij begon huizen te maken waarin mensen graag wilden wonen.'

Larkin gebaarde naar het plafond. 'De universiteit is een van zijn beste bouwwerken. Toen men Loren vroeg de nieuwe Gildegebouwen vorm te geven, was hij al over de hele wereld beroemd.' Larkin grinnikte. 'Het Gilde heeft wel speciaal verzocht om het gebruik van spiralen tot een minimum te beperken – iets waar hij tamelijk verzot op was. Spiralen zien we dan ook alleen in de glazen koepel van de Gildehal en de trappen bij de ingang. Uit de dagboeken en verslagen van andere magiërs uit dat tijdperk is naar voren gekomen dat heer Loren op zijn best een onbetrouwbaar sujet genoemd kan worden. Honderd jaar later schreef de magiër Rendo een boek over de carrière van de architect. Op het vel met de schets heb ik wat gegevens over leven en werk van Loren bijgevoegd. Lees ze maar even door. Na de les moeten jullie de gebouwen op het terrein maar eens goed in je opnemen. Waarschijnlijk valt jullie, net als mij, opeens veel op wat je eerder niet gezien had. Over drie weken verwacht ik een opstel over zijn werk.'

Terwijl de anderen begonnen te lezen, bestudeerde Sonea de plattegrond die Larkin had uitgedeeld. De vier torens op de hoeken en de grote zaal in het midden waren duidelijk herkenbaar, net als het ontwerp voor het glazen dak, maar de kamertjes en gangen aan beide zijden van de centrale gang waren niet aangegeven.

Ze nam haar kaart uit haar kistje en legde hem naast de plattegrond. Ze begon het ontwerp van de koepel over te trekken op haar eigen plattegrond. Zoals ze had verwacht, kwamen de spiralen in het glas overeen met het gangenstelsel. Hoewel de gangen rechte hoeken hadden, vormden ze, samen met het glasontwerp, ingewikkelde spiralen.

'Wat doe je, Sonea?'

Haar gezicht begon te gloeien toen ze merkte dat de leraar naast haar stond. 'Ik... dacht aan wat u zei over de spiralen, heer. En toen ben ik er nog meer gaan zoeken.'

Larkin bekeek de schets gefascineerd en wees op de gangen die ze had aangegeven. 'Ik heb vaak plattegronden van de universiteit gezien, maar zoveel staan er volgens mij nergens op. Hoe kom je aan deze kaart?'

'Ik, eh, heb hem zelf gemaakt. Ik had niet veel te doen tijdens de vakantie. Ik hoop maar dat ik niet op plaatsen geweest ben waar ik niet mocht komen.'

Hij schudde het hoofd. 'De enige plek waar jullie niet mogen komen is de Gildehal en het kantoor van de administrateur.'

'Maar die kleine kamers tussen de gewone en de gedecoreerde gangen dan? Die lijken me toch een soort grensovergang.'

Larkin knikte. 'Vroeger waren ze inderdaad afgesloten, maar toen er meer ruimte nodig was besloot men ook de binnenste gangen voor iedereen open te stellen.'

Sonea herinnerde zich de afkeurende blik van de magiër, die eerste keer dat ze een binnenste gang verkend had. Misschien vond hij haar verdacht en wantrouwde hij het sloppenkind.

'Zou ik misschien een kopie van jouw plattegrond mogen maken?' vroeg Larkin.

'Ik teken hem wel voor u over, als u wilt,' bood Sonea aan.

Hij glimlachte. 'Nou, heel graag, Sonea.'

Terwijl hij weer naar zijn bureau liep, keek Sonea hem peinzend na. De eerste leraar die zich niet arrogant en neerbuigend tegenover haar gedragen

263

had, zoals ze gewend was van andere leraren. Zouden nu alleen de leerlingen nog op haar neerkijken? Ze keek de klas rond en zag een aantal hoofden weg draaien, maar één jongen hield haar blik vast.

Regin keek haar strak aan. Sonea richtte haar aandacht weer op haar werk en rilde. Waaraan had ze zoveel onverholen haat verdiend? Elke keer dat ze iets goed deed, lukt het hem even goed te zijn of een nog beter cijfer te halen. Hij was beter in strijdvaardigheden, dat moest ze hem nageven. Maar nu had zij hem voorbijgestreefd op een vlak dat hij nooit zou bereiken. Ze was de uitverkorene van de opperheer. En om het nog erger te maken, hij durfde het haar niet eens betaald te zetten.

Ze zuchtte diep. *Hij zou niet zo jaloers zijn als hij wist wat er werkelijk aan de hand was. Hij hoeft maar te kikken en hij mag mijn plaats zo innemen. Hij zou het in zijn broek doen van angst...*

Ja, zou hij dat? Zou Regin, die genoot van macht en invloed en anderen kwelde en pijn deed om die te krijgen, in staat zijn de verlokkingen van zwarte magie te weerstaan? Nee, hij zou waarschijnlijk maar al te graag meedoen met Akkarin. Ze rilde. Regin als zwarte magiër. Een nachtmerrie...

Toen Dannyl het Gildehuis binnen stapte, kwam ambassadeur Errend hem vanuit de audiëntiezaal tegemoet.

'Welkom terug, ambassadeur Dannyl.'

'Dank u, ambassadeur Errend,' antwoordde Dannyl met een beleefd hoofdknikje. 'Ik ben blij dat ik terug ben. Als ik het ooit in mijn hoofd haal om nog eens met een boot een reis om de wereld te maken, herinner me dan alstublieft aan de laatste twee weken.'

De ambassadeur glimlachte. 'Ja, het reizen over zee verliest na de eerste keren behoorlijk wat van zijn charme.'

Dannyl trok een lelijk gezicht. 'Zeker als je storm op zee mee moet maken.'

Al bleef Errends gezicht vrij neutraal, toch dacht Dannyl een glimpje leedvermaak te kunnen ontwaren.

'Enfin, je hebt nu weer vaste grond onder de voeten,' zei zijn baas. 'Je zult de rest van de dag wel bij willen komen van alle vermoeienissen. Maar vanavond wil ik alles over je avonturen horen.'

'Heb ik veel gemist?'

'Natuurlijk.' Errend glimlachte. 'Dit is Capia.' Hij deed een stap achteruit naar de audiëntiezaal. 'Er zijn een dag of twee geleden twee dringende brieven binnengekomen voor je. Wil je ze nu lezen of wil je tot morgen wachten?'

Hoe vermoeid Dannyl ook was, zijn nieuwsgierigheid won het toch. 'Laat ze maar naar mijn kamer brengen. Dank u wel, ambassadeur.'

De stevige man neeg sierlijk het hoofd en ging zijns weegs. Terwijl hij door de lange centrale gang liep, dacht Dannyl na over het werk dat hij voor de boeg had. Er zou heel wat in te halen zijn, en dan moest hij ook nog een verslag voor Lorlen samenstellen. Veel tijd om naar de Grote Bibliotheek te gaan zou hij niet hebben. Maar zijn onderzoek zou desondanks op andere fronten doorgaan. De uitnodiging voor het feest van de Bel Arralade zat waarschijnlijk tussen de wachtende brieven. Hij moest erkennen dat hij ernaar uitzag. Het was al erg lang geleden dat hij zijn vaardigheden in het afluisteren van roddels in praktijk had gebracht.

Toen hij uit het kleine badhuis van het Gildehuis terugkwam, zag hij de stapel brieven op zijn bureau. Hij ging op bed zitten en spreidde ze om zich heen. Onmiddellijk herkende hij het sierlijke handschrift van administrateur Lorlen. Hij verbrak het zegel, vouwde het dikke papier open en begon te lezen.

Aan de Tweede Gildeambassadeur van Elyne, Dannyl van familie Vorin, Huis Tellen.

Men heeft mij erop gewezen dat je minder tijd besteedt aan je ambassadeursplichten dan aan 'privé-onderzoek'. Veel dank voor de tijd en moeite die je hebt genomen om aan mijn verzoek te voldoen. Het werk dat je gedaan hebt is van onschatbare waarde. Echter, om te voorkomen dat er nog meer aanmerkingen op je tijdsbesteding zullen komen, moet ik je vragen het onderzoek te staken. Aan nieuwe verslagen bestaat geen behoefte meer.

Administrateur Lorlen

Dannyl liet de brief stomverbaasd uit zijn handen vallen. Al dat reizen, al die boeken die hij bestudeerd had, werd dat nu zomaar opzij geschoven omdat er wat roddelaars waren opgedoken? Blijkbaar was het onderzoek toch niet zo belangrijk geweest.

Toen glimlachte hij. Hij had destijds aangenomen dat er een gegronde reden was om Akkarins speurtocht naar oude magische kennis te doen herleven. Telkens wanneer zijn eigen nieuwsgierigheid wat inzakte bij het vooruitzicht al die oude vervelende boeken te moeten lezen en voor de zoveelste keer de ongemakken aan boord voor lief te moeten nemen, had hij zijn enthousiasme opgevijzeld door zich voor te stellen dat er een belangrijker reden voor het onderzoek moest zijn dan alleen een kopie van Akkarins reis. Misschien had Akkarin destijds een begin gemaakt met het bestuderen van een waardevolle methode voor het gebruik van magie, en wilde Lorlen dat onderzoek afgerond zien. Of misschien moest er een witte plek in de geschiedenis van de magie worden opgevuld.

Maar nu had Lorlen, in een paar afstandelijke regels, het hele onderzoek afgeblazen alsof het niets om het lijf had.

Hoofdschuddend vouwde Dannyl de brief weer op en legde hem opzij. Tayend zou ook wel teleurgesteld zijn. Ze hadden eigenlijk geen reden meer om naar het feest van de Bel Arralade te gaan. Natuurlijk zouden ze er toch heengaan, net zoals hij zijn vriend in de Grote Bibliotheek zou blijven opzoeken. Zonder Lorlens excuus zou hij een andere reden moeten bedenken om naar Tayend te gaan. Een ander onderzoek misschien...

Er schoot Dannyl iets te binnen. Het kwam toch niet door Tayend dat het onderzoek was stopgezet? Had Lorlen de roddels over Tayend gehoord en was hij bezorgd dat de oude kwestie aangaande Dannyls reputatie weer zou worden opgerakeld?

Dannyl fronste terwijl hij de over zijn bed verspreide brieven bekeek. Hoe kwam hij te weten of dat de ware reden was? Hij kon het Lorlen niet rechtstreeks vragen.

Een tweede Gildesymbool trok zijn oog. Hij pakte de brief en glimlachte toen hij Rothens krachtige handschrift herkende. Hij verbrak het zegel en begon te lezen.

Aan ambassadeur Dannyl.

Ik weet niet wanneer je deze brief zult lezen, want ik heb gehoord dat je nu ook andere landen aandoet. Ik neem aan dat je de volkeren waarmee je in de toekomst te maken zult krijgen uit de eerste hand wilt leren kennen. Als ik me gerealiseerd had dat tot de plichten van een ambassadeur ook een wereldreis behoort, dan zou ik mijn leraarsgewaad al jaren geleden aan de wilgen hebben gehangen. Je zal wel veel te vertellen hebben als je ons weer eens bezoekt.

Ik heb nieuws, maar dat heb je misschien al gehoord. Ik ben Sonea's mentor niet meer. Ze is uitverkoren door de opperheer. Anderen vinden dit een uitgelezen kans voor een meisje als Sonea, maar ik ben er niet blij mee. Je snapt wel waarom. Ik ben natuurlijk haar gezelschap kwijt, maar het geeft me ook het gevoel dat ik niet de kans heb gekregen iets af te maken.

Dus heb ik op advies van Yaldin maar een nieuwe 'hobby' gezocht. Je lacht je vast rot als je het hoort. Ik heb besloten een boek over oude magische praktijken samen te stellen. Akkarin is daar tien jaar geleden al mee begonnen, maar is zijn gegevens kwijt geraakt. Ik ben echter vastbesloten dit wél tot een goed einde te brengen.

Volgens mij is Akkarin zijn verkenning in de Grote Bibliotheek begonnen. Jij woont daar nu vlakbij, dus ik dacht: laat ik Dannyl vragen of hij daar eens voor me kan gaan neuzen. Als je zelf geen tijd hebt, ken je dan misschien iemand die je met die taak kunt belasten? Hij of zij zou wel discreet moeten zijn, want ik wil liever niet dat de opperheer de indruk krijgt dat ik in zijn verleden aan het spitten ben! Maar ik zou het prettig vinden te slagen waar hij gefaald heeft. De ironie hiervan zal je niet ontgaan.

Hartelijke groeten, heer Rothen

P. S. Dorrien is hier een paar weken geweest. Hij vroeg me je te feliciteren en wenst je het beste.

Grijnzend las Dannyl de brief voor een tweede keer. Hij had nog nooit meegemaakt dat het Rothen niet lukte iets te bereiken waarop hij zijn zinnen had gezet. Meestal betrof dat novicen van wie hij de mentor wilde worden. Dat hij Sonea aan de opperheer verloren had zou wel een klap zijn geweest. Maar dat juist de opperheer haar weggekaapt had was helemaal zo slecht nog niet. Zonder Rothens harde werk om haar tot een succesvolle leerling te maken, had Akkarin haar natuurlijk nooit opgemerkt. Dat zou hij Rothen toch moeten zeggen in zijn antwoord.

Nogmaals liet hij zijn ogen over de brief glijden en met name over Rothens verzoek om hulp. Het was wel heel erg ironisch dat Rothen dezelfde informatie wilde hebben waarvan Lorlen net besloten had dat hij er niet langer in geïnteresseerd was. Wat een toeval.

Dannyl pakte Lorlens brief en las hem opnieuw. Van de ene naar de andere brief kijkend, begon er iets in zijn nek te kriebelen. Wás dit wel zo toevallig? Hij bleef een tijdje naar de brieven staren, naar de haastige krabbels van Lorlen en de zorgvuldig geschreven letters van Rothen. Wat was hier in hemelsnaam aan de hand?

Als hij alle speculaties opzijschoof bleven er maar drie feiten over. Ten eerste: Lorlen had willen weten wat Akkarin allemaal geleerd had tijdens zijn reis, en nu opeens niet meer. Ten tweede: Rothen had nooit behoefte gehad aan de informatie die Akkarin verzameld had, en nu wel. En ten derde: zowel Lorlen als Rothen wilde dat zijn onderzoek in het geheim gedaan werd, en Akkarin had zijn ontdekkingen nooit openbaar gemaakt.

Er was hier iets mysterieus gaande. Ook als Rothen zijn hulp niet had ingeroepen, zou Dannyl voor zijn eigen lol toch wel met het onderzoek zijn verdergegaan. Nu was hij echter vastbesloten ermee door te gaan. Hij had tenslotte geen weken op zee doorgebracht om er nu mee te stoppen.

Hij glimlachte, vouwde de brieven op en legde ze bij zijn aantekeningen over Akkarins reis.

Bij iedere stap van de universiteit naar het huis van de opperheer werd de buikpijn erger. Sonea's hart bonsde toen ze voor zijn deur stond en de klopper pakte.

De deur zwaaide meteen open. Haar mond was droog toen ze de ontvangstkamer in keek. Akkarin zat in een van de stoelen op haar te wachten.

'Kom binnen, Sonea.'

Ze slikte en maakte een buiging, en hield haar blik op de vloer gericht. Ze schrok zich lam toen hij naar haar toe kwam. Ze deed een stap achteruit en stootte met haar rug tegen de deur.

'Ik heb een maaltijd voor ons laten klaarmaken.'

Ze verstond hem nauwelijks. Al haar aandacht was gericht op de hand die hij naar haar uitstak. Zijn vingers kromden zich om het handvat van haar kistje. Bij zijn aanraking trok ze haar hand terug alsof ze gebeten was en liet haar kistje los. Hij zette het op een laag tafeltje.

'Kom maar mee.'

267

Terwijl hij zich omdraaide zuchtte ze diep. Ze liep achter hem aan tot ze doorkreeg dat hij naar de trap naar de ondergrondse kamer liep. Alsof hij haar aarzeling voelde, zei hij: 'Kom nu maar. Takan kan het niet hebben als het eten koud wordt.'

Eten. Een maaltijd. Dat meende hij toch niet? Hij at daar toch zeker niet? Ze slaakte een zucht van opluchting toen hij de trap naar boven nam. Ze dwong zichzelf hem achterna te gaan.

In de gang passeerde Akkarin de eerste twee deuren en liet de derde openzwaaien. Hij stapte naar binnen en wenkte haar mee te komen.

In de kamer stond een lange, gepolitoerde tafel waaromheen rijk bewerkte stoelen stonden. De tafel was gedekt met borden, bestek en glazen. Een formeel diner. Waarom?

'Kom binnen,' zei hij zacht.

Ze keek tersluiks naar hem en ving een vonkje amusement op toen ze over de drempel stapte en hij haar een stoel aanwees.

'Ga toch zitten.' Hij ging zitten in de stoel tegenover de hare, aan het andere eind van de tafel.

Ze gehoorzaamde en vroeg zich af hoe ze in hemelsnaam iets door haar keel zou kunnen krijgen. Sinds heer Larkin haar de boodschap gegeven had, was haar trek totaal verdwenen. Misschien moest ze maar zeggen dat ze geen honger had. Misschien zou hij haar dan wel laten gaan.

Ze keek naar de tafel en de adem stokte haar in de keel. Alles voor haar was van puur goud gemaakt: bestek, borden; zelfs de randen van de glazen waren verguld. Een half vergeten verlangen kwam bovendrijven. Het zou een eitje zijn een van die vorken in haar mouw te stoppen wanneer hij even niet keek. Hoewel ze niet zo vingervlug meer was als ze eens was geweest, had ze bij Rothen nog wel eens wat oude trucjes uitgehaald. Eén van deze vorken zou al een fortuin waard zijn, of op zijn minst genoeg om van te leven tot ze een rustig, afgelegen plekje had gevonden waar niemand haar ooit meer zou kunnen opsporen.

Maar ik kan helemaal niet weg. In haar plan gedwarsboomd, vroeg ze zich af of het de moeite waard zou zijn iets te stelen alleen om hem op stang te jagen.

Ze schrok zich een hoedje toen ze merkte dat Akkarins bediende naast haar was komen staan. Kwaad dat ze hem niet had horen aankomen, keek ze hoe hij wijn in haar glas schonk en naar Akkarins kant van de tafel liep voor hetzelfde ritueel.

Aangezien ze altijd vroeg vertrok en pas laat weer thuiskwam, had ze de bediende nog maar een paar keer gezien. Nu ze hem van dichtbij gadesloeg huiverde ze: hij was immers in de ondergrondse kamer geweest, waar hij Akkarin hielp met het ritueel van zwarte magie.

'Hoe was het op school vandaag, Sonea?'

Ontzet keek ze Akkarin aan en sloeg haar ogen snel weer neer.

'Heel interessant, opperheer.'

'Waar ging het over?'

'Over magie in de architectuur. De ontwerpen van heer Loren.'

'Ah, heer Loren. Je kende natuurlijk al enkele van zijn eigenaardigheden dankzij je verkenning van de gangetjes in de universiteit.'

Ze hield haar ogen op de tafel gericht. Dus hij wist dat ze de gangen had verkend. Had hij haar in de gaten gehouden? Haar gevolgd? Ondanks heer Larkins verzekering dat ze nergens was geweest waar ze niet had mogen komen, voelde ze haar gezicht rood worden. Ze nam haar glas en nipte van de wijn. Die was zoet en sterk.

'Hoe gaan je lessen van heer Yikmo eigenlijk?'

Ze vertrok haar gezicht. Wat moest ze zeggen? Teleurstellend? Verschrikkelijk? Vernederend?

'Je bent niet gek op strijdvaardigheden.'

Het was geen vraag. Ze hoefde er niet op te antwoorden. Ze nam nog maar een slok wijn.

'Strijdvaardigheden zijn erg belangrijk. Ze moedigen alles aan dat je bij de andere disciplines leert, dagen je uit te laten zien dat je het begrepen hebt. Alleen in de strijd zal je de grenzen van je kracht, kennis en beheersing leren kennen. Heel jammer dat Rothen je geen extra bijlessen heeft laten nemen toen je zo vroeg al liet blijken dat je er zwak in was.'

Sonea voelde zich gekwetst en was boos dat hij Rothen durfde te bekritiseren. 'Ik neem aan dat hij er geen noodzaak toe voelde,' antwoordde ze. 'Er is hier geen oorlog, niemand staat op het punt ons land binnen te vallen.'

Een van Akkarins lange vingers tikte op de voet van zijn glas. 'Vind je het dan wijs om al onze kennis over de oorlog te verwaarlozen gedurende tijden van vrede?'

Sonea schudde haar hoofd, en wou dat ze haar grote mond gehouden had en geen mening geventileerd had. 'Nee.'

'Zouden we onze kennis dan niet levend moeten houden en ervoor moeten zorgen dat we goed geoefend blijven in het gebruik ervan?'

'Jawel, maar...' Ze zweeg. *Waarom discussieer ik eigenlijk met hem?*

'Maar?' drong hij aan.

'Niet iedere magiër hoeft zich daarmee bezig te houden.'

'O nee?'

Ze vloekte inwendig. Waarom deed hij zoveel moeite om dit gesprek te voeren? Het kon hem niets schelen of ze goed of slecht was in strijdvaardigheden. Als ze maar beziggehouden werd en hem niet voor de voeten liep.

'Misschien verwaarloosde Rothen dat vak wel omdat je een vrouw bent.'

Ze haalde haar schouders op. 'Misschien wel.'

'En misschien had hij gelijk. In de afgelopen vijf jaar zijn de paar vrouwen die erover dachten om Krijger te worden overgehaald dat idee te laten varen. Vind je dat eerlijk?'

269

Ze fronste haar voorhoofd. Hij wist dat ze niet bij de Krijgers wilde, dus vroeg hij dat alleen maar om haar weer in het gesprek te betrekken. Als ze meewerkte, zou ze dan vaste grond onder haar voeten verliezen of niet? Zou ze niet moeten weigeren nog één woord met hem te wisselen?

Voor ze kon besluiten of ze zou antwoorden of niet, ging de deur achter Akkarin open. Takan bracht een groot dienblad naar binnen. Een verrukkelijke geur zweefde achter hem aan naar de tafel. De bediende zette kommen en schaaltjes in rijen tussen haar en Akkarin, nam toen het dienblad onder de arm en begon elke schotel te omschrijven.

Sonea's maag knorde opeens van de honger. Bij iedere geurige ademhaling ontspanden haar ingewanden zich meer.

'Dank je, Takan,' mompelde Akkarin toen de bediende klaar was. Takan boog voor hen. Toen hij weg was pakte Akkarin een opscheplepel en begon een keuze uit de schotels te maken.

Van de paar formele maaltijden die ze met Rothen genoten had, wist Sonea dat wanneer Huizen mensen uitnodigden voor het eten, hun gasten altijd een dergelijke traditionele maaltijd kregen voorgezet. In de sloppen was eten koken een eenvoudige zaak, en het enige bestek was het mes dat iedereen bij zich had. De unieke Kyraliaanse wijze van het serveren van eten in kleine hapklare porties vroeg veel meer voorbereiding, en hoe formeler het maal, hoe bewerkelijker het eten was en hoe gevarieerder de instrumenten om het naar binnen te krijgen.

Gelukkig had Rothen haar wel het gebruik van al die verschillende vorkjes, lepeltjes, knijpers en krakers geleerd. Als Akkarin gedacht had haar nederigheid bij te brengen door haar in een situatie te brengen die haar gebrek aan een 'fatsoenlijke' opvoeding zou aantonen, dan zou hij nog lelijk op zijn neus kijken.

Ze schepte iets op van een van de schotels: stukjes rassoekfilet gewikkeld in brasibladeren. Toen ze een stukje op haar vork prikte en het tussen haar tanden stak, besefte ze dat Akkarin zijn blik op haar gevestigd had.

Ze had nog nooit zoiets heerlijks geproefd. Verrast nam ze nog een stukje. En in een wip was haar bord leeg, en keek ze verlekkerd welke schotel ze nu zou proberen.

Terwijl ze alle schotels een voor een proefde vergat ze alles om zich heen. Reepjes vis in een pittige, rode marinsaus. Geheimzinnige pakjes, gevuld met kruiden en harrelgehakt. Lange, paarse crotten, – bonen waaraan ze altijd een hekel gehad had – bedekt met een zout, knisperend laagje, wat ze onweerstaanbaar maakte.

Nog nooit had ze zulke heerlijke dingen gegeten. De maaltijden in de universiteit waren erg lekker, en als ze anderen hoorde klagen had zij hen altijd met een ongelovige blik aangekeken. Deze maaltijd maakte echter duidelijk waarom die anderen het eten in de Eetzaal maar zozo vonden.

Toen Takan weer terugkwam, keek ze op en zag Akkarin naar haar kijken, zijn kin rustend op een hand. Ze keek een andere kant op, naar Takan, die de lege schaaltjes opstapelde en ze meenam naar de keuken.

'Hoe vond je het eten?'

'Ontzettend lekker,' zei ze, en knikte.

'Takan kan uitstekend koken.'

'Heeft hij dit allemaal zelf gemaakt?' Ze kon de verbazing in haar stem niet verbergen.

'Ja, maar hij heeft een koksmaatje dat in de pannen roert en zo.'

Takan kwam terug met twee schaaltjes, die hij voor hen neerzette. Het water liep haar in de mond. Bleke halvemaantjes van pachivruchten glinsterden in een dikke siroop. De eerste hap verraste haar door de perfecte zoetheid, met een zweem van drank. Ze at heel langzaam om er extra van te genieten. *Voor zulke maaltijden zou je haast zijn gezelschap vrijwillig willen verdragen,* dacht ze.

'Ik wil graag elke Eéndagavond met je dineren.'

Sonea versteende. Had hij haar gedachten gelezen? Of was hij dit al de hele tijd van plan geweest?

'Maar ik heb avondschool,' protesteerde ze.

'Takan weet precies hoeveel tijd we hebben tussen dag- en avondlessen. Je zult geen les hoeven missen.'

Ze keek verdwaasd naar het lege dessertschaaltje.

'Maar vanavond mis je je les wel, als ik je hier nog langer vasthoud,' voegde hij eraantoe. 'Je mag opstaan, Sonea.'

Opgelucht sprong ze op uit haar stoel en moest zich meteen aan de tafel vasthouden om niet te vallen, want ze voelde zich draaierig. Ze maakte een ietwat wankele buiging en zette koers naar de deur.

In de gang bleef ze even staan om haar evenwicht te hervinden, waardoor ze wat gemompel uit de eetzaal opving.

'Iets kalmer aan met de wijn volgende keer, Takan.'

'Het kwam door het dessert, heer.'

25

Onⴊmoeⴊingen
op vReemde plekken

Toen ze Narron en Trassia naar de volgende les zag lopen, zuchtte Sonea. Voor één keer wilde ze dat ze met hen mee kon gaan. Ze bracht nog maar de helft van haar rooster in hun gezelschap door. Haar lokaal van die ochtend was een klein kamertje achter in de verste gangetjes, waar heer Yikmo op haar wachtte om haar de zoveelste strijdvaardigheidsles te geven.

Ze sloeg de hoek om en slenterde een zijgangetje in. Ze werd overvallen door een sombere bui en liep zo traag als ze kon. De Arena was de hele dag bezet, dus gaf heer Yikmo vandaag les in een door magie beveiligde ruimte in het gebouw. Er werden alleen kleine golven magie gebruikt, die ingezet werden bij ingewikkelde spelletjes die dienden om haar reactiesnelheid en alertheid aan te scherpen.

Ze sloeg linksaf en botste bijna tegen een magiër op. Met neergeslagen ogen mompelde ze een verontschuldiging.

'Sonea!'

Ze herkende de stem en haar hart sprong op toen zij en Rothen elkaar aankeken, en vervolgens snel over hun schouder blikten. De gang lag er verlaten bij.

'Wat fijn je te zien.' Hij nam haar onderzoekend op, en ze zag lijnen in zijn gezicht die ze zich niet van vroeger herinnerde. 'Hoe is het met je?'

'Ik leef nog.'

Hij knikte. 'Hoe behandelt hij je?'

'Ik zie hem vrijwel nooit.' Ze trok een lelijk gezicht. 'Een propvol rooster, dat was denk ik zijn bedoeling.'

Ze keek weer over haar schouder, want ze hoorde voetstappen snel naderbij komen.

'Ik moet ervandoor, heer Yikmo wacht op me.'

'Natuurlijk.' Hij aarzelde. 'Volgens mijn rooster sta ik morgen voor jouw klas.'

'Ja.' Ze glimlachte verlegen. 'Het zou natuurlijk vreemd zijn als de novice van de opperheer geen les zou krijgen van de beste alchemieleraar van het Gilde...'

Zijn gezicht ontspande een beetje, maar hij glimlachte niet. Ze dwong zichzelf te gaan en liep de gang uit. Ze wist dat hij haar nakeek.

Hij ziet er anders uit, dacht ze terwijl ze weer een hoek omsloeg. *Zo oud! Of heeft hij er altijd zo uitgezien, maar heb ik het niet gemerkt?* Plotseling sprongen de tranen haar in de ogen. Ze bleef staan en zocht steun tegen een muur, verwoed knipperend met haar ogen. *Niet hier! Niet nu! Beheers jezelf, Sonea!* Ze haalde diep adem en liet de lucht langzaam ontsnappen. Dat deed ze nog eens, en nog eens.

Er klonk een gongslag. Het geluid weergalmde door de gang achter haar. Ze begon te hollen, en hoopte maar dat haar ogen niet rood waren. In de verte zag ze de deur van Yikmo's kamer al. Tot haar schrik ging de deur open en ving ze een glimp op van een zwarte mouw. Ze vertraagde meteen haar vaart.

Nee, ik kan hem nu niet onder ogen komen. Niet nu. Ze draaide zich om en rende de gang door tot waar die een andere gang kruiste. Ze gluurde om de hoek. Ze kon bekende stemmen horen mompelen, maar wat ze zeiden hoorde ze niet.

'Kijk eens aan. Wat een verrassing!'

Ze draaide zich om en zag Regin staan, met zijn armen over elkaar. 'Ik dacht dat je wel dag en nacht aan je mentors lippen zou hangen, niet dat je voor hem zou wegrennen!'

Ze voelde haar wangen rood worden. 'Wat moet jij hier, Regin?'

Hij glimlachte. 'O, ik liep hier toevallig.'

'Waarom zit je niet in je klas?'

'Waarom zit jíj niet in je klas?'

Ze schudde haar hoofd. Dit was zinloos. 'Waarom verdoe ik mijn tijd door met jou te praten?'

'Omdat hij daar nog steeds staat,' zei Regin met een vals lachje. 'En omdat je te schijterig bent om hem onder ogen te komen.'

Ze keek hem strak aan en overwoog welk antwoord het beste zou zijn. Een ontkenning zou hij niet geloven, en als ze niets zei zou hij alleen maar bevestigd worden in zijn vermoeden.

'Schijterig?' zei ze, en snoof. 'Niet erger dan jij.'

'Heus? Nou, waar wacht je dan nog op? De gong is gegaan. Je bent te laat en je mentor weet het ook. Zal ik maar roepen dat je je hier verstopt?'

Ze keek hem dreigend aan. Zou hij dat durven? Waarschijnlijk wel, hij had er alles voor over om haar in de problemen te brengen. Maar als ze nu naar haar les ging, zou ze toegeven aan dat getreiter van hem.

Maar dat was altijd nog beter dan dat hij Akkarin zou roepen. Met een verbeten trek sloeg ze de hoek om en liep de gang weer in. Ze zag de man in het zwart net weglopen. Hij had haar niet gezien. Achter zich hoorde ze gegiechel; Regin hield haar nog steeds in de gaten. Het kon hem natuurlijk geen barst schelen of ze bang was voor Akkarin of niet. Als zij maar ongelukkig was, dan was hij allang blij.

Waarom zat hij eigenlijk niet in zijn klas? Waarom liep hij in hemelsnaam rond in dit deel van het gebouw? Hij zou haar toch niet gevolgd hebben?

Een tochtvlaag begroette Lorlen toen hij de deur naar zijn kantoor opendeed. De wind tilde een paar briefjes op die voor hem onder de deur geschoven waren en blies ze de gang op. Toen hij zag hoeveel het er waren, slaakte hij een zucht en joeg ze weer naar binnen met een vleugje magie. Hij sloot de deur en strompelde naar zijn bureau.

'Met je verkeerde been uit bed gestapt?'

Geschrokken keek Lorlen rond. Akkarin zat in een van de stoelen. Zijn donkere ogen weerspiegelden het licht dat door de ramen naar binnen viel. *Hoe is hij hier binnengekomen?* Lorlen staarde naar Akkarin, en had veel zin om hem om een verklaring te vragen. Die zin verdween toen Akkarin met gefronste wenkbrauwen terug staarde. Lorlen keek naar de grond en de briefjes die daar op hem lagen te wachten. Hij stuurde ze ritselend de kamer door en hield zijn hand open om ze te ontvangen.

'Wat is er met je aan de hand, mijn vriend?'

Lorlen schokschouderde. 'Peakin en Davin zitten elkaar nog steeds in de haren, Garrel wil dat ik Regin toesta zijn lessen van Balkan te hervatten, en Jerrik zeurt aan mijn kop om een assistent voor Tya te regelen.'

'Dat zijn allemaal problemen die jij zonder meer aankunt, administrateur.'

Lorlen snoof toen zijn titel zo luchthartig gebruikt werd. 'Dus wat vindt u van deze kwesties, opperheer?' vroeg hij spottend.

Akkarin grinnikte. 'Je kent onze familie beter dan ik, Lorlen.' Hij tuitte peinzend zijn lippen. 'Maar zeg maar "ja" tegen Garrel, "nee" tegen Tya, en wat Davin betreft... dat idee van hem om de uitkijktoren te verbouwen om er een centrum voor weerkundige waarnemingen van te maken heeft wel wat. Het Gilde heeft alleen al een tijd niets nieuws meer gebouwd, en die uitkijktoren heeft ook een militaire functie, die mag je niet uitvlakken. Kapitein Arin probeert me steeds over te halen de Buitenmuur te herstellen sinds hij militair adviseur van de koning is geworden.'

Lorlen fronste zijn voorhoofd. 'Dat wil je toch niet echt doen? Dat is een kostbaar project en het kost jaren. We kunnen onze tijd beter besteden...' Lorlen zweeg even. 'Moet ik "ja" tegen Garrel zeggen? Maar dan eindigt Regins straf omdat hij Sonea heeft aangevallen zes maanden te vroeg!'

Akkarin haalde zijn schouders op. 'Denk je nu heus dat hij Sonea nog lastig zal vallen? Die knaap heeft talent. Zonde om dat niet te ontwikkelen.'

Lorlen knikte langzaam. 'Het zou... het een beetje goedmaken dat zijn tegenstander de uitverkorene van de opperheer geworden is.'

'En Balkan zou het ermee eens zijn.'

Lorlen legde de briefjes op zijn bureau en ging zitten. 'Maar daar kwam je vast niet voor, is het wel?'

Akkarins lange vingers trommelden op de leuning van zijn stoel. 'Nee.' Hij keek nadenkend. 'Is er een manier om te zorgen dat Sonea's tweedejaarsrooster zo wordt aangepast dat ze geen les meer krijgt van Rothen, zonder dat het te veel opvalt?'

Lorlen zuchtte. 'Moet dat echt?'

Akkarin keek hem dreigend aan. 'Ja, dat moet echt.'

Het geklos van haar laarzen echode door de gang. De ochtendles met Yikmo was een ramp geweest. Haar ontmoetingen met Rothen en Regin hadden haar zo nerveus gemaakt dat ze ook de plantennamen voor verschillende medicijnen vergeten was, en ze had niets gesnapt van de meetkundelessen van die avond.

Ze wou dat de dag voorbij was.

Ze dacht terug aan Regins gegiechel die ochtend. Wat haalde hij zich toch in zijn hoofd?

Laat ook maar, dacht ze. *Zolang hij me met rust laat, maakt het mij niet uit wat hij zich in zijn hoofd haalt.*

Maar zou hij haar wel met rust laten? Als hij dacht dat ze te bang was om Akkarin aan te spreken, zou hij weer kunnen beginnen met haar te treiteren. Mits de andere magiërs het niet zagen, natuurlijk.

Een vage beweging in haar ooghoek waarschuwde haar, maar ze had geen tijd om weg te duiken. Er werd een arm om haar hals geslagen, en nog een om haar middel. Door de aanval draaiden ze beiden een halve slag, maar de arm om haar nek liet niet los.

Ze worstelde om zich te bevrijden, maar besefte meteen dat haar aanvaller te sterk voor haar was. Toen schoot haar een truc van Cery te binnen. De herinnering eraan was zo levendig dat ze bijna Cery's stem hoorde...

Als iemand dit doet, zet je je schrap – ja, goed zo – en dan haal je uit naar achteren en...

Ze voelde hoe de man omtuimelde en lachte even toen hij op de grond viel. Hij sprong echter meteen weer overeind. In paniek deed ze een stap achteruit en greep naar haar mes dat ze niet had... Toen verstijfde ze omdat ze het gezicht van haar aanrander zag.

Heer Yikmo zag er vreemd en heel anders uit in gewone stadskleren. Een eenvoudig mouwloos hemd liet zijn verrassend gespierde schouders zien.

Hij sloeg zijn armen over elkaar en knikte. 'Dat dacht ik al.'

Sonea keek hem met grote ogen aan; de schrik vanwege de aanval veranderde langzaam in ergernis.

De Krijger glimlachte. 'Ik heb de kern van je probleem gevonden, Sonea.'

Ze slikte een kwaad antwoord in. 'Wat is dat dan?'

'Uit je reactie blijkt zonneklaar dat je nog steeds lichamelijk op een aanval

275

reageert. Die verdedigingstrap heb je zeker in de sloppen geleerd?'
Ze knikte met tegenzin.
'Had je een bepaalde leraar daar?'
'Nee.'
Hij fronste zijn voorhoofd. 'Hoe wist je dan wat je moest doen?'
'Hebben mijn vrienden me geleerd.'
'Vrienden? Dat zijn dus jongeren? Geen oudere mannen?'
'Een oudere hoer heeft me geleerd hoe ik mijn mes moest gebruiken als ik... als ik in een bepaalde situatie belandde.'
'Ik begrijp het. Straatvechters. Verdedigingsmanoeuvres. Geen wonder dat je die instinctief toepast. Die ken je het best en je weet hoe ze werken. Daar moeten we verandering in brengen.' Hij gebaarde haar naast hem te komen lopen terwijl hij op weg ging naar de hoofdgang.

'Je moet leren om in eerste instantie met magie en niet met je lichaam te reageren,' legde hij uit. 'Ik kan oefeningen bedenken die je daarbij helpen. Ik moet je wel waarschuwen dat iets afleren en tegelijkertijd iets nieuws aanleren wel eens een langdurig proces kan blijken te zijn. Maar als je doorzet, kan je aan het eind van het jaar magie gebruiken zonder dat je erbij na hoeft te denken.'

Ze schudde haar hoofd. 'Zonder na te denken? Dat is precies het tegenovergestelde van wat de andere leraren zeggen.'

'Ja. Dat komt omdat de meeste leerlingen er zo op gebrand zijn magie te gebruiken. Ze moeten zich leren inhouden. Maar jij bent geen gewone novice, dus hoeven we geen gewone lesmethoden te gebruiken.'

Sonea dacht erover na. Het klopte wel. En toen viel haar iets anders in. 'Hoe weet u dat ik niet wél het eerst aan magie dacht, maar besloot het niet te gebruiken?'

'Ik weet dat je instinctief reageerde. Je zocht naar je mes. Dat deed je ook zonder nadenken, toch?'

'Ja, maar dat is wat anders. Als iemand me op die manier aanvalt, moet ik wel aannemen dat hij me echt te grazen wil nemen.'

'Dus je was er helemaal klaar voor om mij ook te grazen te nemen?'
Ze knikte. 'Natuurlijk.'

Hij trok zijn wenkbrauwen op. 'Mensen zullen het een gewone man of vrouw niet gauw kwalijk nemen dat hij of zij iemand uit zelfverdediging doodt, maar als een magiër een niet-magiër doodmaakt is dat schandalig. Je hebt de kracht om jezelf te verdedigen, dus is er geen excuus voor het doden van een ander, wat het doel van je aanvaller ook was – al is die aanvaller ook een magiër. Als je op zo'n manier wordt aangevallen moet je eerste reactie het optrekken van een schild zijn. Dat is een andere goede reden om je eerste reactie van een lichamelijke in een magische te veranderen.'

Bij de hoofdgang aangekomen, klopte Yikmo haar op de schouders en glimlachte. 'Je doet het niet half zo slecht als je denkt, Sonea. Als je me meteen met magie had gebombardeerd, of versteend zou zijn van schrik, of erger nog, was gaan gillen, dan zou ik flink teleurgesteld zijn geweest in je. Maar je bleef kalm, was alert, en het lukte je ook nog om vrij te komen. Ik vind dat een indrukwekkend resultaat. Welterusten.'

Ze maakte een buiging en zag hem wegbenen naar de Magiërsvertrekken. Zij draaide zich om en ging de andere kant uit. *Je hebt de kracht om jezelf te verdedigen, dus is er geen excuus voor het doden van een ander, wat het doel van je aanvaller ook was – al is die aanvaller ook een magiër.* En toch – toen ze naar haar mes getast had, was ze in staat geweest te doden. Eens was dat een redelijke reactie geweest, maar nu was ze er niet meer zo zeker van.

Wat de reden ook kon zijn, de straf voor een magiër die opzettelijk iemand leed berokkende, zelfs met niet-magische instrumenten, was groot en dat was al genoeg reden om zich voor te bereiden op een andere aanpak. Ze wilde niet de rest van haar leven in de gevangenis doorbrengen, met geblokkeerde kracht. Als haar instinctieve reactie was om iemand te doden, dan moest ze dat maar zo snel mogelijk af zien te leren.

Trouwens, wat had ze nog aan die trucjes die ze in de sloppen geleerd had? Wanneer ze even opsomde waartoe ze nu al in staat was, betwijfelde ze of ze ooit nog wel een mes zou hoeven aanraken. Als ze zichzelf in de toekomst zou moeten verdedigen, zou het immers alleen tegen magie zijn...

26

Een jaloerse rivaal

Toen het rijtuig van het Gildehuis wegreed, somde Dannyl in gedachten alles op wat hij van de Bel Arralade wist. Een weduwe van middelbare leeftijd, de topvrouw van een van de rijkste families in Elyne. Haar vier kinderen – twee dochters, twee zonen – waren getrouwd met lieden uit de machtigste Huizen. Hoewel de Bel zelf nimmer hertrouwd was, deden er vele geruchten de ronde over haar amoureuze betrekkingen met andere leden van het hof van Elyne.

Het rijtuig sloeg een hoek om, toen weer eentje en stopte. Door het raampje zag Dannyl dat ze in een lange rij van modieus opgetuigde rijtuigen stonden.

'Hoeveel mensen komen er wel niet naar dit soort feesten?' vroeg hij.

Ambassadeur Errend haalde zijn schouders op. 'Drie- of vierhonderd.'

Onder de indruk telde Dannyl de koetsjes. Het begin van de stoet was niet te zien en hij kon niet schatten hoe lang die was. Ondernemende straathandelaars liepen heen en weer over de stoep, hun waren luidkeels aanprijzend. Wijn, snoep, gebak en allerlei soorten vermaak kon je krijgen. Muzikanten speelden en acrobaten vertoonden hun kunsten. De besten werden met een stroom glinsterende munten aangemoedigd in de buurt van de verveelde passagiers te blijven.

'Als we gaan lopen zijn we er eerder,' zei Dannyl.

Errend grinnikte. 'Ja, dat kunnen we proberen, maar ver zouden we niet komen. Iemand zou ons roepen en aanbieden om met hem mee te reizen, en het is hoogst onbeleefd om dat af te slaan.'

Hij kocht een zakje bonbons en terwijl ze die opsnoepten vertelde hij verhalen over eerdere feesten van de Bel Arralade. Op die momenten was Dannyl blij dat de Eerste Gildeambassadeur geboren was in dit land, zodat hij alles wist over de Elynese gebruiken. Het verbaasde Dannyl dat kleine kinderen gewoon op het feest aanwezig mochten zijn.

'Kinderen worden hier vertroeteld tot en met,' waarschuwde Errend. 'Wij Elyneeërs verwennen ze graag als ze nog klein zijn. Helaas betekent dat dat ze voor magiërs kleine tirannetjes zijn. Ze zeuren om tovertrucs en verwachten dat we hele optredens verzorgen.'

Dannyl glimlachte. 'Alle kinderen denken dat een magiër alleen maar bestaat om hen te vermaken.'

Veel en veel later ging het portier van het rijtuig open en Dannyl liep Errend achterna naar een typisch Capiaans herenhuis. Fleurig geklede lakeien leidden de gasten naar een overdekte galerij die uitkwam op een patio, net als in het Paleis. Het was nogal frisjes en de gasten haastten zich dan ook naar de deuren aan het eind van de binnenplaats. Achter de deuren was een enorme ronde zaal waar het wemelde van de mensen. Het licht van verscheidene kroonluchters liet de ontelbare felgekleurde pakken en jurken schitteren. Een onophoudelijk geroezemoes weerkaatste tegen de koepel, en de geur van bloemen, fruit en specerijen was welhaast bedwelmend.

Steeds keek men even om wie er nu weer binnentrad. Dems en Bels van alle leeftijden waren aanwezig. Er stonden een paar magiërs tussen. En tussen iedereen door renden de kinderen in miniatuurversies van de grotemensenkleding, al dromden er ook een hoop samen op de vensterbanken. In het geel geklede bedienden liepen af en aan met dienbladen vol drankjes en hapjes.

'Wat een bijzondere vrouw moet die Bel Arralade zijn,' mompelde Dannyl. 'Als je zoveel mensen uit de Kyraliaanse Huizen in één ruimte zou zetten, zouden de zwaarden binnen een halfuur getrokken worden.'

'Ja,' knikte Errend. 'Maar ook hier zullen vanavond wel wat degens gekruist worden, Dannyl. Wij Elyneeërs vinden woorden echter gevaarlijker dan wapens. Bovendien blijven je meubels heel en je behang schoon.'

Een monumentale trap leidde naar een balkon die rond de hele zaal liep. Toen Dannyl omhoogkeek, ontdekte hij Tayend die over de reling naar hem keek en een kleine buiging maakte. Met moeite zijn lachen inhoudend om dit stijve gebaar, neeg Dannyl zijn hoofd ten antwoord.

Naast Tayend stond een gespierde jongeman. Toen hij de buiging van zijn metgezel opmerkte keek hij spiedend naar beneden. Toen hij Dannyl ontdekte zette de man grote ogen op en keek snel de andere kant op.

Dannyl voegde zich weer bij Errend. De ambassadeur pakte iets van een schotel met hapjes die hem door een van de bedienden werd voorgehouden.

'Moet je deze eens proberen,' drong Errend aan. 'Die zijn zalig!'

'En wat doen we nu?' vroeg Dannyl terwijl hij een van de gevulde bladerdeegrolletjes nam.

'O, we mengen ons onder het gezelschap. Blijf maar bij me, dan stel ik je wel voor aan een aantal mensen.'

En zo volgde Dannyl de komende uren zijn mede-ambassadeur de hele zaal door en hield zich bezig met het onthouden van namen en gezichten. Errend waarschuwde hem dat er geen maaltijd zou volgen, dat het de laatste trend was om de gasten hun maaltje bijeen te laten graaien van de dienbladen die nooit leeg leken te raken. Dannyl kreeg een glas wijn en dat werd in onbewaakte ogenblikken steeds tot de rand toe bijgevuld. Om het hoofd koel te houden zette Dannyl het op een dienblad toen een bediende even niet keek.

Toen een vrouw in een weelderige gele japon hen naderde, wist Dannyl meteen dat dit de gastvrouw moest zijn. Haar huid was wat gerimpelder dan op het portretje dat hij bestudeerd had als voorbereiding op zijn nieuwe beroep, maar haar heldere, wakkere blik liet hem weten dat ze nog altijd de geduchte Bel was over wie hij zoveel had gehoord.

'Ambassadeur Errend,' zei ze met een lichte buiging. 'En dan moet dit ambassadeur Dannyl zijn. Dank u dat u naar mijn feest wilde komen.'

'En wij danken u dat u ons uit heeft genodigd,' antwoordde Errend en neeg zijn hoofd.

'Ik kan toch geen feest geven zonder de Gildeambassadeur op mijn gastenlijstje?' zei ze. 'Magiërs zijn nu eenmaal altijd welgemanierde en bijzonder vermakelijke gasten.' Ze wendde zich tot Dannyl. 'Wel, ambassadeur Dannyl, hebt u het tot nu toe naar uw zin gehad in Capia?'

'O, ik kan niet anders zeggen,' antwoordde Dannyl. 'Het is een schitterende stad.'

De conversatie kabbelde zo nog enige minuten voort. Een andere dame voegde zich bij hen en hield Errend aan de praat. Bel Arralade klaagde dat haar voeten nu al pijn begonnen te doen, en trok Dannyl naar een bankje in een alkoofje.

'Ik heb horen zeggen dat u onderzoek doet naar oude magie,' zei ze.

Dannyl keek haar verbaasd aan. Al hadden Tayend en hij vermeden hun onderzoeksonderwerp te noemen tegen wie dan ook behalve tegen Irand, het kon natuurlijk zijn dat iemand die ze ontmoet hadden op hun reis hier connecties had. Of had Tayend gedacht dat het niet langer geheim hoefde te blijven nu ze geen informatie meer voor Lorlen hoefden te verzamelen, maar Rothen 'hielpen' met zijn boek?

Hoe dan ook, het ontkennen zou argwaan wekken. 'Ja,' antwoordde hij. 'Een oude hobby van me.'

'Hebt u al iets opwindends ontdekt?'

Hij haalde zijn schouders op. 'Erg opwindend zou ik het niet noemen. Het blijven natuurlijk oude boeken en kruimelige boekrollen vol dode talen.'

'Maar u bent toch ook naar Lonmar en de Vin-eilanden geweest? Daar hebt u vast veel boeiende dingen beleefd.'

Hij besloot zo vaag mogelijk te blijven. 'Ik heb boekrollen in Lonmar gezien en oude graven in Vin, maar die waren niet veel boeiender dan de schimmelige oude boeken in de Grote Bibliotheek hier. Ik ben bang dat het allemaal heel saai is om erover te horen – en wat zullen de mensen ervan zeggen als de nieuwe ambassadeur de gastvrouw in slaap heeft laten vallen met zijn verhalen?'

'Nee, dat moet ten koste van alles vermeden worden.' Ze glimlachte en haar ogen kregen een wazige blik. 'Ach ja, maar het onderwerp roept ook zulke aangename herinneringen in me op. Uw opperheer kwam hier toen hij eenzelfde onderzoek hield, vele jaren geleden. Zó'n knappe man! Nog geen opperheer destijds, dat begrijpt u. Hij had uren tegen me aan mogen kletsen over oude magie, en ik zou aan zijn lippen hebben gehangen, gewoon om al die tijd in zijn gezelschap te zijn.'

Had ze daarom zo'n interesse in het onderwerp? Dannyl grinnikte. 'Gelukkig maar dat ik niet knap genoeg ben om een boom op te zetten over dit onderwerp.'

Ze glimlachte weer, en haar ogen vonkten. 'Niet knap genoeg? Dat zou ik niet durven zeggen. Anderen zouden precies het omgekeerde beweren.' Ze zweeg even en keek peinzend voor zich uit. 'Maar denk vooral niet dat de opperheer onbeleefd was. Ik zei wel dat ik uren naar hem zou kunnen luisteren als hij praatte, maar dat heeft hij nooit gedaan. Hij kwam op mijn verjaarsfeestje, maar hij was koud terug van de Vin-eilanden of hij was alweer op weg naar de bergen, en ik heb hem nooit meer teruggezien.'

De bergen? Dat was nieuw. 'Zal ik de groeten van u laten doen, Bel?' bood hij aan.

'O, ik betwijfel of hij zich mij herinnert,' zei ze, en wuifde het idee weg.

'Onzin! Geen man die een schone vrouw vergeet, al ziet hij haar maar in het voorbijgaan.'

Ze lachte breeduit en klopte hem op de arm. 'U bent me er eentje, ambassadeur Dannyl. En nu wat anders: wat vindt u van Tayend van Tremmelin? Hij was uw metgezel op deze reizen, was het niet?'

Zich scherp bewust van de blik die ze hem vanonder haar lange wimpers toewierp, gaf Dannyl de antwoorden die hij met Tayend gerepeteerd had.

'Mijn assistent, bedoelt u? O, hij heeft zich bijzonder nuttig betoond. Onwaarschijnlijk goed geheugen, en een enorme talenknobbel.'

Ze knikte. 'Maar... persoonlijk, bedoel ik. Was hij aangenaam gezelschap?'

'Ja.' Dannyl vertrok zijn gelaat. 'Al kon hij niet goed tegen reizen, moet ik zeggen. Ik heb nog nooit iemand zo zeeziek meegemaakt.'

Ze aarzelde. 'Ze zeggen dat hij wat onconventionele liefhebberijen heeft. Sommigen, en dan vooral de dames, vinden hem wat... ongeïnteresseerd.'

Dannyl knikte bedachtzaam. 'Ach ja, dagenlang ondergronds, tussen die stoffige banden en alleen goed in dode talen, dat trekt natuurlijk wel weinig dames.' Hij keek haar met half samengeknepen ogen aan. 'Bent u misschien aan het koppelen, Bel Arralade?'

Ze glimlachte koket. 'En als dat nu eens zo was?'

'Dan zou ik u melden dat ik Tayend niet goed genoeg ken om u van nut te zijn. Als hij zijn hart al aan een dame heeft verpand, heeft hij dat voor zich gehouden.'

Ze was niet helemaal overtuigd. Ze zei echter: 'Dan moeten we hem er maar niet mee lastigvallen. Koppelen is net zo erg als roddelen als men er niet van gediend is. Ah, daar is Dem Dorlini. Ik hoopte al dat hij zou komen, want ik wilde hem nog wat vragen.' Ze stond op. 'Het was me een genoegen met u gebabbeld te hebben, ambassadeur Dannyl. Ik hoop dat we binnenkort weer eens zo'n gesprekje kunnen voeren.'

'Het zou me een eer zijn, Bel Arralade.'

Na een paar minuten kwam Dannyl erachter welk gevaar hij liep door zonder gesprekspartner op dit feestje te zijn. Drie kleine meisjes, hun zijden feestkleren besmeurd met eten en drinken, kwamen rond hem staan. Hij vermaakte hen met wat magische trucjes tot hun ouders hem kwamen bevrijden. Hij stond op en liep in de richting van Errend, maar bleef staan toen iemand zijn naam noemde. Toen hij zich omdraaide zag hij Tayend aan komen lopen, met de gespierde man aan zijn zijde.

'Tayend van Tremmelin.'

'Ambassadeur Dannyl. Dit is Velend van Genard. Een vriend,' zei Tayend.

De mond van de jongeman krulde iets, maar zijn ogen lachten niet mee. Hij maakte talmend een stijve buiging.

'Tayend heeft van uw reizen verteld,' zei Velend. 'Ik denk niet dat ik Lonmar op grond van zijn beschrijving graag zou bezoeken.'

'Het is een heet en indrukwekkend land,' antwoordde Dannyl. 'Ik neem aan dat men er wel zou wennen, als men er lang genoeg zou wonen. Bent u ook een geleerde?'

'Nee,' zei de man. 'Ik heb meer liefhebberij in zwaardgevechten en wapentuig. Vecht u ook, ambassadeur?'

'Nee,' zei Dannyl. 'Daar hebben jongemannen in het algemeen te weinig tijd voor als ze het Magiërsgilde betreden.' Zwaardgevechten, het mocht wat. Had hij daarom meteen zo'n afkeer van de man? Deed Velend hem misschien te veel denken aan Fergun, die ook zo van slagwapens hield?

'Ik heb nog wat boeken gevonden die u mogelijk van pas kunnen komen, ambassadeur,' zei Tayend op zakelijke toon. Toen Tayend de boeken uitgebreid begon te omschrijven, hoe oud ze waren en de algemene inhoud, zag Dannyl hoe Velend ongedurig van standbeen verwisselde en zijn ogen door de zaal liet glijden. Uiteindelijk viel de man Tayend in de rede.

'Excuseert u me, Tayend, ambassadeur Dannyl. Ik zie iemand die ik even moet spreken.'

Terwijl hij wegwandelde, glimlachte Tayend verlegen. 'Ik wist wel dat het niet veel tijd zou kosten om hem weg te werken.' Hij zweeg toen een stelletje iets te dicht langs hen liep en ging verder op zakelijke toon: 'We hebben steeds naar oude boeken gekeken, maar de recentere kunnen ook informatie bevatten. Wanneer er een Dem sterft, sturen zijn nabestaanden soms zijn dagboeken of gastenboeken naar de bibliotheek. In een van die dagboeken vond ik een aardige verwijzing naar... wel, ik zal nu niet in details treden, maar het gaat erom dat we in sommige privé-bibliotheken van de Dems ook heel wat informatie kunnen vinden. Ik weet echter niet precies van wie of waar.'

'Zijn er ook Dems die in de bergen wonen?' vroeg Dannyl.

Tayend sperde zijn ogen open. 'Sommigen wel. Waarom vraag je dat?'

Dannyl dempte zijn stem. 'Onze gastvrouw haalde herinneringen op aan een zekere jonge magiër die tien jaar geleden haar feest bezocht had.'

'Aha.'

'Ja. Aha.' Toen hij Velend weer zag naderen, fronste Dannyl zijn wenkbrauwen. 'Je vriendje komt er weer aan.'

'Het is niet echt een vriendje van me,' zei Tayend snel. 'Eerder een vriend van een vriend. Hij had een uitnodiging over.'

Velend liep soepel als een limek – de roofhond die boeren bestal en soms reizigers overviel en doodde. Tot Dannyls opluchting werd hij door een andere hoveling staande gehouden.

'Ik moet je trouwens waarschuwen,' ging Dannyl verder. 'Bel Arralade zou bezig kunnen zijn je aan een dame te koppelen.'

'Ik betwijfel het. Ze kent me te goed.'

Dannyl fronste zijn wenkbrauwen. 'Waarom vroeg ze me dan waarom jij onaantrekkelijk voor vrouwen zou kunnen zijn?'

'O, ze probeerde jou gewoon uit, om te zien of jij het wel wist van mij. Wat zei je precies?'

'Dat ik je niet goed genoeg kende om te weten of je al een oogje op iemand had.'

Tayend trok zijn wenkbrauwen op. 'Nee, dat weet je niet, hè?' zei hij zacht. 'Ik vraag me af: zou het je storen als ik zei dat dat zo is?'

'Storen?' Dannyl schudde het hoofd. 'Nee... maar dat hangt natuurlijk ook af van wie het is. Moet ik dan aannemen dat er iemand is om wie je geeft?'

'Misschien.' Tayend glimlachte schaapachtig. 'Maar dat ga ik je niet vertellen – nog niet.'

Lachend keek Dannyl over Tayends schouder naar Velend. 'Nou, die is het vast niet.' Iemand zwaaide naar hem. Het was Errend en Dannyl wuifde terug. 'Ambassadeur Errend wil dat ik bij hem kom.'

Tayend knikte. 'En ik zal beschuldigd worden van een droogstoppel te zijn als ik alleen maar over het werk praat. Zie ik je snel weer in de bibliotheek?'

'Over een paar dagen. Ik denk dat we weer een reisje gaan maken.'

Sonea liet een vinger langs de ruggen van de boeken glijden. Ze vond een gat waar het ontbrekende boek net in paste. Het andere boek dat ze vasthield was dik en zwaar. Ze zag nu pas dat het aan de andere kant van de bibliotheek thuishoorde en liep de rijen langs.

'Sonea!'

Ze draaide zich om en liep naar de ingang van de bibliotheek waar vrouwe Tya achter een klein bureautje zat. 'Wat is er, vrouwe?'

'Er is een boodschap voor je gebracht,' zei de bibliothecaresse. 'De opperheer wil je spreken in heer Yikmo's oefenzaal.'

Sonea knikte; haar mond werd plotseling droog. Wat wilde Akkarin nu weer? Een demonstratie? 'Dan ga ik maar meteen. Zal ik morgenavond terugkomen?'

Vrouwe Tya glimlachte. 'Je bent gewoon een droom. Niemand beseft wat een tijd het kost om alles hier op orde te houden. Maar je hebt toch erg veel huiswerk?'

'Een of twee uurtjes heb ik altijd wel over – en dan, ik kom er op deze manier achter wat er allemaal in huis is, en waar het staat.'

De bibliothecaresse knikte. 'Als je echt tijd genoeg hebt, ben ik blij met alle hulp.' Ze dreigde met haar vinger. 'Maar laat me niet horen dat ik de uitverkorene van de opperheer van haar studie afhoud.'

'Dat zult u niet horen.' Ze legde het boek neer, pakte haar kistje en deed de deur open. 'Goedenacht, vrouwe Tya.'

De gangen in de universiteit waren stil en verlaten. Sonea ging op weg naar heer Yikmo's kamer. Bij elke stap groeide de paniek. Heer Yikmo gaf nooit 's avonds les. De magiër kwam van de Vin-eilanden en het had te maken met zijn godsdienst. Maar een verzoek van de opperheer mocht niet geweigerd worden.

Toch was het wel een raar tijdstip voor een les of een demonstratie. Misschien had Akkarin een andere reden om haar daar te willen spreken. Misschien was heer Yikmo er niet eens bij...

Ze schrok op toen een novice plotseling vanuit een zijgangetje opdook en voor haar kwam staan. Toen ze om hem heen wilde stappen, schoof hij opzij en blokkeerde de weg. Drie andere leerlingen kwamen naast hem staan.

'Hallo, Sonea. Mijn boodschap ontvangen?'

Ze draaide zich om en voelde de moed in de schoenen zakken. Regin stond voor zijn groepje volgelingen, die ook de weg terug blokkeerden. Ze herkende een paar oude klasgenoten, maar de rest kwam haar slechts vaag bekend voor. Die anderen, besefte ze, waren oudere novicen. Ze staarden haar met koele blik aan en ze herinnerde zich het commentaar op de trap van een paar dagen geleden. Als er zovelen dachten dat ze het niet verdiende gekozen te zijn door de opperheer, was het vast niet moeilijk geweest voor Regin om ook onder hen wat medestanders te vinden.

'Arme Sonea,' teemde Regin. 'Wat is het toch eenzaam aan de top. Geen vrienden. Niemand om mee te spelen. We dachten dat je wel wat gezelschap kon gebruiken. Misschien kunnen we weer een spelletje doen.' Hij keek vragend naar een van de ouderejaars. 'Wat zullen we doen?'

De jongen grijnsde. 'Dat eerste idee van je vond ik wel gaaf, Regin.'

'Een spelletje Zuivering dus?' Regin haalde zijn schouders op. 'Geen slecht plan om nu alvast te oefenen voor de taak die we later moeten uitvoeren. Maar ik denk dat we iets meer uit de kast moeten halen dan flitsende lichten en blokkades om dit soort ongedierte uit onze universiteit weg te krijgen.' Hij keek Sonea met half toeknepen ogen aan. 'We zullen zwaardere middelen moeten toepassen.'

Bij het horen van die woorden kon ze haar woede nauwelijks beteugelen, maar toen zijn handen omhooggingen, kon ze alleen maar ongelovig kijken. Hij zou haar hier toch niet treffen? Nee, niet hier. Niet binnen de universiteit.

'Dat kan je niet m—'

'O nee?' Hij grijnsde. 'Moet je eens zien.' Toen het licht flitste trok ze haar schild op. 'Wat wou je eraan doen? Het aan je mentor vertellen? Ik heb zo'n idee dat je dat niet zal doen. Ik denk dat je te bang voor hem bent.' Regin kwam dichterbij en witte magie spatte uit zijn beide handpalmen.

'Hoe weet je dat zo zeker?' snauwde ze terug. 'En als iemand ons nu ziet vechten op de gang? Je kent de regels.'

'Ik denk niet dat daar veel kans op is. We hebben het gecheckt. Er is niemand meer. Zelfs vrouwe Tya is naar huis.'

Zijn treffers waren makkelijk tegen te houden. Een paar krachttreffers en ze had hem te pakken. Maar ze kon de verleiding bedwingen, met Yikmo's woorden over het kwaaddoen van anderen nog vers in haar geheugen.

'Nou, roep je mentor dan, Sonea,' drong hij aan. 'Vraag hem maar of hij je komt redden.'

Een koude rilling liep langs haar rug, maar ze negeerde hem. 'Redden van jou, Regin? Daarvoor hoef ik hem niet te storen.'

Hij keek naar de novicen rondom zich. 'Hebben jullie dat gehoord? Ze vindt ons de aandacht van de opperheer niet waard. Wij vertegenwoordigen de machtigste Huizen, maar dit sloppenkind zal wel even laten zien wie de beste is. Wel, het wordt tijd om háár eens te laten zien wie hier geen knip voor de neus waard is. Kom op.'

Opnieuw viel hij haar aan. Toen ze voelde dat ook de achterkant van haar schild geraakt werd, keek ze over haar schouder en zag dat Kano en Issel naar voren waren gekomen. Maar de ouderejaars fronsten hun wenkbrauwen. Twijfel stond op hun gezicht te lezen.

'Ik zei het toch?' sprak Regin tussen de treffers door. 'Ze zegt niks tegen hem.'

Toch bleven de ouderejaars aarzelen.

'Als ze het toch doet, neem ik de hele verantwoordelijkheid op me. Dus wat hebben jullie te verliezen?'

Ze signaleerde meer treffers, en wist dat nu ook andere novicen hun steentje bijdroegen. Het vergde veel meer kracht om haar schild omhoog te houden. Haar bezorgdheid nam toe en ze keek beide kanten op, want ze moest iets doen. Als ze in de hoofdgang kon komen... Ze begon naar voren te lopen, Regin en zijn volgelingen voor zich uit drijvend.

'Als jullie nu niet mee doen,' schreeuwde Regin tegen de paar novicen die nog twijfels hadden, 'dan gaat ze ervandoor. Net zoals ze aan de haal is gegaan met wat ons rechtens toebehoort. Helpen jullie mee haar haar plaats te wijzen, of willen jullie de rest van je leven buigen voor een sloppengrietje?'

De novicen naast hem deden een stap vooruit, al talmden ze een beetje, en sloegen toe met een krachttreffer. Naar voren schuifelen kostte aanzienlijk meer kracht als er krachttreffers vielen, en hoewel ze vooruit kwam, ging het met een slakkengang en kostte het veel energie.

Ze bleef staan en dacht na. Had ze nog voldoende kracht om de gang te bereiken? Ze wist het niet zeker. Ze kon haar krachten beter sparen. Ze hoopte dat Regin en de anderen zichzelf zouden uitputten, dan zou ze er vrij makkelijk langs kunnen komen.

Als ze maar niet eerder uitgeput raakte.

Om het formaat van haar schild te verkleinen, drukte ze haar rug tegen de muur. De aanval ging gewoon door, en ze probeerde uit te vissen wat hun bedoeling was. Ze had aangenomen dat Regin zo'n grote groep bij elkaar had gehaald om een flink publiek te hebben – en verdedigers als ze terug zou vechten. Wilde hij haar kapotmaken? En als ze dan gesloopt was, wat wilden ze dan met haar? Doden? Maar een sloppenkind was het toch niet waard om voor naar de gevangenis te gaan? Nee, het was waarschijnlijk zijn bedoeling haar zo af te matten dat ze morgen te moe zou zijn om haar lessen te volgen.

De treffers begonnen haar te verzwakken en tot haar grote schrik voelde ze haar eigen kracht langzaam afbrokkelen. Het werd nu erg link. Te link.

Toen haar schild begon te trillen, hief Regin zijn armen. 'Stop!'

Geen treffers meer. In de stilte keek Regin de anderen een voor een aan en grijnsde.

'Gezien? Nu zullen we haar voor eens en voor altijd haar plaats wijzen.'

Ze zag de kwaadaardige glinstering in zijn ogen en besefte dat uitputting pas het eerste deel van zijn plan was geweest. Ze wou dat ze door was gegaan met naar de gang schuifelen. Maar ze wist ook dat ze het waarschijnlijk nooit gehaald zou hebben.

Regin zond een nieuwe, voorzichtige treffer naar haar schild. Een voor een bestookten ze haar allemaal. De meeste treffers waren zwak, maar toen Sonea steeds meer kracht moest gebruiken om haar schild op zijn plaats te houden, snapte ze dat ze gedoemd was te verliezen. En al gingen ze zo lang door tot hun kracht was opgebruikt, dan nog konden tien magiërsleerlingen haar ook wel zónder magie martelen.

Ze voelde haar kracht snel afnemen. Toen loste haar schild op en bestond er alleen nog maar lucht tussen haar en Regin. Hij glimlachte naar de anderen – een vermoeide maar triomfantelijke grijns.

Toen flitste er een felrood licht uit Regins handpalm. Pijn nam haar hele borstkas in bezit en vloeide naar alle kanten uit; haar armen en benen trilden hevig en het was alsof er een mes in haar hoofd werd gestoken. Ze voelde haar spieren onwillekeurig samentrekken en gleed ruggelings langs de muur naar beneden.

Toen het vreselijke gevoel wegebde deed ze haar ogen open en merkte dat ze opgerold op de vloer lag. Vernederd probeerde ze op te staan, maar een tweede pijnuitbarsting verdoofde haar zintuigen. Ze knarsetandde, en zwoer geen traan te laten.

'Goh, ik vroeg me al een tijd af wat een schoktreffer voor effect had,' hoorde ze Regin zeggen. 'Willen jullie het niet eens proberen?'

Ze hoorde wat geluiden van weerzin, en even vlamde de hoop in Sonea op toen twee novicen een ontstelde blik wisselden, zich omdraaiden en wegliepen. Maar de anderen leken vol enthousiasme en haar hoop was snel verdwenen toen schoktreffer na schoktreffer huizenhoge pijngolven door haar lichaam stuurden.

Regins schimpscheut weerklonk in haar hoofd. *Nou, roep je mentor dan, Sonea; vraag hem maar of hij je komt redden.* Het zou haar maar een korte geestelijke oproep kosten; een beeld van Regin en zijn maten...

Nee. Al deed Regin zijn uiterste best, niets kon zo erg zijn als Akkarin te hulp roepen.

Rothen dan!

Verboden mee te praten.

Er moest toch iemand zijn!

Maar elke roep om hulp zou opgevangen kunnen worden door Akkarin – en andere magiërs. Dan zou het hele Gilde binnen de kortste keren weten dat zijn novice kapot en verslagen in een zijgang van de universiteit had gelegen.

Er was niets dat ze kon doen.

Ze rolde zich op tot een bal, en wachtte tot de novicen hun laatste beetje kracht verbruikt hadden, of zich begonnen te vervelen en haar met rust zouden laten.

Het was na middernacht toen Lorlen eindelijk klaar was met de brief. Hij stond op, rekte zich uit en liep naar de gang, geen aandacht schenkend aan zijn omgeving terwijl hij de deur op slot deed en met magie verzegelde. Maar toen hij zich omdraaide om de gang door te lopen hoorde hij een zacht krabbelend geluid in de entreehal.

Hij stond stil en overwoog even te gaan kijken. Het was nauwelijks hoorbaar geweest, misschien een dood blad dat door de open deur naar binnen was geblazen. Hij wilde het net laten voor wat het was toen hij het opnieuw hoorde. Met gefronst voorhoofd liep hij naar de ingang van de universiteit. Er bewoog iets bij een van de enorme deuren. Er kroop iets langs het eeuwenoude hout omhoog. Hij deed een stap naar voren en toen stokte de adem hem in de keel.

Sonea hing tegen de hoge deur aan alsof ze voorover zou vallen als ze nergens tegenaan kon leunen. Ze trok zich op, stopte, deed een stap in de richting van de trap en bleef wankelend staan. Lorlen haastte zich naar voren en greep haar arm om haar overeind te houden. Ze keek hem verrast en tegelijkertijd wanhopig aan.

'Wat is er met je gebeurd?' vroeg hij.

'Niets, heer,' bracht ze uit.

'Niets? Maar kind, je bent uitgeput.'

Ze haalde haar schouders op en zelfs dat leek haar moeite te kosten. Al haar kracht was verdwenen. Alsof... alsof het uit haar gezogen was...

'Wat heeft hij met je gedaan?' zei Lorlen schor.

Ze fronste haar wenkbrauwen en schudde haar hoofd. Plotseling knikten haar knieën en ze zonk ineen op de trap. Hij ging naast haar zitten en liet haar arm los.

'Het is niet wat u denkt,' zei ze terwijl ze dubbel klapte, met haar hoofd op haar knieën. 'Niet *wie* u denkt. *Hij* was het niet.' Ze zuchtte en wreef over haar gezicht. 'Ik ben nog nooit zo moe geweest.'

'Hoe kom je dan zo kapot?'

Sonea gaf geen antwoord.

'Was het iets dat een leraar je liet doen?'

Ze schudde haar hoofd.

'Heb je iets gedaan dat meer kracht van je vergde dan je verwachtte?'

Weer schudde ze haar hoofd.

Lorlen bedacht wat het dan kon zijn geweest. Hij dacht aan die keer, heel lang geleden, dat hij al zijn krachten was kwijtgeraakt. Toen hij vocht met Akkarin, tijdens strijdvaardigheden. Maar ze had gezegd dat het Akkarin niet was geweest.

Toen herinnerde hij zich iets. Een keer had de leraar een stuk of vier novicen tegenover elke leerling gezet om ze te laten vechten. Dat was een van de weinige keren geweest dat hij verslagen was.

Maar het was veel te laat voor de les. Waarom zou ze nu nog tegen een stel novicen gevochten hebben? Lorlen gromde toen hem een naam te binnen schoot. Regin. De knaap had vast een stel volgelingen opgetrommeld en haar ergens opgewacht. Het was brutaal en link. Als Sonea Akkarin over die onverhoedse aanval zou vertellen...

Maar dat zou ze nooit doen. Lorlen keek naar Sonea en de aanblik deed hem pijn. Tegelijkertijd voelde hij zich plotseling trots op haar.

'Het was Regin, hè?'

Haar ogen gingen knipperend open. Hij knikte.

'Geen zorgen, ik zal het niemand vertellen tenzij jij dat wilt. Ik kan Akkarin vertellen wat er speelt, als je wilt.' *Als hij nu luistert weet hij alles al.* Hij keek even naar de ring.

Ze schudde van nee. 'Nee. Niet doen. Alstublieft.'

Natuurlijk. Akkarin mocht er niets van weten.

'Het was onverwachts,' zei ze. 'Ik blijf nu wel uit hun buurt.'

Lorlen knikte langzaam. 'Nou, als dat niet lukt, kun je mij altijd om hulp vragen.'

Een mondhoek werd tot een wrang glimlachje opgetrokken, toen haalde ze diep adem en krabbelde moeizaam overeind.

'Wacht.' Ze bleef stil zitten toen hij haar hand pakte. 'Hier,' zei hij. 'Dit helpt een beetje.'

Hij stuurde een golfje genezingsenergie vanuit zijn handpalm in haar lichaam. Haar ogen sperden zich open toen ze het voelde. Haar kracht zou er niet mee hersteld worden, maar de lichamelijke afmatting was een stuk minder. Haar schouders gingen omhoog en ze kreeg wat kleur op haar wangen.

'Dank u,' zei ze. Ze stond op en keek naar het huis van Akkarin. Haar schouders zakten weer omlaag.

'Het blijft niet eeuwig zo, Sonea,' zei hij zacht.

Ze knikte. 'Goedenacht, administrateur.'

'Goedenacht, Sonea.'

Hij keek haar na terwijl ze wegliep. En hoopte van ganser harte dat hij gelijk zou krijgen, al leek dat nu nog een onmogelijke zaak.

27

Nuttige informatie

onea nam de doos boeken net onder haar arm toen vrouwe Tya de deur van de magiërsbibliotheek opendeed en binnenkwam. Ze plaatste haar last naast die van Tya op heer Juliens bureau en keek de verduisterde ruimte in. 'Ik ben hier in geen weken geweest.'

Tya begon de boeken uit de dozen te halen. 'Waarom niet?'

'"Het is de novicen niet toegestaan zich zonder begeleiding van een magiër in de magiërsbibliotheek te bevinden."'

De bibliothecaresse grinnikte. 'Ik zie die mentor van je hier nog niet zitten wachten tot jij uitgestudeerd bent. Maar je hoeft het hem niet eens te vragen. Je kunt gaan en staan waar je wilt.'

Sonea keek verbaasd. 'Zelfs hier?'

'Ja, maar alleen als je dit voor me draagt.' De ogen van de bibliothecaresse twinkelden van plezier toen ze haar een stapel boeken gaf. Sonea nam ze aan en volgde haar tussen de stellingen door naar de muur aan het uiteinde en door een deurtje naar een kamer waar ze nog nooit geweest was. Er stonden stellingen in het midden, maar de wanden werden in beslag genomen door allerlei kasten, waaronder ladekasten.

'Is dit een voorraadkamer?'

'Ja.' Tya begon de boeken op planken te zetten. 'Het zijn kopieën van boeken uit de novicebibliotheek die altijd uitgeleend zijn. Die slijten snel, dus die moeten vaak worden vervangen. De originelen staan in die kasten.'

Ze pakte de stapel boeken van Sonea aan en liep langs een enorme kast vol boeken van allerlei formaten en een berg boekrollen. Achter de glazen ruiten was kippengaas aangebracht.

'Wat zit daarin?'

De bibliothecaresse wierp een blik op de kast en haar ogen begonnen te glanzen. 'Originelen van de oudste en meest waardevolle boeken en kaarten van het Gilde. Veel te kwetsbaar om te gebruiken. Ik heb er wel eens kopieën van gezien.'

Sonea tuurde door het gaas. 'Hebt u de originelen ooit in handen gehad?'

Tya kwam naast haar staan. 'Nee, de deuren zijn met magie afgesloten. Toen Julien nog een jonge vent was heeft zijn voorganger de deuren eens voor hem opengedaan, maar Julien deed het niet voor mij. Hij vertelde dat er ook een kaart van de gangen onder de universiteit in lag.'

'Gangen?' Ze herinnerde zich geblinddoekt te zijn geweest toen ze haar vriend Cery bezocht, die door Fergun in een gevangeniskelder gezet was.

'Ja. Het Gilde zit er vol mee. Niemand die er nu nog gebruik van maakt – al zou het me niet verbazen als je mentor dat wel doet, zo vaak duikt hij op onverwachte plaatsen op.'

'En die kaart ligt hierin?'

'Dat zegt Julien, maar volgens mij plaagde hij me maar een beetje.'

Sonea keek Tya van opzij aan. 'Plaagde je?'

De bibliothecaresse bloosde en draaide zich om. 'O, heel lang geleden, toen we nog jong waren.'

'Het is haast niet te geloven dat heer Julien ooit jong geweest is,' zei Sonea, achter haar aan lopend met de resterende boeken onder haar arm. 'Hij is zo ernstig en je mag haast niks.'

Tya bleef bij een kast staan en zette de boeken op een plank. 'Mensen veranderen. Hij vindt zichzelf tegenwoordig reuze belangrijk, alsof hoofd van de bibliotheek net zo belangrijk is als, zeg, hoofd van de Krijgers.'

Sonea grinnikte. 'Directeur Jerrik zou zeggen dat kennis belangrijker is dan wat ook, dus als hoeders van de kennis van het Gilde *zijn* jullie ook belangrijker dan de hoofdmagiërs.'

Tya glimlachte. 'Ik geloof dat ik weet waarom de opperheer jou gekozen heeft, Sonea. Ga nu de rest van die boeken op Juliens bureau maar halen.'

Sonea ging terug naar de bibliotheekzaal. De afgelopen twee weken had ze Tya bijna iedere avond geholpen. Hoewel het haar vooral ging om Regin te ontlopen was ze erg gesteld geraakt op de excentrieke bibliothecaresse. Ze kon met Tya net zo lekker kletsen als met de wasvrouwen bij de Tarali-rivier. Maar ook bood ze altijd een luisterend oor als Sonea haar opdrachten wilde bespreken. En als Sonea geen zin had in praten, deed Tya het gewoon in haar eentje. Bovendien was ze een onuitputtelijke bron van informatie en wist ze alles over de geschiedenis van het Gilde van de laatste jaren, van politieke intriges tot en met de laatste schandaaltjes. Sonea was verbaasd over de geruchten die over Dannyl de ronde hadden gedaan toen hij novice was, en was ontroerd door het verhaal over het lange sterfbed van Rothens vrouw, die stierf aan een ziekte waarvoor geen Genezer een medicijn kende.

Ze liep terug met de boeken en kwam weer langs de glazen kast. Niemand gebruikte de gangen onder de universiteit. Regin zeker niet. En, dat had Tya zelf gezegd, ze kon nu gaan en staan waar ze wilde.

Zodra de deur was dichtgevallen liep Rothen naar zijn stoel en haalde de brief uit de mouw van zijn gewaad, waar hij verstopt had gezeten sinds de koerier hem tussen twee lessen door had aangeklampt. Hoewel hij brandde van nieuwsgierigheid durfde hij hem niet open te maken binnen de muren van de universiteit.

Het was inmiddels zeven weken geleden dat hij Dannyl geschreven had. Zeven weken geleden dat Akkarin Sonea had meegenomen. Hij had haar sindsdien maar één keer gesproken. Toen een novice van een invloedrijk huis was voorgedragen om privé-les van hem te krijgen, had Rothen zich zeer vereerd gevoeld; maar toen bleek dat de leerling alleen lessen kon volgen gedurende de tijd dat hij lesgaf in Sonea's klas, vermoedde hij dat er een addertje onder het gras zat. Het zou echter zeer onbeleefd zijn geweest te weigeren. En hij kon ook geen geldige reden vinden om uit te leggen waarom, behalve de waarheid natuurlijk.

Rothen keek naar de brief en bereidde zich voor op een teleurstelling. Al stemde Dannyl erin toe hem te helpen, dan was het nog maar de vraag of hij iets zou kunnen vinden dat tot Akkarins val zou leiden. Maar de brief was groot en opvallend dik. Met trillende handen verbrak Rothen het zegel. Toen er diverse vellen papier uitgleden met Dannyls handschrift erop, greep hij het eerste vel en begon gehaast te lezen.

Aan Rothen

Wat een aangename verrassing van je te horen, oude vriend. Ik ben inderdaad op reis geweest door diverse landen en heb mensen van allerlei rassen, culturen en godsdiensten gesproken. Een leerzame en verhelderende ervaring, moet ik zeggen, en ik zal je veel te vertellen hebben wanneer ik komende zomer weer eens langskom bij het Gilde.

Wat een opmerkelijk nieuws over Sonea. Natuurlijk is het een grote kans voor haar, al begrijp ik je teleurstelling dat jij haar mentor niet meer mag zijn. Ik weet dat het aan jouw zorgen en harde werken te danken is dat de opperheer haar heeft opgemerkt. En van haar problemen met een zekere andere novice zal ze nu ook wel verlost zijn.

Ik vond het ontzettend jammer dat ik Dorriens bezoekje gemist heb. Doe hem alsjeblieft de groeten.

Hierbij sluit ik een beetje informatie in die ik in de Grote Bibliotheek en elders gevonden heb. Ik hoop dat je het kunt gebruiken. Ik waardeer je nieuwe 'hobby' zeer. Als ik van mijn volgende tripje terug ben, heb ik misschien materiaal voor een nieuw hoofdstuk bij me.

Je vriend, Dannyl

Bladerend door het pakket zette Rothen grote ogen op. 'Dit allemaal? De Glorieuze Tempel? De Tomben der Witte Tranen!' Hij grinnikte. 'Een béétje informatie, Dannyl?'

Hij begon bij het begin te lezen. Toen hij bij de derde pagina was, werd hij gestoord door een klop op de deur. Hij sprong overeind met bonzend hart. Hij keek spiedend rond waar hij de dikke brief kon verstoppen, vloog naar een boekenkast en stopte hem tussen de pagina's van een lijvig boekwerk. Als iemand er niet speciaal naar zocht, zou het niet opvallen.

Toen er voor de tweede maal werd geklopt, liep Rothen snel naar de deur. Hij haalde diep adem en bereidde zich voor op het ergste. Toen hij opendeed slaakte hij een diepe zucht van opluchting toen hij het oude echtpaar in de gang zag staan.

'Yaldin en Ezrille! Kom toch binnen.'

Ze liepen de ontvangstkamer in. 'Hoe is het ermee, Rothen?' vroeg Ezrille. 'We hebben je in geen tijden gezien.'

Rothen haalde zijn schouders op. 'Het gaat best. En met jullie?'

'Ook goed,' zei Ezrille. Ze aarzelde en keek naar Yaldin voor steun.

'Kan ik jullie een kopje sumi aanbieden?' vroeg Rothen beleefd.

'Ja, graag,' antwoordde Yaldin.

De oudjes gingen zitten en Rothen begon druk kopjes, potjes en lepeltjes op tafel te zetten. Terwijl hij het warme drankje begon klaar te maken, praatte Yaldin over wat onbelangrijke Gildezaken. Het wás inderdaad lang geleden dat hij met zijn oude vrienden had gepraat, vond Rothen. Ezrille bleef zwijgen tot Rothen een tweede kop sumi had ingeschonken.

'Ik wil je uitnodigen voor het avondeten op elke Eéndag, Rothen,' zei ze.

'Echt waar?' lachte Rothen. 'Elke Eéndag?'

'Ja,' zei ze vastberaden. 'We weten heus wel dat het een hele schok voor je moet zijn geweest dat Sonea naar de opperheer moest verhuizen. Ze komt ook nooit eens langs, wat toch ook een teleurstelling voor je moet zijn geweest na alles wat je voor haar gedaan hebt. Ze heeft 's avonds wel extra bijles, maar –'

'– ze kan er ook weinig aan doen,' viel Yaldin haar in de rede. Hij glimlachte naar Rothen. 'Die komt heus wel terug als ze meer tijd heeft. Tot die tijd moet je niet in je eentje zitten kniezen, week na week.'

'Hij bedoelt dat je niet iedere avond alleen moet zitten.'

'Zeker nu Dannyl ook nog in het buitenland zit,' voegde Yaldin eraantoe. 'Je moet eens met iemand anders kletsen dan alleen met novicen en leraren.'

'En Tania heeft verklapt dat je weer nemmin neemt,' zei Ezrille zacht. 'Niet boos zijn dat ze het ons verteld heeft. Ze maakt zich gewoon zorgen om je – net als wij.'

'Dus je komt?' vroeg Yaldin.

Rothen keek vrolijk van de een naar de ander en grinnikte. 'Reken maar.'

Sonea liep langzaam door de universiteitsgang, zich zeer bewust van het geluid van haar hakken op de vloer. Toen ze de hoek omsloeg keek ze behoedzaam de volgende gang in, maar gelukkig was er niemand.

Het was al laat. Later dan gewoonlijk. Het was haar tot nu toe gelukt Regin uit de weg te gaan door ofwel met Tya het gebouw te verlaten of door lange, kronkelige gangetjes te gebruiken. Steeds kwam ze weer in de hoofdgang uit, waar een novice haar in de gaten hield. Maar daar hadden ze haar nog nooit aangevallen. Er liepen te veel magiërs rond, net als bij de bibliotheek.

Sonea hoopte dat Regins bondgenoten het wachten uiteindelijk beu zouden worden. Desondanks liet ze haar kistje tegenwoordig in de bibliotheek staan in plaats van het mee te nemen naar huis. Na die aanval met schoktreffers hadden ze het niet kunnen laten ook haar aantekeningen en boeken te verscheuren. Ze had de spullen in de gang laten liggen, te uitgeput om alles te dragen.

Als ze niet wilde dat haar voetstappen gehoord werden, moest ze langzamer lopen, terwijl ze juist de neiging had haar pas te versnellen. Voor de zoveelste keer vroeg ze zich af of magiërslaarzen speciaal werden gemaakt om lawaai te maken. Hoe voorzichtig ze ook liep, de harde zolen tikten toch op de harde vloer en het geluid weerkaatste door de stille gangen. Een paar weken geleden had ze nog met zoveel plezier door de kronkelige gangen van de universiteit gelopen. En nu voelde ze zich gek genoeg opgelucht als ze over de drempel van het huis van de opperheer stapte.

Ze hoorde iets. Gegiechel, half gesmoord. Ze bleef staan en besefte dat ze de weg in de hoofdgang geblokkeerd hadden. Maar ze wisten niet dat ze hen had gehoord. Als ze wegrende en een grenskamertje doorging naar de binnenste gangen kon ze via de andere kant in de hoofdgang uitkomen.

Ze draaide zich om en holde weg.

'Rennen, Sonea, rennen!' klonk Regins stem. Voetstappen en gelach weerklonken door de gang. Ze sloeg een hoek om, en nog een. Een bekende deur kwam in zicht. Ze greep de klink en rukte hem open. Ze wachtte niet om te zien of ze werd gevolgd, maar holde haastig het portaalkamerje door naar de binnengang aan de andere kant. Achter zich hoorde ze een deur dichtslaan. Ze dook de eerste de beste zijgang in. Hij boog af naar rechts en kwam samen met een andere gang die eindigde bij een deur. Ervoor stond een novice, met een grote grijns op zijn gezicht.

Sonea stopte half struikelend en keek de leerling aan. Ze wisten dus ook van de binnengangen. De jongen was hier neergezet om haar de doorgang te versperren. Maar hij was alleen, dus daar kwam ze wel langs.

Zijn grijns verdween toen hij haar uitdrukking zag veranderen en hij deed snel een stap opzij. Ze glipte de deur door, liep naar de deur aan de andere kant van de kamer en kwam weer in de gewone buitenste gang terecht. Toen ze achter zich iets open hoorde gaan, spurtte ze weg. De hoofdgang was maar een paar gangetjes verder. Ze sloeg een hoek om, toen nog een en kwam in een regen van rood vuur terecht.

Ze had haar schild nog niet opgetrokken, omdat ze haar kracht wilde sparen voor een echte confrontatie. Die kwam eerder dan verwacht en de pijn sneed door haar lichaam, en alles werd zwart. Toen ze weer bijkwam lag ze op de vloer met een gekneusde schouder. Weer schoot er een vlam over haar heen, en ze kon alleen haar tanden op elkaar klemmen. Toen het stopte trok ze snel een schild over zich heen.

Ze rolde om, trok haar voeten onder zich en sprong overeind. Regin stond voor haar, met vier anderen achter zich. Drie anderen blokkeerden de hoofdgang. Meer volgelingen stroomden toe, een stuk of dertien. Meer dan eerst. Ze slikte.

'Hé, Sonea,' zei Regin. 'Wat is de wereld toch klein, hè?'

De anderen grinnikten. Er was geen spoor van twijfel meer te bekennen. Ze waren niet opgeroepen om uit te leggen waarom ze haar overvallen en gemarteld hadden – zoals Regin voorspeld had, had ze Akkarin niets verteld.

Regin legde zijn hand op zijn hart. 'O, hoe vreemd is de liefde,' zei hij smachtend. 'Ik dacht dat je me haatte, maar zie eens aan, je laat me geen seconde uit het oog!'

Een van de leerlingen gaf hem een papieren doosje, het soort waarin gesuikerde noten of andere zoete snoepjes zaten.

'Aha. Een geschenk!' zei Regin en hij nam het deksel eraf. 'Iets om mijn achting voor jou te bewijzen.'

In de doos lagen twee snoeppapiertjes met iets erin. De stank bereikte Sonea's neus en ze voelde zich misselijk worden. Harrelkeutels, dacht ze, of rebermest – of allebei. Regin nam er een uit.

'Zal ik hem in je mondje stoppen, zoals jonge geliefden doen?' Hij keek naar zijn volgelingen. 'Maar je ziet eruit alsof je eerst een hartverwarmende knuffel kunt gebruiken.'

Hij zond een schok naar haar schild, en de anderen deden meteen mee. De moed zonk haar in de schoenen. Zoveel aanvallende magiërsleerlingen, dat zou ze nooit uithouden. Ze wendde zich naar de drie die de weg naar de hoofdgang blokkeerden en ze begon een doorgang te forceren. Langzaam werden ze achteruit gedrongen, maar na een paar stappen voelde ze zich zwakker worden. De novicen vertoonden geen tekenen van vermoeidheid.

Ze bleef stilstaan. Vorige keer had ze er heel lang over gedaan om bij de uitgang van de universiteit te komen. Toen wilde ze dat ze wat energie gespaard had om tenminste lopend naar buiten te kunnen komen. Om krachten te kunnen sparen moest ze haar schild iets te vroeg laten zakken en net doen of ze totaal uitgeput was. Ja, dat zou wel werken.

Maar toen ze het snoepdoosje zag, veranderde ze van gedachte. Ze zou het zo lang als ze kon uithouden. Terwijl haar kracht afnam, werd haar wil om ze een koekje van eigen deeg te geven sterker.

Haar laatste restje kracht vloeide uit haar lichaam weg. Haar schild werd flinterdun, schoktreffers raakten haar lichaam en ze hapte naar adem, zo'n pijn deed het.

Weer zeeg ze ineen op de vloer. Toen het vuur eindelijk wegbleef zag ze

Regin geknield voor haar zitten, met het snoeppapiertje tussen zijn vingers.

'Wat is hier aan de hand?'

Regin sperde zijn ogen wijd open en hij werd wit als een doek. Hij sloot het 'snoepje' in zijn vuist en ging rechtop staan. Toen hij een paar stappen achteruit deed, zag Sonea wie er gesproken had en ze kreeg een kop als een boei. Heer Yikmo stond in de zijgang, de armen over elkaar geslagen.

'Nou?' vroeg hij bars.

Regin boog en de andere novicen haastten zich hetzelfde te doen.

'Het was maar een spelletje, heer,' zei hij.

'O, een spelletje?' bulderde hij vertoornd. 'En hebben de regels van dit spelletje voorrang op de regels van het Gilde? Buitenlessen en Arenalessen worden niet binnenshuis uitgevochten.'

'We vochten niet echt,' zei een van de novicen. 'We deden maar alsof.'

Yikmo kneep zijn ogen half samen. 'Meen je dat nou? Dus die schoktreffers, gericht op een weerloze vrouw, die waren dus niet echt?'

Regin slikte. 'Haar schild verdween voor we er erg in hadden, heer.'

Heer Yikmo trok zijn wenkbrauwen op. 'Dan zijn jullie noch zo gedisciplineerd noch zo ervaren in de strijd als heer Garrel beweert. En ik weet zeker dat heer Balkan het met me eens zal zijn.' Yikmo's ogen gleden over de groep en hij prentte hun namen in zijn geheugen. 'Naar jullie kamers, allemaal.'

Dat lieten de leerlingen zich geen twee keer zeggen. Toen heer Yikmo zich naar Sonea toe wendde, keek hij zeer ontgoocheld. Ze trok haar benen onder zich en stond wankelend op.

'Hoe lang waren ze daar al mee bezig?'

Ze aarzelde, want ze wilde niet toegeven dat het al eerder was gebeurd. 'Een uur.'

Hij schudde het hoofd. 'De idioten. De uitverkorene van de opperheer aanvallen – ongelofelijk. En nog met z'n allen ook.' Hij keek haar aan en zuchtte. 'Maak je geen zorgen. Het zal niet meer gebeuren.'

'Alstublieft, vertel het niet verder.'

Hij keek haar nadenkend aan. Ze deed een stap naar voren, maar wankelde toen de gang begon te draaien. Hij greep haar vast om te beletten dat ze viel. Ze voelde een beetje genezende energie via haar arm naar binnen sijpelen. Toen ze haar evenwichtsgevoel weer terug had, haalde ze zijn hand van haar arm.

'Zeg eens, heb je teruggevochten?'

Ze schudde haar hoofd.

'Waarom niet?'

'Wat had dat nu uitgemaakt?'

'Niets, maar de meeste mensen, ook als ze voor een overmacht staan, vechten terug uit trots. Maar misschien hield jij je in om dezelfde reden.'

Hij keek haar afwachtend aan, maar ze wendde haar blik af en zweeg.

'En dan, als je een of twee van de zwaksten had aangevallen, en je had ze net zo uitgeput achtergelaten als jij was, zou dat ontmoedigend op de anderen kunnen werken, op zijn minst.'

Sonea fronste haar voorhoofd. 'Maar ze hadden geen binnenschilden. Als ik er nu eentje echt hard getroffen had?'

Hij glimlachte. 'Dat was het antwoord dat ik wilde horen. Toch geloof ik dat er meer redenen zijn voor je weerzin om terug te vechten dan alleen de wens om hen geen kwaad te doen.'

Sonea werd kwaad. Nu zat hij al voor de tweede keer te trekken en door te vragen om achter haar zwakheden te komen. Maar dit was toch geen les? Was het niet genoeg dat hij getuige was geweest van haar vernedering? Ze wilde dat hij haar met rust liet, en de enige manier die ze kon bedenken was om te praten over het onderwerp dat vrijwel alle magiërs achteruit zou laten deinzen.

'Zou u nog zin hebben om treffers te plaatsen als u een jongetje door magiërshanden had zien sterven?' zei ze.

Hij vertrok geen spier en keek haar nog doordringender aan. 'Aha,' zei hij. 'Dus daar zit 'm de kneep.'

Ze staarde hem vol weerzin aan. Zou hij zelfs de tragedie van de Zuivering als lesmateriaal gebruiken? Ze werd zo woedend dat ze wist dat ze zich niet veel langer zou kunnen beheersen.

'Goedenacht, heer Yikmo,' siste ze met opeengeklemde tanden. Toen draaide ze zich om en stapte de smalle gang uit, op weg naar de hoofdgang.

'Sonea! Terugkomen!'

Ze gehoorzaamde niet. Hij riep haar nog eens na – een woedend bevel. Ze vocht tegen het wiebelige gevoel in haar benen en probeerde sneller te lopen.

Bij het bereiken van de gang vloeide de woede weg. Hij zou het haar vast betaald zetten dat ze zo onbeleefd weg was gelopen, maar dat kon haar op dat moment niet schelen. Het enige wat ze wilde was een warm bed en slapen, slapen, slapen.

28

Een geheim plan

Toen de deur openging werd Lorlen verblind door de felle zonneschijn. Hij hield zijn hand boven zijn ogen en volgde Akkarin op het dak van de universiteit.

'We zijn niet alleen,' merkte Akkarin op.

Lorlen volgde de blik van zijn metgezel en zag een eenzame gestalte in een rood gewaad bij de reling staan.

'Heer Yikmo.' Lorlen fronste zijn voorhoofd. 'Balkan moet hem toegang hebben verleend.'

Akkarin liet een afkeurend gegrom horen. 'Er zijn zoveel toegangscodes op de deur aangegeven dat ik me afvraag waarom we hem eigenlijk nog afsluiten.' Met grote passen liep hij naar de Krijger.

Lorlen haastte zich achter hem aan, bezorgd dat Akkarin Yikmo's toegang tot het dak zou laten vervallen. 'Balkan zou hem geen code hebben gegeven als hij hem niet zeer hoog achtte.'

'Uiteraard. Ons Hoofd der Krijgers weet ook wel dat zijn methoden niet voor elke novice geschikt zijn. Hij weet beslist ook dat Yikmo de aandacht van zijn eigen zwakheden afleidt.'

Yikmo had hen niet horen aankomen. De Krijger leunde tegen de reling en keek aandachtig naar iets beneden. Hij keek pas op toen Akkarin een paar passen van hem verwijderd was en ging haastig rechtop staan.

'Opperheer. Administrateur.'

'Gegroet, heer Yikmo,' antwoordde Akkarin zoetsappig. 'Ik heb u nooit eerder op het dak gezien.'

Yikmo schudde het hoofd. 'Ik kom er ook maar heel af en toe – als ik moet nadenken bijvoorbeeld. Ik was vergeten wat een schitterend uitzicht je hier hebt.'

Lorlen liet zijn blik over het Gildeterrein dwalen en naar de stad verderop. Toen hij naar de tuinen keek, zag hij dat maar enkele novicen zich buiten hadden gewaagd tijdens de lunchpauze. Al lag er nog een laagje sneeuw, de zon straalde toch al wat lentewarmte uit.

Onder de novicen was een bekend figuurtje. Sonea zat op een van de tuinbankjes, haar hoofd gebogen over een boek.

'Het onderwerp van mijn overpeinzingen,' gaf Yikmo toe.

'Gaat ze vooruit?' vroeg Akkarin.

'Niet zo snel als ik gehoopt had,' verzuchtte Yikmo. 'Nog steeds problemen met het durven treffen. Maar ik begrijp nu eindelijk waarom.'

'O?'

Yikmo glimlachte schaapachtig. 'Ze is gewoon te aardig.'

'Hoe bedoel je?'

'Ze is bezorgd dat ze iemand pijn zal doen – zelfs haar vijanden.' Yikmo fronste zijn voorhoofd en keek de opperheer aan. 'Gisteravond liep ik tegen Regin en een aantal novicen op die Sonea aan het martelen waren. Ze was vrijwel totaal uitgeput en dat stel gebruikte schoktreffers.'

Lorlen voelde zijn hart overslaan. '*Schoktreffers*,' siste hij.

'Ik herinnerde hen aan de Gilderegels en heb hen naar hun kamers gestuurd.'

Yikmo keek vol verwachting naar de opperheer, maar Akkarin reageerde niet. Hij keek op Sonea neer met zo'n doordringende blik dat het Lorlen verbaasde dat ze dat niet voelde.

'Hoeveel leerlingen in totaal?' vroeg Akkarin.

'Twaalf of dertien. De meesten kan ik identificeren.'

Akkarin knikte. 'Dat zal niet nodig zijn. We zullen verder geen ophef maken over dit incident.' Zijn duistere blik werd op de Krijger gericht. 'Dank je voor deze informatie, Yikmo.'

Yikmo leek nog iets te willen zeggen, maar knikte toen en liep naar de deur. Toen de Krijger verdwenen was liet Akkarin zijn blik weer op Sonea vallen. Eén mondhoek trok licht omhoog.

'Twaalf of dertien. Haar kracht neemt snel toe. Ik kende een novice in mijn klas wiens kracht net zo snel toenam.'

Lorlen keek Akkarin strak aan. In het felle zonlicht zag de bleke huid van de opperheer er ziekelijk wit uit. Hij had kringen rond zijn ogen, maar zijn blik was zo scherp als die van een arend.

'Volgens mij ging jij net zo snel vooruit.'

'Ik vraag me nog altijd af of dat wel gebeurd zou zijn als we niet onophoudelijk geprobeerd hadden elkaar te verslaan.'

Lorlen haalde zijn schouders op. 'Waarschijnlijk wel.'

'Ik weet het zo net nog niet. Misschien was die rivaliteit wel goed voor ons.'

'Goed voor ons?' Lorlen lachte honend. 'Goed voor *jou*. Geloof me, er is niets goeds aan de tweede plaats. Naast jou kon ik net zo goed onzichtbaar zijn, zeker wat de dames betrof. Als ik geweten had dat we allebei vrijgezel zouden blijven, was ik niet zo jaloers geweest op jou.'

'Jaloers?' Akkarins glimlach verdween. Hij tuurde naar de horizon. 'Nee, wees maar niet jaloers.' Het klonk zo zacht dat Lorlen zich afvroeg of hij het wel echt gehoord had. Hij deed zijn mond open om te vragen waarom dan wel niet, maar Akkarin keek alweer naar de vervallen uitkijktoren. 'Hoe staat het met Davins plannen voor de toren?'

Met een zucht schoof de administrateur zijn vraag terzijde en richtte zijn aandacht op Gildekwesties.

Vroeg in de middag hadden Dannyl en Tayend de laatste armoedige stulpjes van Capia achter zich gelaten. Boerderijen en boomgaarden bedekten de heuvels met vlakken in verschillende tinten groen. Hier en daar voegde een pas geploegd stuk land een stukje roodbruin aan het patroon toe.

Hun paarden sukkelden verder in een aangenaam tempo. Bedienden waren vooruit gereden om hun komst bij het eerste adres aan te kondigen, het huis van Tayends zuster.

Tayend haalde diep adem en zuchtte tevreden. 'Best fijn om weer op reis te zijn, hè?'

Dannyl keek verbaasd op naar zijn vriend. 'Heb je er dan echt zin in?'

'Ja. Waarom niet?'

'Ik dacht dat je er na de laatste reis definitief de brui aan had gegeven.'

Tayend haalde zijn schouders op. 'We hebben wat minder prettige ervaringen gehad, maar niet alles was zo erg. En deze keer blijven we binnen de grenzen van Elyne en hebben we vaste grond onder de voeten.'

'Ik weet zeker dat we wel een meer of rivier zullen tegenkomen waar we een bootje kunnen huren als je het gevoel krijgt dat onze reis niet avontuurlijk genoeg is.'

'Neuzen in andermans bibliotheek is avontuurlijk genoeg voor mij, hoor,' zei Tayend vastberaden. Hij tuurde in de verte en kneep zijn ogen iets samen. 'Ik vraag me af welke Dem de boeken bezit waarnaar we op zoek zijn.'

'Als iemand ze al bezit,' zei Dannyl. 'Het enige dat we weten is dat Akkarin ergens een Dem bezocht kan hebben en naar de bergen is gereisd voor een totaal andere reden.'

'Maar daarna?' Tayend keek van terzijde naar Dannyl. 'Dat intrigeert me nog het allermeest. We weten dat Akkarin de bergen in trok. Maar daarna wordt hij nergens meer genoemd. Niet in stadsarchieven, niet door mensen die hem kennen. Ik betwijfel of hij ongezien Capia binnen is geglipt, en het duurde ook een paar jaar voor hij weer bij het Gilde opdook. Is hij dan al die tijd in de bergen gebleven? Is hij erlangs gereisd, aan de noord- of de zuidkant? Of is hij erdoorheen getrokken?'

'Naar Sachaka?'

'Zo'n gek idee is dat niet. Het Sachakaanse Rijk was niet oud genoeg om met de echte oude magie van doen te hebben, maar het was wel een zeer magische gemeenschap – en hij kan daar natuurlijk verbindingen met zeer oude culturen hebben aangetroffen.'

300

'We hebben in onze bibliotheek zat materiaal over het rijk,' zei Dannyl. 'Maar ik betwijfel of er zoveel over is in Sachaka. Wat het Gilde niet mee heeft gejat na de oorlog is allemaal vernietigd.'

Tayend trok zijn wenkbrauwen op. 'Aardig van ze.'

Dannyl haalde zijn schouders op. 'Het was een andere tijd. Het Gilde was net opgericht en na de gruwelijkheden van de oorlog waren de magiërs vastbesloten een nieuwe te voorkomen. Ze wisten dat als ze toestonden dat de Sachakaanse tovenaars hun kennis van magie behielden, er nooit-eindigende vergeldingsoorlogen tussen de twee landen zouden volgen.'

'Dus bleef het een woestenij.'

'Voor een deel. Na de woestenij komt een grote strook vruchtbaar land, met boerderijen en steden. En Arvice, de hoofdstad.'

Tayend fronste zijn voorhoofd. 'Denk je dat Akkarin daar geweest is?'

'Ik heb nog niets gehoord dat daarop wees.'

'Maar als hij in Sachaka geweest is, waarom zou hij dat dan tegen niemand gezegd hebben?' Tayend zweeg en dacht na. 'Misschien heeft hij al die jaren in het Sachakaanse Rijk doorgebracht en heeft hij niets gevonden, en geneerde hij zich daar zo voor dat hij erover zweeg. Of' – Tayend glimlachte – 'misschien zat hij daar gewoon lekker te niksen en wilde hij dat niet toegeven. Of hij deed iets waar het Gilde niet content mee was, of hij werd verliefd op een jong Sachakaans meisje, trouwde met haar en zwoer nooit naar zijn thuisland terug te keren, maar ze stierf, of ging er met een ander vandoor, en hij –'

'Niet zo doordraven, Tayend.'

Tayend grijnsde. 'Of misschien werd hij verliefd op een jonge Sachakaanse jongen, en ontdekten ze het pas na jaren, waarna hij verbannen werd.'

'Dit is wel de opperheer over wie je het hebt, Tayend van Tremmelin,' sprak Dannyl streng.

'Beledig ik je dan als ik zoiets fantaseer?' Het klonk een beetje uitdagend.

Dannyl keek Tayend neutraal aan. 'Ik mag dan wel een beetje wroeten in zijn verleden om mijn onderzoek vooruit te helpen, Tayend, maar dat wil nog niet zeggen dat ik geen respect voor de man heb, of voor zijn positie. Als hij erdoor beledigd zou worden, of zijn positie in gevaar gebracht door speculaties, dan zou ik dat niet aanmoedigen.'

'Juist.' Ontnuchterd staarde Tayend naar zijn teugels.

'Maar buiten dat,' zei Dannyl, 'wat jij suggereert is onmogelijk.'

Tayend glimlachte plagerig. 'Hoe weet je dat zo zeker?'

'Omdat Akkarin een machtig magiër is. De Sachakanen zouden hem verbannen hebben? Ha, ze zouden wel gek zijn!'

De jonge geleerde grinnikte en schudde het hoofd. Even was hij stil. 'Wat doen we als we erachter komen dat Akkarin inderdaad naar Sachaka gegaan is? Gaan wij er dan ook heen?'

'Hmm.' Dannyl draaide zich om in het zadel. Capia was allang achter de heuvels verdwenen. 'Dat hangt ervan af hoeveel tijd ik nodig heb om mijn plichten als Gildeambassadeur te vervullen.'

Toen hij Errend had horen kreunen om zijn komende halfjaarlijkse tocht door het land, had Dannyl aangeboden zijn plaats in te nemen, omdat hij het een ideale kans vond om Capia te verlaten en zijn onderzoek uit te breiden, zonder dat dat commentaar zou oproepen over het zich onttrekken aan zijn plichten. Errend vond het allang best.

Tot zijn wanhoop kwam Dannyl erachter dat de reis door het hele land zou gaan, dat hij weken zou moet blijven in plaatsen waar geen bibliotheek, laat staan privé-bibliotheken bestonden, en dat hij pas deze zomer zou vertrekken. Omdat hij stond te trappelen om verder te gaan, haalde hij Errend over de tocht eerder te laten beginnen, maar er was geen sprake van dat hij plaatsen die hij aan moest doen over kon slaan.

'En wat moet je dan precies doen?' vroeg Tayend.

'Mezelf voorstellen aan de Dems die op landgoederen wonen, bij de magiërs langsgaan, en magisch talent vaststellen bij kinderen die de Koning naar het Gilde wil sturen. Ik hoop maar dat je het niet net zo vervelend vindt als ik.'

Tayend haalde zijn schouders op. 'Ik mag in privé-bibliotheken rondsnuffelen. Dat is tien saaie reizen waard. En ik zie mijn zus eindelijk weer eens.'

'Wat is het voor type?'

Tayend glimlachte en zijn gezicht begon te stralen. 'Ze is geweldig. Volgens mij wist ze al voor ik het zelf wist dat ik een makker was. Je mag haar vast, al noemt ze de dingen altijd meteen bij de naam en is ze zo direct dat mensen er soms ontdaan van zijn.' Hij wees voor zich uit. 'Zie je dat rijtje bomen op die heuvel verderop? Daar begint de weg naar haar landgoed. Laten we voortmaken. Ik weet niet hoe het met jou is, maar ik sterf van de honger!'

Terwijl Tayend zijn paard tot een drafje aanspoorde, voelde Dannyl nu ook zijn maag rammelen. Hij keek naar de bomenrij die Tayend had aangewezen en duwde zijn hakken in de flanken van het paard. Al spoedig sloegen ze van de weg af, onder een stenen poort door, en reden ze op een ver weg gelegen landhuis af.

Toen Sonea na haar avondles naar de bibliotheek terugkeerde, viel haar op dat Tya donkere wallen onder haar ogen had.

'Bent u gisteravond nog lang blijven werken, vrouwe?'

De bibliothecaresse knikte. 'Wanneer die bestellingen geleverd worden, dan moet ik wel. Overdag heb ik geen tijd om ze in te schrijven en op hun plaats te zetten.' Ze gaapte, maar glimlachte vervolgens. 'Bedankt dat je zo lang gebleven bent om me te helpen.'

Sonea haalde haar schouders op. 'Zijn die dozen ook nog voor de magiërsbibliotheek?'

'Ja. Niet bijster opwindend. Gewoon handboeken.'

Ze tilden allebei een stapeltje dozen op en liepen ermee door de gangen. Heer Julien trok zijn wenkbrauwen op toen Sonea achter Tya aan de magiërsbibliotheek in kwam.

'Dus je hebt toch een assistent gekregen,' sprak hij. 'Ik dacht dat Lorlen je verzoek afgewezen had.'

'Sonea heeft aangeboden me te helpen als ze kan.'

'Moet je dan niet studeren, Sonea? Ik stel me zo voor dat de leerling van de opperheer wel wat beters te doen heeft dan dozen te versjouwen.'

Met een neutrale blik keek Sonea om zich heen. 'Kunt u zich een betere plaats voorstellen om mijn vrije tijd door te brengen, heer?'

Zijn mondhoeken trilden even en hij snoof. 'Niet als het echt vrije tijd betreft.' Hij keek Tya aan. 'Ik wilde net naar mijn kamer gaan. Goedenacht.'

'Goedenacht, heer Julien,' antwoordde Tya.

Toen de zuurkijkende magiër vertrokken was, liep Tya met haar dozen naar de voorraadkamer.

Sonea grinnikte. 'Ik denk dat hij jaloers is.'

'Jaloers?' Tya draaide zich om en fronste haar wenkbrauwen. 'Waarop?'

'Jij hebt een assistent. En nog wel de novice van de opperheer.'

Ze trok een wenkbrauw op. 'Je schat jezelf nogal hoog in.'

Sonea trok een gezicht. 'Mijn keus is het ook niet. Maar ik durf er wat om te verwedden dat heer Julien een beetje chagrijnig is omdat jij een bereidwillig hulpje hebt.'

Tya's mond verstrakte, alsof ze haar lachen moest inhouden. 'Nou, laat dan maar eens wat zien. Aan hulpjes die een beetje staan te gissen wat er in andermans hoofd omgaat heb ik natuurlijk niets.'

Ze volgde Tya naar het achterkamertje, zette de dozen neer op een kist en begon ze uit te pakken. Ze weerhield zichzelf ervan naar de oude kast met oude boeken en kaarten te kijken, en concentreerde zich op het sorteren en het opbergen op de planken. Tya gaapte om de paar minuten.

'Tot hoe laat bent u gisternacht eigenlijk doorgegaan?' vroeg Sonea.

'Veel te laat,' moest Tya toegeven.

'Waarom laat u mij dit niet afmaken?'

Tya keek haar ongelovig aan. 'Waar jij die energie vandaan haalt is me een raadsel, Sonea,' verzuchtte ze. 'Ik kan je hier toch niet alleen laten? En als ik wegga ben ik verplicht de boel af te sluiten, en daarna moet ik weer terugkomen om je hieruit te halen.'

Sonea haalde haar schouders op. 'Ik weet zeker dat u me niet vergeet.' Ze keek naar de boeken. 'Hier kan ik u mee helpen, niet met het catalogiseren. Als u dat nu gaat doen, dan maak ik dit hier af.'

Tya knikte langzaam. 'Goed dan. Dan haal ik je over een uur weer op.' Ze glimlachte. 'Bedankt, Sonea.'

Ze liep met de bibliothecaresse naar de deur en Sonea zag haar weglopen.

Ze voelde haar opwinding stijgen naarmate de voetstappen wegstierven. Ze draaide zich om naar de bibliotheek. Stof danste door de lucht, gehuld in een gele gloed door Sonea's bollichtje. In het donker leken de boekenplanken zich tot in het oneindige uit te strekken.

Met een glimlachje ging ze terug naar de voorraadkamer en zette de handboeken zo snel mogelijk op hun plek. Ze telde de minuten af, want ze wist dat ze maar een uur had. Toen de dozen waren uitgepakt liep ze snel naar de boekenkast.

Nauwkeurig inspecteerde ze het slot, zowel met haar ogen als haar geest. Het was logisch dat zoveel kennis door magie beschermd werd. En haar vermoeden bleek juist.

Het tastbare slot was niet ingewikkelder dan welk slot ook dat ze in haar oude leven had gekraakt, maar ze had geen idee of ze ook in staat was een magisch slot te kraken. En al zou het haar lukken, dan zou iemand kunnen ontdekken dat ermee geknoeid was, en wie ermee geknoeid had.

Toen Cery haar geleerd had sloten open te krijgen, had hij haar voorgehouden altijd eerst naar een andere manier te zoeken. Soms waren er snellere wegen om ergens binnen te komen dan te peuteren met een ijzerdraadje. Ze zocht naar de scharnieren en vloekte zacht toen bleek dat die aan de binnenkant van de deurtjes zaten.

Ze begon de hele kast te inspecteren, en concentreerde zich op de houtverbindingen en randen. De boekenkast was oud maar stevig en zat goed in elkaar. Peinzend klemde ze haar lippen opeen, pakte een stoel en stapte erop om ook de bovenkant te onderzoeken. Ook daar geen zwakke plekken. Zuchtend stapte ze weer op de vloer.

Nu waren alleen de achterkant en de bodem nog over. Om eronder te kijken zou ze de kast met magie omhoog moeten tillen en eronder moeten kruipen om de bodem te onderzoeken. Al was ze voldoende bijgekomen van haar uitputtende ervaring van de avond ervoor, ze wist niet helemaal zeker of ze al de kracht had om de kast op te tillen en lang genoeg in de lucht te houden. Wilde ze nu werkelijk zo graag die kaart zien?

Ze keek door het glas naar de boeken, boekrollen en opgerolde kaarten. Een dunne glasplaat en wat kippengaas was alles wat haar scheidde van een mogelijke ontsnappingsroute van Regin. Gefrustreerd beet ze op haar lip.

Toen ontdekte ze iets vreemds aan de achterkant. Ze zag twee naden van boven naar beneden gaan, te gelijkmatig om spleten in het hout te zijn. De achterkant van de kast was klaarblijkelijk niet uit één grote plaat hout vervaardigd. Ze hurkte neer en keek of de lijnen helemaal tot beneden kwamen. Dat was niet het geval.

Ze stak een bollichtje aan dat de smalle spleet tussen de kast en de muur verlichtte. Er zat iets tussen! Het was ongeveer zo groot als een studieboek, maar het was van hout en zat vast aan de muur achter de kast.

Ze stapte iets achteruit, haalde diep adem en legde haar kracht om de hele kast heen, waarbij ze oppaste dat ze het slot niet raakte. Met een zuchtje wilskracht tilde ze de kast van de vloer. Hij zwaaide iets heen en weer toen hij omhoog ging. Met een rimpel in haar voorhoofd van concentratie, draaide ze hem weg van de muur alsof ze een deur opendeed en zette hem voorzichtig weer neer. Een paar farens ontvluchtten snel hun web.

Sonea ademde uit en merkte dat haar hart aardig tekeerging. Als iemand nu zou ontdekken waarmee ze bezig was, zat ze behoorlijk in de nesten. Ze keek snel in de kast en zag dat er gelukkig niets verschoven of omgevallen was. Ze stapte naar de muur en zag dat erachter alleen een klein schilderijtje hing. Maar toen ze naar de achterzijde van de kast keek, hield ze haar adem verbijsterd in.

Er was een klein vierkant gaatje in de achterkant uitgesneden. Ze liet een vinger in het gat glijden en tilde een houten plankje uit de achterkant, waardoor de uiteinden van boekrollen en de achterkanten van een aantal boeken zichtbaar werden.

Haar hart sloeg nu twee keer zo snel als normaal. Ze aarzelde om haar hand naar binnen te steken. Dit vierkante gat, afgesloten door een plankje, was door iemand aangebracht. Was het er altijd al geweest? Of had iemand het later aangebracht, zodat hij of zij er ongemerkt iets uit kon nemen? Ze voelde geen magische barrière over het gat liggen, of een ander soort magie. Voorzichtig pakte ze een van de rollen en trok hem naar buiten.

Het was een plattegrond van de Magiërsvertrekken. Ze bestudeerde hem snel, maar kon geen verborgen gangen vinden. Ze legde hem terug en pakte een andere rol. Hierop stond een plattegrond van de novicenvertrekken. Ook geen geheime gangen.

De derde rol papier bevatte een kaart van de universiteit, en de spanning steeg. Maar ook hier vond ze niets mysterieus of ongewoons aangegeven. Toen ze de rol teleurgesteld weer teruglegde, viel haar oog op iets merkwaardigs. Tussen de pagina's van een van de boeken zat een brede reep papier. Nieuwsgierig trok ze voorzichtig het boek tussen de anderen uit.

'*Magiecken deezer Aerde*,' las ze hardop. Het was een van de vroege handboeken die bij geschiedenis werden gebruikt. Op de titelpagina was met verbleekte inkt geschreven: 'Ex. van de Opperheer'.

Er ging een rilling door haar heen. Plotseling wilde ze het boek terugzetten, de kast weer op zijn plek schuiven en de bibliotheek zo snel mogelijk verlaten. Maar ze haalde diep adem en verdreef haar angst. De bibliotheek was gesloten. Al zouden Julien of Tya terugkomen, dan zou ze hen van verre kunnen horen aankomen. Als ze vlug was zou ze zelfs de kast op zijn plaats kunnen schuiven voor ze de opslagruimte betraden.

Ze sloeg het boek open bij de boekenlegger en herkende de tekst grotendeels. Er stond niets vreemds of ongewoons op deze pagina. Ze legde de boekenlegger terug – en haar hart bleef bijna stilstaan.

Op de achterzijde van de boekenlegger zag ze vier minieme, getekende kaartjes van de universiteit, een voor elke verdieping plus de kelder. Toen ze beter keek voelde ze een golf van opwinding. Op andere kaarten waren de wanden dikke lijnen, op deze waren ze hol en zaten er deuren in die ze nooit had gezien. Mysterieuze kruisjes stonden bínnen de muren. De vierde kaart, van de ruimte onder de begane grond, liet ook een spinnenweb van gangetjes zien búíten de muren van de universiteit.

Ze had het! Een kaart van de geheime gangen en tunnels onder de universiteit. Of, beter gezegd, een plattegrond van alle gangen van het hele universiteitsterrein.

Ze klemde de boekenlegger vast en deed een stap terug. Zou ze hem meenemen of zou iemand hem dan missen? Misschien kon ze hem overnemen. Hoeveel tijd had ze nog? Zou ze hem in haar geest kunnen opslaan?

Ze keek geconcentreerd naar de kaartjes en liet haar ogen langs de gangen glijden. Ze ontdekte een piepklein symbooltje in een van de binnenmuren in de buurt van de magiërsbibliotheek. Toen ze beter keek besefte ze dat het de muur was waar ze naast stond, op de plek waar de...

Ze draaide zich om en staarde naar het schilderijtje achter de kast. *Waarom zou iemand een schilderij áchter een kast hangen?* Sonea pakte het vast, tilde het op en bleef ademloos staan.

Er zat een keurig gat in de muur. Ze tuurde naar binnen en zag dat er net zo'n gat in een stenen muur erachter zat, ongeveer een el van waar ze stond.

Haastig hing ze het schilderij weer terug. Dit was geen toeval. Wie dat gat gemaakt had, had dat gedaan om in de kast te kunnen reiken.

Het kon natuurlijk al eeuwen geleden gedaan zijn. Maar ook heel goed afgelopen jaar. Ze keek weer op de kaart, en begreep dat ze hem niet zomaar in haar geheugen kon prenten, en nu ze wist dat er iemand terug kon komen en zou kunnen zien dat er iets ontbrak, durfde ze hem ook niet mee te nemen. Maar met lege handen wilde ze niet vertrekken. De kans op een tweede duik in de kast zou wel eens heel klein kunnen zijn.

Ze holde naar Juliens bureau en vond een doorschijnend velletje papier, een pen en een inktpot. Ze legde het papiertje over de kaartjes en begon ze als een haas over te trekken. Terwijl ze werkte kreeg ze een droge mond en ademde ze onregelmatig. Het leek eeuwen te duren, maar eindelijk was ze klaar. Ze vouwde het papier op en stak het in een zak in haar gewaad.

Toen hoorde ze pas dat er voetstappen naderbij kwamen. Ze vloekte zacht, maakte snel Juliens pen schoon en borg hem op. Ze haastte zich naar de voorraadkamer, stopte de boekenlegger terug en schoof het boek op de plank. Terwijl ze het vierkante plankje weer op zijn plaats zette, hoorde ze de voetstappen stoppen bij de deur van de bibliotheek. Ze sprong naar voren en richtte haar kracht op de kast.

Hou vast nu. Ze ademde diep ïn, tilde de kast op en zette hem weer voor de muur.

De deur van de bibliotheek viel met een klap dicht.

'Sonea?'

Ze merkte dat ze stond te trillen en ze vertrouwde haar stem nu niet.

'Mm?' antwoordde ze.

Tya verscheen in de deuropening van de voorraadkamer. 'Ben je klaar?'

Sonea knikte en pakte de lege dozen op.

'Sorry dat het wat langer duurde.' Tya bekeek haar aandachtig en fronste haar voorhoofd. 'Je lijkt me een beetje... van streek.'

'Ja, ik vind het wel een beetje spookachtig hier, zo in m'n eentje,' gaf Sonea toe. 'Maar er is niets aan de hand.'

Tya glimlachte. 'Ja, ik ken dat. Maar dankzij jou is het werk klaar en kunnen we naar bed.'

Terwijl Sonea achter Tya aan de bibliotheek uit liep, legde ze een hand op de zak waarin de kaart zat, en glimlachte.

29

Een onthulling

onea haalde diep adem toen ze Yikmo's oefenruimte in liep. Met neergeslagen ogen bleef ze bij de deur staan. 'Heer,' begon ze. 'Ik verontschuldig me voor mijn ongehoorzaamheid een paar dagen geleden. U hielp me en ik was erg onbeleefd.'

Yikmo zweeg even en grinnikte toen. 'Daarvoor hoef je je niet te verontschuldigen, Sonea.'

Ze keek op en zag tot haar opluchting dat hij glimlachte. Hij wees een stoel aan en ze ging gehoorzaam zitten.

'Je moet goed begrijpen dat dit mijn vak is,' zei hij. 'Ik neem leerlingen aan die problemen hebben met strijdvaardigheid en zoek uit waarom dat zo is. Op jou na hebben alle novicen die ik lesgaf bereidwillig meegewerkt. Als ze zich realiseren dat ik persoonlijke zaken aan ga wijzen die ten grondslag kunnen liggen aan hun problemen, hebben ze drie keuzes: ze accepteren mijn lesmethode, zoeken een andere leraar, of kiezen een ander hoofdvak. Maar jij? Jij bent hier alleen omdat je mentor dat wil.' Hij keek haar in de ogen. 'Heb ik gelijk?'

Sonea knikte.

'Het is moeilijk om van iets te houden waarin je niet goed bent.' De magiër keek haar vlak aan. 'Wil je beter worden in dit vak, Sonea?'

Ze haalde haar schouders op. 'Ja.'

Zijn ogen vernauwden zich. 'Ik verdenk je ervan alleen te zeggen wat je denkt dat ik wil dat je antwoordt, Sonea. Ik zal je mentor heus niet vertellen wat je gezegd hebt. Ik zal je er niet op aankijken als je zegt dat je dat niet kan schelen. Denk goed na. Wil je écht beter worden in dit vak?'

Ze wendde haar blik af en dacht aan Regin en de anderen. Misschien kon wat Yikmo haar bijbracht haar helpen zich te verdedigen... Maar als er zoveel leerlingen tegen haar gekant waren, wat had ze dan aan vaardigheid en strategie?

Was er misschien een andere reden om er beter in te worden? De waardering van de opperheer kon haar geen sikkepit schelen – en al werd ze net zo bedreven als Yikmo of Balkan, ze zou nooit de kracht bezitten om het tegen Akkarin op te nemen.

Maar op een goeie dag zou het Gilde de waarheid omtrent de opperheer te horen krijgen. Daar wilde ze bij zijn, om haar kracht in te zetten als het tot een gevecht kwam. Ze zouden een grotere kans hebben hem te verslaan als zij goed was in strijdvaardigheid.

Ze ging rechtop staan. Ja, dát was een goede reden om haar bekwaamheid te vergroten. Ze vond die lessen in strijdvaardigheid dan wel niet leuk, maar als ze het Gilde zouden helpen om Akkarin ooit af te zetten, zou ze er alles aan doen om er goed in te worden.

Ze keek Yikmo weer aan. 'Als het zo moeilijk is om iets leuk te vinden waarin je niet goed bent, zal ik er dan meer plezier in hebben als ik er wat beter in ben?'

De Krijger lachte breeduit. 'Ja. Dat beloof ik je. Niet altijd, natuurlijk. We lijden allemaal wel eens een nederlaag van tijd tot tijd, en ik heb nog nooit iemand ontmoet die staat te juichen als het hem overkomt.' Hij zweeg en keek haar ernstig aan. 'Maar eerst moeten we wat andere kwesties afhandelen. Je moet veel zwakheden overwinnen. Waarvan je getuige was tijdens die Zuivering is de oorzaak van je zwakte. De angst om zelf te doden weerhoudt je ervan treffers toe te passen, en de wetenschap dat je sterker bent dan anderen maakt dat alleen maar erger. Je moet leren jezelf te vertrouwen. Je moet de grenzen van je kracht en Beheersing leren kennen, en ik heb een aantal oefeningen bedacht die je daarmee zullen helpen. Vanmiddag kunnen we in de Arena terecht.'

Sonea keek hem verbaasd aan. 'De Arena?'

'Ja.'

'Voor mij alleen?'

'Voor jou alleen – en je leraar natuurlijk.' Hij deed een stap naar de deur. 'Laten we maar meteen gaan.'

Ze stond op en liep achter hem aan de zaal uit. 'Wordt de Arena dan niet elke dag door andere klassen gebruikt?'

'Jazeker,' antwoordde Yikmo. 'Maar ik heb Balkan weten te overtuigen vanmiddag eens wat anders met zijn klas te doen.' Hij keek haar lachend aan. 'Iets heel leuks en ook nog buiten het Gildeterrein, dus kunnen ze jou er niet op aankijken dat jij van hun plaats gebruikmaakt.'

'Wat is dat dan?'

Hij grijnsde. 'Ze blazen rotsblokken in een oude steengroeve op.'

'Wat leren ze daar dan van?'

'Het vernietigende effect van hun krachten.' Hij haalde zijn schouders op. 'En het brengt in beeld welke verwoestingen ze aan kunnen richten als ze ooit buiten de Arena zouden vechten.'

Ze bereikten het eind van de hoofdgang, stapten naar buiten en daalden de trap aan de achterzijde van het universiteitsgebouw af. Terwijl ze naar de

Arena liepen, keek Sonea omhoog naar de ramen van het gebouw. Al zag ze dan geen gezichten, ze wist zeker dat haar privé-les opeens niet meer zo privé zou zijn...

Ze liepen omlaag naar het portaal van de Arena, de donkere tunnel door, het trapje op, en stonden weer in het zonlicht. Yikmo wees in de richting van het Genezerspaviljoen.

'Treffer naar de barrière.'

Ze fronste haar voorhoofd. 'Gewoon... treffen?'

'Ja.'

'Wat voor soort?'

Hij wuifde de vraag weg. 'Maakt niet uit. Tref nou maar.'

Ze haalde diep adem, richtte haar wilskracht en zond een vuurtreffer naar het onzichtbare schild rond de Arena. Toen hij doel trof golfden er honderden fijne energiedraden tussen de naar binnen gebogen zuilen. De lucht vibreerde van een gedempt getinkel.

'Nog een keer, maar nu krachtiger.'

Deze keer vlogen er bliksemflitsen over de hele koepelvormige barrière. Yikmo glimlachte en knikte. 'Niet slecht. Nu met alle kracht die je in je hebt.'

Een stroom kracht joeg door haar heen voor hij naar buiten vloog. Het was een sterk opwekkend gevoel. Het schild zond knetterende lichtstralen uit en Yikmo grinnikte.

'En nu met ál je kracht, Sonea.'

'Dat heb ik toch net gedaan?'

'Dat denk ik niet. Stel je voor dat alles wat ertoe doet afhangt van één gigantische krachtsinspanning. Hou niets achter.'

Ze knikte en stelde zich voor dat Akkarin voor het schild stond. Daarna verbeeldde ze zich dat Rothen naast haar stond. Het doel van Akkarins ongelooflijke kracht.

Hou niets achter, zei ze in zichzelf, en ze liet al haar magie vrij.

Het schild van de Arena straalde zo krachtig dat ze haar ogen moest beschermen. Hoewel het getinkel niet luider klonk, trilden haar oren van het geluid. Yikmo juichte zacht.

'Dat lijkt er meer op! En nu nog een keer!'

Ze keek hem aan. 'Nóg een keer?'

'Nog iets sterker. Als je kunt.'

'Maar de barrière van de Arena dan?'

Hij lachte. 'Maak je daar maar geen zorgen over, daar is wel wat meer voor nodig. Eeuwenlang hebben generaties magiërs hem steeds steviger gemaakt. Maar ik verwacht wel dat die zuilen roodgloeiend zijn als we klaar zijn met de les, Sonea. Nou vooruit. Geef ze een oplawaai.'

Na nog een stel treffers merkte Sonea dat ze er plezier in kreeg. Hoewel het inbeuken op de Arena op zich geen uitdaging vormde, was het een

opluchting om treffers te plaatsen zonder je druk te maken over voorzorgs
maatregelen of beperkingen. Maar elke treffer werd een fractie zwakker, en
na een uur kon ze slechts een paar golvende lichtstralen naar de barrière
sturen.

'Zo is het mooi geweest, Sonea. Ik wil niet dat je bij je volgende les
uitgeput in slaap valt.' Hij keek haar vragend aan. 'En wat vond je nu van
deze les?'

Ze glimlachte. 'Niet zo moeilijk als uw normale lessen.'

'Vond je het leuk?'

'Dacht het wel.'

'Wat was er dan leuk aan?'

Ze dacht na en onderdrukte een glimlach. 'Het is zoiets als... zien hoe snel
ik kan rennen.'

'En nog iets anders?'

Ze kon hem moeilijk vertellen dat ze gefantaseerd had dat ze Akkarin in
een hoopje as had veranderd. Maar hij merkte haar aarzeling op. Iets in die
richting dan? Ze glimlachte steels toen ze naar hem opkeek. 'Als stenen
gooien naar magiërs.'

Hij trok zijn wenkbrauwen op. 'Echt waar?' Hij draaide zich om en liep
met haar naar het Arenaportaal. 'We hebben vandaag je grenzen verkend,
maar niet op een manier die jouw kracht tegen die van anderen afzet. Dat
wordt de volgende stap. Als je eenmaal weet hoeveel kracht je veilig tegen
een ander kan inzetten, hoef je niet meer te aarzelen voor je toeslaat.'

Hij zweeg even. 'Het is nu twee dagen geleden dat Regin je volledig
uitputte. Was je gisteren nog moe?'

'Een beetje, 's ochtends.'

Hij knikte bedachtzaam. 'Ga vanavond maar vroeg naar bed. Je hebt
morgen je kracht wel nodig.'

'En, wat vind je van mijn zus?'

Dannyl grinnikte toen hij zag hoe Tayend grijnsde. 'Rothen zou zeggen
dat ze recht voor z'n raap is.'

'Ha!' antwoordde Tayend. 'Dat is nog zwakjes uitgedrukt.'

Mayrie van Porreni was zo lelijk als haar broer knap was, al waren ze
beiden slank en hadden ze een fijne botstructuur. Ze nam geen blad voor de
mond en had een brutaal gevoel voor humor, waarmee ze iedereen voor zich
innam.

Op het landgoed dat haar echtgenoot beheerde werden paarden gefokt,
landbouwproducten geteeld en wijnen geproduceerd die in alle Geallieerde
Landen erg gewild waren. Het huis was een enorm landhuis met één verdieping en een veranda om het hele huis heen. Na het diner had Tayend een
fles wijn en twee glazen naar de veranda meegenomen en Dannyl naar een
zitje gebracht vanwaar ze uitzicht hadden op de wijnstokken.

'En waar is haar man eigenlijk?' vroeg Dannyl.

'Orrend is in Capia,' zei Tayend. 'Mayrie houdt alles hier in de gaten. Hij komt hier maar eens in de paar maanden.' Hij keek Dannyl aan en dempte zijn stem. 'Ze kunnen niet zo goed met elkaar opschieten. Vader heeft een huwelijk voor haar gearrangeerd met iemand van wie hij dacht dat zij bij hem paste. Maar zoals gewoonlijk: de Mayrie die hij in zijn hoofd heeft, verschilt danig van de Mayrie zoals ze in werkelijkheid is.'

Dannyl knikte. Hij had gemerkt dat Mayries gezicht betrok als een van de gasten de naam van haar man noemde.

'Maar vergis je niet, de man die ze zelf gekozen zou hebben als haar huwelijk niet door vader geregeld was, zou een nog veel grotere misser zijn geweest,' voegde Tayend eraantoe. 'Dat zal ze een dezer dagen wel inzien.' Hij zuchtte. 'Ik wacht nog steeds af met welke rampzalige echtgenote vader mij wil opzadelen, binnen niet al te lange tijd.'

Dannyl fronste zijn voorhoofd. 'Zou hij dat echt doen?'

'Waarschijnlijk wel.' De jonge geleerde speelde met zijn glas en keek abrupt op. 'Ik heb er nooit naar gevraagd, maar heb jij iemand die op je wacht in Kyralia?'

'Ik?' Dannyl schudde het hoofd. 'Nee.'

'Geen dame? Geen liefje?' Tayend leek verbaasd. 'Waarom niet?'

Dannyl haalde zijn schouders op. 'Nooit tijd voor gehad. Veel te veel te doen.'

'Zoals wat?'

'Experimenten.'

'En?'

Dannyl lachte. 'Weet ik veel. Als ik nu terugkijk vraag ik me af wat ik met mijn tijd deed. Maar ik ging in elk geval nooit naar die hofpartijen die meer weg hadden van een veemarkt voor huwelijkskandidaten. De vrouwen die ik aardig vind komen daar toch niet.'

'En in wat voor soort vrouwen ben je dan wel geïnteresseerd?'

'Dat weet ik niet,' biechtte Dannyl op. 'Nooit een ontmoet die me genoeg interesseerde eigenlijk.'

'Maar wat zegt je familie daar dan van? Hebben die niet naar een passende vrouw voor je gezocht?'

'O jawel, een paar jaar geleden.' Dannyl zuchtte. 'Heel aardig meisje hoor, daar niet van, en ik wilde het wel doen om mijn familie tevreden te stellen. Maar op een dag besloot ik dat ik het uit moest maken, dat ik liever alleen en zonder kinderen voortleefde dan met iemand te trouwen voor wie ik niets voelde. Dat leek me wreder voor haar dan gewoon van het huwelijk af te zien.'

Tayend trok zijn wenkbrauwen op. 'Maar hoe is je dat dan gelukt? Ik dacht dat Kyraliaanse vaders altijd hun kinderen uithuwelijkten.'

'Doen ze ook.' Dannyl grinnikte. 'Maar magiërs hebben één privilege dat in zo'n geval handig is: ze mogen zo'n huwelijk weigeren. Ik heb niet recht-streeks geweigerd, maar ik heb een manier gevonden om mijn vader van gedachten te laten veranderen. Ik wist dat het meisje gek was op een andere jongeman, en ik regelde het een en ander dat hem ervan overtuigde dat die ander een veel betere partner voor haar zou zijn. Ik speelde de teleurgestelde minnaar, en iedereen had met me te doen. Zij is best gelukkig, heb ik me laten vertellen, en heeft nu vijf kinderen.'

'En je vader heeft geen nieuwe partner meer voor je gezocht?'

'Nee. Hij besloot dat als – hoe zei hij het ook alweer? – ik zo nodig in de contramine moest zijn, hij me met rust zou laten mits ik de familie maar niet compromitteerde door een of ander dienstmeisje te kiezen.'

Tayend zuchtte. 'Zo te horen zitten er aan het magiër-zijn nog meer voordelen dan dat je toegestaan wordt je eigen vrouw te kiezen. Mijn vader heeft mijn voorkeur nooit aanvaard. Voor een deel omdat ik zijn enige zoon ben, en omdat hij bang is dat hij geen erfgenaam krijgt na mij. Maar vooral omdat hij niet zoveel op heeft met mijn... neigingen. Hij denkt dat ik het expres doe, dat ik in de ban ben van perverse experimenten, alsof het alleen maar om het lichamelijke aspect gaat.' Hij fronste en dronk zijn glas leeg. 'En dat is het niet, mocht je je dat afvragen. Voor mij tenminste niet. Ik weet gewoon zeker dat dit natuurlijk en goed voor mij is, net zo zeker als mijn vader weet wat natuurlijk en goed voor hem is. Ik heb boeken gelezen over tijdperken en plaatsen waar het net zo natuurlijk en goed was om van man-nen te houden als om van... ik weet niet... muziek en zwaardgevechten te houden... Ik zit te bazelen, niet?'

Dannyl glimlachte. 'Een beetje maar.'

'Sorry.'

'Je hoeft je niet te verontschuldigen,' zei Dannyl. 'We bazelen allemaal wel eens.'

Tayend grinnikte en knikte. 'Ja, dat klopt. Maar je kunt het ook overdrij-ven.'

Ze lieten hun blik over de maanbeschenen velden glijden, en de stilte tussen hen was vreemd vertrouwd. Plotseling sprong Tayend op uit zijn stoel, rende het huis in, een beetje wankelend van de halve fles wijn in zijn benen. Dannyl vroeg zich af wat er in zijn vriend gevaren was. Hij wilde hem eerst achterna rennen, maar hij besloot te wachten tot Tayend terugkwam.

Hij schonk nog een glas wijn in en daar was Tayend alweer.

'Moet je zien.'

De geleerde legde een van de schetsen van de tombe in Dannyls schoot en liet hem een groot boek zien. Op de pagina die hij opensloeg was een kaart van de Geallieerde Landen en de aangrenzende staten getekend.

'Wat moet ik precies zien?' vroeg Dannyl.

Tayend wees naar een rij tekeningetjes boven aan de tombeschets. 'Ze zeggen iets over de plek... waar die vrouw vandaan kwam.' Zijn vinger wees

313

naar één bepaald symbooltje: een halvemaan en een hand in een vierkant met stompe hoeken. 'Ik kon er maar niet opkomen wat dit was, maar ik kende het wel, en het schoot me net pas te binnen. Er is een boek in de Grote Bibliotheek dat zo oud is dat de pagina's verkruimelen als je ze te hardhandig omslaat. Het was van een magiër die eeuwen geleden leefde, Ralend van Kemori, die heerste over een deel van Elyne vóór Elyne één land werd. Bezoekers schreven hun naam en titels en hun reden van bezoek in dat boek, al werd alles in hetzelfde handschrift genoteerd, dus er zal wel een klerk hebben gezeten die iedereen inschreef. Ook voor hen die niet konden schrijven.

Er stond een symbool in dat precies hierop leek. Ik heb het zo goed onthouden omdat het een stempel was, niet handgeschreven. En het was rood – verbleekt, maar nog wel zichtbaar. De klerk had er 'Koning van Charkan' naast geschreven.

Nou, het lijkt me niet onredelijk dat de vrouw in de tombe uit hetzelfde gebied afkomstig was – dit symbool lijkt precies op de afdruk van het stempel. Maar waar ligt Charkan? Dat is de vraag.' Tayend lachte en tikte op de kaart. 'Dit is een oude atlas van de overgrootvader van Orrend. Nou, moet je kijken.'

Dannyl tilde het boek uit Tayends handen en lichtte de kaart bij met een bollichtje. Waar Tayends vinger op de kaart lag stond een klein woordje en een tekeningetje.

'Shakan Dra,' las Dannyl hardop.

'Ik zou het niet gezien hebben als dat tekeningetje er niet bij gestaan had.'

Toen ze de rest van de kaart bekeken zette Dannyl grote ogen op. 'Maar dat is de kaart van Sachaka!'

'Ja. De bergen. Erg goed kan je het niet zien, maar ik durf er twintig goudstukken om te verwedden dat Shakan Dra dicht bij de grens ligt. Denk jij wat ik denk over een zeker persoon wiens naam we niet mogen noemen die een aantal jaren een tochtje naar de bergen maakte?'

Dannyl knikte. 'Jawel.'

'Ik denk dat we een nieuwe bestemming hebben voor ons volgende tochtje.'

'Maar we moeten wel de uitgestippelde route volgen,' waarschuwde Dannyl. Hij stond niet te trappelen om naar Sachaka te gaan. Gezien de geschiedenis dacht hij niet dat de bewoners zo gastvrij zouden zijn. 'En Sachaka is niet een van de Geallieerde Landen.'

'Dit ligt vlak over de grens. Een dagje rijden, hooguit.'

'Ik weet niet of we tijd hebben.'

'We hoeven niet precies op tijd in Capia te zijn. Ik betwijfel of iemand er zich druk over zou maken als we ergens opgehouden worden.' Tayend plofte weer in zijn stoel.

'Een paar dagen dan.' Dannyl keek zijn vriend scherp aan. 'Maar het

314

verbaast me dat jij je er niet druk over maakt om wat later te arriveren dan gepland.'

Tayend haalde zijn schouders op. 'Hoezo?'

'Nou, is er niet iemand die op jou wacht tot je weer terugkomt?'

'Nee. Tenzij je Irand de bibliothecaris bedoelt? Het maakt hem niet uit wanneer ik weer terugkom.'

'Niemand anders?'

Tayend schudde zijn hoofd.

'Hm.' Dannyl schudde zijn hoofd. 'Dus je hebt geen oogje op iemand in het bijzonder, zoals je liet doorschemeren op het feest van Bel Arralade.'

De geleerde keek verschrikt op. 'Ik heb je nieuwsgierig gemaakt, nietwaar? En als ik nu eens zei dat er niemand op mijn terugkomst zit te wachten omdat die persoon niet van mijn verlangens weet?'

Dannyl grinnikte. 'Aha, een geheime liefde.'

'Misschien.'

'Je kunt mij heus wel een geheimpje toevertrouwen, Tayend.'

'Weet ik.'

'Is het Velend?'

'Nee!' Tayend keek hem verwijtend aan.

Opgelucht haalde Dannyl zijn schouders op. 'Ik heb hem een paar keer in de bibliotheek gezien.'

'Ik probeer hem te ontmoedigen,' zei Tayend met een frons. 'Maar hij denkt dat ik dat alleen maar doe omdat ik wat voor jou te verbergen heb.'

Dannyl aarzelde. 'Hou ik je af van iemand voor wie je wat voelt?'

Tot zijn verbazing kreeg Tayend een gekwelde uitdrukking. 'Nee. Ik heb het over, eh...'

Ze hoorden naderende voetstappen en zagen Mayrie met een lantaarn aankomen. Zo te horen droeg ze stevige kloslaarzen onder haar jurk.

'Ik dacht wel dat jullie hier zaten,' zei ze. 'Wie van jullie wil me begeleiden op een wandelingetje door de wijngaard?'

Dannyl stond op. 'Het zou me een eer zijn.' Hij keek verwachtingsvol naar Tayend, maar tot zijn teleurstelling schudde die zijn hoofd.

'Ik heb een glaasje te veel op, zusje lief. Ik ben bang dat ik op je poezelige teentjes ga staan of de wijnstokken omver loop.'

Ze klakte afkeurend met haar tong. 'Blijf dan alsjeblieft zitten, zuipschuit. Ambassadeur Dannyl is heel wat passender gezelschap.' Ze stak haar arm door die van Dannyl en leidde hem rustig naar de wijngaard.

Ze liepen zwijgend verder tot ze op een open plek tussen de wijnstokken kwamen. Mayrie vroeg Dannyl honderduit over de mensen die hij aan het hof ontmoet had, en wat hij van hen dacht. Toen ze aan het einde van de zoveelste rij wijnstokken waren keek ze hem taxerend aan.

'Tayend heeft me over jou de oren van het hoofd gekletst,' zei ze, 'maar niets over je werk verteld. Ik heb de indruk dat het nogal geheim is.'

'Hij wil je er waarschijnlijk niet mee vervelen,' antwoordde Dannyl.
Ze keek hem van opzij aan. 'Als jij het zegt. Maar verder weet ik alles van
je, hoor. Ik zou niet verwacht hebben van een Kyraliaanse magiër dat hij zo...
nou, ik had niet verwacht dat jullie vrienden zouden zijn gebleven, zeker niet
zulke goede vrienden.'
'Wij magiërs schijnen nogal intolerant over te komen, dat merk ik vaker.'
Ze haalde haar schouders op. 'Maar jij bent de uitzondering op de regel.
Tayend vertelde me van de geruchten die jou het leven zo moeilijk hebben
gemaakt toen je novice was, en dat het incident je meer inzicht in mensen
heeft gegeven dan andere magiërs. Ik denk dat hij zich echt wel gerealiseerd
heeft wat een geluk hij heeft gehad om in Elyne geboren te zijn.' Ze zweeg
even. 'Ik hoop dat je het niet erg vindt dat ik dit onderwerp aansnijd?'
Dannyl schudde zijn hoofd en hoopte dat hij er laconiek genoeg uitzag.
Maar het viel hem wel moeilijk om te luisteren naar iemand die hij maar een
paar uur kende, en die nu al zijn persoonlijk verleden aansneed alsof het
vanzelfsprekend was. Maar het was Tayends zus, bracht hij zich in herinnering. Tayend zou haar heus niets verteld hebben als hij niet zeker wist dat ze
te vertrouwen was.
Ze bereikten het einde van de wijngaard. Ze sloegen linksaf en liepen
langs de laatste rij wijnstokken weer naar huis. Dannyl zag dat de stoel waarin
ze Tayend hadden achtergelaten leeg was. Mayrie bleef staan.
'Tayend is mijn kleine broertje, ik neem hem altijd in bescherming.' Ze
keek hem aan met een ernstig gezicht. 'Als je hem als een vriend ziet, pas dan
een beetje op. Ik vermoed dat hij stapelgek op je is, Dannyl.'
Dannyl zette grote ogen op. *Op mij? Ben ik Tayends geheime liefde?* Hij keek
naar de lege stoel. Geen wonder dat Tayend zo ontwijkend was geweest. Hij
voelde zich... eigenlijk wel gevleid. *Niet eens onplezierig als iemand je zo bewondert,*
dacht hij.
'Dit overrompelt je nogal,' zei Mayrie.
Dannyl knikte. 'Ik heb er nooit iets van gemerkt. Weet je het zeker?'
'Voor negentig procent. Ik zou het je niet verteld hebben als ik me geen
zorgen maakte over hem. Laat hem niet in iets geloven dat niet waar is.'
Dannyl fronste zijn voorhoofd. 'Heb ik daar dan aanleiding toe gegeven?'
'Niet dat ik weet.' Ze glimlachte, maar haar ogen bleven dreigend staan.
'Zoals ik zei, ik verdedig mijn broertje met hand en tand. Ik wil je dus alleen
maar waarschuwen – en je laten weten dat als ik te horen krijg dat hij hoe
dan ook gekwetst is, de rest van je verblijf in Elyne wel eens heel onaangenaam zou kunnen worden.' ·
Dannyl keek haar strak aan. De blik in haar ogen was bikkelhard en hij
twijfelde er niet aan dat wat ze zei geen loze bedreiging was. 'Wat zou je
willen dat ik doe, Mayrie van Porreni?'
Haar gezicht ontspande enigszins en ze klopte hem op de hand. 'Niets.
Maar wees voorzichtig. Ik mag je wel, ambassadeur Dannyl.' Ze ging op haar

tenen staan en kuste hem op de wang. 'Ik zie je morgen weer bij het ontbijt. Welterusten.'

Daarop draaide ze zich om en liep naar het huis. Dannyl keek haar na en schudde het hoofd. Het was duidelijk dat ze hem meegenomen had om hem deze waarschuwing te geven. Had Tayend hem meegenomen naar zijn zuster zodat ze hem dit kon vertellen? Was het zijn bedoeling geweest dat zijn zuster dit zou onthullen?

'Hij is stapelgek op jou, Dannyl.'

Hij liep naar de stoel die Tayend leeg had achtergelaten en ging zitten. Zou dit van invloed zijn op hun vriendschap? Hij dacht er even over na. Als Tayend niet wist dat zijn zuster het object van zijn liefde had onthuld en Dannyl bleef zich gewoon gedragen alsof hij het niet wist, zou er niets veranderen.

Maar ik weet het wel, dacht hij. *Dat verandert wel degelijk iets.*

Hun vriendschap hing af van hoe hij, Dannyl, dit nieuws zou opvatten. Wat voelde hij eigenlijk? Het had hem verrast, maar hem niet met wanhoop vervuld. Hij vond het zelfs wel prettig dat iemand hem blijkbaar zo graag mocht.

Of vind ik het een prettig idee om een andere reden?

Hij sloot zijn ogen en verdreef die gedachte. Hij had al vaker met die vraag geworsteld, en met de consequenties. Tayend was en kon alleen maar een vriend blijven.

De deuren naar de geheime gangen waren verrassend makkelijk te vinden. De meeste bevonden zich in de binnenste gangen van de universiteit, wat logisch was omdat de ontwerpers niet gewild zouden hebben dat eerstejaars ze per ongeluk vonden. De mechanismen om de deuren in de houten panelen te openen zaten achter de schilderijen en andere muurdecoraties.

Sonea begon naar ze te zoeken zodra haar laatste avondles achter de rug was, in plaats van naar de bibliotheek te gaan. De gangen waren stil, maar niet compleet verlaten, zodat ze Regin en zijn vrienden niet zou ontmoeten. Die wachtten liever tot zij de bibliotheek verlaten zou en ze er zeker van waren dat de universiteit leeg was.

Desondanks stond ze stijf van de spanning terwijl ze door de gangen snelde. Ze inspecteerde een aantal verborgen deuren voor ze er echt een probeerde. Hoewel het al laat was, had ze steeds het idee dat iets haar in de gaten hield. Eindelijk, in een stil gedeelte van de binnenste gangen, durfde ze een hendeltje achter een schilderij van een magiër met schrijfgerei en een boekrol naar beneden te drukken.

Het paneel draaide geluidloos naar binnen en een vlaag koude lucht deed haar huiveren. Ze dacht terug aan de nacht dat Fergun haar had geblinddoekt en haar door de tunnels geleid had om Cery te spreken. Toen was er eenzelfde verandering van temperatuur geweest.

Ze keek naar binnen en zag een droge, nauwe gang. Ze had verwacht dat de geheime gang vochtig en glibberig zou zijn, zoals de tunnels onder de stad. Het Dievenpad lag echter onder zeeniveau; de universiteit lag een stuk hoger – en natuurlijk zou het niet vochtig zijn op de tweede verdieping.

Bang dat iemand haar zou zien naast die open deur stapte Sonea naar binnen. Toen ze de deur losliet viel hij zachtjes dicht en stond ze in de pikdonkere tunnel. Haar hart sloeg wild en ze knipperde met haar ogen toen het bollichtje dat ze had opgeroepen feller scheen dan ze gewild had.

Ze bekeek de gang en zag dat op de vloer een dikke laag stof lag. In het midden was het stof wat dunner omdat schuifelende voeten het opzij hadden geschoven, maar haar laarzen lieten voetsporen na, wat inhield dat er al geruime tijd niemand in dit deel van de gang was geweest. Al haar twijfels verdwenen als sneeuw voor de zon. Ze zou niemand tegenkomen in deze geheime gangen; ze kon ze op haar gemak verkennen. Het was haar eigen Dievenpad.

Ze haalde haar plattegrond te voorschijn en begon verder te lopen. Ze vond andere ingangen. De geheime gangen lagen alleen binnen de dikste muren, dus vormden ze een simpel patroon dat makkelijk uit het hoofd te leren was. Spoedig had ze de hele bovenste verdieping rondgelopen, onzichtbaar voor anderen.

Maar trappen had ze niet gezien. Ze keek weer op haar kaart en ontdekte hier en daar kleine kruisjes. Ze ging op weg naar een ervan en bekeek de vloer. Ze veegde wat stof weg en ontwaarde een naad.

Ze bukte zich en liet het stof verdwijnen met een magische stoffer. Zoals ze verwacht had, had de naad rechte hoeken, zodat er een luik in de vloer zichtbaar werd. Ze deed een stap achteruit en concentreerde zich op de houten plaat, die ze dwong omhoog te gaan.

Hij bleef openstaan, en er werd een andere gang beneden zichtbaar met een ladder die aan een van de muren was vastgemaakt. Ze glimlachte in zichzelf en daalde af naar de eerste verdieping.

De plattegrond van de eerste verdieping was bijna identiek aan die van de tweede. Toen ze alle gangen doorlopen had, ontdekte ze een ander luik en daalde af naar de geheime gangen van de begane grond. Weer leek het gangenstelsel op het vorige, al waren er minder zijgangen. Wel vond ze meer luiken met ladders die naar een ondergronds gangenstelsel leidden.

Haar opwinding kende geen grenzen toen ze ontdekte dat de funderingen van de universiteit wemelden van tunnels en lege kamers, aangegeven door arceringen op de kaart. Niet alleen liepen de tunnels onder het hele gebouw door, ze moesten zelfs onder de tuinen doorlopen. Ze nam een tunnel die van de universiteit af voerde en merkte dat hij naar beneden helde, dieper de grond in. De wanden waren van baksteen en er hingen wortels aan het plafond. Met in haar achterhoofd het formaat van de bomen die hier groeiden, besefte ze dat ze dieper onder de grond zat dan ze had gedacht.

Een beetje verderop eindigde de gang waar het plafond was ingestort. Ze bedacht met schrik hoeveel tijd ze aan haar ontdekkingstocht besteed had. Veel tijd. Ze wilde niet dat Akkarin haar daarom zou gaan zoeken – of erger, dat ze voortaan direct na de laatste les naar huis moest komen.

Blij dat ze erin geslaagd was eindelijk de geheime tunnels te hebben bezocht, ging ze terug naar de gangen van de universiteit en verder naar de plek waarvan ze wist dat de kans klein was dat iemand haar de geheime gangen zag verlaten.

30

Een verontrustende ontdekking

othen gaapte toen Tania de lege sumikopjes van tafel ruimde. Hij nam tegenwoordig kleinere doses nemmin in, maar dat betekende wel dat hij vaak heel vroeg wakker werd en de laatste uren van de nacht piekerend doorbracht.

'Ik heb Viola vanmiddag gezien,' zei Tania plotseling. 'Ze doet nog steeds erg uit de hoogte – de andere bedienden zeggen dat ze behoorlijk verwaand is geworden sinds ze Sonea's kamermeisje is. Maar tegen mij doet ze wel aardig, omdat ik haar kan vertellen waarmee ze de uitverkorene van de opperheer kan plezieren.'

Rothen keek haar vol verwachting aan. 'En?'

'Ze zei dat Sonea gezond is, maar er soms wel erg moe uitziet, zeker 's ochtends.'

Hij knikte. 'Geen wonder met al die extra lessen. En dan schijnt ze vrouwe Tya ook nog te helpen na de avondlessen.'

'Viola zei ook dat Sonea elke Eéndag met de opperheer dineert, dus misschien verwaarloost hij haar niet zo erg als u vreest.'

'Zo, dineert ze met hem...' Rothen versomberde toen hij dacht aan Sonea die met de opperheer aan tafel zat. Maar het kon altijd erger. Akkarin had haar voortdurend in zijn buurt kunnen houden, had haar... maar nee, hij wist hoe koppig ze kon zijn. Ze zou zichzelf nooit laten omkopen. Maar hij vroeg zich wel af waarover ze onder het eten zouden praten.

Rothen!

Verrast ging Rothen rechtop zitten. *Dorrien?*

Vader. Hoe gaat het ermee?

Uitstekend. En met jou?

Met mij gaat het niet slecht, maar hier in het dorp is het wel anders. Rothen voelde hoeveel zorgen de jongen zich maakte. *We hebben weer een epidemie van zwarte tong – kost behoorlijk wat inspanning de ziekte te bedwingen. Als het helemaal over is, kom ik weer even langs, om een monster aan Vinara te brengen.*

Zie ik je nog?

*Natuurlijk. Ik onderneem die tocht toch niet zonder jou op te zoeken? Kan ik in
mijn oude kamer slapen?*

Je bent er altijd welkom.

Bedankt. Hoe is het met Sonea?

Goed, volgens Tania.

Heb je haar nog niet gesproken?

Nauwelijks.

Ik dacht dat ze wel elke dag bij je op de stoep zou staan.

Ze heeft het beredruk met haar studie. Wanneer denk je te komen?

*Ik kan het je niet precies vertellen. Het kan wel weken, maanden duren voor de ziekte
is uitgewoed. Ik laat het wel weten wanneer ik het einde zie naderen.*

Prima. Twee bezoekjes binnen een jaar!

Ik wou dat ik langer kon blijven. Tot dan, vader.

Pas goed op jezelf.

Doe ik.

Toen Dorriens geestesstem vervaagde, grinnikte Tania. 'Hoe is het met
Dorrien?'

Hij keek verbaasd op. 'Goed. Hoe wist je dat hij het was?'

Ze haalde haar schouders op. 'Dan krijgt u een bepaalde uitdrukking op
uw gezicht.'

'O ja?' Rothen schudde het hoofd. 'Je kent me veel te goed, Tania. Veel
te goed.'

'Ja,' beaamde ze met een glimlach. 'Zo is het.'

Ze draaide zich om toen er op de deur werd geklopt. Rothen stak zijn
hand uit en deed de deur met wilskracht open, en was verbaasd dat Yaldin
binnenkwam.

'Goedenavond,' zei de oude magiër. Hij keek naar Tania, die een buiging
maakte, snel de kamer uitglipte en de deur achter zich dichttrok. Rothen
gebaarde naar een stoel en Yaldin liet zich met een zucht zakken.

'Ik heb wat "geluisterd" op de manier die jij me geleerd hebt,' begon
Yaldin.

Toen pas drong het tot Rothen door dat het Vierdag was. De Nachtzaal-
bijeenkomst was hem totaal ontschoten. Het werd echt tijd om met die
nemmin te stoppen. Misschien moest hij daar vanavond maar meteen mee
beginnen.

'Nog iets interessants opgevangen?' vroeg hij.

Yaldin knikte, en hij kreeg een ernstige blik in zijn ogen. 'Het is waarschijnlijk maar speculatie. Je weet wat een oude roddeltantes magiërs zijn –
en jij hebt een gave om leerlingen te kiezen die zichzelf in de problemen
brengen. Maar ik vraag me af of hij zich zulke geruchten opnieuw kan
permitteren. Vooral nu –'

'Opnieuw?' viel Rothen hem in de rede. Zijn hart was al begonnen sneller
te kloppen toen Yaldin van wal stak met zijn verhaal, maar nu kon hij

321

nauwelijks meer ademhalen. Was er dan in het verleden al iets gebeurd waardoor Akkarins integriteit in het geding was gekomen?

'Ja,' zei Yaldin. 'Het hof van Elyne gonst van de geruchten – je weet hoe ze zijn. Wat weet je precies van die assistent van Dannyl?'

Hij slaakte een diepe zucht. 'Dus je hebt het over Dannyl?'

'Ja.' Yaldin fronste zijn voorhoofd. 'Je herinnert je die verhalen toch nog wel over de aard van zijn vriendschap met een zekere novice?'

Rothen knikte. 'Natuurlijk, maar bewijs is er nooit gevonden.'

'Nee, en de meesten vergaten de hele kwestie binnen de kortste keren. De Elyneeërs zijn een stuk toleranter op dat vlak dan wij. En nu schijnt de assistent van Dannyl er bekend om te staan. Gelukkig is het hof ervan overtuigd dat Dannyl geen weet heeft van de neigingen van zijn assistent. Dat vinden ze daar dolkomisch.'

'Juist ja.' Rothen schudde langzaam het hoofd. *Ach, Dannyl,* dacht hij. *Heb ik al niet genoeg zorgen om Sonea? Moet jij me nu ook al slapeloze nachten bezorgen?*

Maar misschien was het helemaal niet zo erg als het in eerste instantie klonk. Zoals Yaldin opmerkte waren de Elyneeërs een tolerant volk en dol op een pikante roddel. Als zij dachten dat Dannyl niet doorhad dat zijn assistent van de andere kant was, en dat zijn onwetendheid alleen amusant was, was er geen enkel bewijs dat er meer achter hun relatie zat.

En trouwens, Dannyl was geen kind meer. Hij kon de kritische blikken van zijn omgeving best zelf aan. Zijn ervaring uit het verleden was daar een goede voorbereiding voor geweest.

'Denk je dat we Dannyl moeten waarschuwen?' vroeg Yaldin.

Rothen overdacht het voorstel. 'Ja. Ik zal hem een briefje schrijven. Maar volgens mij hoeven we ons geen zorgen te maken. Hij weet vast wel hoe hij die Elyneeërs moet aanpakken.'

'Maar wat zeggen we dan tegen het Gilde?'

'Die geruchten stoppen over een tijdje vanzelf, en noch jij, noch ik, laat staan Dannyl kan daar ook maar iets aan veranderen,' verzuchtte Rothen. 'Ik vrees dat roddels over dit onderwerp Dannyl altijd zullen blijven achtervolgen. Tot ze met bewijzen komen, wordt het wel elke keer ongeloofwaardiger natuurlijk.'

De oude magiër knikte en gaapte. 'Je zult wel gelijk hebben.' Hij stond op en rekte zich uit. 'Dan ga ik maar eens op bed aan.'

'Dannyl zou trots zijn op je talent als spion,' voegde Rothen hem toe.

Yaldin haalde zijn schouders op. 'Het is niet zo moeilijk als je het eenmaal door hebt.' Hij liep naar de deur. 'Goedenacht.'

'Goedenacht.'

Rothen ging ook naar zijn slaapkamer en deed zijn nachthemd aan. Toen hij ging liggen, begonnen de onvermijdelijke vragen weer door zijn hoofd te spoken. Had hij gelijk? Zouden die roddels over Dannyl wel weer overwaaien?

Waarschijnlijk wel. Tot er bewijs op tafel kwam.

Al kende hij Dannyl beter dan wie ook, het lastige was wel dat er toch een kant aan die knul zat die altijd gesloten was gebleven. De novice die hij geadopteerd had zat vol angsten en kende geen zelfvertrouwen. Rothen had netjes afstand bewaard, had vermeden bepaalde onderwerpen aan te snijden en duidelijk gemaakt dat hij Dannyl niet aan een onderzoek zou onderwerpen wat het incident met de andere leerling betrof. Hij wist dat je, wanneer iedereen over je persoonlijke leven kletste, zeker als je zo jong was, je privacy hard nodig had.

Alle leerlingen dachten wel eens na over dergelijke verlangens, en over de dingen waarvan Dannyl beschuldigd werd. Zo werkte de geest nu eenmaal. Maar het betekende nog niet dat ze ook schuldig waren aan het uitvoeren van die gedachten.

Maar als die vroege geruchten nu eens waar waren geweest?

Rothen zuchtte, stond op en liep weer naar de ontvangstkamer. Toen hij mentor van Dannyl geworden was had hij het Hoofd der Genezers benaderd voor advies. Heer Garen had Rothen verteld dat het vaker voorkwam dat men dacht dat mannen minnaars in plaats van minnaressen namen. De oude genezer stond verrassend mild tegenover deze praktijken, en zei nuchter dat er lichamelijk niets tegen een relatie tussen volwassen mannen hoefde te zijn, mits beiden vrij waren van ziekte.

Maar de sociale consequentie was natuurlijk een ander verhaal. Eer en reputatie waren van groot belang voor de Huizen, en het Kyraliaanse hof was benauwend conservatief. Als het gerucht ditmaal waar was, zou dat ernstige gevolgen hebben. Al zou Dannyl niet uit het Gilde kunnen worden verwijderd vanwege zijn 'misdaad', sociaal gezien zou hij voortaan gemeden worden als de pest. Hij zou zijn positie als ambassadeur kwijtraken en zou nooit meer een baan van enig belang aangeboden krijgen. Gildeprojecten zouden het zonder hem doen, en zijn eigen experimenten zouden nergens genoemd worden. Hij zou het doelwit van smerige grappen worden en...

Hou op. Er is geen enkel bewijs. Het is maar een gerucht.

Rothen zuchtte en pakte het potje nemmin op. Terwijl hij het poeder met water mengde, peinsde hij over het afgelopen jaar. Hoe kon er zoveel veranderd zijn in zo weinig tijd? Wat verlangde hij terug naar vorig jaar, voordat Dannyl naar Elyne vertrokken was, en Sonea net naar de universiteit ging.

Hij bereidde zich voor op de bittere smaak, zette het glas met het drankje aan zijn lippen en dronk het in één slok op.

Toen er op de deur van zijn kantoor werd geklopt, keek Lorlen verbaasd op. Zo laat werd hij haast nooit gestoord. Hij liep naar de deur en deed hem open.

'Kapitein Barran!' riep hij uit. 'Wat brengt jou zo laat nog naar het Gilde?'

De jonge man boog en glimlachte zwakjes. 'Vergeef me dat ik u zo laat stoor, administrateur. Ik ben blij dat u nog wakker bent. U had me gevraagd om contact met u op te nemen als bewezen kon worden dat er magie in het spel was bij de moorden.'

Lorlen voelde een lichte paniek opkomen. Hij deed de deur wat wijder open en stapte opzij. 'Kom binnen en vertel wat je ontdekt hebt.'

Barran ging in een stoel zitten en Lorlen nam weer plaats achter zijn bureau.

'Nou, waarom gebruikt de moordenaar volgens jou magie?'

Barran trok een gezicht. 'Die brandwonden op een van de lichamen... Maar laat me eerst de toedracht van de misdaad beschrijven.' Hij zweeg en scheen de details even op een rijtje te zetten. 'Ongeveer twee uur geleden werden we attent gemaakt op de moorden. Het huis staat in het Westerkwartier, in een van de betere wijken – wat nogal uitzonderlijk was. We vonden geen aanwijzing dat iemand met geweld het huis was binnengedrongen. Maar één raam stond wagenwijd open.

Op een van de slaapkamers vonden we twee mannen, een jongeman en zijn vader. De vader was dood en zijn lijk droeg de gebruikelijke kenmerken: sneden op de polsen, bloederige vingerafdrukken. De jongeman leefde nog, maar vraag niet hoe. Hij had merkwaardige lange brandwonden op zijn borst en armen, en zijn ribbenkast was ingedrukt. Desondanks konden we hem nog een paar vragen stellen voor hij stierf.'

Barran keek zeer gespannen. 'Hij zei dat de moordenaar lang was, en donker haar had.' Barran keek naar Lorlens bollichtje. 'En er zweefde een van die lampjes door de kamer. Hij was thuisgekomen en hoorde zijn vader schreeuwen. De moordenaar was verrast dat hij betrapt was, en had zonder aarzeling zijn hand uitgestoken, waarop de jongen getroffen neerviel. De dader vluchtte door het raam.' Barran zweeg en keek naar Lorlens bureau. 'O, en hij droeg een...'

Toen hij de verbaasde uitdrukking van de gardist zag, volgde Lorlen zijn blik. Hij hield zijn adem in toen hij merkte dat zijn hand met Akkarins ring in het volle zicht op het schrijfblad lag. De steen gloeide rood op in het licht. Lorlen dacht razendsnel na en hief zijn hand zodat Barran de ring nog beter kon zien.

'Een ring die op deze leek?'

Barran haalde zijn schouders op. 'Dat weet ik niet precies. De jongeman kreeg niet genoeg tijd om hem te omschrijven.' Hij fronste zijn wenkbrauwen en sprak aarzelend: 'Ik kan me niet herinneren dat ik u die ring ooit heb zien dragen, administrateur. Mag ik u vragen waar u die vandaan heeft?'

'Het was een geschenk,' antwoordde Lorlen. Hij glimlachte wrang. 'Van een vriend die niet wist dat die ring bij een van de moorden gezien is. Ik vond wel dat ik hem moest dragen, al was het maar voor een tijdje.'

Barran knikte. 'Ja, robijn is niet erg in de mode tegenwoordig. Dus wat wilt u met deze informatie doen?'

Lorlen zuchtte en nam de toestand even in gedachten door. Met zulk duidelijk bewijs van magie moest hij de hoofdmagiërs bijeen roepen. Maar als Akkarin de moordenaar was en een onderzoek zou tot deze conclusie leiden, zou de confrontatie met Akkarin waarvoor Lorlen zo bang was niet meer te voorkomen zijn.

Echter, als Lorlen het bewijs van magie in de doofpot stopte, en het zou blijken dat Akkarin de moordenaar níét was, zouden er mensen blijven sterven door die ontspoorde magiër. Uiteindelijk zou de moordenaar gevonden worden, de waarheid zou boven tafel komen, en dan zouden de mensen zich afvragen waarom Lorlen niets ondernomen had...

Je moet zeggen dat je zelf het onderzoek op je neemt.

Lorlen knipperde verrast met zijn ogen. Akkarin fluisterde vrijwel onhoorbaar in zijn hoofd. Hij haalde zijn ogen van de ring af.

Zeg tegen Barran dat het bewijs van de magie geheim moet blijven. Als de bevolking te weten komt dat een magiër in een moordenaar is veranderd, zal dat alleen maar paniek en wantrouwen zaaien.

Lorlen knikte en keek Barran aan. 'Ik moet dit snel met mijn collega's bespreken. Tot dat gebeurd is, moet je even voor je houden dat de moordenaar de beschikking heeft over magie. We kunnen beter met deze man afrekenen zonder dat de mensen weten dat het een dolende magiër betreft. Ik neem morgen contact met je op.'

Barran knikte en stond meteen op toen Lorlen daartoe ook aanstalten maakte.

'Er is misschien nog iets dat u zal interesseren,' zei Barran toen Lorlen hem uit wilde laten.

'O ja?'

'Het gerucht doet de ronde dat de Dieven ook op zoek zijn naar deze man. Het schijnt dat ze het niet prettig vinden dat er een moordenaar rondloopt die niet bij hen aangesloten is.'

'Nee, ik kan me voorstellen dat ze dat niet fijn vinden.'

Barran stapte de gang op. 'Dank u dat u me zo laat nog wilde ontvangen, administrateur.'

Lorlen haalde zijn schouders op. 'Ik werk meestal nogal laat door. Al vrees ik dat het vannacht niet meer van slapen zal komen na dit nieuws. Maar ik dank je toch dat je zo snel gekomen bent.'

De gardist glimlachte en maakte een buiging. 'Goedenacht, administrateur.'

Toen Barran weg was, zuchtte Lorlen diep. Hij keek naar de ring. *Ben jij de moordenaar?* vroeg hij hem in gedachten.

Er kwam geen antwoord.

De tunnel boog weer af en Sonea bleef even staan om haar positie te bepalen. Zoals altijd probeerde ze zich de plattegrond voor de geest te halen, maar na een paar keer gaf ze het op en grabbelde ze in haar zak naar de kaart.

Het was een week geleden dat ze voor het eerst het geheime gangenstelsel in was gegaan. Elke avond had ze het betreden en liet ze de kaart in haar zak zitten tot ze hem wel moest gebruiken. Ze wilde het stelsel zo snel mogelijk uit haar hoofd leren voor het geval Regin en zijn bondgenoten haar in een hinderlaag zouden lokken, en haar kistje en zakken zouden leeghalen wanneer ze haar uitgeput hadden.

Sonea's vingers voelden niets. De kaart was weg. Haar hart begon sneller te slaan. Was ze hem verloren? Was ze hem ergens in de gangen kwijtgeraakt? Ze zag het niet zo zitten om zich om te draaien en dezelfde weg terug te lopen. Al die bochten en kruisingen die ze al achter zich had liggen...

Toen schoot haar te binnen dat ze de plattegrond in het versleten stofomslag van een van haar geneeskundeboeken gestoken had. En het boek zat in haar kistje – het kistje dat ze bij de ingang van een geheime gang had laten staan omdat ze het niet met zich mee wilde sjouwen door de tunnels.

Ze kon zichzelf wel voor haar hoofd slaan dat ze het vergeten was. Met een zucht begon ze toch maar terug te lopen zoals ze dacht dat ze gekomen was. Maar na een paar honderd passen bleef ze staan en schudde haar hoofd. Ze had allang op bekend terrein moeten zijn, maar ze herkende de afslagen en hoeken helemaal niet.

Ze was verdwaald.

Bang was ze niet, alleen ergerde ze zich aan zichzelf. Het terrein van het Gilde was groot, maar ze betwijfelde of de tunnels zich ook zo ver buiten de bebouwde grond zouden uitstrekken. Als ze maar door bleef lopen zou ze heus wel weer onder de universiteit terechtkomen. Zolang ze maar niet doelloos rondzwierf en ze haar verstand gebruikte als ze moest afslaan, zou ze heus wel een weg naar buiten vinden.

Dus begon ze weer te lopen. Na een aantal kronkelwegen en vreemde wendingen en de ontdekking van een stel kamertjes waarin een dichtgemetselde haard zat en een betegeld hokje waarin eens een bad moest hebben gestaan, liep de weg dood omdat het plafond was ingestort. Ze draaide zich weer om en koos een andere tunnel. Uiteindelijk kwam ze in een lange rechte tunnel zonder zijgangen. Hoe verder ze liep, hoe nieuwsgieriger ze werd. Zo'n lange rechte gang moest wel naar iets bijzonders leiden. Misschien een ander Gildegebouw. Of misschien naar de rand van het Gildeterrein.

Na een paar honderd passen ontdekte ze een nis. Ze stapte erin en vond het mechanisme voor een verborgen deur. Ze vond het spionnetje dat in alle deuren zat en legde haar oog ertegen.

Er was daar een kamer, maar veel kon ze er niet van zien. De kamer was niet alleen donker, maar het glas dat in het kijkgat zat was vrij smerig. Maar dat er niemand binnen was wist ze vrij zeker.

Ze pakte de hendel, duwde hem naar beneden en de deur zwaaide open. Ze keek de kamer in en verstijfde van schrik.

Het was de kamer onder de ambtswoning van de opperheer.

Een hele tijd kon ze alleen maar met bonzend hart rondkijken. Toen gehoorzaamden haar benen eindelijk, want ze wist alleen maar dat ze moest maken dat ze wegkwam. Haar handen tastten naar de hendel die de deur moest sluiten en vond hem. Toen de deur dichtsloeg verslapte ze meteen en zakte ze tegen een muur in elkaar, zonder acht te slaan op farens of andere insecten.

Als hij binnen was geweest...

Het was te afschuwelijk om aan te denken. Ze haalde diep adem en dwong zichzelf op te houden met beven. Ze keek naar de deur en naar zichzelf. Ze zat geknield naast de ingang van Akkarins kamer. Niet zo'n beste plaats om uit te rusten, vooral niet omdat ze wist dat hij deze gang gebruikte.

De angst gaf haar de kracht om, zij het wankelend, op te staan en ervandoor te gaan. Hoewel de gang na de nis nog verder liep, had ze er geen behoefte aan te weten waar hij naartoe ging. Hijgend begon ze te rennen in wat naar ze hoopte de richting van de universiteit was.

31

Een onverwachte ontmoeting

De weg kronkelde en golfde mee met het land terwijl hij verder en verder de heuvels in voerde die grensden aan de Grijze Bergen. Toen Dannyl, Tayend en hun bedienden een bocht omsloegen, kwam er een opvallend gebouw in zicht. Het stond hoog aan de rand van een afgrond, was bespikkeld met kleine raampjes, en een smalle stenen brug leidde naar een onopgesmukte poort.

Dannyl en Tayend wisselden een blik. Dannyl zag meteen dat Tayend het gebouw net zo onvriendelijk vond als hij. Hij wendde zich tot de bedienden.

'Hend, Krimen. Rij vooruit en informeer eens of Dem Ladeiri ons kan ontvangen.'

'Zeker, heer,' antwoordde Hend. De twee zetten hun paarden tot een drafje aan en verdwenen achter de volgende bocht in de weg.

'Gezellig is anders,' mompelde Tayend.

'Tja,' zei Dannyl. 'Het heeft meer weg van een fort dan van een woning.'

'Het wás ook een fort,' zei Tayend. 'Eeuwen geleden.'

Dannyl liet zijn paard nog langzamer lopen. 'Wat weet je eigenlijk van Dem Ladeiri?'

'Hij is stokoud. In de negentig. Hij heeft een stel bedienden, maar verder woont hij alleen.'

'En hij heeft een bibliotheek.'

'Die erg beroemd is. Zijn familie heeft allerlei uitheemse voorwerpen verzameld, door de eeuwen heen, en daar zitten ook wat boeken tussen.'

'Misschien vinden we hier iets wat we kunnen gebruiken.'

Tayend haalde zijn schouders op. 'Ik verwacht veel merkwaardige zaken, en weinig bruikbaars. Irand schijnt de Dem nog te kennen uit zijn jonge jaren, en hij noemde hem een "amusante excentriekeling".'

Terwijl ze langzaam verder reden, tuurde Dannyl tussen de bomen aan de kant van de weg door om te proberen een glimp van het gebouw op te vangen. Ze waren nu alweer drie weken op weg, en bleven hoogstens een nacht in iedere plaats die ze aandeden. Zichzelf voorstellen aan de Dems op afgelegen landgoederen en het testen van hun kinderen werd een vervelend karwei, en geen van de bibliotheken die ze bekeken hadden, bevatte iets wat ze nog niet wisten.

Dit kon natuurlijk ook Akkarins ervaring zijn geweest. Misschien had zijn speurtocht naar kennis van oude magie hem hier geen grote ontdekkingen opgeleverd.

Uiteindelijk kwam de brug in zicht. Hij lag over een duizelingwekkend diep ravijn. In een nis in de dikke muren van het gebouw zaten twee zware houten deuren, met scharnieren die zo verroest waren dat Dannyl zich afvroeg waarom ze het nog niet begeven hadden. Een magere, witharige man met kleren aan die een maatje te groot voor hem waren stond tussen de halfgeopende deuren.

'Gegroet, ambassadeur Dannyl,' sprak de oude met bevende stem. Hij maakte een stijve buiging. 'Welkom in mijn huis.'

Dannyl en Tayend stegen af en gaven de teugels aan hun bedienden. 'Dank u, Dem Ladeiri,' antwoordde Dannyl. 'Ik stel u voor aan Tayend van Tremmelin, geleerde in de Grote Bibliotheek.'

De Dem keek Tayend aan. 'Welkom, jonge man. Ik heb ook een bibliotheek, weet je.'

'Ja, daar heb ik van gehoord. Een bibliotheek die in heel Elyne befaamd is,' antwoordde Tayend met overtuigend enthousiasme. 'Vol interessante wetenswaardigheden. Ik zou hem dolgraag zien, als dat is toegestaan.'

'Maar natuurlijk kan dat!' riep de Dem uit. 'Kom toch binnen.'

Ze volgden de oude heer naar een kleine binnenplaats en vervolgens door een verroeste ijzeren deur naar de hal. Hoewel de wandkleden en het meubilair er weelderig uitzagen, hing er een muffe geur in de ontvangstzaal.

'Iri!' riep de heer schril. Vlugge voetstappen naderden en een vrouw van middelbare leeftijd met een schort voor verscheen. 'Breng mijn gasten iets te eten en te drinken. We zijn in de bibliotheek.'

De vrouw sperde haar ogen open toen ze het gewaad van Dannyl zag. Haastig maakte ze een buiging en verdween naar de keuken.

'U hoeft ons niet meteen naar de bibliotheek te brengen,' zei Dannyl. 'We willen u niet tot last zijn.'

De Dem wuifde de opmerking weg. 'Het is geen enkele moeite. Ik was toch in de bibliotheek bezig toen uw bedienden hier aanklopten.'

Ze volgden de Dem een gangetje in, en een lange wenteltrap af die eruitzag alsof hij uit de rotswand gehouwen was. Het laatste deel van de trap was gemaakt van een robuuste houtsoort en eindigde midden in een enorme zaal.

Dannyl glimlachte toen hij Tayend naar adem hoorde happen. Het was duidelijk dat de geleerde geen hoge verwachtingen had gekoesterd.

De zaal werd verdeeld door lange rijen stellingkasten. Overal stonden opgezette dieren, flessen met allerlei organen en wezens op sterk water, snijwerk van allerlei soorten materiaal, vreemde contrapties, mineralen en gesteenten, ontelbare boekrollen, wastafeltjes, en planken vol boeken. Hier en daar stonden grote beelden, en Dannyl vroeg zich af hoe ze erin waren geslaagd die de wenteltrap af te krijgen – of zelfs maar door de bergen hierheen te vervoeren. Aan de wanden hingen sterrenkaarten en kaarten met mysterieuze diagrammen.

Ze volgden de Dem langs al deze wondere zaken, te verbijsterd om een woord uit te brengen. Toen hij hen een gangpad tussen de stellingen met boeken in leidde, tuurde Tayend ingespannen naar de plaatjes op de planken waarin onderwerpen en nummers waren gegraveerd.

'Waar zijn deze nummers voor?' vroeg de geleerde nieuwsgierig.

De Dem draaide zich om en glimlachte. 'Catalogussysteem. Elk boek heeft een nummer en ik houd ze allemaal bij op kaartjes.'

'In de Grote Bibliotheek hebben we niet zo'n gedetailleerd systeem. We zetten boeken van hetzelfde onderwerp bij elkaar, zo veel mogelijk. Hoe lang werkt u al met dit systeem?'

'Mijn grootvader heeft het verzonnen.'

'Hebt u ooit gevraagd of de Grote Bibliotheek het niet wilde overnemen?'

'O, ettelijke keren. Maar Irand ziet het nut er niet van in.'

'Het is niet waar!' zei Tayend lachend. 'Maar ík wil dolgraag zien hoe het werkt.'

'Dat komt mooi uit,' zei de oude heer. 'Want dat wilde ik jullie net laten zien.'

Ze liepen door naar een joekel van een bureau waaromheen een heleboel ladekasten stonden.

'Welnu, is er een bepaald onderwerp waarover jullie wat willen weten?'

'Hebt u ook boeken over oude magische praktijken?' vroeg Tayend.

De oude man trok zijn wenkbrauwen op. 'Jawel. Maar kun je wat specifieker zijn?'

Dannyl en Tayend wisselden een blik. 'Alles wat met de koning van Charkan of Shakan Dra te maken heeft,' zei de laatste.

De witte wenkbrauwen werden nog hoger opgetrokken. 'Ik zal eens kijken.'

Hij draaide zich om en trok een laatje open, waarin een heel pak kleine kaartjes zat. Hij bladerde erin en mompelde een nummer. Toen sloot hij het laatje en liep naar het eind van de stellingen en sloeg een ander gangpad in. Hij bleef bij een van de boekenkasten staan, liet een vinger langs de ruggen glijden en tikte er een aan.

'Daar hebben we hem.' Hij trok een boek uit de kast en overhandigde het aan Tayend.

De jonge geleerde bekeek het. 'Het is een geschiedenis van Ralend van Kemori.'

330

'Er moet een verwijzing naar de koning van Charkan in staan, of mijn kaartsysteem zou me niet op dit boek hebben gewezen,' verzekerde de Dem hem. 'Nu, kom maar mee. Ik dacht dat we ook een aantal kunstvoorwerpen over hetzelfde onderwerp hadden.'

Ze liepen achter de Dem aan naar grotere ladekasten, waarvan alle laatjes genummerd waren. De oude man trok er een lade uit en zette hem op een tafel. Toen hij erin keek maakte hij een vergenoegd geluidje.

'Juist, dat was het. Ik kreeg dit vijf jaar geleden. Ik herinner me dat ik dacht dat uw opperheer dit zeer interessant zou hebben gevonden.'

Wederom wisselden Dannyl en Tayend een blik uit.

'Akkarin?' zei Dannyl en tuurde in de la. Er lag een zilveren ring met een steen in. 'Waarom zou hij hierin geïnteresseerd zijn geweest?'

'Omdat hij me vele jaren geleden al opzocht met de vraag of ik informatie over de koning van Charkan had. Hij liet me dit symbool zien.' De Dem hield de ring omhoog. Er zat een donkere, bloedrode steen in, en in de steen was een halvemaan en een handje gesneden. 'Maar toen ik hem een brief stuurde waarin ik vertelde wat ik had, zei hij dat hij me vanwege zijn nieuwe positie niet kon komen opzoeken.'

Dannyl nam de ring aan en bekeek hem nauwkeurig.

'Degene die hem opstuurde vertelde dat er een legende bestaat waarin gezegd wordt dat magiërs hiermee zonder gevaar te worden afgeluisterd kunnen communiceren,' zei de Dem.

'Heus waar? Wie was de genereuze schenker?'

'Ik weet het niet. Hij, of zij, heeft geen naam opgegeven.' De Dem haalde zijn schouders op. 'Soms willen mensen niet dat hun familie te weten komt dat ze iets kostbaars hebben weggegeven. Hoe dan ook, het is geen echte edelsteen. Hij is maar van glas.'

'Probeer hem eens,' zei Tayend over Dannyls schouder.

Dannyl keek Tayend verbaasd aan.

'Toe dan!' drong Tayend aan.

'Dan zou ik behoefte moeten hebben om met een andere magiër te communiceren,' merkte Dannyl op, maar hij deed de ring om zijn vinger. 'En er zou een derde bij moeten zijn om te testen dat hij ons gesprek niet kon horen.' Hij keek naar de ring. Hij voelde niets dat op een magische werking duidde.

'Ik voel helemaal niets.' Hij deed de ring af en gaf hem terug aan de Dem. 'Misschien heeft hij eens magische eigenschappen gehad, maar is hij ze in de loop der tijd kwijtgeraakt.'

De oude man knikte, deed de ring in de la en schoof de la weer in de kast. 'Het boek levert misschien meer op. Er is daar een zitje om rustig te kunnen lezen.'

Toen ze daar aankwamen bracht de vrouw die ze eerder gezien hadden juist een dienblad vol hapjes binnen. Daarna zette ze ook een blad met glazen en een fles wijn neer. Tayend ging zitten en bladerde snel door de biografie van Ralend van Kemori.

'"De Koning van Charkan sprak over zijn route,"' las hij voor. '"Hij kwam door de bergen, en stopte om geschenken te geven aan Armjé, de stad van de maan."' Tayend keek op. 'Armjé. Die naam ken ik ergens van.'

'Het is nu een ruïne,' zei de Dem, met zijn mond vol. 'Het ligt hier niet ver vandaan. In mijn jonge jaren klom ik er altijd naar toe.'

De Dem begon een enthousiaste beschrijving van de vervallen stad te geven, maar Dannyl zag dat Tayend er niet naar luisterde. De geleerde was te zeer in het boek verdiept. Dannyl kende Tayends geconcentreerde blik en moest glimlachen. Klaarblijkelijk bevatte de bibliotheek van de Dem meer dan de verzameling waardeloze prullen die Tayend had verwacht.

Gedurende de twee weken dat ze nu de geheime gangen doorkruiste, had Sonea Regin niet eenmaal ontmoet. Ze hoopte wel dat de ontmoeting met heer Yikmo de anderen de schrik om het hart had doen slaan, maar zeker kon ze er niet van zijn.

Ze had niets gehoord over een straf of iets dergelijks. Yikmo had het niet meer over het incident gehad, en niemand scheen er iets van te weten, dus vermoedde ze dat hij haar verzoek om er niet over te spreken gerespecteerd had. Helaas zou dat Regins bondgenoten het idee geven dat ze haar inderdaad konden treiteren zonder er problemen mee te krijgen.

Aangezien Regin haar altijd overvallen had op de tweede verdieping, waar de bibliotheek zich bevond, was ze zo voorzichtig geweest altijd de uitgang van de geheime gangen op de begane grond te kiezen. De vorige avond had ze het eerste teken gezien dat hij erachter gekomen was. Toen ze de hoofdgang van de begane grond in liep, had ze aan het eind van de gang een leerling gezien die daar kennelijk op wacht stond. En in de hal waar de uitgang was stond een van de oudere jongens. Hij had het niet gewaagd haar lastig te vallen, maar dat zelfgenoegzame lachje van hem beviel haar niet.

Dus had ze vanavond de geheime gangen van de tweede verdieping maar weer genomen. Ze liep zo zacht mogelijk door de hoofdgang.

Als ze Regin en zijn maten tegenkwam, kon ze altijd nog wegrennen en in een geheime gang wegduiken. Mits ze niet in een hoek werd gedreven voor ze bij een ingang was, of ze haar konden zien verdwijnen.

Ze sloeg een hoek om en zag nog net een stuk bruine stof om de volgende hoek wegflitsen. Toen ze terugweek hoorde ze vaag gefluister. Er kwamen voetstappen uit de richting vanwaar ze gekomen was. Ze vloekte zacht en begon te rennen. Ze dook een zijgang in en botste tegen een eenzame novice op. Een magische knal ketste af tegen haar schild, maar hij was alleen, dus passeerde ze hem zonder moeite.

Drie hoeken later liep ze tegen twee handlangers van Regin op. Ze probeerden haar de doorgang te versperren, maar gaven het na een minuutje weer op. Bij de deur naar een portaalkamer werd ze opgehouden omdat vier novicen haar wilden aanvallen. Ze duwde hen tegen de muur, stapte naar binnen en sloot de deur af met een magisch slot.

Houd ze uit elkaar, dacht ze. *Yikmo kan tevreden zijn.*

Ze liep de binnenste gang in, rende naar de dichtstbijzijnde portaalkamer, waar ze de deur dwong open en dicht te gaan, en keerde toen op haar schreden terug.

Nog steeds alleen, dacht ze. Ze minderde vaart om haar voetstappen te dempen, sloeg een kronkelende gang in en vond een deur naar de geheime gangen. Ze controleerde nog even of niemand haar kon zien, liet haar hand onder een schilderij glijden en haalde de hendel over.

'Ze ging hierheen,' hoorde ze iemand zeggen.

Haar hart sloeg een slag over. Ze stapte snel de opening in en duwde de deur dicht.

Omgeven door duisternis tuurde ze door het kijkgat. Ze zag een aantal novicen langs de geheime deur van de binnenste gang lopen. Ze telde ze en haar adem stokte even. Twintig man.

Maar goed, ze waren haar kwijt. Ze wachtte tot ze weer rustig adem kon halen. Warme lucht gleed langs haar nek.

Sonea fronste haar wenkbrauwen. *Warme* lucht?

Toen hoorde ze naast het geruis van haar eigen ademhaling een andere, zachtere adem. Ze draaide zich pijlsnel om en vormde een bollichtje. En smoorde een kreet van angst.

Donkere ogen boorden zich in die van haar. Hij had zijn armen over elkaar geslagen, en de gouden incal glinsterde op het zwart van zijn gewaad. De dreiging straalde van hem af.

Ze wilde langs hem heen rennen, maar een arm versperde haar de weg.

'Eruit,' snauwde hij.

Ze aarzelde. Kon hij de novicen niet horen? Snapte hij niet dat ze in de val zou lopen?

'Meteen!' beet hij haar toe. 'En laat ik je nooit meer in deze gangen zien.'

Ze draaide zich om en frummelde met bevende handen aan het slot. Ze keek door het spionnetje en was blij dat er buiten geen getuigen stonden. Ze strompelde door de deur en voelde een stroom kille lucht langs haar ruggengraat glijden toen de deur zich achter haar sloot.

Ze bleef even sidderend staan. Toen dacht ze eraan dat hij haar door het spionnetje kon zien en dwong zichzelf weg te lopen. Toen ze de hoek omsloeg keken twintig paar ogen haar verbaasd aan.

'Gevonden!' kraaide iemand jolig.

Sonea wierp een schild op tegen de eerste treffers. Ze werd teruggedreven, en toen Regin het bevel gaf een halve cirkel rond haar te vormen om haar ontsnapping te beletten, draaide ze zich om en ging ervandoor.

Toen ze langs de verborgen deur flitste veranderde haar schrik in woede.

Waarom houdt hij hen niet tegen? Is dit mijn straf omdat ik ergens was waar ik niet mocht komen?

Ze kwam slippend tot stilstand toen er leerlingen uit een zijgang opdoken. Terwijl ze een blokkade opwierp om hen tegen te houden, rende ze halsoverkop de enige lege gang in.

Vraagt geen mens zich dan af waarom hij me niet... nee, natuurlijk niet, alleen ik weet immers dat hij daar was.

De blokkade hield haar vijanden niet meer tegen en vloekend liep ze tegen een onzichtbare muur op. Die barrière had ze snel geslecht, maar erachter verscheen er nog een, en nog een. De moed zonk haar in de schoenen toen ze voetstappen zowel voor als achter zich hoorde naderen. En vervolgens moest haar schild een meedogenloze aanval van treffers weerstaan.

Wat deed hij eigenlijk in het geheime stelsel? Ik heb er nooit voetstappen gezien... tenzij hij het stof altijd weer liet vallen zoals het gelegen had... Maar waarom zou hij dat doen als toch niemand anders de gangen gebruikte?

De bendeleden beletten haar te ontsnappen. Ze zat in de val en kon alleen maar wachten tot ze haar bewusteloos zouden achterlaten. Met zoveel aanvallers was het snel met haar kracht gedaan. Toen haar schild begon te wankelen, stapte Regin naar voren en glimlachte breed. Hij hield een klein flesje in zijn hand, gevuld met een donkere vloeistof. Hij hief zijn hand en de aanval stopte.

'Lieve Sonea,' zei hij en zond een krachttreffer naar haar schild. 'Mijn hart juicht als ik je aanschouw.' Weer een treffer. 'Het is alweer zo'n tijd geleden dat we elkaar in de ogen zagen.' Haar schild vertoonde hier en daar al gaten, maar ergens haalde ze nog een beetje kracht vandaan. 'Afwezigheid doet de liefde groeien, zeggen ze wel eens.' De volgende treffer vernietigde haar schild. Ze dook ineen in afwachting van de schoktreffers.

'Ik heb een cadeautje voor je meegebracht,' vervolgde Regin. 'Een parfum uit een uitermate exotisch oord.' Hij trok de kurk uit het flesje. 'Jegh! Welk een lieflijke geur. Wil je het niet eens ruiken?'

Al van een paar stappen afstand herkende ze de lucht. Haar klas had olie uit de bladeren van een kreppabosje geëxtraheerd voor een project van geneeskunde. Het sap dat overbleef stonk naar rottend groenteafval en kon stekende blaren veroorzaken.

Regin zwaaide achteloos met het geopende flesje. 'Maar één flesje is natuurlijk te weinig om je te zeggen hoeveel ik om je geef. Kijk, ik heb er nog een paar meegebracht!'

Alle anderen hadden opeens een flesje in hun hand. Voorzichtig haalden ze de kurk eraf en de gang vulde zich met de misselijkmakende stank.

'Morgen vinden we je in een oogwenk als we je zoete parfum ruiken!' Regin knikte naar zijn kompanen. 'Nu!' blafte hij.

Handen schoten naar voren en een aantal kledders van het gemene vocht schoten in haar richting. Ze hield haar handen voor haar gezicht, sloot haar ogen, en met alles wat ze in zich had, lukte het haar zowaar het laatste restje kracht naar boven halen.

Geen druppel raakte haar huid. Niets. Ze hoorde iemand hoesten, toen nog iemand en plotseling was de gang gevuld met gevloek en geschreeuw. Ze opende haar ogen en keek verbaasd om zich heen. De muren, het plafond en de novicen zaten onder de kleine bruine druppels. De leerlingen veegden als gekken hun handen en gezichten aan hun gewaad af. Sommigen braakten of spuugden op de vloer, anderen wreven in hun ogen en huilden van de pijn.

Toen haar blik Regin vond, zag ze dat hij het ergste leed. Zijn ogen traanden en zijn gezicht zat onder de rode blaren. Hij kromp ineen op de vloer.

Er borrelde een vreemd gevoel in haar op. Ze hield haar hand voor haar mond om niet in lachen uit te barsten. Ze hees zichzelf omhoog langs de muur, wankelde en ging rechtop staan.

Laat ze niet merken hoe moe je bent, dacht ze. *Geef ze geen tijd om te denken hoe ze je dit betaald zullen zetten!*

Ze liep rustig langs de novicen de gang uit.

Regin keek op naar de anderen. 'Zorg dat ze er niet vandoor gaat!' riep hij hees.

Een paar novicen keken hem even aan, maar het merendeel negeerde hem.

'Vergeet het maar. Eerst dit gewaad uittrekken,' zei er een. Anderen knikten en wilden weg schuifelen.

Regin knipperde met zijn ogen en zijn gezicht werd paars van woede, maar hij ging er niet tegenin.

32

Een uitstapje

Rothen gaapte terwijl hij de trap naar de Magiërsvertrekken op liep. Zelfs een koud bad had hem niet wakker gekregen. Tania wachtte op hem in de ontvangstkamer, met een schotel vol cakejes en kadetjes. 'Goedemorgen, Tania,' zei hij.

'U bent aan de late kant vanmorgen, heer,' zei ze.

'Ja.' Hij wreef over zijn gezicht en begon een kopje sumi te maken. Toen hij merkte dat ze nog steeds naar hem keek, zuchtte hij. 'Ik neem nog maar een tiende van de oude dosis.'

Ze zei niets terug maar knikte goedkeurend. 'Ik heb nieuws.' Ze zweeg even, en toen hij gebaarde dat ze door kon gaan, keek ze hem verontschuldigend aan. 'U zult het niet leuk vinden.'

'Nou, wat is het dan?'

'De schoonmaakploeg van de universiteit klaagde vanmorgen steen en been over een stinkend goedje dat een halve gang besmeurd had. Ik vroeg wat ze dachten dat er gebeurd was en ze mompelden wat over leerlingen die met elkaar gevochten hadden. Ze wilde niet zeggen welke novicen dat waren – tegen mij tenminste. Ik heb dus een van de keukenmeisjes omgekocht die het wel hadden gehoord.

Regin had een stel anderen om zich heen verzameld om Sonea laat in de avond in de val te laten lopen. Ik vroeg Viola ernaar, en die zei dat ze helemaal niets aan Sonea gemerkt had, geen verwondingen tenminste.'

Rothen fronste zijn voorhoofd. 'Je hebt er heel wat man voor nodig om Sonea moe te maken.' Hij voelde woede in zich opborrelen toen hij begreep wat het betekende. 'Maar als ze uitgeput zou zijn, had Regin alles met haar kunnen uitspoken. Ze zou hem zelfs puur lichamelijk niet meer de baas kunnen.'

Tania hield haar adem even in. 'Maar hij zou haar toch geen kwaad durven doen?'

'Niets dat blijvend is, of waarvoor hij van de universiteit geschopt zou worden,' gromde Rothen.

'Waarom doet de opperheer er toch niets tegen – of weet hij er soms niet van? Misschien moet u het hem toch eens laten weten.'

Rothen schudde zijn hoofd. 'Hij weet het. Het is zijn taak alles te weten.'

'Maar –' Tania zweeg toen er werd geklopt. Blij met de onderbreking deed Rothen de deur open. Er stapte een koerier binnen, die boog en Rothen een brief overhandigde.

'Voor Sonea.' Rothen draaide de brief om en keek blij verrast. 'Hij is van haar oom en tante.'

Tania kwam naderbij. 'Weten die dan nog niet dat ze hier niet meer woont?'

'Nee. Sonea was bang dat Regin haar post zou onderscheppen toen ze in de novicenvertrekken woonde, en ze heeft hen waarschijnlijk nog niet geschreven sinds ze verhuisd is.'

'Moet ik hem even naar haar toe brengen?' bood Tania aan.

Ja, zij had niets van Akkarin te vrezen. 'Graag,' zei hij.

'Goed. Ik heb haar ook al zo'n tijd niet gezien.'

Maar Akkarin zou wantrouwend kunnen worden als hij zag dat Rothens dienstmeid een boodschap aan Sonea gaf. 'Ze wil dit vast zo snel mogelijk lezen. Als je hem naar haar kamer brengt, ziet ze hem pas vanavond laat. Ik meen dat ze Vrijdagen in de novicebibliotheek doorbrengt. Misschien kan je hem daar geven?'

'Ja.' Tania pakte de brief en stak hem tegen haar boezem onder haar schort. 'Ik loop wel langs de bieb als ik de vaat heb gedaan.'

'Ai! Mijn benen doen zo'n pijn!' klaagde Tayend.

Dannyl lachte zachtjes toen de jonge geleerde zich op een grote kei liet zakken om even bij te komen. 'Jíj wilde de ruïnes bezoeken. Het was niet mijn idee.'

'Maar ze klonken ook zo interessant.' Tayend haalde zijn veldfles te voorschijn en dronk een paar slokken water. 'En ook niet zo ver.'

'Hij was gewoon vergeten te zeggen dat we eerst een paar kliffen over moesten voor we er in de buurt kwamen. En dat de touwbrug niet zo veilig meer was.'

'Ja, maar hij vertelde ook dat hij hier lang geleden vaak kwam. Levitatie kan soms toch wel handig zijn.'

'Soms, ja.'

'Waarom hing jij eigenlijk niet?'

Dannyl glimlachte. 'Levitatie is niet het enige handige trucje dat je in het Gilde leert.'

'Je geneest jezelf van moeheid!' Tayend gooide een steentje naar hem. 'Valsspeler!'

'Dan hoef ik jou zeker niet te helpen?'

'Jawel, het is alleen maar eerlijk als ik er net zo veel gemak van heb als jij.'

Dannyl zuchtte quasi vermoeid. 'Oké, geef je pols maar.' Tot zijn verbazing stak Tayend zonder te weifelen zijn arm uit, maar toen Dannyl zijn handpalm op Tayends pols legde, draaide Tayend zijn hoofd weg en kneep zijn ogen dicht.

Hij gaf wat genezersmagie aan Tayends lichaam en liet de harde spieren zich ontspannen. De meeste genezers zouden dit maar verspilling van magie vinden. Er was tenslotte niets mis met Tayend, hij was alleen maar niet gewend aan een stevige wandeling door heuvelachtig terrein.

Toen Dannyl Tayends arm losliet stond de geleerde op en keek naar zichzelf.

'Niet te geloven!' riep hij uit. 'Ik voel me weer zoals vanmorgen, voor we vertrokken!' Hij grijnsde naar Dannyl. 'Kom op, slome. Genoeg gerust. We hebben niet de hele dag!'

Een paar honderd meter verder bereikte Tayend de top en stopte abrupt. Toen Dannyl bij hem kwam staan zag hij het ook: de ruïnes waren in zicht. Verspreid over de licht golvende vlakte stonden lage muurtjes die de omtrekken van de gebouwen aangaven. Hier en daar had een oude zuil het verval overleefd. En in het centrum van het verlaten stadje stond een groot, dakloos gebouw nog stevig overeind. Het was opgebouwd uit platen steen. Gras en andere begroeiing woekerde overal.

'Dit is dus Armjé,' mompelde Dannyl. 'Niet veel van over.'

'Het is ook al meer dan duizend jaar oud.'

'Laten we het van dichtbij bekijken.'

Het kronkelende pad veranderde in een met gras begroeid weggetje naarmate ze dichter bij de stad kwamen. Het leidde hen naar een vrij groot gebouw, maar Dannyl en Tayend onderzochten ook wat kamers van de kleinere huizen eromheen.

'Zou dit een badhuis geweest zijn?' vroeg Tayend ergens, bij een stenen bank waarin op regelmatige afstanden holtes waren uitgehakt.

'Het kan ook een keuken zijn,' antwoordde Dannyl. 'In die kuilen passen precies potten op een rooster of zo.'

Toen ze bij het uitgestrekte gebouw in het midden kwamen voelde Dannyl een bepaalde leegte in de lucht. Ze liepen onder een grote latei door en kwamen in een enorme zaal. De vloer lag onder het vuil en was begroeid met hoog gras en kruiden.

'Ik vraag me af wat dit geweest is,' mijmerde Tayend hardop. 'Iets belangrijks. Een paleis misschien. Of een tempel.'

Ze liepen een kleinere ruimte in. Tayend stapte opeens opzij en tuurde naar een muur waarin een ingewikkeld patroon uitgesneden was.

'Er staan woorden hier,' zei hij. 'Iets over wetten.'

Dannyl bekeek het patroon van dichtbij en zijn hart sprong op toen hij een hand ontdekte. 'Kijk.'

'Dat is het teken voor magie,' zei Tayend afwezig.

'Is een hand het teken voor magie in oud-Elynees?'

'Ja, en ook in andere oertalen. Er zijn taalkundigen die menen dat de moderne letter "m" afkomstig is van het symbool voor hand.'

'Dus de helft van de naam van de koning van Charkan geeft magie aan. Wat betekent die halvemaan dan?'

Tayend haalde zijn schouders op en liep langzaam verder door de ruïne. 'Maanmagie. Nachtmagie. Heeft magie iets te maken met de fasen van de maan?'

'Nee.'

'Misschien heeft het dan iets met vrouwen te maken. Vrouwenmagie. Wacht – moet je kijken!'

Tayend stopte bij een andere ingekerfde muur. Hij wees naar een punt ergens bovenaan waar enkele stenen naar beneden waren gevallen, zodat er maar een deel van het geschrevene zichtbaar was. Dannyl hield zijn adem in. De geleerde wees niet naar een van de gehavende tekens. Hij wees naar een bekende naam die er in moderne letters naast geschreven was.

'Dem Ladeiri heeft niet verteld dat Akkarin hier ook geweest is,' zei Tayend.

'Misschien was hij het vergeten. Misschien heeft Akkarin het hem nooit verteld.'

'Maar hij liet wel duidelijk merken dat hij wilde dat wij hier naartoe gingen.'

Dannyl staarde naar de naam en keek toen naar de rest van de muur. 'Waar gaat die oude inscriptie over?'

Tayend keek en dacht diep na. 'Even wachten hoor...'

Terwijl de geleerde de tekens bestudeerde, deed Dannyl een stap terug en nam de hele muur in zich op. Onder Akkarins naam stond een grote diepe inscriptie van wat een ronde poort leek. Maar was het dat wel? Hij schoof het vuil en het gras van de onderkant van de muur weg en glimlachte toen hij een verticale naad ontdekte.

Tayend hield zijn adem in. 'Volgens dit hier is dat daar een –'

'Deur,' vulde Dannyl aan.

'Ja!' Tayend tikte tegen de muur. 'En die brengt je bij een plaats waar recht wordt gesproken. Ik vraag me af of hij nog open kan.'

Dannyl keek naar de deur in de muur en concentreerde zijn gevoel op de plek. Hij ontdekte een simpel mechanisme, ontworpen om alleen van binnenuit te worden geopend – of door magie.

'Ga eens achteruit.'

Terwijl Tayend uit de weg ging, liet Dannyl zijn wilskracht gelden. Het mechanisme ging moeizaam open en bleef soms even steken door al het vuil, stof en gras dat zich in de deuropening had vastgezet. Een luid gerommel en een schrapend geluid weerklonken toen de stenen deur naar binnen openging en een donkere gang zichtbaar werd. Toen hij wijd genoeg openstond om iemand door te laten, liet Dannyl het mechaniek met rust, bang dat hij het zou forceren. Hij wisselde een blik met Tayend.

'Zullen we naar binnen gaan?' fluisterde de geleerde.

Dannyl wist het zo net nog niet. 'Ik ga wel eerst. Misschien staat het op instorten.'

Tayend keek alsof hij wilde protesteren, maar leek van gedachten te veranderen. 'Ik probeer dit wel even verder te vertalen.'

'Ik kom terug zodra ik weet dat het veilig is.'

'Dat is je geraden!'

Dannyl glipte door de deuropening en riep een bollichtje in het leven dat hij vooruit stuurde. De muren waren kaal. Op het eerste stuk moest hij nogal wat farenwebben en plantenwortels wegvegen, maar na een stap of twintig werd hij daar niet meer door gehinderd. De vloer helde iets naar beneden, en het werd snel koeler in de gang.

Zijgangen waren er niet. Het plafond was laag en al gauw voelde Dannyl zich steeds ongemakkelijker. Hij telde zijn passen en was bij tweehonderd toen de muren ophielden te bestaan. De vloer ging echter verder, als een smalle plank naar diepe duisternis. Heel behoedzaam stapte hij de plank op, klaar om te leviteren, mocht die onder zijn voeten breken. Aan de echo van zijn voetstappen te horen zou hij naar beide kanten een flinke val in de diepte kunnen maken.

De plank verbreedde zich na een stap of tien tot een rond platform. Dannyl maakte zijn lichtje wat feller en bleef met open mond staan kijken naar de schitterende koepel die zich boven hem bevond. Het oppervlak fonkelde en glinsterde alsof hij met miljarden edelstenen was bedekt.

'Tayend!' riep hij. 'Dit móét je zien!' Hij wierp een blik op de zwarte opening van de gang en toverde allemaal kleine bollichtjes langs de hele wand.

Er bewoog iets ver aan zijn linkerkant. Hij zag dat een deel van de koepel opeens feller fonkelde dan de rest. Lichtstralen verschenen en hij zag ze samensmelten. Het was net de Arenabarrière die getroffen werd, maar dan omgekeerd...

Zijn instinct waarschuwde hem, en hij trok net op tijd een schild op om de voltreffer vanuit de koepel op te vangen. Hij schreeuwde verrast omdat die zo krachtig was – en toen nogmaals van schrik toen bleek dat hij ook van achteren werd aangevallen door krachtige lichtflitsen. Hij draaide zich om en zag inderdaad een uitbarsting van kracht in de edelstenen – en elders waren zich er ook twee aan het vormen. Hij deed een stap achteruit in de richting van de plank en de gang, toen hij de prikkel van een blokkade voelde die zijn terugweg afsloot. *Wat is hier aan de hand? Wie doet dit?*

Maar er was niemand. Alleen Tayend, buiten. Dannyl keek de gang in, maar die was leeg. Toen de aanvalstreffers elkaar steeds sneller opvolgden, spreidde Dannyl zijn handen voor de blokkade en liet een bliksemschicht vol magie uit zijn vingers schieten. De barrière gaf geen krimp. Misschien als hij er al zijn kracht inlegde... Maar hij moest genoeg kracht behouden om het schild niet kwijt te raken.

Hij voelde hoe de paniek begon toe te slaan. Elke treffer putte hem meer uit. Hij had geen idee hoe lang deze aanval zou doorgaan. In het ergste geval zou deze plek – deze val – zijn dood zijn.

Denk na! zei hij tegen zichzelf. De treffers van de koepel waren gericht op een plek boven het midden van het platform. Als hij zich tegen de blokkade aandrukte, zouden de treffers hem missen wanneer zijn schild het begaf. En als hij zijn schild liet vallen en al zijn kracht in het doorbreken van de blokkade legde, zou die misschien breken voor de volgende voltreffer hem raakte.

Dat was het enige dat hij kon bedenken. Hij had geen tijd om wat beters te verzinnen. Hij sloot zijn ogen en negeerde de prikkeling van magie toen hij zich tegen de onzichtbare blokkade aandrukte. Hij haalde diep adem, en liet toen tegelijkertijd zijn schild vallen en al zijn magische kracht naar buiten stromen.

Hij voelde de blokkade wankelen. Maar ook voelde hij zijn laatste restje kracht wegvloeien. Hij dook in elkaar om de pijn te vermijden, maar in plaats daarvan leek hij te vallen. Hij deed zijn ogen open, maar hij zag alleen maar duisternis... een duisternis waarin hij maar bleef vallen en vallen, lang nadat hij de grond had moeten raken...

'Vrouwe Sonea.'

Ze keek op en haar hart sprong op van vreugde. 'Tania!'

Toen de dienstmeid glimlachte voelde ze pas hoezeer ze de gezellige ochtendbabbeltjes had gemist. Sonea klopte op de stoel naast zich en Tania ging zitten.

'Hoe is het met je?' vroeg Tania. Iets in haar blik vertelde Sonea dat ze geen positief antwoord verwachtte.

'O, goed hoor.' Sonea probeerde te glimlachen.

'Je ziet er moe uit.'

Sonea haalde haar schouders op. 'Ik ga veel te laat naar bed. Ik krijg ook zoveel les en huiswerk. Hoe is het met jou? Zit Rothen je nog steeds achter de vodden?'

Tania grinnikte. 'Met hem heb ik geen probleem, al mist hij je vreselijk.'

'Ik mis hem ook – en jou natuurlijk.'

'Ik heb een brief voor je,' zei Tania. Ze haalde hem vanonder haar schort vandaan en legde hem op de bibliotheektafel. 'Rothen zei dat hij van je oom en tante was en dat je hem vast meteen zou willen lezen, dus bood ik aan hem even naar je toe te brengen.'

Sonea griste de brief van tafel. 'Dank je wel.' Ze scheurde hem open en begon te lezen. Het schrift was stijf en gekunsteld. Aangezien haar oom en tante niet konden schrijven, lieten ze een broodschrijver het werk doen wanneer ze een brief wilden sturen.

'Mijn tante is weer in verwachting!' riep Sonea uit. 'O, ik wou dat ik erheen kon!'

'Maar dat kan je toch?' zei Tania. 'Het Gilde is geen gevangenis, hoor.'

Sonea keek haar aan. Natuurlijk wist Tania niets van Akkarin af. Maar Akkarin had ook nooit bezoekjes aan familie verboden. Noch gezegd dat ze het Gildeterrein niet mocht verlaten. De wachters bij de poort zouden haar niet tegenhouden. Ze kon gewoon naar de stad wandelen en doen wat ze wilde. Akkarin zou het niet leuk vinden, maar aangezien hij haar uit de geheime gangen gestuurd had en haar in de armen van Regins bende had gedreven, had ze er genoeg van het hem naar de zin te maken.

'Je hebt gelijk,' zei Sonea langzaam. 'Ik zal eens langsgaan. Waarom niet meteen vandaag?'

Tania glimlachte. 'Wat zullen ze blij zijn om jou weer eens te zien!'

'Bedankt voor het brengen van de brief, Tania,' zei Sonea en stond op. De dienstmeid maakte een buiging en liep met een glimlach op haar gezicht naar de deur van de bibliotheek.

Sonea stopte opgewonden haar boeken in haar kistje, maar toen ze zich herinnerde waar ze precies heen ging, kwam ze weer met beide benen op de grond. In de stad zelf kon ze zich zonder problemen vertonen. Niemand keek op van een magiër, laat staan een novice. Maar als ze de sloppen betrad, zou haar gewaad in het oog springen – een vijandelijk oog, als het tegenzat. Bij haar vorige bezoekjes had ze daar nooit over hoeven nadenken omdat ze toen nog geen novice was geweest.

Tegen stenen, straatvuil en pesterij kon ze zich met magie beschermen, maar ze wilde liever niet gevolgd worden, of anderszins de aandacht op het huis van haar familie vestigen.

Het was een voorschrift dat ze te allen tijde haar gewaad moest dragen. Niet dat ze bang was de wet te overtreden, maar waar zou ze zich snel kunnen verkleden in haveloze sloppenkleding, als ze die al zou kunnen vinden?

Ze kon een mantel of een cape kopen op de markt wanneer ze naar het Noorderkwartier zou lopen. Daar had ze echter geld voor nodig en dat bewaarde ze in haar kamer in het huis van de opperheer. Maar haar angst voor Akkarin kon haar er niet van weerhouden een bezoek aan haar familie te brengen. Overdag was hij trouwens toch zelden thuis.

Ze pakte haar kistje, maakte een buiging voor vrouwe Tya en ging de bibliotheek uit. Toen ze door de gangen van de universiteit wandelde, glimlachte ze al van voorpret. Ze zou ook een cadeautje voor haar oom en tante kopen – en ze zou daarna even in Gollins herberg langsgaan om Harrin en Donia gedag te zeggen, en Cery natuurlijk.

Toen ze de ambtswoning van de opperheer in liep, begon haar hart sneller te kloppen. Tot haar opluchting was Akkarin inderdaad niet thuis, en Takan, de bediende, maakte even een buiging en verdween weer. Ze liet haar kistje achter, stopte wat geld in een zak van haar gewaad en liep haar kamer uit. Toen de deur van het huis achter haar dichtviel, rechtte ze haar rug en ging op weg naar de poort.

De wachters keken haar nieuwsgierig aan toen ze hen voorbijliep. Ze hadden haar waarschijnlijk nooit eerder gezien, want ze had het Gilde tot nu toe alleen verlaten met Rothen in een rijtuig. Misschien gingen novicen nooit te voet naar de stad.

Toen ze eenmaal in de Binnencirkel was, voelde ze zich niet op haar gemak. Ze keek op naar de grote huizen en herinnerde zich nog goed de paar keer dat ze in deze buurt was geweest, als ze gelapte schoenen of verstelwerk moest afleveren bij de bedienden van de Huizen. De goedgeklede dames en heren hadden haar wantrouwend en met opgetrokken neus bekeken, en ze had haar toegangspenning een paar keer moeten tonen.

Nu glimlachten diezelfde lieden en bogen beleefd als ze hen passeerde. Het gaf haar een vreemd, onwerkelijk gevoel.

Toen ze de poort van het Noorderkwartier passeerde werd het gevoel alleen maar sterker. De wachters salueerden voor haar en hielden een rijtuig van het Huis Korin tegen, zodat ze ongehinderd kon oversteken.

In het armere Noorderkwartier werd er eerder naar haar gestaard dan geglimlacht. Na een stap of honderd besloot Sonea toch maar niet naar de markt te gaan. Ze belde aan bij het eerste het beste winkeltje waar kleding verkocht en hersteld werd.

'Ja?' Een vrouw met grijs haar deed de deur open en hapte naar adem toen ze een jonge magiër voor haar deur zag staan. 'Vrouwe! Waarmee kan ik u van dienst zijn?' vroeg ze en maakte haastig een buiging.

Sonea glimlachte. 'Ik ben op zoek naar een wijde mantel.'

'Kom toch binnen! Kom toch binnen!' De vrouw deed de deur wijd open en boog nogmaals toen Sonea binnenkwam. Overal stonden kledingrekken.

'Ik weet niet zeker of ik iets heb dat goed genoeg is,' zei de vrouw verontschuldigend terwijl ze een aantal mantels uit een rek haalde. 'Deze heeft limekbont rond de capuchon, en die andere heeft een geborduurde zoom.'

Sonea kon zich niet inhouden en bekeek de beide mantels nauwkeurig. 'Dit is vakwerk,' zei ze toen ze de geborduurde mantel bekeken had. 'Maar ik betwijfel of dit echt limekbont is. Limeks hebben een veel dikkere vacht.'

'O jee!' riep de vrouw uit en griste de mantel terug.

'Maar ik was eigenlijk op zoek naar iets eenvoudigs,' voegde Sonea eraantoe. 'Ik heb een soort tweedehandsmantel nodig, hij mag hier en daar versleten zijn – al ga ik er natuurlijk niet vanuit dat u slechte kwaliteit zou verkopen. Heeft een van uw naaisters niet een mantel die vandaag of morgen toch weggegooid zou worden?'

343

De vrouw staarde Sonea verbijsterd aan. 'Ik weet niet...' begon ze aarzelend.

'Vraagt u het even, dan kan ik de rest van die prachtige kleren bekijken.'

'Zoals u wenst...' De vrouw keek haar nieuwsgierig aan. Toen boog ze en verdween achter een gordijn.

Sonea liep langs de rekken en bekeek een aantal kledingstukken. Ze zuchtte weemoedig. Het zat er niet in dat ze ooit nog een jurk zoals deze zou dragen, al kon ze die nu makkelijk betalen.

Ze hoorde haastige voetstappen en zag de vrouw de winkel weer binnenkomen met een arm vol oude kleren. Een bleek en onderdanig meisje volgde haar op de voet. Toen ze Sonea zag zette ze grote ogen op.

Sonea inspecteerde de mantels, vooral die met een lange, keurig verstelde scheur aan één kant. De zoom hing een beetje los. Ze keek naar het meisje.

'Is er hier een tuin? Of een erf voor de kippen?'

Het meisje knikte.

'Neem deze mantel en wrijf hem in met modder – gooi er ook een beetje stof overheen.'

Verwonderd verdween het meisje met de mantel. Sonea gaf de atelierhoudster een goudstuk en liet ongemerkt een zilverstuk in de zak van het meisje glijden toen ze terugkwam met de besmeurde mantel.

Wie had er ooit gedacht dat ik mijn zakkenrollersvaardigheden nog eens zou gebruiken om geld weg te geven in plaats van te stelen? mijmerde ze toen ze de winkel verliet. Met de mantel over haar gewaad heen viel ze niet meer op, en ze liep verder naar de poort die toegang gaf tot de sloppenwijk.

De wachters bij de poort keken over haar heen toen ze hen passeerde. Ze letten meer op wie er de wijk uit liepen dan wie erin ging. Een geur die even onaangenaam als vertrouwd was, omhulde haar toen ze de kronkelende straatjes insloeg. Ze keek om zich heen en begon zich te ontspannen. Hier was ze thuis, en de problemen rond Regin en Akkarin waren ver hier vandaan. Toen zag ze dat een man in de deuropening van een bolhuis haar aanstaarde, en de spanning kreeg weer de overhand. Dit was de sloppenwijk, en hoewel ze zichzelf met magie kon beschermen, wilde ze daar liever geen gebruik van maken. Scherp om zich heen kijkend en aan de schaduwzijde van de straten en steegjes blijvend, liep ze naar de buurtmarkt, waar ze dekens kocht, en een mand die ze vulde met groente en vers brood. Ze had wel wat kostbaarders willen kopen, maar Jonna weigerde die geschenken altijd: 'Ik wil niets in huis wat eigenlijk in de Huizen hoort. Dan halen de mensen zich maar rare ideeën in het hoofd.'

Jonna en Ranel leefden nu in een iets welvarender deel van de sloppenwijk, waar stevige houten huisjes stonden. Toen Sonea de straat in liep waar haar familie woonde, gooide ze een groepje jongens op de hoek een stel kadetjes toe. Ze bedankten haar luidkeels, en Sonea besefte opeens dat ze in geen maanden zoveel plezier had gehad.

Niet sinds Dorrien op bezoek was, dacht ze. *Maar ik kan beter niet aan hem denken.*

Bij het huis van haar oom en tante dacht ze even rustig na. Sinds ze tot het Gilde was toegetreden, waren ze onrustig en ongemakkelijk in haar gezelschap geweest. Ze hadden meegemaakt hoe ze haar Beheersing over haar krachten eerder dat jaar was kwijtgeraakt, en het zou Sonea niet verbazen als ze nog steeds bang voor haar waren. Maar ze wist ook dat ze hun angst nooit weg zou kunnen nemen door hen niet meer te bezoeken. Ze waren nog altijd haar enige familie en ze was niet van plan ze uit haar leven te verbannen.

Ze klopte aan. Even later ging de deur open en Jonna staarde haar verbaasd aan.

'Sonea!'

Sonea grijnsde. 'Hallo, Jonna.'

Jonna duwde de deur verder open. 'Je ziet er zo anders uit... Kijk toch eens wat je met je mantel hebt uitgevoerd. Mag dat wel?'

Sonea snoof. 'Wat maakt het uit? Ik kreeg jullie brief vanmorgen en ik móést jullie gewoon even zien. Hier, een cadeautje om het goede nieuws te vieren.'

Ze gaf haar de dekens en de mand en liep naar de eenvoudig gemeubileerde ontvangstkamer. Ranel kwam ook binnen en lachte van plezier.

'Sonea! Hoe is het met mijn kleine nichtje?'

'Prima. Fantastisch,' loog Sonea. *Niet aan Akkarin denken. Laat je middag niet verpesten.*

Ranel omhelsde haar. 'Bedankt voor het geld,' mompelde hij.

Sonea glimlachte en wilde haar mantel uitdoen, maar bedacht zich. Ze zag een kinderbedje tegen de wand staan en liep erheen om haar neefje te zien.

'Wat is hij gegroeid!' zei ze. 'Alles goed met hem?'

'Ja, hij hoest alleen een beetje,' zei Jonna met een trotse glimlach. Ze klopte op haar buik. 'We hopen dat dit een meisje wordt.'

Terwijl ze zo kletsten, merkte Sonea dat ze niet meer zo gespannen waren in haar aanwezigheid. Ze aten wat brood, speelden met de peuter toen hij wakker werd en verzonnen namen voor het volgende kind. Ranel vertelde Sonea nieuwtjes over oude vrienden en kennissen, en andere dingen die de sloppers bezighielden.

'Wij waren niet in de stad, maar we hoorden dat er weer een Zuivering is uitgevoerd,' zei Ranel met een zucht. Hij keek haar van opzij aan. 'Heb jij...?'

'Nee,' zei Sonea nors. 'Novicen doen er niet aan mee. Ik... ik was zo stom om te denken dat ze er dit jaar van af zouden zien, na die toestand van vorige keer. Misschien, als ik ben afgestudeerd...'

Ze schudde haar hoofd. *Nou, wat doe je dan? Ze proberen te overtuigen ermee te stoppen? Dacht je nou heus dat ze naar een sloppenkind zouden luisteren?*

Ze zuchtte. Ze had nog een lange weg te gaan voor ze de mensen tot wie ze behoorde zou kunnen helpen. Het idee om het Gilde over te halen te stoppen met de Zuivering was naïef en dwaas. Het zou al moeilijk genoeg worden om toestemming te krijgen hier als Genezeres te gaan werken.

'Wat hebben we hier nog meer?' zei Jonna terwijl ze de groenten uit de mand haalde en op tafel legde. 'Eet je mee, Sonea?'

Sonea sprong op uit haar stoel. 'Is het dan al zo laat?' Ze keek door een van de smalle hoge ramen en zag dat de schemering al inviel. 'Ik moet er echt vandoor.'

'Wees maar voorzichtig als je naar huis gaat,' zei Ranel. 'Je kunt die moordenaar over wie iedereen het heeft beter niet tegenkomen.'

'Daar zal Sonea geen problemen mee hebben,' grinnikte Jonna.

Sonea glimlachte om het vertrouwen dat haar tante in haar stelde en ging weer zitten. 'Wat voor moordenaar?'

Ranel trok zijn wenkbrauwen op. 'Ik dacht dat je daar al van wist. Ze zeggen dat hij niet bij de Dieven hoort. Die jagen zelf op hem. Met weinig succes tot nu toe.'

'Hij kan toch niet echt lang uit handen van de Dieven blijven,' zei Sonea.

'Het lukt hem anders al maanden,' wierp Ranel tegen. 'En er zijn sloppers die beweren dat dezelfde moorden ook een jaar geleden al voorkwamen, en het jaar ervoor.'

'Weet iemand hoe hij eruitziet?'

'Iedereen vertelt wat anders. Maar de meesten zeggen wel dat hij een ring met een grote rode steen draagt.' Ranel boog zich naar voren. 'Ik hoorde zo'n vreemd verhaal van een van onze klanten. Hij vertelde dat zijn zwager een herberg in het Zuiderkwartier heeft. Die man hoorde op een avond iemand gillen in een van de kamers, dus hij erheen. Toen hij de deur opendeed, sprong de moordenaar uit het raam. Maar in plaats van op de grond te pletter te vallen, van drie verdiepingen hoog, viel hij omhoog alsof hij vloog!'

Sonea haalde haar schouders op. Veel lieden met dubieuze inkomstenbronnen maakten gebruik van een route over de daken van de sloppen, die bekend stond als de Bovenweg. De man kon naar een touw gesprongen en daarlangs naar boven zijn geklommen.

'Maar dat was nog niet alles,' vervolgde Ranel. 'Wat de herbergier voor een raadsel plaatste was dat de gast weliswaar dood was, maar dat hij alleen maar wat ondiepe sneetjes in zijn lichaam had!'

Sonea fronste haar wenkbrauwen. Dood, maar alleen een paar krasjes waar je niet aan stierf? Toen verstijfde ze. Het beeld van Akkarin in de ondergrondse kamer schoot door haar hoofd.

Takan was op één knie gevallen en stak hem zijn arm toe. In Akkarins hand glinsterde een grote dolk. Hij liet het lemmet over de huid van de bediende glijden en legde toen een hand op de wond...

346

'Sonea. Ben je er nog?'

Ze knipperde even met haar ogen en keek haar oom aan. 'Ja, ik herinnerde me opeens iets. Van lang geleden. Al dat gepraat over moordenaars ook.' Ze huiverde. 'Ik stap maar eens op.'

Toen ze opstond, omhelsde Jonna haar. 'Ik ben blij dat ik me over jou tenminste geen zorgen hoef te maken.'

'Pff. Een beetje zorgen maken mag best wel, hoor.'

Jonna lachte. 'Oké. Als je dat een prettig gevoel geeft.'

Sonea zei Ranel gedag en stapte de straat op. Terwijl ze door de wijk liep hoorde ze Lorlens woorden tijdens de waarheidslezing weer.

Hoewel de gedachte me doet gruwen, ben ik bang dat je een aantrekkelijk slachtoffer voor hem bent. Hij weet dat je grote kracht hebt. Je zou een sterke bron van magie kunnen zijn.

Maar Akkarin kon het zich niet veroorloven haar te doden. Als zij verdween, zouden Rothen en Lorlen het Gilde vertellen welk misdrijf hij had gepleegd. Dat risico zou Akkarin niet willen nemen.

Maar terwijl ze onder de Noordpoort doorliep bleef Sonea maar piekeren. Maakte de sloppenwijk ook deel uit van zijn jachtgebied? Waren haar oom en tante wel veilig?

Hij zal hen ook niet doden, zei ze in zichzelf. *Want dan zou ik tegenover het hele Gilde de waarheid onthullen.*

Maar toen drong het tot haar door wat een kapitale fout ze gemaakt had door haar oom en tante zo impulsief op te zoeken. Ze was min of meer verdwenen; alleen Tania wist waar ze uithing. Als Lorlen en Rothen hoorden dat ze vermist werd, dachten ze misschien dat Akkarin had toegeslagen. Of Akkarin dacht dat zij het Gilde was ontvlucht en maakte zich op om de anderen het zwijgen op te leggen.

Bevend besefte ze dat ze zich pas binnen het Gilde veilig zou voelen, al betekende het dat ze onder hetzelfde dak moest wonen als de man die heel goed de moordenaar kon zijn voor wie de bewoners van de sloppenwijk zo bang waren.

33

De waarschuwing
van de opperheer

Toen Dannyl wakker werd hoorde hij alleen de vogels en de wind. Hij deed zijn ogen open en keek verward om zich heen. Stenen muren aan alle kanten, maar daken ontbraken. Hij lag op een dik bed van uitgetrokken gras. Het moest ochtend zijn.

Armjé. Hij was in de ruïnes van Armjé.

Toen herinnerde hij zich de ruimte met het koepelvormige plafond dat hem aangevallen had.

Ik heb het dus overleefd.

Hij keek naar zichzelf. De zoom van zijn gewaad was verkoold. De huid van zijn kuiten, boven de plek waar zijn laarzen hadden gezeten, was rood en voelde branderig aan. Hij zag zijn laarzen netjes naast elkaar een stukje verderop staan. Ze waren geblakerd.

Het had maar een haartje gescheeld of hij was dood geweest, besefte hij.

Tayend moest hem uit de grot hier naartoe hebben gesleept. Dannyl keek rond maar zag zijn vriend nergens. Wel zag hij een felgekleurd kledingstuk vlakbij liggen, en hij herkende Tayends koningsblauwe jasje, dat opgevouwen naast een ander bed van gras lag.

Hij wilde wel opstaan en kijken of Tayend daar zelf ook lag, maar hij bleef liever liggen. Zijn vriend zou niet ver uit de buurt zijn, en hij was zo uitgeput dat elke beweging hem zwaar viel. Hij moest rust hebben – niet omdat zijn lichaam het nodig had, maar omdat hij moest herstellen van het gebruik van zijn magie.

Hij stelde zich in op de bron van zijn kracht, en vond dat er haast geen reserve meer was. Normaal gesproken zou hij hebben geslapen tot hij tenminste ten dele weer was opgeladen. Misschien had de herinnering aan gevaar hem eerder gewekt dan anders. Van gebrek aan magie voelde je je gewoonlijk kwetsbaar en ongemakkelijk, maar het vreemde was dat hij zich nu juist losser voelde, alsof hij van iets bevrijd was.

Hij hoorde voetstappen en hief zich op een elleboog op. Tayend kwam de open kamer binnen en glimlachte toen hij zag dat Dannyl wakker was.

Het haar van de jonge geleerde zat een beetje door de war, maar verder zag hij er weer keurig verzorgd uit, ook al had hij de nacht op een bed van gras doorgebracht.

'Eindelijk wakker? Ik heb onze veldflessen bijgevuld. Wil je een slok?'

Toen hij merkte dat hij dorst had, knikte Dannyl. Hij dronk de fles helemaal leeg.

Tayend knielde naast hem neer. 'Alles goed met je?'

'Ja hoor. Een beetje gaar rond de enkels, maar niets onoverkomelijks.'

'Wat gebeurde er?'

Dannyl schudde het hoofd. 'Ik wilde jou eigenlijk hetzelfde vragen.'

'Jouw verhaal eerst.'

'Goed dan.' Dannyl beschreef de ruimte en hoe die hem had aangevallen met treffers. Tayend zette grote ogen op terwijl hij het verhaal aanhoorde.

'Nadat jij naar binnen was gegaan, bleef ik de tekens ontcijferen,' zei de geleerde vervolgens. 'De tekens vertelden dat de deur naar een plaats leidde die de Spelonk van Opperste Straf heette. Verder iets waaruit ik opmaakte dat hij bedoeld was om magiërs om het leven te brengen. Ik probeerde je te roepen – om je te waarschuwen – en toen hoorde ik dat jij mij riep en zag ik dat je die lampjes langs de wand maakte. Voor ik het eind van de gang bereikte, gingen ze uit.' Tayend huiverde. 'Ik liep toch door over die plank. Toen ik bij die spelonk kwam zag ik je tegen iets onzichtbaars aangedrukt staan. Toen viel je voorover en bewoog niet meer. Ik zag nog meer van die lichtflitsen van het plafond komen. Ik rende naar voren en greep je armen vast en trok je van het platform. De bliksem sloeg in en het werd opeens pikkedonker. Ik zag geen hand voor ogen, maar ik bleef maar trekken, de gang in en naar buiten. Toen sleepte ik je hierheen.' Hij pauzeerde en glimlachte verlegen. 'Je bent wel zwaar zeg.'

'Echt?'

'Het zal de lengte wel zijn.'

Dannyl glimlachte en werd opeens overspoeld door een golf van genegenheid en dankbaarheid. 'Je hebt mijn leven gered, Tayend. Dank je.'

De jonge geleerde keek hem met wijd open ogen aan en glimlachte toen trots. 'Ja, daar lijkt het wel op, hè? Maar ik stond tenslotte bij jou in het krijt. Zeg, denk je dat het Gilde die Spelonk van Opperste Straf kent?'

'Ja. Nee. Misschien.' Dannyl schudde het hoofd. Hij had helemaal geen zin om over het Gilde te praten, of over de spelonk. *Ik leef!* dacht hij. Hij keek om zich heen, naar de bomen, de hemel, Tayend... *Wat is het toch een knappe vent,* dacht hij opeens, en hij herinnerde zich wat een indruk de aantrekkelijke verschijning van de geleerde die eerste dag al had gemaakt. Hij voelde ver weg in zijn gedachten iets woelen, als een herinnering die je maar niet te binnen wil schieten. Toen hij zich erop concentreerde werd het sterker, en een ongemakkelijk gevoel maakte zich van hem meester. Hij probeerde het uit zijn gedachten te verdrijven.

Plotseling was hij zich scherp bewust van zijn ontoereikende magische kracht. Hij fronste zijn voorhoofd en vroeg zich af waarom hij onbewust zijn vermogens had willen aanspreken. Toen begon het hem te dagen. Hij had op het punt gestaan zijn genezende kracht te gebruiken om het ongemakkelijke gevoel weg te nemen, of op zijn minst de lichamelijke reactie die er het gevolg van was. *Zoals ik al tijden doe, zonder het me te realiseren.*

'Is er wat?' vroeg Tayend.

Dannyl haalde zijn schouders op. 'Nee, niks.' Maar dat was niet waar. Al jaren deed hij dat: de gedachten die hem zoveel last en angst bezorgd hadden verdringen, en zijn genezende kracht inzetten om zijn lichaam er niet op te laten reageren.

De herinneringen besprongen hem. Herinneringen aan het schandaal en de geruchten die hij veroorzaakt had. Hij had besloten dat als hoe hij zich voelde zo onacceptabel was, hij beter helemaal niets kon voelen. Dan zou hij mettertijd wel gaan verlangen naar wat als normaal en fatsoenlijk beschouwd werd – een vrouw.

Maar er was niets veranderd. Zodra hij zijn vermogen tot Genezen tijdelijk kwijt was, zoals nu, was het weer in volle glorie aanwezig. Zijn poging om het voor eens en altijd te onderdrukken was mislukt.

'Dannyl?'

Toen hij Tayend aankeek, voelde hij zijn hart een sprongetje maken. Hoe kon hij naar zijn vriend kijken, en het als een mislukking beschouwen dat hij net zo was als hij?

Dat was onmogelijk. Hij herinnerde zich iets dat Tayend had gezegd. *'Ik weet gewoon zeker dat dit natuurlijk en goed voor mij is, net zo zeker als mijn vader weet wat natuurlijk en goed voor hem is.'*

Wat wás natuurlijk en goed? Wie had dat ooit vastgesteld? De wereld zat nu eenmaal niet zo in elkaar dat één iemand alle antwoorden op zak had. Hij had er zo lang tegen gestreden. Maar hoe zou het zijn als hij eens ophield met de strijd, en accepteerde wie hij was?

'Je bent helemaal afwezig volgens mij,' zei Tayend. 'Waar zit je met je gedachten?'

Dannyl keek Tayend peinzend aan. De geleerde was zijn beste vriend. Hij was er intiemer mee dan met Rothen, bedacht hij plotseling. Hij had Rothen nooit de waarheid kunnen vertellen. Hij wist dat hij Tayend kon vertrouwen. Had hij hem niet beschermd tegen de roddelkonten van Elyne?

Wat een opluchting zou het zijn om het aan iemand te vertellen, dacht Dannyl. Hij haalde diep adem.

'Ik ben bang dat ik niet helemaal eerlijk tegen je ben geweest, Tayend.'

De jonge geleerde keek hem met grote ogen aan. Hij ging op zijn hurken zitten en glimlachte. 'Heus? Over wat dan?'

'Die novice, met wie ik jaren geleden bevriend was. Hij was wat ze zeiden dat hij was.'

Tayends lippen krulden zich. 'Je hebt toch nooit gezegd dat hij dat niet was?'

Dannyl aarzelde maar ging verder. 'Ik was het ook.'

Hij keek naar Tayends gezicht en was verrast toen de glimlach langzaam een grijns werd.

'Weet ik.'

Dannyl fronste zijn voorhoofd. 'Maar hoe weet je dat nou? Ik wist het niet eens... het schoot me eigenlijk net pas te binnen.'

'Schoot je te binnen? Hoe kan je dat in hemelsnaam vergeten?'

'Ik...' Dannyl zuchtte en legde het gedoe met dat Genezen uit. 'Na een jaar of wat werd dat een gewoonte. De geest is een machtig iets, zeker voor magiërs. We worden erin getraind ons te focussen en ons zeer diep te concentreren. Ik schoof elke gevaarlijke gedachte terzijde. Als ik mijn lichamelijke reactie niet had kunnen laten verdwijnen door magie, zou het me niet gelukt zijn het te vergeten.' Hij trok een gezicht. 'Maar er is niets door veranderd. Ik werd ongevoelig voor aantrekkingskracht. Ik verlangde noch naar mannen, noch naar vrouwen.'

'Dat moet een rottijd zijn geweest.'

'Ja en nee. Ik heb maar een paar vrienden. Ik was eigenlijk best eenzaam. Maar het was een nevelig soort eenzaamheid. Je hebt ook minder pijn als je je niet in relaties met anderen stort.' Hij zweeg even. 'Maar hoort dat eigenlijk niet bij het leven?'

Tayend gaf geen antwoord. Hij leek ergens voor op zijn hoede te zijn.

'Jij wist het,' zei Dannyl langzaam. 'Maar je kon het natuurlijk niet zeggen.' *Anders zou ik bang zijn geworden en het in alle toonaarden ontkend hebben.*

Tayend haalde zijn schouders op. 'Ik gokte het min of meer. Als ik gelijk had was er een grote kans dat je er nooit de confrontatie mee aan zou gaan. Nu ik weet wat je allemaal gedaan hebt om je gevoelens te onderdrukken, komt het me nog vreemder voor dat je nu opeens erkent wie je bent.' Hij zweeg even. 'De mens is een gewoontedier.'

'Maar je kunt gewoontes ook afleren, en dat ben ik zeker van plan.' Dannyl zweeg meteen toen hij besefte wat hij had gezegd. *Kan ik me daar werkelijk aan houden? Kan ik accepteren wie ik ben, en kan ik de angst om afgewezen te worden wel aan?*

Hij keek naar Tayend en hoorde een stemmetje diep in zijn hart antwoord geven. *Ja!*

Het pad naar het huis van de opperheer was bezaaid met kleine kleurige bloesemblaadjes. Wanneer de wind de takken van de bomen bewoog vielen er nog meer neer om zich bij de andere te voegen. Sonea genoot van de kleuren. Ze was wat vrolijker geworden sinds het bezoek aan haar oom en tante. Zelfs Regins valse blikken in de klas hadden daar niets aan afgedaan.

Toen ze voor de deur stond werd ze echter weer overvallen door een bekende zwaarmoedigheid. De deur sprong open en ze boog voor de magiër die in de ontvangstkamer stond.

'Goedenavond, Sonea,' zei Akkarin. Verbeeldde ze zich maar wat of klonk zijn stem anders dan anders?

'Goedenavond, opperheer.'

De Eéndagse etentjes waren routine geworden. Hij vroeg haar alles over haar lessen, en zij antwoordde zo zakelijk mogelijk. Andere onderwerpen werden niet aangesneden. De avond nadat hij haar in de geheime gang tegen was gekomen verwachtte ze dat hij daar wel een preek over zou hebben, maar tot haar opluchting was hij er niet eens over begonnen. Het was duidelijk dat hij begreep dat ze geen verder standje nodig had.

Ze liep de trap op. Takan wachtte als altijd op hen in de eetzaal. Een verrukkelijke pittige geur hing om hem heen, en ze voelde haar maag ongeduldig knorren. Maar toen Akkarin tegenover haar plaatsnam, herinnerde ze zich Ranels verhaal over de moordenaar en ze had opeens geen trek meer.

Ze keek tersluiks naar hem. Zat ze tegenover een moordenaar? Zijn ogen keken opeens in de hare en ze sloeg haar blik neer.

Ranel had gezegd dat de moordenaar een ring met een rode steen droeg. Toen ze naar de handen van Akkarin keek, was ze haast teleurgesteld dat ze geen enkel sieraad zag. Niet eens een groef die zou kunnen verraden dat hij regelmatig een ring droeg. Zijn vingers waren lang en elegant, maar toch mannelijk...

Takan kwam binnen met een schaal en ze richtte haar aandacht op de inhoud. Toen Sonea begon te eten, ging Akkarin rechtop zitten, en ze wist dat ze zijn gebruikelijke vragenreeks over haar lessen kon verwachten.

'En hoe was het met je oom en tante, en hun zoontje? Heb je Vrijdag een leuke middag met hen gehad?'

Hij weet het! Ze haalde diep adem en voelde dat er iets in het verkeerde keelgat schoot. Ze greep een servet, legde het tegen haar gezicht en kuchte en hoestte om het eruit te krijgen. *Hoe weet hij nu waar ik heen ben geweest! Heeft hij me gevolgd? Of liep hij in de sloppenwijk rond, op zoek naar een slachtoffer, en zag hij me toevallig in een steegje?*

'Je bent toch niet van plan te stikken in een hap van Takans maaltijd, hè?' vroeg hij droogjes. 'Zou zonde zijn van de rest van het eten.'

Ze trok het servet weg en zag Takan naast haar staan met een glas water. Ze nam het aan en nam snel een flinke slok.

Wat moet ik zeggen? Hij weet waar Jonna en Ranel wonen. Even werd ze gegrepen door angst, maar ze onderdrukte het gevoel. Als hij dat gewild had, zou hij dat simpel hebben kunnen uitvinden zonder haar te volgen. Hij had zelfs het adres uit haar of Rothens geest kunnen halen.

Hij leek geen antwoord te verwachten, of had het opgegeven erop te wachten. 'Ik vind het niet erg dat je hen opzoekt,' zei hij tegen haar. 'Ik verwacht echter wel dat je me toestemming vraagt om het Gildeterrein te verlaten wanneer je daar plannen voor hebt. Dus de volgende keer, Sonea,' – hij keek haar met een strenge blik aan – 'vraag je me even of het schikt.'

Ze sloeg haar ogen neer en knikte. 'Ja, opperheer.'

De deur zwaaide open net toen Lorlen bij het huis van de opperheer was. Hij ging even opzij toen Sonea naar buiten stapte, met haar kistje in de hand. Ze keek hem verbaasd aan en boog.

'Administrateur.'

'Sonea,' antwoordde hij.

Haar blik viel op zijn hand en ze zette grote ogen op. Ze keek hem aan, met een vragende blik, en wendde toen snel haar gezicht af en liep langs hem heen naar de universiteit.

Lorlen zonk de moed in de schoenen. Klaarblijkelijk had ze gehoord over de moordenaar en de ring met de rode steen. Wat dacht ze nu wel niet van hem? Hij slikte moeizaam terwijl hij haar nakeek. Elke dag stapte ze van de ene in de andere nachtmerrie. Van de schaduw van Akkarin naar de kwellingen die de leerlingen haar bereidden. Te pijnlijk om aan te denken.

En het was ook zo onnodig. Hij balde zijn vuisten en liep door de nog openstaande deur naar binnen. Akkarin zat in een van zijn leunstoelen en nipte al aan zijn glas wijn.

'Waarom laat je die bende van Regin haar toch altijd overvallen?' vroeg hij voor zijn woede en moed weer verdwenen.

Akkarin trok zijn wenkbrauwen op. 'Ik neem aan dat je het over Sonea hebt? Dat is goed voor haar.'

'Goed?' riep Lorlen uit.

'Ja, ze moet leren zichzelf te verdedigen.'

'Tegen andere leerlingen?'

'Ze zou in staat moeten zijn hen te verslaan. Erg georganiseerd gaan ze niet te werk.'

Lorlen schudde zijn hoofd en ijsbeerde door de kamer. 'Maar ze verslaat ze niet en er zijn diverse magiërs die zich afvragen waarom je aan die pesterij niet eens een einde maakt.'

Akkarin haalde zijn schouders op. 'Ik maak nog altijd uit hoe mijn novice getraind wordt.'

'Getraind! Maar dit is geen training!'

'Je hebt heer Yikmo's analyse gehoord. Ze is te aardig. Een echt conflict zal haar leren om terug te vechten.'

'Maar het is vijftien tegen een! Hoe kan je verwachten dat ze die eventjes aanpakt?'

'Vijftien?' Akkarin glimlachte. 'De laatste keer dat ik het zag waren het er twintig.'

Lorlen stond stokstijf stil en staarde de opperheer aan. 'Je hebt naar haar gekéken?'

'O, als het even kan doe ik dat, ja.' Akkarin glimlachte nog breder. 'Al kan ik dat stelletje niet altijd bijhouden. Ik zou graag willen weten hoe die laatste knokpartij geëindigd is. Achttien, misschien negentien, en ze schijnt zich toch van hen ontdaan te hebben.'

'Ze is ontsnapt?' Lorlen voelde zich opeens licht in het hoofd. Hij liet zich in een stoel vallen. 'Maar dat betekent...'

Akkarin grinnikte. 'Ik raad je aan er goed over na te denken voor je haar uitdaagt in de Arena, hoewel haar gebrek aan ervaring en zelfvertrouwen je wel van een overwinning zouden verzekeren.'

Lorlen antwoordde niet. Hij worstelde nog steeds met het idee dat zo'n jonge magiërsleerling al zo krachtig kon zijn.

Akkarin boog zich naar hem voorover, met fonkelende ogen. 'Elke keer dat ze haar aanvallen spant ze zich weer extra in,' zei hij zacht. 'Ze leert om zichzelf te verdedigen op manieren die noch Yikmo, noch Balkan haar kunnen bijbrengen. Ik zal Regin en zijn maten niet tegenhouden. Ze zijn de beste leraren die ze heeft.'

'Maar... waarom wil je haar dan zo sterk maken? Ben je niet bang dat ze zich tegen jou keert? Wat ben je met haar van plan als ze afstudeert?'

Akkarins glimlach verdween. 'Ze is de uitverkorene van de opperheer. Het Gilde verwacht van haar dat ze overal in uitblinkt. Maar ze zal nimmer zo sterk worden dat ze een bedreiging voor mij vormt.' Hij keek weg en zijn uitdrukking verhardde. 'En wat dat afstuderen betreft, daar buig ik me wel over als de tijd daar is.'

Lorlen zag de berekenende blik in Akkarins ogen en huiverde. De beelden van de vermoorde jongeman en diens vader waren niet uit zijn geest te bannen. Hoewel de dood van de eerste gruwelijker was, vond Lorlen de moord op de vader griezeliger. Wat ondiepe sneetjes in de pols, en weinig bloedverlies. Toch was hij dood.

Zoals Akkarin bevolen had, had Lorlen Barran gezegd nog geen magiër op jacht te sturen, zoals hij met Sonea had gedaan. De laatste zoektocht had ertoe geleid dat Sonea de hulp van de Dieven had ingeroepen, en die hadden ervoor gezorgd dat het Gilde maanden vertraging had opgelopen. Al was er sprake van dat ook de Dieven op de moordenaar jaagden, was het niet waarschijnlijk dat zij genegen waren met het Gilde samen te werken. Het was dus beter dat het Gilde de moordenaar geen reden gaf zich al te goed te verbergen. De Garde moest hem vinden, en Lorlen zorgde alleen voor magische assistentie om hem gevangen te nemen. Ook Barran vond dat de beste strategie.

Maar dat zou nooit lukken als Akkarin de moordenaar was. Lorlen nam de in het zwart geklede heer in ogenschouw. Hij wilde Akkarin het liefst vragen of hij ook maar iets van doen had met die moorden, maar was bang voor het antwoord. En al was het antwoord negatief, zou hij het dan geloven?

'Ach, Lorlen,' zei Akkarin vrolijk, 'iedereen die je zag zou denken dat Sonea jóúw novice was.'

Lorlen richtte zich weer op het andere onderwerp. 'Wanneer een mentor zich niet van zijn plichten kwijt, is het mijn taak hem daarop te wijzen.'

'En als ik je zeg je er niet mee te bemoeien, doe je dat dan?'

Lorlen fronste zijn voorhoofd. 'Natuurlijk,' zei hij met tegenzin.

'Kan ik je wel vertrouwen?' Akkarin zuchtte. 'Want wat Dannyl betreft heb je niet gedaan wat ik je opdroeg.'

Verrast keek Lorlen Akkarin aan. 'Dannyl?'

'Hij doet nog steeds onderzoek.'

Lorlen voelde heimelijk een glimpje hoop toen hij dit hoorde, maar het verdween weer snel. Als Akkarin dit wist, was al het goede dat eruit voort had kunnen komen bij voorbaat verloren. 'Ik heb hem heus bevolen het onderzoek te staken.'

'Dan heeft hij die opdracht niet opgevolgd.'

Lorlen aarzelde. 'Wat ga je daaraan doen?'

Akkarin dronk zijn glas leeg, stond op en liep naar het drankenkabinet. 'Ik heb nog geen besluit genomen. Als hij ergens heen gaat waar ik vrees dat hij heen gaat, dan sterft hij – en ik heb daar niets mee te maken.'

Lorlens hart sloeg een slag over. 'Kun je hem niet waarschuwen?'

Akkarin zuchtte terwijl hij het kabinet opende. 'Het is misschien al te laat. Ik moet het risico afwegen.'

'Risico?' vroeg Lorlen. 'Welk risico?'

Akkarin draaide zich glimlachend om. 'Wat een vragen heb je toch van-avond. Ik vraag me af of ze iets in het bronwater hebben gedaan. Iedereen is opeens zo brutaal.' Hij vulde zijn glas voor de tweede keer, en pakte nog een glas voor Lorlen. 'Dit is alles wat ik je op dit ogenblik kan vertellen. Als ik je meer mócht vertellen, zou ik het doen.'

Hij liep de kamer door om Lorlen zijn glas te geven. 'Voorlopig zit er niets anders op dan me te vertrouwen.'

34

Was het maar zo eenvoudig

Toen ze de bocht in de weg bereikten vanwaar ze eerder Dem Ladeiri's kasteel hadden gezien, hielden Dannyl en Tayend hun paarden in en draaiden ze zich om in het zadel om het gebouw nog een laatste keer in zich op te nemen. Hun bedienden gingen stapvoets verder, hun paarden liepen rustig de kronkelende weg af.

'Wie had gedacht dat we de antwoorden op zoveel vragen in dat oude fort zouden krijgen?' zei Tayend hoofdschuddend.

Dannyl knikte. 'We hebben een paar boeiende dagen achter de rug.'

'En dat is nog maar zwak uitgedrukt.' Tayends lippen krulden naar één kant en hij keek Dannyl steels aan.

Glimlachend om het schalkse gezicht van de jonge geleerde, keek Dannyl omhoog naar de bergen achter het huis van Ladeiri. De ruïnes van Armjé lagen achter de bergruggen, onzichtbaar vanwaar ze waren.

Tayend rilde. 'Een griezelig idee, dat die spelonk daar ligt.'

'Ik denk niet dat er zoveel magiërs in Armjé geweest zijn sinds Akkarin,' zei Dannyl. 'En die deur kan je niet zonder magie openen – tenzij je de hele muur afbreekt natuurlijk. Ik had de Dem wel willen waarschuwen, maar ik moet eerst het een en ander aan het Gilde vertellen.'

Tayend knikte. Hij spoorde zijn paard aan en dat van Dannyl liep erachteraan. 'We zijn in elk geval iets meer te weten gekomen over die Charkaanse koning van je. Als we nog een paar weken extra hadden, konden we naar Sachaka gaan.'

'Ik weet nog steeds niet zeker of dat nu wel zo slim is.'

'Akkarin ging er toch ook heen, neem ik aan. Waarom wij dan niet?'

'Juist omdat we niet zeker weten of hij daarheen ging.'

'Als we gaan, kunnen we daar al dan niet bewijs voor vinden. Die Sachakanen weten heus nog wel of er eerder een Gildemagiër op bezoek is geweest. Of zijn er de afgelopen tien jaar meer magiërs heen geweest?'

Dannyl haalde zijn schouders op. 'Niet dat ik weet.'

Hij begon zich langzaamaan wat ongemakkelijk te voelen. De gedachte aan meerdere magiërs herinnerde hem eraan dat hij op een goede dag weer naar het Gilde zou moeten terugkeren. En dan zouden ze allemaal zien... Welnee, natuurlijk zouden ze dat niet kunnen zien. Zolang Tayend en hij er zo min mogelijk over praatten, en hij nooit zou toestaan dat hij een waarheidslezing moest ondergaan, en voorzichtig was met mentale communicatie, zou er niemand een aanwijzing kunnen vinden.

Hij keek naar Tayend. *Rothen zou zeggen dat ik slim genoeg was om elk geheim te ontdekken, of te verbergen,* mijmerde hij.

Dannyl.

Geschrokken schoot Dannyl recht overeind in het zadel. Toen herkende hij de persoon achter de mentale oproep en hij zat als aan zijn rijdier genageld van ongeloof.

Dannyl.

Paniek raasde door hem heen. Waarom riep Akkarin hem op? Wat wilde de opperheer van hem? Dannyl keek naar Tayend. Of had hij gehoord dat... nee, dat was natuurlijk van geen enkel belang voor een –

Dannyl.

Hij moest wel antwoorden. Een oproep van de opperheer kon je niet negeren. Dannyl slikte, haalde diep adem, sloot zijn ogen en stuurde zijn antwoord terug.

Akkarin?

Waar zit je?

In de bergen van Elyne. Hij stuurde een beeld van de weg. *Ik heb aangeboden ambassadeur Errends halfjaarlijkse ronde langs de Dems over te nemen, dan leer ik meteen het land wat beter kennen.*

En kon je meteen je onderzoek voortzetten, ondanks Lorlens bevel.

Het was geen vraag. Dannyl was opgelucht. Als Akkarin gehoord had van hem en Tayend... maar vlug veranderde hij van gedachte.

Ja, gaf hij toe, en dacht met opzet aan de Tombe van Witte Tranen en het mysterie van de Charkaanse koning. *Het boeide me erg, dus ging ik op eigen houtje verder. Lorlen schreef niet dat dat niet mocht.*

Het lijkt me dat je plichten als ambassadeur nou niet bepaald tijdrovend zijn.

Dannyl vertrok zijn gezicht. Akkarin wees zijn tijdbesteding en gedrag duidelijk af. Wilde hij niet dat Dannyl zoveel tijd aan onderzoek besteedde omdat het ten koste ging van zijn ware plicht, of keurde hij het af dat een andere magiër het werk voortzette dat hij niet had afgerond? Of was hij kwaad dat iemand in zijn voetsporen trad? *Heeft hij soms iets te verbergen?*

Ik wil precies weten wat je gevonden hebt. Kom onmiddellijk terug naar het Gilde, mét al je aantekeningen en bevindingen.

Verrast aarzelde Dannyl. *En de rest van mijn tocht langs de Dems dan?*

Die doe je dan maar als je terug bent.

Goed, heer. Maar ik moet wel –

Meld je meteen wanneer je terug bent.

Aan de toon hoorde Dannyl dat het gesprek beëindigd was. Hij opende zijn ogen en vloekte.

'Wat is er?' vroeg Tayend.

'Dat was Akkarin – de opperheer.'

Tayend keek hem met grote ogen aan. 'Wat moest hij?'

'Hij weet van ons onderzoek.' Dannyl zuchtte. 'Ik heb zo'n donkerbruin vermoeden dat hij niet zo blij is dat we ons hiermee bemoeien. Ik moet meteen terugkeren, zei hij.'

'Terugkeren... naar het Gilde?'

'Ja. Met onze aantekeningen.'

Tayend keek hem ontzet aan. Maar toen verhardde zijn blik. 'Hoe weet hij dat?'

'Ik weet het ook niet.' *Ja, hoe wist hij dat?* Hij herinnerde zich Akkarins kundigheid in het lezen van onwillige geesten en huiverde. *Ik heb heel eventjes aan Tayend gedacht... heeft hij dat gemerkt?*

'Ik ga met je mee,' zei Tayend.

'Nee,' zei Dannyl snel. 'Echt, hier wil je niet bij betrokken worden.'

'Maar –'

'Nee, Tayend. Het is veel beter dat hij er niet achterkomt wat jij allemaal weet.' Dannyl tikte tegen de flanken van zijn paard en spoorde het tot een drafje aan. Hij dacht aan al die weken van rijden en varen die nog tussen nu en de ontmoeting met Akkarin zaten. Hij zou natuurlijk die tijd zo lang mogelijk kunnen rekken, maar hij wilde juist dat het zo snel mogelijk achter de rug was, omdat één gedachte hem meer dwarszat dan de andere.

Wat zou er met Tayend gebeuren als Akkarin zijn afkeur jegens Dannyl liet blijken omdat hij het onderzoek niet gestaakt had? Zou de opperheer ook Tayend bestraffen? Zou hem de toegang tot de Grote Bibliotheek ontzegd kunnen worden?

Het kon Dannyl niet schelen wat er met hem zou gebeuren, zolang het Tayend maar niet zou raken. Wat er ook mocht gebeuren, Dannyl zou duidelijk moeten maken dat alle schuld bij hem lag, en bij hem alleen.

Het bankje in de tuin was warm. Sonea zette haar kistje neer, sloot haar ogen en genoot van de zon op haar gezicht. Ze hoorde het kwebbelen van andere leerlingen en de lagere stemmen van oudere magiërs die dichterbij kwamen.

Ze deed haar ogen open en zag een aantal Genezers haar kant op komen. Ze herkende een paar pas afgestudeerden. Ze praatten en lachten. Toen twee van hen die vooraan liepen zich losmaakten van het groepje herkende ze er plotseling een van.

Dorrien!

Haar hart sprong op. Ze stond op en rende een zijpad in, en hoopte maar dat hij haar niet gezien had. Ze ging naar een door een haag afgeschut gedeelte en ging op een bankje in de schaduw zitten.

Ze had Dorrien uit haar gedachten gebannen omdat ze wist dat het nog maanden, misschien wel een jaar zou duren eer hij het Gilde weer zou bezoeken. Maar hier liep hij weer, en het was pas een paar maanden geleden dat hij naar huis vertrokken was. Waarom was hij zo snel teruggekomen? Had Rothen verteld dat ze aan Akkarin was overgedragen? Vast niet. Maar misschien had hij gedurende een van hun mentale gesprekken Dorrien wel onbewust de indruk gegeven dat er iets niet helemaal lekker zat.

Ze fronste haar wenkbrauwen. Hoe dan ook, Dorrien zou vast contact met haar zoeken. Ze zou hem moeten vertellen dat ze niets meer in hem zag dan een vriend. En dat gesprek moest ze nu wel razendsnel voorbereiden.

'Sonea.'

Ze schrok op en zag Dorrien bij de ingang van het hofje staan.

'Dorrien!' Ze verborg haar paniek. Hij had haar blijkbaar toch gezien, en was haar gevolgd. Ze had in ieder geval geen verrassing hoeven veinzen. 'Ben je nu alweer terug!'

Hij glimlachte en liep naar haar bankje toe. 'Een weekje maar. Heeft mijn vader je er niets over verteld?'

'Nee... maar we zien elkaar ook nauwelijks meer.'

'Dat zei hij ook al.' Zijn glimlach verdween. Hij ging zitten en keek haar vragend aan. 'Hij zei dat je nu ook avondschool hebt en dat je alleen nog maar studeerde.'

'Dat komt omdat ik zo'n hopeloze Krijger ben.'

'Dan ben ik verkeerd ingelicht.'

Ze fronste haar voorhoofd. 'Wat heb je dan gehoord?'

'Dat je meer dan tien leerlingen tegelijk aankunt.'

Sonea vertrok haar gezicht.

'Of heb je soms niet gewonnen?'

'Hoeveel mensen weten hier van?'

'Vrijwel iedereen.'

Sonea greep haar hoofd vast en kreunde.

Dorrien grinnikte en klopte haar licht op de schouder. 'Regin is de leider ervan, hè?'

'Natuurlijk.'

'Waarom heeft je nieuwe mentor er dan niets tegen gedaan?'

Sonea haalde haar schouders op. 'Misschien weet hij het niet. Ik wil ook niet dat hij het weet.'

'Juist,' knikte Dorrien. 'Want als Akkarin jou de hele tijd te hulp kwam, zouden de mensen zeggen dat je een watje en een foute keuze was geweest. Al die magiërsleerlingen zijn hartstikke jaloers op je, en ze realiseren zich niet dat ze in hetzelfde lastige parket zouden zitten als zij de uitverkorenen van de opperheer zouden wezen, al zijn ze dan van de Huizen. Elke novice die hij kiest is een doelwit voor de anderen. Ze zullen zich altijd en overal moeten bewijzen.'

Hij zweeg, en ze zag dat hij ergens diep over nadacht. 'Dus als je wilt dat het stopt, zul je er zelf wat aan moeten doen.'

Ze lachte honend. 'Ik denk niet dat het veel verschil maakt als ik me nu als lokaas voor Regin opstel.'

'O, maar daar dacht ik ook niet aan.'

'Waaraan dan wel?'

Dorrien glimlachte. 'Je moet gewoon bewijzen dat je de sterkste bént. Dat je hem met zijn eigen spelletje kan verslaan. Wat heb je tot nu gedaan om hem terug te pakken?'

'Niks. Ik kan niets doen. Ze zijn met z'n twintigen tegenwoordig.'

'Er moeten toch leerlingen zijn die ook een hekel aan hem hebben. Haal hen over jou te helpen.'

'Niemand wil met mij praten.'

'Nog steeds niet? Dat verbaast me. Er moeten toch mensen rondlopen die er het nut van inzien goede maatjes te worden met de uitverkorene van de opperheer?'

'Als het ze daarom te doen is, dan hoef ik ze geeneens.'

'Maar als je toch weet dat ze daarom achter je zullen staan, waarom zou jij er dan je voordeel niet mee doen?'

'Misschien omdat Regin bij de eerste en de laatste die dat deed "per ongeluk" zijn handen in de fik stak.'

Dorrien fronste zijn voorhoofd. 'O ja, ik heb zoiets gehoord. Goed, ander plan.' Weer verzonk hij in gedachten. Sonea was lichtelijk teleurgesteld. Ze had gehoopt dat Dorrien een inventieve manier wist om Regins valkuilen te omzeilen, maar misschien zag hij er deze keer ook geen oplossing voor.

'Ik denk dat Regin een geduchte afstraffing in het openbaar nodig heeft,' zei hij plotseling.

Sonea's hart sloeg een slag over. 'Je bedoelt toch niet dat je –'

'Niet van mij. Van jou.'

'Míj?'

'Je bent toch sterker dan hij? En behoorlijk wat sterker ook, als ik de geruchten mag geloven.'

'Ja, wel een beetje,' gaf Sonea toe. 'Daarom heeft hij ook zoveel helpers nodig.'

'Daag hem dan uit. Een formele uitdaging. In de Arena.'

'Een forméle uitdaging?' Ze staarde hem perplex aan. 'Je bedoelt... een gevecht waar iedereen bij is?'

'Ja.'

'Maar...' Ze herinnerde zich iets dat heer Skoran ooit gezegd had. 'Het is vijftig jaar geleden dat de laatste plaatsvond – en dat was tussen twee magiërs, niet tussen novicen.'

'Novicen mogen het net zo goed.' Dorrien haalde zijn schouders op. 'Het

360

is natuurlijk wel een risico. Als je verliest, wordt het getreiter natuurlijk verdubbeld. Maar als je inderdaad sterker bent dan hij, waarom zou je dan verliezen?'

"'Vaardigheid kan kracht overwinnen,'" citeerde Sonea.

'Oké, maar je hebt toch wel een beetje vaardigheid?'

'Ik heb hem nog maar één keer verslagen.'

Dorrien trok zijn wenkbrauwen op. 'Maar als je zo sterk bent als ze zeggen, dan heb je in de klas je kracht altijd moeten inperken, of niet soms?'

Ze knikte.

'In een formeel gevecht kun je alle remmen losgooien.'

Sonea voelde een spoortje hoop en opwinding. 'Is dat zo?'

'Jazeker. Het idee erachter is dat de deelnemers tegenover elkaar komen te staan zoals ze zijn, zonder beperkingen en zonder versterkingen. Een belachelijke manier om een ruzie te beslechten natuurlijk. Geen man of vrouw ter wereld kan met een gevecht bewijzen dat hij of zij gelijk heeft.'

'Maar daar gaat het hier ook niet om,' zei Sonea langzaam. 'Ik wil Regin laten zien dat het de moeite niet waard is om me lastig te blijven vallen. Als hij eenmaal verslagen is en de vernedering heeft gevoeld, zal hij het geen tweede keer wagen.'

'Nou begin je het te snappen,' zei Dorrien lachend. 'Zorg dat er zo veel mogelijk mensen horen dat je hem uitdaagt. Dan zal hij gedwongen worden de uitdaging te aanvaarden, anders roept hij schande af over zijn Huis. Vervolgens laat je die hufter ten overstaan van iedereen in het stof bijten – geef jezelf maar helemaal. Mocht hij je daarna toch weer aanvallen, dan daag je hem gewoon nog een keer uit. Dan zal hij het verder wel uit zijn hoofd laten.'

'Niemand anders zal erbij betrokken worden,' zei Sonea zacht. 'Er wordt niemand anders letsel toegebracht en ik hoef me ook geen huichelachtige vriendschappen op de hals te halen.'

'O jawel, dat moet je toch,' zei hij nuchter. 'Supporters heb je sowieso nodig. Anders denkt hij nog dat de mensen zijn obsessie om je steeds maar weer op je kop te geven zullen blijven waarderen, om uiteindelijk toch van je te winnen. Verzamel andere leerlingen om je heen, Sonea.'

'Maar...'

'Maar?'

Ze zuchtte. 'Zo ben ik helemaal niet, Dorrien. Ik ben toch geen bendeleider zoals Regin.'

'Prima toch.' Hij glimlachte. 'Je hoeft geen tweede Regin te worden. Wees gewoon prettig gezelschap, en daar hoef je weinig moeite voor te doen, lijkt me. Ik vond je gezelschap tenminste erg prettig.'

Ze keek opzij. *Nu zou ik iets moeten zeggen om hem van me af te stoten,* dacht ze. Maar er schoot haar zo gauw niets te binnen. Toen ze weer naar hem keek, zag ze een verdrietige blik in zijn ogen, en ze besefte dat ze het hem al

361

meer dan duidelijk had gemaakt door niets terug te zeggen.

Hij glimlachte, maar deze keer was er geen fonkeling in zijn ogen. 'Wat heb je verder allemaal uitgevoerd?'

'Niet veel. Hoe is het met Rothen?'

'Hij mist je vreselijk. Je weet toch dat hij jou altijd als zijn dochter heeft beschouwd, hè? Hij vond het al zo erg toen ik vertrok, maar toen wist hij dat die tijd zou komen en was hij gewend aan het idee toen het gebeurde. Met jou was het een veel grotere schok.'

Sonea knikte. 'Dat was het voor ons allebei.'

Toen hij het lokaal binnenkwam, stuurde Rothen de twee vrijwilligers met-een naar de demonstratietafel. Toen de novicen hun lasten neerzetten deed hij de voorraadkast van het slot en keek of er genoeg oefenmateriaal was voor de hele klas.

'Heer Rothen,' zei een van de jongens.

Rothen keek op en volgde de blik van de knaap naar de deur. Hij schrok toen hij zag wie daar stond.

'Heer Rothen,' zei Lorlen. 'Kan ik je even onder vier ogen spreken?'

Rothen knikte. 'Vanzelfsprekend, administrateur.' Hij keek naar de twee leerlingen en knikte naar de deur. Ze haastten zich naar buiten na voor Lorlen gebogen te hebben.

Toen de deur achter hen sloot liep Lorlen naar het raam met een strakke, gespannen uitdrukking. Rothen keek in zijn richting, want hij wist dat alleen iets zeer belangrijks de administrateur ertoe kon brengen met hem te spre-ken, tegen het bevel van de opperheer in.

Of was er iets met Sonea aan de hand? Rothen kreeg het benauwd. Was Lorlen hier om het vreselijke nieuws te brengen, zodat ze Akkarin met hun verdenkingen konden confronteren?

'Ik zag onlangs je zoon nog in de tuin,' begon Lorlen. 'Blijft hij hier lang?'

Rothen sloot opgelucht zijn ogen. Het ging niet over Sonea. 'Een week,' antwoordde hij.

'Hij zat bij Sonea.' Lorlen fronste zijn voorhoofd. 'Zijn ze op de een of andere manier... op een bepaalde manier bevriend met elkaar geraakt?'

Rothen zoog wat lucht naar binnen. Hij had een vermoeden – en hij hoopte dat het waar was – dat Dorriens interesse in Sonea wat meer behels-de dan alleen nieuwsgierigheid. Nu bleek dat zelfs Lorlen kon zien dat er meer bestond tussen hen dan alleen vriendschap. Rothen zou dus blij moe-ten zijn, maar hij werd nu erg ongerust. Wat zou Akkarin doen als hij hiervan wist?

Rothen koos zijn woorden zorgvuldig. 'Dorrien weet dat het nog heel wat jaartjes duurt eer Sonea kan gaan en staan waar ze wil en het Gilde kan verlaten, en dat ze misschien geen interesse meer heeft als ze eindelijk vrij is.'

Lorlen knikte. 'Misschien kan hij wat meer ontmoediging gebruiken.'

'Ontmoediging ziet Dorrien helaas maar al te vaak als aanmoediging,' zei Rothen wrang.

Lorlen keek hem zuur aan. 'Je bent zijn vader,' beet hij hem toe. 'Dan ben jij toch de aangewezen persoon om hem ervan te overtuigen.'

Rothen keek de andere kant op. 'Ik wil net zomin als jij dat hij hierin betrokken wordt.'

Lorlen zuchtte en keek naar zijn handen. Hij droeg een ring en de robijn glinsterde in het licht. 'Het spijt me, Rothen. We hebben al genoeg aan ons hoofd. Ik vertrouw erop dat je alles zult doen wat je kunt. Denk je dat Sonea het gevaar zal zien en hem weg zal sturen?'

'Ja.' Natuurlijk zou ze dat. Als ze het al niet gedaan had. Rothen had medelijden met zijn zoon. Arme Dorrien! Hij had misschien al min of meer verwacht dat Sonea hem aan de kant zou schuiven, in aanmerking genomen dat ze nog zoveel jaren van studie voor de boeg had, en hem maar heel af en toe zou kunnen zien. Maar als Dorrien de ware reden wist, zou hij waarschijnlijk iets heel roekeloos ondernemen. Het was beter dat hij het niet wist.

En wat vond Sonea hiervan? Viel het haar zwaar Dorrien weg te sturen? Rothen zuchtte. Hij wou dat hij het haar kon vragen.

Lorlen begaf zich naar de deur. 'Bedankt, Rothen. Ga maar verder met de voorbereidingen voor je les.'

Rothen knikte en zag de administrateur vertrekken. Al begreep hij Lorlens afstandelijke manier van doen wel, het maakte hem wrevelig. *Het was jouw taak om hier een uitweg uit te vinden,* dacht hij met zijn ogen op Lorlens rug gericht. Toen maakte de wrevel plaats voor een gevoel van hopeloosheid. Als Lorlen hier geen uitweg voor kon vinden, wie dan wel?

Het is veel te vroeg, dacht Sonea doezelig. *Na middernacht, geloof ik. Waarom ben ik wakker? Heeft iets me wakker gemaakt?*

Een flauwe koelte streek langs haar wang. Een briesje. Ze opende haar ogen en stelde zich in op de duistere rechthoek waar een deur hoorde te zitten. Er bewoog een lichte vlek in de duisternis. Een hand.

Bij de volgende hartslag was ze klaarwakker. Een bleek ovaal zweefde boven de hand. Verder was er niets van hem te zien, hij was onzichtbaar in zijn zwarte gewaad.

Wat doet hij? Waarom is hij hier?

Haar hart bonsde zo luid dat ze bang was dat hij het horen kon. Ze dwong zichzelf rustig adem te halen en sloot haar ogen weer, want stel je voor wat hij zou kunnen doen als hij merkte dat ze wakker was!

Hij stond een ondraaglijk lange tijd naast haar bed. Toen was hij in een oogwenk verdwenen en de deur was weer dicht.

Ze staarde naar de deur. Had ze het gedroomd?

Misschien moest ze dat maar blijven geloven. Het alternatief was te beangstigend. Ja, het was gewoon een nachtmerrie...

Toen ze weer wakker werd was het ochtend. De herinnering aan dromen vol zwarte gestalten en dreigende gebaren vervluchtigden even snel als de nachtelijke bezoeker was verdwenen, en ze bande alle beelden uit haar hoofd terwijl ze opstond en zich begon aan te kleden.

35

De uitdaging

Op het eerste gezicht was er niets mis mee, maar toen Sonea nauwkeuriger keek zag ze dat de chemische verbinding in het ene flesje veel te troebel was en dat de stof in het andere tot een kledderig goedje was ingedikt. Het ingewikkelde stelsel van staafjes en gewichtjes in de tijdklok was een puinhoop.

Vanuit de deuropening achter zich hoorde Sonea het onmiskenbare gegrinnik en het bijbehorende gesmoorde gegiechel. Ze ging rechtop staan, maar draaide zich niet om.

Na haar gesprek met Dorrien was ze vol zelfvertrouwen en stond ze klaar om Regin bij de eerste de beste gelegenheid uit te dagen, maar naarmate de dag verstreek begonnen de twijfels weer toe te slaan. Telkens als ze dacht aan een echt gevecht met Regin leek het idee aan glans te verliezen en aan dwaasheid te winnen. Strijdvaardigheid was Regins beste vak, en haar zwakste. Als ze verloor zou hij haar haar hele leven blijven treiteren. Het was het risico niet waard.

Tegen het eind van de week was ze er zeker van dat het het stomste was dat ze kon doen. Als ze nu maar stug volhield, moesten die spelletjes hem toch uiteindelijk de neus uitkomen. Dat ze uitgescholden en overvallen werd buiten schooltijd kon ze nog wel even aan.

Maar dit was andere koek. Terwijl ze keek naar de janboel waarin haar werk veranderd was, voelde ze zich witheet worden. Dit ging gewoon te ver. Niet dat ze bang was dat de leraren haar een laag cijfer zouden geven omdat haar proef mislukt was. Dat zou waarschijnlijk wel meevallen. Maar wanneer Regin dit soort geintjes uithaalde, belette hij haar iets te leren. En als hij haar belette iets te leren, verminderde hij de kans dat ze op een goeie dag slim genoeg zou zijn om het Gilde te helpen Akkarin te verslaan.

Er brak iets in haar en ze kon haar woede nauwelijks meer kon intomen. Plotseling wilde ze niets liever dan Regin in een smeulend hoopje as veranderen.

'Laat die hufter ten overstaan van iedereen in het stof bijten – geef jezelf maar *helemaal. Mocht hij je daarna toch weer aanvallen, dan daag je hem gewoon nog een keer uit. Dan zal hij het verder wel uit zijn hoofd laten.'*

Een formele strijd. Een risico was het wel. Maar wachten was ook een gok. Misschien kwam het hem nooit zijn neus uit en bleef hij haar zijn hele leven lang najagen. En aan wachten had ze een hekel...

'Zorg dat er zo veel mogelijk mensen weten dat je hem uitdaagt.'

Toen ze zich langzaam omdraaide zag ze Regin en de novicen van haar vroegere klas in de deuropening staan. Ze beende op hen af, duwde ze opzij en liep de gang op. Buiten liepen andere leerlingen en leraren heen en weer. Het geroezemoes was niet zo luid dat één enkele stem er niet bovenuit kon komen. Er verscheen een magiër in een purper gewaad die naar het klaslokaal liep. Heer Sarrin, hoofd van Alchemie. Perfect.

'Wat is er aan de hand, Sonea?' hoonde Regin. 'Is je experimentje mislukt?'

Sonea draaide zich om zodat ze hem in de ogen keek. 'Regin, van de familie Winar, Huis Paren, ik daag je uit voor een formeel gevecht in de Arena!'

Met open mond stond Regin stokstijf tegenover haar.

Stilte verspreidde zich als nevel door de gangen. Vanuit haar ooghoek zag ze allerlei gezichten die zich naar haar toedraaiden. Zelfs heer Sarrin bleef verrast staan. Ze zette het akelige gevoel dat ze iets heel stoms had gedaan van zich af. *Te laat.*

Regins mond klapte dicht. Hij keek haar bedachtzaam aan. Ze vroeg zich af of hij zou weigeren, of zou zeggen dat ze het niet waard was om tegen te vechten. *Geef hem geen tijd erover na te denken.*

'Nou, neem je het aan?' vroeg ze.

Hij aarzelde en begon toen breed te glimlachen. 'Ik neem je uitdaging aan, Sonea van de familie die er niets toe doet.'

Toen barstte het gefluister en gemompel los. Bang dat de moed haar in de schoenen zou zinken als ze om zich heen keek, hield Sonea haar blik op Regin gericht. Hij keek met een grijns naar zijn maten. 'O, wat zal dat een leuke –'

'Jij kiest dag en tijd,' beet ze hem toe.

Heel even verdween zijn lach, maar die kwam al snel weer terug. 'Dan geef ik je de tijd om nog wat bij te leren. Vrijdag, morgen over een week, twaalf uur 's middags. Dat lijkt me meer dan genoeg.'

'Sonea,' zei een oudere stem.

Ze draaide zich om en zag heer Elben naar haar toe komen. Hij keek naar het publiek dat zich rond haar verzameld had en fronste zijn voorhoofd. 'Je experiment is mislukt. Ik heb er gisteravond nog naar gekeken, en vanochtend ook, en ik kan geen reden voor de mislukking bedenken. Je krijgt nog een dag voor een tweede poging.'

Ze maakte een buiging. 'Dank u, heer Elben.'

Hij keek peinzend naar de leerlingen die in de deuropening stonden. 'Genoeg gekletst dan. De les wordt altijd binnen het lokaal gehouden, voor zover ik weet.'

'Jij meer siyo drinkt dan vorige keer, ja?'

Dannyl gaf de fles aan Jano door en knikte. 'Ik denk dat ik snap wat jullie er zo lekker aan vinden.'

De zeeman keek hem een beetje benauwd aan. 'Je toch geen vreemde magie gaat bedrijven als je drinkt, ja?'

Dannyl zuchtte en schudde het hoofd. 'Zo dronken ben ik nou ook weer niet, al kom ik deze reis liever geen zeebloedzuigers meer tegen.'

Jano klopte hem op de schouder. 'Geen eyoma, zo ver naar 't zuiden, weet je nog?'

'Ik zal het mijn leven lang onthouden,' mompelde Dannyl. Zijn woorden werden gesmoord door het gejuich van de bemanning. Een ander bemanningslid was net de hut binnengelopen. De man grijnsde en liep naar zijn hangmat. Hij haalde een aardewerken instrumentje uit zijn plunjezak en wankelde naar zijn plek aan het hoofd van de tafel.

Terwijl de man begon te spelen, liet Dannyl de afgelopen week nog eens de revue passeren. Hij en Tayend hadden binnen drie dagen Capia bereikt, via de kortste weg. Bij elke herberg hadden ze een vers paard genomen. Tayend was bij zijn zuster gebleven en Dannyl was doorgereden naar de stad. Het Gildehuis ging hij alleen binnen om een koffertje te pakken, en hij liep meteen door naar de haven om een schip te vinden dat die avond nog naar Imardin voer.

Tot zijn grote genoegen was dat schip de *Fin-da*. Jano begroette hem als een oude vriend en verzekerde hem dat de terugreis een stuk sneller zou gaan, nu de lentewinden opstaken.

Jano had echter niet gemeld dat die lentewinden ook een ruwere zee betekenden. Het kon Dannyl niet echt schelen, maar het verplichtte hem wel om vrijwel de hele dag benedendeks te blijven, waar hij uren in zijn hut lag te piekeren over de ontvangst die hem in het Gilde te wachten stond.

Zijn angst dat Akkarin zijn gevoelens voor Tayend zou hebben opgevangen groeide met het uur. Toen hij zijn koffertje aan het pakken was, had Errend hem nog snel een paar brieven toegespeeld. De eerste die hij las was van Rothen, maar Dannyl was teleurgesteld dat die alleen een waarschuwing bevatte.

– ik heb me niet zoveel aangetrokken van die geruchten. Want ze hebben betrekking op je assistent, en niet op jou. Maar ik dacht dat ik het je beter kon vertellen, zodat je zelf kunt bepalen of dit je in de toekomst mogelijk weer in een lastig parket zou kunnen brengen...

Rothen dacht dus dat Dannyl het niet wist van Tayend. Het hof van Elyne was er dus perfect ingetrapt, want zo hadden ze het ook gespeeld. Nu hij echter 'geïnformeerd' was over Tayends voorkeur, verwachtten de Ely-neeërs – en de Kyralianen – natuurlijk dat hij Tayends gezelschap voortaan zou mijden.

Tenzij niemand wist dat Rothen hem dit geschreven had. Hij kon doen alsof de brief hem nooit had bereikt... Maar nee, zodra hij het Gildeterrein betrad zou Rothen willen weten of hij de brief ontvangen had. Zo niet, dan zou hij hem terstond de inhoud vertellen. Dat schoot niet op.

Maar wat als Akkarin...? Dannyl had geen flauw idee hoe de opperheer achter zijn onderzoek gekomen was. Misschien hadden die bronnen hem ook wel ingelicht over Dannyls 'vriendschap' met Tayend. En stel dat Akkarins vermoeden bevestigd was tijdens dat korte mentale gesprek?

Dannyl zuchtte. Een paar dagen lang was het leven een feest geweest. Hij was gelukkiger dan hij ooit geweest was. En nu... *dit.*

Toen de fles weer in zijn handen werd gedrukt, nam hij een flinke teug van het sterke goedje. *Zolang Tayend er maar geen last van heeft dat wij elkaar kennen,* dacht hij, *zolang zal ik gelukkig zijn.*

De Nachtzaal was stampvol. Sinds de jacht op Sonea had Lorlen niet meer zo'n drukte meegemaakt. Magiërs die vrijwel nooit naar de wekelijkse bijeenkomsten kwamen, waren nu opeens wel aanwezig.

De meest opmerkelijke was de man naast hem. De zee van rode, groene en purperen gewaden week uiteen voor Akkarin, die zich een weg baande naar de stoel die officieus van hem was.

De opperheer vermaakte zich kostelijk. Voor anderen betekende zijn neutrale gelaatsuitdrukking onverschilligheid, maar Lorlen wist wel beter. Als Akkarin zich niet wilde mengen in de discussie over zijn uitverkorene die een andere novice had uitgedaagd, was hij wel thuisgebleven. De drie afdelingshoofden zaten al rond Akkarins leunstoel, en ook andere hoofdmagiërs begonnen zich rond de stoel te verdringen terwijl de opperheer plaatsnam. Onder hen bevond zich ook Rothens zoon Dorrien.

'Het schijnt dat je favoriete magiërsleerling alweer een manier gevonden heeft om ons te vermaken, Akkarin,' zei vrouwe Vinara. 'Ik begin me af te vragen wat we van haar kunnen verwachten wanneer ze eenmaal afgestudeerd is.'

Eén mondhoek van Akkarin krulde omhoog. 'Dan ben je niet de enige.'

'Was die uitdaging van jou of van haarzelf?' bromde Balkan.

'Van mij was hij niet.'

Balkan trok zijn wenkbrauwen op. 'En heeft ze je goedkeuring gevraagd?'

'Nee, maar ik dacht niet dat daar een regel voor bestaat, al zou die er wel moeten zijn.'

'Dus je zou het verboden hebben als ze het had gevraagd?'

Akkarin kneep zijn ogen half toe. 'Dat weet ik niet. Als ze mijn advies had gevraagd had ik haar waarschijnlijk aangeraden nog even te wachten.'

368

'Misschien was het een spontaan besluit,' merkte heer Peakin op die achter Vinara's stoel stond.

'Nee,' antwoordde heer Sarrin. 'Ik was erbij. Ze koos een moment waarop er erg veel getuigen rondliepen. Regin kon niet anders dan accepteren.'

Toen hij zag dat het hoofd der Alchemisten naar een bepaald punt staarde, volgde Lorlen zijn blik. Achter de samengedromde magiërs stond heer Garrel, met nors gelaat.

'Als ze dit dus gepland heeft, moet ze wel zeker zijn van haar overwinning,' concludeerde Peakin. 'Hoe denkt u daarover, heer Balkan?'

De Krijger haalde zijn schouders op. 'Ze is sterk, maar een vaardig tegenstander zou haar misschien de baas kunnen.'

'En Regin?'

'Die is ervarener dan de gemiddelde tweedejaars.'

'Vaardig genoeg om te winnen?'

Balkan keek naar Akkarin. 'Vaardig genoeg om het voorspellen van de uitslag moeilijk te maken.'

'Denk jij dat ze wint?' vroeg Vinara aan Akkarin.

De opperheer zweeg even voor hij antwoordde. 'Ja.'

Ze glimlachte. 'Uiteraard doe je dat. Ze is je novice, en iedereen moet weten dat je haar steunt.'

Akkarin knikte. 'Dat telt wel mee.'

'Ze doet dit natuurlijk om jou een plezier te doen.' Lorlen keek verbaasd op toen hij Garrel deze uitspraak hoorde doen.

'Dat betwijfel ik,' antwoordde Akkarin.

Verbaasd keek Lorlen naar Akkarin en keek toen rond hoe de anderen daarop reageerden. Het leek niemand anders te verbazen. Alleen Dorrien keek peinzend voor zich uit. Misschien wist vrijwel iedereen dat Sonea niet bepaald gek was op haar mentor.

'Wat zou dan haar motivatie kunnen zijn?' vroeg Peakin.

'Als zij wint, zal Regin haar niet meer pesten, uit angst voor nog een uitdaging, en nog een verloren strijd,' antwoordde Vinara.

De verzamelde magiërs zwegen en wisselde blikken. Door het onderwerp van Regins pesterij aan te snijden in Akkarins en Garrels aanwezigheid, leek Vinara de aandacht op een mogelijk conflict tussen de twee mentors te richten. Normaal was het nooit een punt geweest om te spreken over novicen die vijandelijk tegenover elkaar stonden in de aanwezigheid van hun mentors, maar weinigen waagden dat te doen als een van die mentors de opperheer was. Het bracht Garrel in een moeilijke positie.

Geen van de mentors reageerde echter.

'Dat hangt af van hoe de strijd zich zal ontwikkelen,' zei Balkan, de stilte verbrekend. 'Als ze puur op kracht wint, levert haar dat geen respect op.'

'Wat maakt dat nou uit?' zei Sarrin. 'Als ze wint zal Regin haar in het vervolg met rust laten, ongeacht de wijze waarop ze de overwinning behaalt.'

Volgens mij kan het haar geen barst schelen wat de anderen van haar strijdvaardigheden vinden.'

'Er zijn bepaalde methoden om een sterkere magiër te verslaan,' bracht Balkan hem in herinnering. 'Regin weet dat. Hij heeft me al eens om extra lessen gevraagd die dat punt behandelen.'

'En Sonea? Krijgt zij ook extra les van jou?' vroeg Vinara aan Balkan.

'Heer Yikmo is haar leraar,' antwoordde Akkarin.

Balkan knikte. 'Zijn lesmethoden passen beter bij haar temperament.'

'Wie wordt de scheidsrechter?' vroeg een andere magiër.

'Dat ben ik,' sprak Balkan. 'Tenzij iemand ertegen is. Heer Garrel beschermt Regin. En jij beschermt Sonea zeker?' vroeg hij Akkarin.

'Ja.'

'Daar komt Sonea's leraar,' zei Sarrin toen Yikmo de zaal binnenslenterde. De Krijger bleef even staan en keek om zich heen, duidelijk verrast door de drukte. Toen hij Akkarin te midden van een grote groep magiërs ontdekte trok hij zijn wenkbrauwen op. Sarrin wenkte hem.

'Goedenavond, opperheer, administrateur,' zei Yikmo toen hij zich bij hen voegde.

'Heer Yikmo,' sprak Peakin, 'u kunt zich maar beter voorbereiden op een paar drukke avonden.'

Yikmo keek hem niet-begrijpend aan. 'Drukke avonden?'

Peakin grinnikte. 'Dus ze is al goed genoeg, volgens u? Heeft ze geen extra oefening nodig?'

De magiër snapte er niets meer van. 'Oefening?'

Vinara kreeg medelijden met hem. 'Sonea heeft Regin uitgedaagd voor een formeel duel.'

Yikmo staarde haar met grote ogen aan, en toen de anderen, terwijl hij langzaam bleek wegtrok.

'Ze heeft *wat?*'

Sonea ijsbeerde handenwringend door haar kamer. *Wat heb ik gedáán? Ik heb me in mijn woede niet kunnen beheersen, dát is het. Ik weet geen barst van vechten! Ik zal mezelf totaal voor schut laten zetten voor het oog van al die —*

'Sonea.'

Ze draaide zich om en keek verbijsterd naar de man die in de deuropening stond. Dit was de eerste keer dat iemand haar een bezoek bracht sinds ze in de ambtswoning van de opperheer woonde.

'Heer Yikmo,' zei ze met een buiging.

'Je bent er nog niet aan toe, Sonea.'

Ze kromp ineen, en de angst sloeg haar om het hart. Als Yikmo ook al dacht dat ze niet kon winnen...

'Ik hoopte dat u me zou helpen, heer.'

Yikmo's gelaatsuitdrukkingen wisselden elkaar snel af. Ontsteltenis. Bedachtzaamheid. Interesse. Hij fronste en liet zijn vingers door zijn haar glijden.

'Ik begrijp wel waarom je het doet, Sonea. Maar ik hoef je er niet aan te herinneren dat Garrel een uitstekend Krijger is en dat Regins vaardigheden beter zijn dan de jouwe – ondanks alles wat ik je heb geleerd. Hij heeft een week om zich voor te bereiden, en Balkan zal hem bijstaan.'

Balkan! Het werd alleen maar erger! Sonea keek naar haar handen. Gelukkig trilden ze niet, maar haar maag draaide zich om zodat ze zich misselijk begon te voelen.

'Maar ik ben sterker, en de regels van een uitdaging leggen kracht geen beperkingen op,' zei ze.

'Je kunt niet op je kracht alleen vertrouwen om de wedstrijd te winnen, Sonea,' waarschuwde Yikmo haar. 'Er staan bepaalde handigheidjes tegenover. Ik weet zeker dat Balkan ze er allemaal bij Regin in zal pompen.'

'Dan kunt u maar beter meteen beginnen ze mij ook te leren,' antwoordde ze. Verbaasd over de vastbesloten klank van haar stem, lachte ze verontschuldigend. 'Helpt u me?'

Hij glimlachte. 'Waarom dacht je dat ik hier was? Ik kan de uitverkorene van de opperheer nu moeilijk laten vallen, wel?'

'Dank u, heer.'

'Als je maar niet denkt dat ik het uit respect voor je mentor doe.'

Verrast keek ze hem aan en zag goedkeuring in zijn blik. Ze had nooit verwacht dat ze, van alle leraren, uitgerekend van een Krijger het respect zou winnen.

'Je snapt natuurlijk wel dat men toe gaat kijken wat ik je bijbreng in die paar dagen,' zei hij. 'Ze zullen alles overbrieven aan Regin en Garrel.'

'Daar heb ik al over nagedacht.'

'En?'

'Wat... wat dacht u van de Koepel?'

Yikmo trok zijn wenkbrauwen op en begon toen breed te grijnzen. 'Dat kan wel geregeld worden, denk ik.'

36

Het gevecht begint

Toen het rijtuig door de poort van het Gildeterrein reed, wierp Dannyl een blik op de universiteit. De Gildegebouwen waren hem heel vertrouwd, maar wat leken ze nu vreemd en streng. Hij keek even naar de ambtswoning van de opperheer.

Vooral dat gebouw.

Hij keek naar de schoudertas die naast hem op de bank lag en pakte hem op. Er zat een kopie in van de aantekeningen die hij en Tayend bijeen hadden gesprokkeld, zo herschreven dat er niet uit bleek dat het een herhaling was van Akkarins reis. Hij beet op zijn onderlip. *Als Akkarin wist dat dit puur een onderzoek naar zijn verleden was, zou hem dat nog kwader maken dan hij al was. Maar ik zit toch goed in de puree, dus wat maakt het uit.*

Het rijtuig stopte en schommelde heen en weer toen de koetsier van de bok klom. Het deurtje ging open. Dannyl stapte uit en wendde zich tot de koetsier. 'Laat mijn hutkoffer naar mijn kamer brengen,' beval hij.

De man maakte een buiging en liep naar de achterkant van de koets, waar de kist met touw aan een smal bagagerek was vastgemaakt.

Met de tas onder zijn arm liep Dannyl het pad naar het huis van de opperheer op. Hij merkte op dat de tuinen helemaal leeg waren, wat erg vreemd was voor zo'n zonnige Vrijdagochtend. *Waar zit iedereen?*

Toen hij de deur van de ambtswoning bereikte, was zijn mond droog en klopte zijn hart sneller dan gewoonlijk. Hij haalde diep adem en reikte naar de deurklink. Voor hij hem aanraakte zwaaide de deur al naar binnen open.

Een bediende kwam aangelopen en maakte een buiging. 'De opperheer verwacht u in de bibliotheek, ambassadeur Dannyl. Volgt u mij alstublieft.'

Dannyl liet zijn ogen bewonderend door de weelderig ingerichte ontvangstkamer gaan. Hij was nooit eerder in de ambtswoning geweest.

De bediende deed een deur open en liet Dannyl voorgaan op de wenteltrap. Bovenaan ging hij hem voor door een smal gangetje naar een aantal open deuren aan de rechterkant.

De muren van de zaal die ze betraden waren van boven tot onder bedekt met boeken. *Wat zouden hier allemaal voor geheimen in staan?* vroeg Dannyl zich af. *Staat er ook iets in over –?*

Toen ontdekte hij een bureau aan de ene kant van de zaal, waarachter de in het zwart geklede opperheer op hem zat te wachten. Zijn hart sloeg een slag over en begon toen weer sneller te slaan.

'Welkom thuis, ambassadeur Dannyl.'

Verman jezelf! sprak Dannyl zichzelf toe. Hij neeg zijn hoofd beleefd naar Akkarin. 'Dank u, opperheer.'

Hij hoorde dat de deuren gesloten werden en dat de bediende verdwenen was. *Nu zit ik in de val...*

Hij stapte naar voren en legde de tas op Akkarins bureau. 'Mijn aantekeningen,' zei hij. 'Zoals u gevraagd hebt.'

'Dank je,' sprak Akkarin. Eén bleke hand pakte de tas, de andere gebaarde naar een stoel. 'Ga zitten. Je zult wel vermoeid zijn van de reis.'

Dannyl liet zich dankbaar in de stoel neervallen en keek toe hoe Akkarin door de aantekeningen bladerde. Ondertussen liet hij zijn zeurende hoofdpijn verdwijnen. De vorige avond had hij een beetje te veel siyo gedronken in een poging om niet te denken aan wat hem de volgende dag te wachten zou staan.

'Je hebt de Glorieuze Tempel bezocht, zie ik.'

Dannyl slikte. 'Ja.'

'Heeft de hogepriester je toegestaan de boekrollen te lezen?'

'Hij heeft ze me voorgelezen – nadat ik gezworen had de inhoud geheim te houden.'

Akkarin glimlachte flauwtjes. 'En de Tombe van de Witte Tranen?'

'Ja. Fascinerend was dat.'

'En zo kwam je bij Armjé terecht?'

'Niet direct. Als ik mijn onderzoek vervolgd had was ik in Sachaka terechtgekomen, maar mijn taken als ambassadeur verhinderden dat.'

Akkarin was even stil. 'De grens overgaan zou ook... niet aan te raden zijn geweest.' Hij keek Dannyl aan met een afkeurende uitdrukking. 'Sachaka maakt geen deel uit van de Alliantie en als lid van het Gilde kun je daar niet naartoe, tenzij je een opdracht van de koning zelf op zak hebt.'

Dannyl schudde het hoofd. 'Daar had ik niet eens aan gedacht, maar ik was ook niet van plan om zomaar een onbekend land binnen te wandelen zonder hier eerst wat inlichtingen te hebben ingewonnen.'

Akkarin keek Dannyl bedachtzaam aan en richtte zijn blik weer op de aantekeningen. 'Maar waarom ging je naar Armjé?'

'Dem Ladeiri drong erop aan de ruïnes te bezoeken toen ik een paar dagen bij hem logeerde.'

Akkarin fronste zijn voorhoofd. 'Zo, drong hij daarop aan...' Weer zweeg hij om verder te lezen. Na een paar minuten zette hij grote ogen op, en keek vervolgens Dannyl verbaasd aan.

'Je overleefde het?'

Dannyl knikte. 'Ja, al kon ik dagen erna nog geen deuk in een pakje boter slaan, laat staan toveren.'

Terwijl Akkarin verder las, vroeg Dannyl zich af of hij de man ooit eerder verbaasd had gezien. Hij kwam tot de conclusie dat dat niet zo was, en hij voelde zich trots dat juist hij erin geslaagd was de opperheer verbaasd te laten staan.

'Dus je hebt de blokkade overwonnen,' mijmerde Akkarin. 'Interessant. Misschien raakt de ruimte langzamerhand zijn kracht kwijt. Uiteindelijk moet de kracht verdwijnen.'

'Mag ik iets vragen?' waagde Dannyl.

Akkarin keek op met één wenkbrauw opgetrokken. 'Dat mag.'

'Als u de Spelonk van Opperste Straf kende, waarom heeft u er dan nooit wat over verteld?'

'Dat heb ik wel gedaan.' Akkarin trok geamuseerd een mondhoek op. 'Maar omdat er hier toch niemand woont die hem zou kunnen onderzoeken zonder een aanval uit te lokken – en om bijkomende redenen van politieke aard – werd er beslist dat alleen de hoofdmagiërs van het bestaan op de hoogte zouden worden gebracht. En dat betekent weer dat ik jou moet vragen de kennis van de spelonk voor je te houden.'

Dannyl knikte. 'Ik begrijp het.'

'Wat een vreselijke pech dat mijn waarschuwing afgebrokkeld was en als stof op de grond lag.' Akkarin zweeg even en kneep zijn ogen tot spleetjes. 'Was er iets waaruit je kon opmaken dat die opzettelijk verwijderd was?'

Verrast dacht Dannyl terug aan de muur en aan wat er over was van Akkarins naam. 'Nee, ik zou het niet weten.'

'Iemand moet dat onderzoeken. Die plek kan een levensgevaarlijk oord voor magiërs worden.'

'Ik kan dat wel doen, als u wilt.'

Akkarin keek hem nadenkend aan en knikte toen. 'Ja. Het is misschien beter dat er geen anderen bij betrokken worden. Je assistent was erbij, niet-waar?'

Dannyl aarzelde en opnieuw vroeg hij zich af hoeveel Akkarin had opgepikt gedurende hun korte mentale gesprek. 'Ja – maar Tayend kunt u vertrouwen.'

Akkarins blik fonkelde even en hij wilde iets zeggen, maar er werd plotseling geklopt. Hij richtte zijn blik op de deur. Die zwaaide naar binnen open.

De bediende stapte naar binnen en maakte een buiging. 'Heer Yikmo is gearriveerd, opperheer.'

Akkarin knikte. Toen de deur weer dicht was keek hij Dannyl strak aan. 'Je kunt over een week weer terug naar Elyne.' Hij sloot de tas. 'Ik ga dit allemaal doornemen, en ik zal van de week vast en zeker een paar dingen met je willen bespreken. Maar momenteel' – hij stond op – 'moet ik naar een formele strijd in de Arena.'

Dannyl keek hem met grote ogen aan. 'Een formele strijd?'

De opperheer leek te glimlachen. 'Mijn novice heeft, wellicht wat overhaast, een ander uitgedaagd.'

Sonea heeft Regin uitgedaagd voor een gevecht! Toen de mogelijkheden en consequenties hem voor ogen kwamen, grinnikte hij. 'Dat moet ik zien.'

Akkarin schreed de bibliotheek uit, gevolgd door Dannyl, die enorm opgelucht was. Geen indringende vragen over de redenen van zijn onderzoek, en het had zelfs even geleken of Akkarin tevreden was met zijn vorderingen. Dannyl en Tayend – en Lorlen – hadden geen reprimande gekregen. Rothen ook niet, al was het te hopen dat Akkarin niets wist van Rothens nieuwe 'hobby': oude magie.

En hij had met geen woord over Tayend gerept.

Nu hoefde hij alleen Rothen nog maar onder ogen te komen. Dannyls mentor zou wel verrast zijn hem te zien. Dannyl had Rothen niet gewaarschuwd, aangezien geen enkele brief sneller kon aankomen dan hijzelf, en mentale communicatie wilde hij even niet riskeren. Rothen was altijd in staat geweest meer uit Dannyls gedachten op te maken dan hij wilde meedelen. Misschien zou hij niet al te blij zijn met het nieuws, en Dannyl wilde zijn enige goede vriend in het Gilde niet graag kwijtraken.

Maar hij had wel besloten de geruchten over Tayend niet te ontkennen. Rothen zou de leugen toch snel genoeg ontdekken. Hij moest Rothen alleen verzekeren dat hij zijn eer niet op het spel zou zetten door zich te veel met hem bezig te houden. De Elyneeërs waren echter een tolerant volk, en men verwachtte dat hij normaal met Tayend omging.

Over een paar weken zou hij terug zijn in Elyne met de toestemming van de opperheer op zak om Armjé te onderzoeken, naast de vervulling van zijn plichten als ambassadeur. En hij zou weer met Tayend samenwerken.

Zijn omstandigheden waren er kortom alleen maar beter op geworden!

Sonea legde opnieuw een knoop in de sjerp van haar gewaad en streek het materiaal glad. Wat leek het dun en teer vandaag. *Ik heb het gevoel dat ik een wapenrusting aan zou moeten trekken, geen gewaad.*

Ze sloot haar ogen en wenste dat ze iemand bij zich had die zenuwachtig ditjes en datjes liep te doen terwijl zij zich voorbereidde. Yikmo kon natuurlijk niet bij haar zijn terwijl ze een schoon gewaad aantrok. Akkarin ook niet, en daar was ze bijzonder dankbaar voor. Nee, dit was zo'n moment waarop ze Tania miste. Rothens huishoudster had haar laten beloven dat ze als winnaar uit de Arena zou komen, maar verzekerde haar een moment later dat verliezen niet uitmaakte voor degenen die van haar hielden.

Ze haalde diep adem en merkte dat de sjerp net iets te strak zat. Ze maakte hem voor de derde keer los. Vandaag zou ze zo veel mogelijk bewegingsvrijheid nodig hebben. Ze keek naar de schaal lekkernijen en broodjes die Viola twee uur geleden binnen had gebracht. Maar ze kon geen hap door haar keel krijgen, en ze begon weer te ijsberen.

Ze had één voordeel, of twee eigenlijk: terwijl Yikmo's spionnen alle oefeningen die Regin in de afgelopen week in de Arena had gedaan keurig uit de doeken hadden gedaan, was haar eigen training verborgen gebleven in de claustrofobische, potdichte ruimte van de Koepel. Yikmo had haar alle strategieën bijgebracht die een zwakkere magiër zou kunnen inzetten tegen een sterkere. Hij had haar gedrild in alle trucs die Garrel en Balkan haar tegenstander bij zouden brengen, plus een paar extra. En natuurlijk hoe ze daarop moest reageren.

Van haar eigen mentor had ze maar weinig gezien. Maar zijn invloed was alom aanwezig geweest. De protesten tegen novicen die zich met formele gevechten bezighielden waren al op de eerste dag verstomd. Balkan was er overduidelijk niet blij mee dat Sonea de Koepel gebruikte, maar Akkarin had zijn toestemming gegeven. En toen Sonea de Koepel voor de eerste keer betrad, had Yikmo haar verteld dat de opperheer de koepelvormige structuur extra versterkt had om er zeker van te zijn dat ze het oude gebouw niet per ongeluk zou beschadigen.

Pas de volgende avond dacht ze eraan dat de magie die hij gebruikt had wel eens zwarte magie kon zijn geweest. Ze had er niet van kunnen slapen, gekweld door haar geweten dat de magie die haar hielp in haar kinderachtige gekibbel met een ander novice wel eens ontstaan kon zijn uit de dood van een onbekende.

Maar weigeren kon ze Akkarins steun niet, dat zou maar argwaan hebben gewekt. Hij had zichzelf uitgeroepen als haar beschermheer gedurende de strijd. Zijn magie zou het binnenste schild vormen dat haar zou redden als haar buitenschild het begaf. Die gedachte maakte haar erg onrustig. En als Rothen en Lorlen er niet waren geweest, had ze zich ook nog zorgen moeten maken dat Akkarin de strijd zou kunnen gebruiken om haar uit de weg te ruimen.

Toen er op haar deur geklopt werd, draaide ze zich vliegensvlug om en haar hartslag versnelde merkbaar. *Eindelijk*, dacht ze. Ze ademde diep in en uit en liep naar de deur. Ze deed open en stond oog in oog met Akkarin. Maar achter hem stond nog iemand, en verrast herkende ze Dannyl.

'Opperheer,' zei ze en boog. 'Ambassadeur Dannyl.'

'Heer Yikmo is gearriveerd,' zei Akkarin tegen haar.

Ze haalde nogmaals diep adem en liep snel de trappen af. Yikmo ijsbeerde door Akkarins ontvangstkamer. Hij richtte zijn hoofd op toen hij haar de kamer zag binnenkomen.

'Sonea! Mooi, ben je er klaar voor? Hoe voel je je?'

'Prima.' Ze glimlachte, in het besef dat de anderen ook zo beneden zouden zijn. 'Hoe kan het ook anders na alles wat u me geleerd heeft?'

Hij grijnsde scheef. 'Je vertrouwen in me is –' Hij zweeg en keek weer ernstig toen Akkarin en Dannyl de kamer binnenkwamen. 'Goedemorgen, opperheer, ambassadeur Dannyl.'

'Ik nam aan dat je voor mijn novice kwam, dus heb ik haar maar naar beneden gestuurd,' zei Akkarin.

'Dat klopt,' zei Yikmo. Hij keek naar Sonea. 'We kunnen Regin beter niet laten wachten.'

De voordeur ging open na een gebaar van Akkarin. Ze voelde aller ogen op zich gericht, dus stapte Sonea snel het zonlicht in.

Toen ze het pad naar de universiteit insloeg, kwam Yikmo aan haar rechter- en Akkarin aan haar linkerzijde lopen. Dannyl liep aan de voetstappen te horen achter haar. Ze vroeg zich af wat hij zo vroeg bij Akkarin deed, maar bleef strak voor zich uit kijken. Vast iets belangrijks, anders was hij er niet voor teruggekomen uit Elyne.

Haar metgezellen liepen zwijgend voort. Sonea keek even naar Yikmo en hij glimlachte ten antwoord. Naar Akkarin keek ze niet, maar ze was zich scherp bewust van zijn aanwezigheid – ze had zich nog geen minuut de uitverkorene van de opperheer gevoeld, tot nu toe. De verwachtingen van het Gilde moesten wel hoog gespannen zijn. Als ze verloor...

Denk maar aan iets anders, zei ze tegen zichzelf.

Vlak bij de universiteit liet ze haar gedachten nogmaals over de lessen van Yikmo gaan.

'Regin zal proberen je je krachten te laten verspillen. De beste manier om dat te doen is door list en bedrog.'

Bedriegen was inderdaad een belangrijk onderdeel van Regins vechtstijl. Hij had haar menigmaal op het verkeerde been gezet in de eerstejaarscursus strijdvaardigheden.

'Veel van wat je geleerd hebt zul je niet nodig hebben. Aan projectie heb je niet veel in de Arena: er is daar niets dat je kunt verplaatsen. Schoktreffers zijn toegestaan, maar worden als onfatsoenlijk aangerekend. Geesttreffers zijn natuurlijk verboden, al zou je er alleen als afleidingsmanoeuvre gebruik van kunnen maken.'

Regin had nog nooit een geesttreffer tegen haar gebruikt, dat hadden ze nog niet geleerd.

'Maak geen gebaren! Dan verraad je wat je van plan bent. Een goed Krijger verroert geen vin gedurende de strijd, en houdt vooral zijn gezichtsuitdrukking neutraal.'

Yikmo had het altijd over 'hij' als hij het over Krijgers had, wat ze eerst wel grappig vond, maar waaraan ze zich na een tijdje begon te ergeren. Toen ze haar beklag deed moest hij lachen. 'Vrouwe Vinara zou je een schouderklopje geven, maar Balkan zou zeggen: "Pas wanneer er meer vrouwelijke dan mannelijke Krijgers zijn, zal ik mijn taalgebruik daaraan aanpassen."'

Ze glimlachte bij de herinnering en liep zo langs de universiteit naar de Arena, waar het wemelde van de magiërs die popelden om het schouwspel bij te wonen.

'Is iedereen gekomen?' zei ze ontzet.

'Waarschijnlijk wel,' zei Yikmo luchtig. 'Regin heeft een Vrijdag gekozen om het tegen je op te nemen, zodat de hele universiteit kan zien hoe hij verliest.'

Sonea trok wit weg. Novicen en magiërs, iedereen keek naar haar. Zelfs niet-magiërs – echtgenoten, echtgenotes, kinderen en bedienden – waren meegekomen voor het spektakel. Honderden mensen staarden haar aan. Geflankeerd door haar leraar en mentor liep ze tussen hen door. De hoofd-magiërs stonden in een rij opgesteld. Yikmo leidde haar naar hen toe en bleef staan terwijl ze een buiging maakte. Formele groeten werden uitgewisseld en toen hoorde ze opeens haar naam.

'Wel, Sonea, je tegenstander staat al op je te wachten,' zei heer Balkan, en gebaarde naar rechts. Daar stonden Regin en heer Garrel bij een haag die in de vorm van een poort was geknipt. Het pad dat eronder door liep leidde naar de ingang van de Arena.

'Veel geluk, Sonea,' zei Lorlen met een glimlach.

'Dank u, administrateur.' Ze klonk wat timide en ze ergerde zich eraan. Zij was de uitdager. Ze zou deze strijd tegemoet moeten treden met alle zelfvertrouwen van de wereld.

Toen ze naar de Arena wilde lopen, legde Yikmo een hand op haar arm. 'Laat je niet gek maken, blijf nadenken, dan zal het allemaal wel lukken,' zei hij zacht. Hij stapte naar achter en gebaarde dat ze moest gaan.

Met alleen Akkarin nog naast zich naderde ze de groene poort. Toen ze Regin aankeek kreeg hij een smalende uitdrukking, en ze dacht terug aan de eerste keer dat hij haar bekeken had, voor de toetredingsceremonie. Ze keek uitdagend terug.

Toen ze voelde dat ook Garrel naar haar keek, richtte ze haar aandacht op hem. De magiër nam haar met onverholen weerzin en woede op. Was hij kwaad op haar omdat hij zoveel extra tijd aan zijn novice had moeten besteden, de afgelopen week? Was hij beledigd omdat ze het had gewaagd zijn eigen neef uit te dagen? Of was hij verbolgen omdat ze hem in een ongelukkige positie tegenover de opperheer had geplaatst?

Kan het me schelen? Nee. Hij had het kunnen weten, en als hij Regin verboden had haar nog langer te pesten toen ze Akkarin als mentor had gekregen, zou er niets gebeurd zijn. De gedachte dat deze uitdaging hem in een minder aangename situatie had gebracht deed haar nogmaals glimlachen. Ze stapte door het poortje en liep met ferme pas naar de Arena.

Met Akkarin naast zich daalde ze het trapje naar het portaal van de Arena af. Toen ze weer boven kwam liep ze meteen door naar het midden van de met zand bestrooide ruimte en bleef daar staan. Garrel, Regin en Balkan waren haar achterna gegaan. Rondom de kring van de hoge, gebogen zuilen verspreidden de toeschouwers zich over de stenen banken; wie te laat kwam kon slechts op de trappen een plaatsje vinden.

Sonea keek even naar Regin. Hij staarde naar de tribunes met een ongewoon ernstig gezicht. Ze liet haar blik over de menigte glijden tot ze Rothen zag, met Dorrien naast zich. Hij grijnsde en zwaaide. Rothen glimlachte fijntjes.

Balkan ging tussen haar en Regin in staan, hief zijn armen en wachtte tot het geroezemoes van het publiek bedaard was.

'Het is al vele jaren geleden dat twee magiërs er noodzaak toe zagen een geschil te beslechten, dan wel hun vaardigheid te bewijzen met een formeel gevecht in de Arena,' begon Balkan. 'Vandaag zullen we het eerste gevecht sinds tweeënvijftig jaar bijwonen. Aan mijn rechterhand staat de uitdager, Sonea, uitverkoren novice van de opperheer. Links van mij staat de tegenstander, Regin, van de familie Winar, Huis Paren, uitverkoren novice van heer Garrel.

De mentors van de strijders zijn vandaag hun beschermheren. Zij mogen nu het binnenschild rond hun novicen optrekken.'

Sonea voelde een hand even licht op haar schouder rusten. Ze huiverde en keek toen naar zichzelf. Akkarins schild was vrijwel onzichtbaar. Ze weerstond de drang om het te testen.

'De beschermheren mogen nu de Arena verlaten.'

Ze volgde Akkarin en Garrel met haar ogen naar het portaal. Toen de twee buiten de Arena weer opdoken, zag ze dat Garrels gezicht knalrood van woede was, terwijl Akkarin peinzend voor zich uit keek. Hij had blijkbaar iets gezegd dat Regins mentor razend had gemaakt. Had hij de draak met hem gestoken of hem bespot? Bij die gedachte kreeg ze een onverwacht tevreden gevoel. Maar dat verdween toen Balkan weer het woord nam.

'De strijdende partijen mogen hun plaatsen innemen.'

Meteen draaide Regin zich om en begon naar de andere kant van de Arena te lopen. Sonea liep de tegenovergestelde kant op. Ze haalde een paar keer diep en langzaam adem. Nu zou ze al haar aandacht op Regin moeten richten. Ze zou alle toeschouwers moeten vergeten en zich alleen op het gevecht moeten concentreren.

Een paar passen voor de rand van de Arena draaide ze zich om. Balkan liep naar het portaal, verdween daar naar binnen en verscheen weer boven aan de trap buiten de Arena, voor hij boven op het dak van het portaal ging staan.

'De winnaar is degene die het merendeel van vijf ronden gewonnen heeft,' deelde hij de toeschouwers mee. 'Een ronde is voorbij wanneer het binnenschild getroffen wordt met een kracht die als fataal mag worden aangerekend. Geesttreffers zijn verboden. Als een strijder magie gebruikt vóór het gevecht officieel is begonnen, wint de tegenstander. Een gevecht begint wanneer ik "start" zeg en wordt beëindigd als ik "stop" zeg. Is dit begrepen?'

'Ja, heer,' antwoordde Sonea. Regin herhaalde haar woorden.

'Bent u klaar?'

'Ja, heer.' Nogmaals zei Regin het haar na.

Balkan hief een hand en legde die vlak bij de begrenzing van de Arena. Hij stuurde een krachtige lichtstraal over de open koepel van de Arena heen. Sonea keek naar Regin.

'Start!'

Regin stond met zijn armen over elkaar, maar het spottende lachje dat ze had verwacht ontbrak. Ze zag de lucht rimpelen toen hij de eerste treffer liet gaan. Hij raakte haar schild één tel nadat ze haar antwoord gestuurd had.

Zijn schild bleef intact, maar hij retourneerde geen tweede treffer. Ze zag dat zijn voorhoofd gefronst was; hij dacht vast na met welke truc hij haar kon verleiden haar krachten te verspillen.

De lucht tussen hen in trilde nogmaals toen hij magie naar haar toe slingerde, ditmaal in een tweevoudige aanval. De treffers flitsten bleek op, ze werden eerder gevoeld dan gezien. Ze zagen eruit als krachttreffers – maar óf ze waren krachtig genoeg om die witte tint te krijgen, óf ze...

Sonea voelde de eerste treffers met een zacht plofje tegen haar schild aankomen en grinnikte. Hij probeerde haar met een list zover te krijgen dat ze haar schild onnodig zou versterken. Ze wilde het al verzwakken toen een andere trilling in de lucht haar waarschuwde voor iets nieuws. Terwijl een volle krachttreffer met een klap tegen haar schild belandde, dankte ze haar instinct, want deze was krachtig genoeg om haar een stap naar achteren te laten maken.

Het regende nu zwakke treffers, dus stuurde ze hem één grote, zeer krachtige straal energie terug. Regin zag verder af van zijn aanval en wierp een sterke blokkade op, maar een fractie van een seconde vóór haar treffer hem raakte, deed ze haar wilskracht gelden, en de hittetreffer verspreidde zich plotseling als een hagelbui van kleine rode schoktreffers die tegen Regins schild in het niets opgingen.

Regins gezicht vertrok van woede. Sonea glimlachte toen ze het publiek hoorde mompelen. De grap was de magiërs dus niet ontgaan. Ze moesten gehoord hebben hoe Regin en zijn maten haar met schoktreffers plachten uit te putten.

De volgende aanval van Regin kwam snel, maar kon gemakkelijk uit de weg worden gegaan. Sonea speelde zijn woede in de kaart door alleen maar schoktreffers terug te sturen. Ze deed geen moeite ze te verhullen; hij was nu voorbereid op die truc van haar. Hoewel het betekende dat de strijd geen bepaalde richting uitging, moest ze hem gewoon even pesten. Ze had nog meer dan genoeg energie, en hoe woedender hij werd, hoe eerder hij een fout zou maken. Schoktreffers mochten dan ongemanierd zijn, ze troffen wel doel, al zou ze dan niemand van het Gilde voor zich winnen door met de botte bijl te hakken.

Plotseling liet Regin een mengeling van treffers op haar los. Krachttreffers, hittetreffers, en allemaal wisselend van kracht. Sonea's schild begon flauw te gloeien. Ze kwam terug met haar eigen spervuur, want ze herkende de eenvoudige opzet. Met zo'n variatie aan treffers had ze twee keuzen: een schild optrekken dat de weinige echt krachtige treffers zou tegenhouden, of energie sparen door haar schild te verzwakken en het voor elke harde treffer bij te stellen.

Ze gaf hem een koekje van eigen deeg, en zag dat hij de laatste methode toepaste. Zijn schild constant aanpassen en tegelijkertijd een variatie aan treffers sturen kostte Regin veel concentratie. Zijn gezicht stond strak en zijn ogen schoten van treffer naar treffer, wat aantoonde dat het hem grote moeite kostte.

Als hij het volhield zou hij haar uiteindelijk moe maken. Ze wist dat één krachtige treffer hem zou dwingen de aanval op te geven, maar dat zou haar nog meer energie kosten, en daar hoopte hij op.

Maar dat plan was ook zijn zwakte. Zijn verdediging werkte alleen maar als hij élke treffer die ze stuurde opving. *Ik moet dus iets onverwachts doen.*

De richting van een treffer veranderen wanneer die al was losgelaten kostte extra inspanning, maar minder dan een grote krachtexplosie. Terwijl ze zich concentreerde veranderde ze de richting van een van haar krachttreffers zo dat hij op het laatste moment om hem heen gleed en hem van achteren trof.

Regin schoot naar voren. Hij sperde zijn ogen open, kneep ze toen tot spleetjes en plofte haast uit elkaar van woede.

'Stop!'

Sonea stopte haar aanval en liet haar schild vallen. Ze keek vol verwachting naar Balkan.

'De eerste overwinning is voor Sonea.'

Iedereen begon door elkaar te praten over wat ze net hadden gezien. Sonea probeerde haar lach verbergen, maar liet zichzelf toen maar gaan. *Ik heb de eerste ronde gewonnen!* Ze keek naar Regin. Hij had een rood hoofd van razernij.

Balkan hief zijn armen. Het gekwebbel stopte.

'Klaar voor het tweede gevecht?' vroeg hij aan de strijders.

'Ja, heer,' antwoordde ze. Regin bromde wat.

Balkan legde een hand op de barrière van de Arena.

'Start!'

37

Uitverkorene van de opperheer

Lorlen keek glimlachend toe terwijl de twee novices zich weer tegenover elkaar opstelden. Sonea's eerste overwinning was precies zoals die had moeten zijn. Ze had niet puur op kracht gewonnen, maar door een gat in Regins dekking te vinden. Hij keek tersluiks naar heer Yikmo, die tot zijn verbazing met een frons naar de Arena keek.

'U lijkt helemaal niet blij, heer Yikmo,' zei Lorlen zacht.

De Krijger glimlachte. 'Jawel hoor. Dit is de eerste keer dat ze Regin echt overwonnen heeft. Maar je verliest zo makkelijk je concentratie in de roes van de overwinning.'

Terwijl Lorlen keek hoe Sonea Regin opgetogen aan het aanvallen was, begreep hij wat Yikmo bedoelde. *Wees niet al te tevreden over jezelf, Sonea,* dacht hij. *Regin zal nu heel erg op zijn hoede zijn.*

Regin verdedigde zichzelf zonder problemen en viel toen aan. Spoedig siste en knetterde de lucht boven de Arena van de magie. Plotseling spreidde Sonea haar armen en keek naar de grond, en haar aanval stopte plotseling. Maar haar schild hield stand terwijl Regin zijn aanval verhevigde.

Lorlen richtte zijn blik op de grond onder Sonea's voeten en zag dat het zand zich verplaatste. Een schijf werd zichtbaar onder de zolen van haar laarzen. Ze leviteerde vlak boven de grond.

Lorlen kende die tactiek. Een magiër kon van alle kanten worden aangevallen, behalve van onderen. Het was dus aanlokkelijk om je schild vlak bij de grond te laten eindigen om kracht te sparen. Sonea's schild reikte echter ook tot onder haar voeten, en haar kennis van levitatie had haar gered van een onwaardige slippartij door het schuivende zand onder haar laarzen. Levitatie werd volgens hem pas in het derde jaar behandeld.

'Slim, om haar dat alvast te leren,' zei Lorlen tegen Yikmo.

Yikmo schudde het hoofd. 'Dat heb ik haar niet geleerd.'

Sonea's gezicht stond strak van de inspanning. Ze moest tegelijkertijd leviteren, haar schild omhooghouden en aanvallen, dus bestond haar aanval uit eenvoudige treffers die zonder moeite afgeweerd konden worden. Lorlen wist dat ze Regin moest dwingen om net zoveel kracht en concentratie te verbruiken. En ja, daar begon ook het zand onder Regins voeten te borrelen en te verstuiven, maar hij stapte gewoon opzij. Tegelijkertijd spreidde zij haar armen wijd om de volgende onverhoedse ondergrondse aanval af te weren, en haar eigen aanval mislukte.

'Stop!'

Ze lieten beiden hun schild zakken.

'De tweede overwinning gaat naar Regin.'

Een zacht gejuich kwam van de tribune. Terwijl Regin zwaaide en grijnsde naar zijn fans, fronste Sonea haar wenkbrauwen. Ze was vast kwaad op zichzelf.

'Mooi zo,' zei Yikmo.

Verbaasd keek Lorlen de Krijger aan.

'Dat had ze nodig,' legde Yikmo uit.

In de korte pauze tussen de rondes zocht Rothen naar Dannyl tussen de magiërs aan de andere zijde van de Arena. Hij was verdwenen van zijn oorspronkelijke plaats te midden van de hoofdmagiërs. Rothen wist niet of hij nu naar de wedstrijd moest kijken of zijn vriend moest zoeken.

Hij was verbijsterd geweest toen hij Dannyl samen met Sonea, Akkarin en Yikmo had zien aankomen. Dannyl had geen brief gestuurd dat hij naar het Gilde zou komen, had het hem niet eens mentaal laten weten. Was zijn terugkomst soms een geheim geweest?

Dan was het dat nu niet langer. Iedereen wist dat hij er was, aangezien iedereen Sonea en Akkarin gezien had. Maar juist dat gezelschap van Akkarin verontrustte Rothen het meest. Bovendien had Dannyl al in geen maanden een brief gestuurd.

Vragen riepen vragen op. Was Rothens verzoek Akkarin onder ogen gekomen? Of assisteerde Dannyl Akkarin alleen maar met wat ambassadeurszaken? Wist Dannyl wel dat hij een zwarte magiër hielp? Of had hij op eigen houtje de waarheid over Akkarin ontdekt?

'Hallo, oude vriend.'

Rothen schrok zich een hoedje van die stem en draaide zich snel om. Dannyl had er duidelijk schik in dat hij zijn oude mentor had laten schrikken. Hij knikte naar Dorrien, die hem hartelijk begroette.

'Dannyl! Waarom heb je me niet gezegd dat je terug zou komen?' vroeg Rothen.

Dannyl glimlachte verontschuldigend. 'Het spijt me, ik had het moeten laten weten. Maar ik moest onverwacht terugkeren.'

'Waarom?'

De jonge magiër keek de andere kant op. 'O, gewoon rapport uitbrengen aan de opperheer.'

Onverwacht teruggeroepen alleen maar om rapport uit te brengen? Maar net op dat moment riep Balkan dat de derde ronde kon beginnen, en Rothen draaide zich om voor de wedstrijd. Hij zou Dannyl later wel aan de tand voelen, want een gesprek over Akkarin kon je immers beter niet in het openbaar voeren.

Regin had een gewaagde en riskante verdediging opgebouwd. In plaats van zijn schild op te trekken stuurde hij een spervuur van treffers naar Sonea. Terwijl hij haar met zijn magie bombardeerde, vulde de Arena zich met flitsen magie, die te zwak waren om de twee novicen te storen. Enkele raakten de begrenzing van de Arena en kleine bliksemflitsen deden de barrière schitteren. Regin stuurde extra veel treffers direct naar Sonea. Ze kon zichzelf zonder veel moeite verdedigen, maar ze verbruikte desondanks meer energie dan Regin door constant haar schild op te houden.

Ze wreekte dit door haar aanval te verhevigen. Regins plan werkte alleen als hij al haar treffers op tijd kon opvangen. Als hij er een miste, zou hij razendsnel een schild moeten optrekken.

En Rothen zag het al aankomen: een van Sonea's treffers glipte door zijn verdediging heen. Voor hij uitgeademd had sloeg de treffer tegen een haastig opgetrokken schild.

Sonea begon langzaam naar Regin toe te lopen, en hoe dichterbij ze kwam, hoe sneller hij gedwongen was te reageren. Toen de twee nog maar tien passen van elkaar verwijderd waren, leken Regins treffers opeens af te ketsen en naar hem terug te kaatsen. Hij wankelde naar achteren en gaf een verbaasde kreet. Alle magie verdween op slag uit de Arena.

'Stop!'

Het was even doodstil. Toen begonnen de toeschouwers zacht te mompelen.

'De derde ronde is gewonnen door Sonea.'

Magiërs mompelden verward door elkaar heen. Rothen vroeg: 'Wat gebeurde er?'

'Ik geloof dat Sonea een soort dubbele treffer gebruikte,' zei Dorrien. 'Ze verzond een treffer en stuurde er eentje vlak achteraan. Vanuit Regins standpunt moet hij er hebben uitgezien als één enkele treffer. Regin stopte de eerste dan ook wel, maar hij had niet gemerkt dat de treffer er nog een op sleeptouw had.'

Een aantal magiërs hadden Dorriens uitleg gehoord en knikten naar elkaar, onder de indruk. Dorrien keek glunderend naar Rothen. 'Een genot om naar te kijken.'

'En of.' Rothen knikte en zuchtte toen Dorrien zich weer op de Arena richtte. Zijn zoon leek steeds meer door haar betoverd te worden. Hij had nooit gedacht dat hij ooit zo vurig zou wensen dat Dorrien snel naar zijn dorp zou terugkeren.

Balkans stem dreunde over het geroezemoes heen.

'Op uw plaatsen.'

Sonea liep weg van Regin.

'Klaar om de vierde ronde te starten?'

'Ja, heer,' zeiden de strijders.

Een lichtflits spatte uiteen boven de barrière van de Arena.

'Start!'

Sonea begon niet erg triomfantelijk aan de ronde. De verdubbelingsmethode die ze had gebruikt had behoorlijk wat van haar krachten gevergd. Als Regin van plan was haar energie uit te putten, zou hij vast en zeker winnen. Ze moest wat beter op haar tellen passen deze keer. Ze moest zich niet laten meeslepen door zijn trucjes. Ze moest energie sparen, want als ze deze ronde verloor zou ze nog genoeg over moeten hebben voor de vijfde.

Een tijdlang keken zij en Regin elkaar aan, zonder schild, zonder beweging. Toen kneep Regin zijn ogen toe en de lucht vulde zich met duizend bijna onzichtbare hittetreffers, en ieder treffertje leek nét niet sterk genoeg om fataal te zijn als ze haar binnenschild troffen. Maar te midden van die zwakke treffers ontdekte ze een paar sterkere, dus trok ze een buitenschild op om ze allemaal te blokkeren.

Maar vlak voor de treffers haar zouden raken verdwenen ze als sneeuw voor de zon. Ze ergerde zich aan die bedrieglijke truc en liet een identieke regen van treffers los, alleen liet ze een paar sterkere wel degelijk op zijn schild terechtkomen. Hij trapte er niet in maar deed wel een stap achteruit. Ha, dacht ze. Hij wordt moe!

Vervolgens begon hij een andere aanval, een ingewikkelde, maar zonder veel energie te investeren. Hij vulde de lucht met een fel licht, alsof hij hoopte een paar sterke treffers ongezien te laten naderen. Bij elke treffer die Sonea verzond zag ze Regin ingespannen werken om ze tegen te houden. Hij probeerde het niet te laten merken, maar hij zou geen groot gevaar meer voor haar zijn deze ronde.

Ze zag dat hij zijn gezicht vertrok van pijn toen een van haar sterkere treffers hem raakte. Maar opeens voelde ze van bovenaf een onverwachte klap tegen haar buitenschild beuken. Na die enorme dreun volgde er nog eentje, zo snel dat ze geen tijd meer had om haar schild te verstevigen, zodat het brak.

'Stop!'

Ongeloof was van haar gezicht te lezen toen ze doorkreeg dat hij zijn vermoeidheid alleen maar gespeeld had. Ze zag zijn spottende blik en kon zichzelf wel voor haar hoofd slaan dat ze zich zo in de luren had laten leggen.

'De vierde overwinning is voor Regin.'

Maar ze kende zijn grenzen. Hij moest ook echt vermoeid zijn, dat kon niet anders.

Ze sloot haar ogen en zocht zich een weg naar de bron van haar kracht.

Die was een beetje leger dan voorheen, maar er was geen gevaar dat hij voor het eind van de wedstrijd leeg zou zijn.

Yikmo had haar de raad gegeven Regin niet puur op kracht aan te pakken. *'Als je respect wil winnen, laat dan je vaardigheid en eergevoel op de eerste plaats komen.'* Maar ze had nu wel genoeg vaardigheid en eergevoel laten zien, vond ze. Wat er ook in deze laatste ronde zou gebeuren, ze wilde niet riskeren weer te verliezen omdat ze haar krachten moest sparen. Ze wilde winnen, en dat zou ze doen door het langer uit te houden dan Regin.

En als ze toch puur op kracht ging winnen, kon ze net zo goed meteen met een dodelijke aanval beginnen.

'Klaar voor de vijfde ronde?' bulderde Balkan.

'Ja heer,' zei ze, en Regin herhaalde haar woorden weer.

'Start.'

Ze begon met flinke krachttreffers, om Regins wilskracht te testen. Regin ontweek ze keurig: haar treffers vlogen zonder kwaad te doen door de Arena.

Sonea staarde naar Regin, die onschuldig naar haar terugkeek. Ontduiken en weglopen waren ook onfatsoenlijke methoden, maar het was niet tegen de regels. Ze was verbaasd, maar begreep al snel waarom hij het deed. Haar kracht zou op deze manier weer verspild worden. Regin glimlachte. Het zand onder zijn voeten bewoog.

De toeschouwers fluisterden verbaasd toen het zand hoger en hoger van de bodem kwam. Sonea keek toe en vroeg zich af wat Regin van plan was. Yikmo had haar hier niets over verteld. Hij had gezegd dat projectie onbruikbaar was in de Arena.

Zand wervelde nu door de Arena, en een zachte fluittoon klonk op. Sonea fronste haar voorhoofd, want Regin was onzichtbaar geworden in de zandstorm. Ze zag alleen witte wervelingen om zich heen.

Toen raakte iets krachtigs haar buitenschild. Ze gokte uit welke richting die treffer kwam en zond een treffer naar die kant, maar ze werd door een andere aan de achterkant getroffen, en een derde klap kwam van bovenaf.

Hij heeft me verblind, besefte ze. Ergens in die zandstorm bewoog hij zich rond haar heen. Ze kon niet terugvechten als ze niet wist waar hij was. Maar dat maakte niet uit als ze tegelijkertijd alle kanten op vuurde.

Ze verzamelde haar kracht en stuurde een regen van krachtige treffers in het rond. Meteen viel het zand rondom haar neer en belandde als een ring op de grond. Regin had háár als middelpunt van de zandstorm genomen. *Daarom wist hij precies waar ik was.*

Hij stond aan de andere kant van de Arena en keek haar nauwlettend aan. Ze wist dat hij inschatte hoe moe ze was.

Ik ben niet moe.

Toen ze aanviel deed hij weer een stapje opzij. Ze begon te glimlachen. Als Regin haar kracht wilde uitputten, kon hij zijn zin krijgen. Ze zou hem als een bange rassoek door de hele Arena jagen. En uiteindelijk zou ze hem te pakken krijgen.

Maar ze kon haar treffers ook af laten buigen zodat hij nergens heen kon! *Ja, laten we er maar een punt achter zetten.*

Ze kneep haar ogen half toe en richtte zich op de bron van haar kracht. Puttend uit het beetje magie dat ze overhad, vormde ze in haar geest een schitterend maar dodelijk patroon voor haar treffers. Toen hief ze haar armen. Het maakte niet meer uit of ze haar bedoeling liet doorschemeren. Ze liet de magie los en ze wist dat het de krachtigste magie was die ze ooit had gemaakt. Ze stuurde hem in drie golven van krachttreffers naar buiten, en elke golf was heviger dan de vorige.

Ze hoorde het publiek een zacht 'oooh' roepen toen de treffers spiralen van licht uitstrooiden, die samen een felgekleurde, levensgevaarlijke bloem vormden die zich naar Regin voorover boog.

Regin sperde zijn ogen open van verbazing. Hij wankelde achteruit, maar hij kon nergens heen. Toen de eerste treffers hem bereikten, brak zijn buitenschild. Een seconde later werd zijn binnenschild geraakt. Regins gezicht drukte nu geen verrassing meer uit, maar doodsangst. Hij keek snel naar heer Garrel, en wierp zijn armen machteloos in de lucht toen de derde golf treffers hem raakte.

Sonea hoorde geschreeuw. Ze herkende de stem van Garrel. Het binnenschild rond Regin schokte –

– maar hield stand.

Ze keek naar Regins mentor, die zijn handen tegen zijn slapen gedrukt hield en zijn rug kromde. Akkarins hand lag luchtig op de schouder van de magiër.

Toen hoorde ze een zachte plof. Haar hart bonsde toen ze Regin met gesloten ogen in het zand zag liggen. Het werd doodstil. Ze wachtte tot hij bewoog, maar hij bleef liggen waar hij lag. Hij was natuurlijk gewoon uitgeput. Hij kon toch niet... *dood* zijn?

Ze deed een stap naar hem toe.

'Stop!'

Ze stond stil en keek vragend naar Balkan. De Krijger fronste alsof hij haar waarschuwde.

Toen kreunde Regin en de toeschouwers slaakten als één man een diepe zucht. Sonea sloot haar ogen en voelde de opluchting door haar heen razen.

'Sonea heeft de strijd gewonnen!' riep Balkan uit.

Langzaam, maar allengs met meer enthousiasme, begonnen de magiërs en novicen te juichen. Verrast keek Sonea in het rond.

Ik heb gewonnen, dacht ze. *Ik heb echt gewonnen!*

Ze liet haar ogen langs de juichende menigte glijden en dacht: *Misschien wel meer dan alleen de wedstrijd.* Maar dat zou ze pas zeker weten als ze zonder gevaar door de gangen kon lopen en Regin en zijn maten laat in de avond tegen kon komen zonder dat haar een strobreed in de weg werd gelegd.

'Ik verklaar deze formele wedstrijd voor beëindigd,' sprak Balkan. Hij kwam van het dak van het portaal af en ging bij Garrel en Akkarin staan. Garrel knikte toen de Krijger iets zei en liep de Arena in, zijn ogen op de liggende gestalte van Regin.

Sonea keek bedachtzaam naar haar tegenstander. Ze zag dat hij wit als een doek was en dat hij leek te slapen. Hij was zonder meer uitgeput en ze wist maar al te goed wat een rotgevoel dat was. Maar ze was nooit bewusteloos neergevallen van afmatting.

Aarzelend, voor het geval hij maar deed alsof, hurkte ze bij hem neer en raakte voorzichtig zijn voorhoofd aan. Zijn uitputting was zo groot dat zijn lichaam in shock verkeerde. Ze liet een beetje genezende energie via haar hand in zijn lichaam vloeien om hem weer tot leven te wekken.

'Sonea!'

Ze keek op en zag Garrel kwaad op haar neerkijken.

'Wat ben je –'

'Mmm,' kreunde de jongen.

Ze negeerde Garrel en keek toe hoe Regin knipperend zijn ogen opsloeg. Hij keek haar aan, en hij fronste zijn voorhoofd.

'Jij?'

Sonea glimlachte wrang en stond op. Ze maakte een buiging voor Garrel en liep langs hem heen naar de koelte van het portaal van de Arena.

Het grootste deel van het publiek was al op weg naar huis, maar de hoofdmagiërs bleven nog bij de Arena rondhangen. Ze stonden in een grote kring en bespraken het gevecht.

'Haar kracht is sneller toegenomen dan ik voor mogelijk had gehouden,' zei vrouwe Vinara.

'Verbazingwekkend voor haar leeftijd,' beaamde Sarrin.

'Maar als ze zo sterk is, waarom heeft ze Regin dan niet vanaf het begin op zijn donder gegeven?' vroeg Peakin. 'Waarom probeerde ze haar kracht niet volledig te gebruiken? Dat kostte haar twee rondes.'

'Omdat Sonea niet zo nodig hoefde te winnen,' zei Yikmo rustig. 'Ze wilde Regin laten verliezen.'

Peakin keek de Krijger aarzelend aan. 'En het verschil is?'

Lorlen glimlachte om de verwarring van de Alchemist. 'Als ze hem eenvoudigweg in de pan gehakt had, zou ze van niemand respect hebben gewonnen. Door rondes te winnen en te verliezen met vaardigheden als basis, liet ze zien dat ze bereid was om eerlijk te vechten, ondanks haar grotere kracht.'

Vinara knikte. 'Ze wist niet hoe sterk ze in werkelijkheid was, nietwaar?'

Yikmo glimlachte. 'Nee, dat wist ze niet. Alleen dat ze sterker was. Als ze geweten had hoevéél sterker, zou het moeilijker voor haar geweest zijn om een ronde te verliezen.'

'En hoe sterk is ze eigenlijk?'

Yikmo keek Lorlen nadrukkelijk aan, en blikte toen over zijn schouder. Lorlen draaide zich om en zag Balkan en Akkarin aankomen. Hij wist dat Yikmo hem niet op Balkan attent had gemaakt.

'Misschien hebt u wel meer hooi op uw vork genomen dan u aankunt toen u Sonea's mentor werd, opperheer,' zei Sarrin.

Akkarin glimlachte. 'Zo erg is het nog niet.'

Lorlen zag de anderen blikken wisselen. Niemand keek ongelovig, al leken sommigen het niet helemaal te vatten.

'Toch zal je haar binnenkort zelf les moeten gaan geven,' voegde Vinara eraantoe.

Akkarin schudde het hoofd. 'Alles wat ze nodig heeft kan ze op de universiteit leren. Er is niets anders dat ik haar bij kan brengen waarvoor ze zich interesseert – voorlopig.'

Lorlen voelde een koude rilling over zijn rug gaan. Hij keek Akkarin nauwlettend aan, maar niets in diens uitdrukking wees op hetgeen hij vreesde.

'Ik geloof niet dat ze veel zal begrijpen van de strijd en de intriges van de Huizen, laat staan zich ervoor interesseren,' zei Vinara. 'Maar het idee van het Gilde dat zijn eerste oppervrouwe kiest is bijzonder intrigerend.'

Sarrin fronste zijn voorhoofd. 'Laten we haar afkomst niet vergeten.'

Vinara zond hem een scherpe blik, en Lorlen schraapte zijn keel om de aandacht af te leiden en te voorkomen dat de twee elkaar in de haren zouden vliegen. 'Hopelijk zal dat de komende jaren niet aan de orde zijn.' Hij keek naar Akkarin, maar de opperheer had zijn aandacht op andere zaken gericht. Lorlen volgde zijn blik en zag Sonea aan komen lopen.

Toen de kring van magiërs zich opende om haar toe laten, maakte Sonea een buiging.

'Wel gefeliciteerd, Sonea,' baste Balkan. 'Je hebt uitstekend gevochten.'

'Dank u, heer Balkan,' antwoordde ze en haar ogen fonkelden.

'Hoe voel je je nu?' vroeg vrouwe Vinara.

Sonea hield haar hoofd schuin, dacht na en haalde haar schouders op. 'Hongerig, vrouwe.'

Vinara lachte. 'Dan hoop ik dat je mentor een overwinningsbanket voor je heeft klaarstaan.'

Sonea's glimlach werd een beetje geforceerd, maar niemand merkte dat op. Ze keken allemaal naar Akkarin, die zijn ogen op haar gericht hield.

'Goed gedaan, Sonea,' zei hij.

'Dank u, opperheer.'

Ze keken elkaar zwijgend aan. Toen sloeg Sonea haar ogen neer. Lorlen blikte aandachtig naar de anderen en zag Vinara's wetende glimlach. Balkan keek geamuseerd en Sarrin knikte goedkeurend.

Lorlen zuchtte. Ze zagen alleen een jonge novice die vol ontzag haar ogen voor haar machtige mentor neersloeg. Zouden ze ooit iets anders zien? Hij keek naar de rode steen aan zijn vinger. *Als dat zal gebeuren, zal dat niet door mijn toedoen zijn. Ik word net zo goed door hem gechanteerd als zij.* Hij keek naar Akkarin en kneep zijn ogen half samen. *Als hij ooit naar voren treedt om alles uit te leggen, kan hij maar beter met een heel goed verhaal komen...*

Dannyl deed de deur naar zijn kamer open en liet Rothen voorgaan. Hijzelf sloot de deur. Binnen was het donker, en hoewel het brandschoon was en er geen stofje te bekennen was, rook het een beetje muf. Zijn hutkoffer stond in zijn slaapkamer.

'Vertel nou eens, wat is er zo vreselijk belangrijk dat de opperheer je gebood meteen naar Imardin terug te keren?' vroeg Rothen.

Dannyl keek Rothen strak aan. Geen 'hoe gaat het ermee' of 'hoe heb je het gehad'. Dat hem dat niet ergerde zat hem in de verontrustende verandering in Rothens verschijning.

Donkere schaduwen lagen rond Rothens ogen. Hij leek ook jaren ouder, al had Dannyl zijn vriend al tijden niet gezien – misschien waren de diepe rimpels of de grijze lokken in zijn haar wel normaal voor zijn leeftijd. Maar de licht gebogen, gespannen manier waarop zijn mentor liep was beslist nieuw.

'Ik kan een tipje van de sluier voor je oplichten,' zei Dannyl, 'maar daar moet je het mee doen. Het is gebleken dat Akkarin van mijn onderzoek in oude magie afwist. Hij... hé, gaat het wel goed met je, Rothen?'

Rothen was plotseling bleek weggetrokken. Hij keek de andere kant op. 'Was hij... beledigd dat ik daar interesse in had getoond?'

'Helemaal niet,' verzekerde Dannyl hem, 'omdat hij niet weet dat jij enige interesse in het onderwerp hébt. Hij wist dat ík dat onderzoek deed, en het schijnt dat hij het wel aardig vindt. Ik heb zelfs toestemming gekregen om ermee verder te gaan.'

Rothen staarde Dannyl met grote ogen aan. 'Dat betekent –'

'– dat je je boek kunt schrijven zonder hem op de tenen te trappen,' besloot Dannyl.

Omdat Rothen fronsend zijn hoofd schudde, begreep Dannyl dat dit niet de hoofdzaak voor zijn vriend was.

'Heeft hij je gevraagd nog iets speciaals te doen?' vroeg Rothen.

Dannyl glimlachte. 'Dat is het deel dat ik je niet mag vertellen. Ambassadeurszaken. Maar niets gevaarlijks hoor.'

Rothen keek Dannyl nadenkend aan, en knikte toen. 'Je zult wel moe zijn,' zei hij. 'Ik zou je alleen moeten laten om uit te pakken en zo.' Hij liep naar de deur, aarzelde en wendde zich weer tot Dannyl. 'Heb je mijn brief nog gekregen?'

Daar gaan we dan, dacht Dannyl. 'Ja.'

Rothen maakte een verontschuldigend gebaar. 'Ik vond dat ik je moest waarschuwen voor het geval de roddels weer opgerakeld worden.'

'Natuurlijk,' zei Dannyl droogjes. Hij zweeg, verbaasd vanwege de onverschilligheid in zijn stem.

'Niet dat ik denk dat het problemen zal geven,' voegde Rothen er haastig aan toe. 'Als die assistent is wat ze zéggen dat hij is, bedoel ik. Over jou hebben de mensen het niet, ze vinden het alleen amusant gezien de beschuldigingen waaraan jij hebt blootgestaan toen je novice was.'

'Juist ja.' Dannyl knikte langzaam, en bereidde zich voor op een onaangename reactie op wat hij ging zeggen. 'Tayend ís een makker, Rothen.'

'Een makker?' Rothen fronste zijn voorhoofd. Toen drong het langzaam tot hem door. 'Dus dat gerucht is waar.'

'Ja. De Elyneeërs zijn een veel toleranter volk dan de Kyralianen – meestal tenminste.' Dannyl glimlachte. 'Ik doe mijn best me wat dat betreft in te burgeren.'

Rothen knikte. 'Dat hoort natuurlijk bij het ambassadeursvak. Net als geheime gesprekken met de opperheer.' Hij glimlachte voor de eerste keer die dag. 'Maar ik houd je maar op. Ga je kist uitpakken. En waarom kom je daarna niet eten met Dorrien en mij? Morgen vertrekt hij alweer naar zijn dorp.'

'Dat lijkt me wel wat.'

Rothen liep weer naar de deur. Dannyl opende hem met zijn wilskracht. Rothen bleef staan, sloot hem weer en zuchtte. Hij keek diep in Dannyls ogen.

'Wees voorzichtig, Dannyl,' zei hij. 'Wees in hemelsnaam voorzichtig.'

Dannyl keek terug. 'Dat ben ik ook,' stelde hij zijn vriend gerust.

Rothen knikte. Hij deed de deur open en stapte de gang op. Dannyl zag zijn vriend en mentor met gekromde rug wegwandelen.

Hij schudde het hoofd, omdat hij geen flauw idee had of Rothen hem nu gewaarschuwd had voor zijn betrekkingen met Tayend, of voor Akkarin.

Epiloog

et pad naar de ambtswoning van de opperheer baadde in het blauwe licht van de volle maan. Terwijl Sonea naar het huis liep, speelde er een glimlach om haar lippen.

Vier weken waren voorbijgegaan na de uitdaging, en niet één keer was ze Regin en zijn maten tegengekomen in de universiteit na de les. Geen vervelende opmerkingen achter haar rug meer in de gangen, en haar proeven werden met rust gelaten.

Vandaag had ze met Hal een opdracht gedaan in het vak medicijnen, en na een wat moeizame start waren ze vrolijk uit elkaar gegaan. Ze hadden geprobeerd elkaar de loef af te steken over de juiste behandeling van nagelworm. Hij had haar verteld over een zeldzame plant van zijn vader, een dorpsgenezer in Lan, die gebruikt werd om van de kwaal af te komen. Toen ze hem vertelde dat de mensen in de sloppenwijk tugor-puree gebruikten, een bijproduct van de distillatie van bol, moest hij lachen. Ze begonnen een hele reeks kwakzalvermiddeltjes en onwaarschijnlijke remedies op te sommen, en toen de les voorbij was besefte ze dat ze wel een uur had zitten kletsen met een medeleerling.

Ze bereikte de deur van de ambtswoning en raakte de klink aan. In de verwachting dat de deur onmiddellijk open zou zwaaien stapte ze naar voren en stootte haar knie.

Verbaasd en geërgerd raakte ze de klink nogmaals aan, maar de deur bleef potdicht. Moest ze soms buiten slapen vannacht? Ze greep de klink stevig vast, drukte hem naar beneden en was blij dat ze ook zonder magie binnen kon komen.

Ze deed de deur achter haar dicht en liep naar de trap, maar bleef stokstijf stilstaan toen ze iets hoorde vallen bij de andere trap. Een gesmoorde kreet bereikte haar oren, en de vloer schokte onder haar voeten.

Er was iets gaande in de kelder, iets magisch.

Ze werd koud tot op het bot. Ze dacht na wat ze moest doen. Het liefst wilde ze zo snel mogelijk naar haar kamer, maar ze snapte wel dat als er een magisch gevecht werd geleverd ze in haar bed ook niet bepaald veilig was.

Ze moest naar buiten. Zo ver mogelijk uit de buurt zien te komen.

Maar de nieuwsgierigheid hield haar aan de grond genageld. *Ik wil weten wat er aan de hand is,* dacht ze. *Stel dat er iemand is die Akkarin confronteert met zijn misdaad, dan kunnen ze mijn hulp goed gebruiken.*

392

Ze haalde diep adem, liep naar de deur voor de trap naar de kelder en opende hem op een kier. De trap erachter was niet verlicht, dus de deur van de kamer beneden moest gesloten zijn. Langzaam, elk spiertje in haar lijf gespannen om er meteen vandoor te kunnen gaan als het moest, sloop ze de trap af. Ze kwam bij de deur en zocht een sleutelgat of iets dergelijks waardoor ze naar binnen kon kijken, maar dat ontbrak. Iemand schreeuwde. Een mannenstem. Een vreemdeling. Ze verstond hem niet omdat hij een andere taal sprak.

Het antwoord klonk meedogenloos, ook in die andere taal. Ze herkende de stem van Akkarin. Een hoge, klaaglijke kreet van wanhoop greep haar naar de keel. Ze schuifelde achteruit naar de trap, plotseling stellig overtuigd dat ze overal moest zijn, behalve daar.

De deur van de ondergrondse kamer vloog open.

Takan keek naar haar, zwijgend. Maar zijn uitdrukking zag ze niet, want haar oog viel op wat er achter hem gebeurde.

Akkarin stond gebogen over een man die eenvoudig gekleed was. Zijn hand lag om de keel van de man, en bloed sijpelde tussen zijn vingers door. In zijn andere hand had hij een met edelstenen bezet mes – een mes dat haar gruwelijk bekend voorkwam. Terwijl ze toekeek werden de ogen van de man glazig en hij plofte op de vloer.

Toen schraapte Takan zijn keel en Akkarin keek verstoord op.

Hun blikken kruisten elkaar – zoals in de nachtmerries over de nacht waarin ze hem in zijn kamer bezig had gezien, de nachtmerries waarin ze alles opnieuw beleefde, alleen kon zij niet bewegen en hij wist dat ze keek... tot ze wakker werd met bonzend hart.

Maar hieruit werd ze niet wakker. Dit was werkelijkheid.

'Sonea.' Hij sprak haar naam met onverholen ergernis uit. 'Kom eens hier.'

Ze schudde haar hoofd, deed een stap naar achteren en voelde de prikkel van magie toen ze tegen een onzichtbare barrière botste. Takan zuchtte en liep de kamer weer in. Ze bedwong haar paniek, rechtte haar schouders en dwong haar benen zijn domein binnen te gaan. Ze keek naar de man op de vloer en huiverde om zijn lege, starende ogen. Akkarin zag haar blik.

'Deze man is – was – een moordenaar. Hij was gestuurd om mij te doden.'

Zegt hij. Ze keek naar Takan.

'Dat klopt,' zei de bediende. Hij gebaarde naar de rommel. 'Denk je dat de opperheer zelf zo'n puinhoop van zijn kamer zou maken?'

Ze keek rond. De muren leken verschroeid en een van de boekenkasten was omgevallen – overal lagen boeken en versplinterd hout. Ze had genoeg gevoeld en gehoord om te vermoeden dat hier een magisch gevecht had plaatsgevonden.

De dode moest dus ook een magiër zijn. Ze keek nog eens naar hem. Hij was geen Kyraliaan, of bewoner van een ander Geallieerd Land. Hij leek op... Ze keek Takan nog eens aan. Hetzelfde brede gelaat en dezelfde goud-bruine huid...

'Inderdaad,' zei Akkarin, 'hij en Takan behoren tot hetzelfde volk. Uit Sachaka.'

Dat verklaarde waarom de man over magie beschikte, maar niet van het Gilde was. Er waren dus nog steeds magiërs in Sachaka... Maar als deze man een moordenaar was, waarom wilde hij – of zijn opdrachtgever – Akkarin dan dood hebben?

Ja, waarom? mijmerde ze.

'Waarom hebt u hem doodgemaakt?' vroeg ze. 'Waarom hebt u hem niet aan het Gilde overgedragen?'

Akkarin lachte grimmig. 'Omdat, zoals je ongetwijfeld al geraden had, hij en zijn volk dingen over me weten waarvan ik liever niet heb dat ze bekend worden binnen het Gilde.'

'Dus dan maakt u hem maar dood. Met... met...'

'Met wat het Gilde zwarte magie noemt. Jazeker.' Hij deed een stap naar haar toe en zijn ogen bleven haar aankijken. 'Ik heb nooit iemand gedood die mij geen kwaad wilde doen, Sonea.'

Ze sloeg haar blik neer. Probeerde hij haar gerust te stellen, omdat hij wist dat ze haar geheim zou verklappen als ze kon? Dat zou hem namelijk inder-daad kwaad doen.

'Hij zou tevreden zijn als hij wist dat jij het kwaad dat hij hier wilde brengen gezien had,' sprak Akkarin zacht. 'Je zult je afvragen wie deze mensen zijn die me dood willen hebben, en wat hun beweegredenen zijn. Ik kan je slechts dit vertellen: de Sachakanen haten het Gilde nog steeds, maar ze zijn ook bang voor ons. Zo nu en dan sturen ze zo'n type als dit naar ons land, om me te testen. Vind je het werkelijk zo onredelijk van me dat ik mezelf wil verdedigen?'

Ze keek naar hem op en vroeg zich af waarom hij haar dit vertelde. Dacht hij nou werkelijk dat ze ook maar één woord geloofde van dat verhaal? Want als die Sachakanen werkelijk zo'n gevaar vormden, zou de rest van het Gilde het toch ook weten? Niet alleen de opperheer. Nee, hij oefende kwade magie om zichzelf sterker te maken, en dit was één grote leugen, bedoeld om zeker te maken dat ze haar mond hield.

Zijn blik gleed over haar gezicht. Toen knikte hij langzaam. 'Het maakt niet uit of je me gelooft of niet, Sonea.' Hij keek met samengeknepen ogen naar de deur, die met een licht gekraak open zwaaide. 'Als je maar niet vergeet dat als je ook maar één woord loslaat over dit voorval, je vernietiging brengt over alles wat je lief is.'

Ze deed een stap naar de deuropening. 'Ik weet het,' zei ze verbitterd. 'Daar hoeft u me niet aan te herinneren.'

Ze stapte over de drempel en haastte zich de trap op. Toen ze de deur naar de ontvangstkamer bereikte, hoorde ze stemmen naar boven zweven.

'Die moorden houden nu tenminste op.'

'Voorlopig wel, ja,' antwoordde Akkarin. 'Tot ze de volgende sturen.'

Ze drukte de klink neer en liep de ontvangstkamer in. Daar bleef ze even staan en ademde zwaar toen de opluchting haar overviel. Ze had haar ergste nachtmerrie in de ogen gekeken en het overleefd. Niet dat ze vannacht rustig zou slapen. Ze had hem zien doden, en dat zou ze haar hele leven niet meer vergeten.

Woordenlijst

Dannyls lijst van sloppentaal

best bakken – het proberen waard
bezoeker – inbreker
bloedgeld – loon voor moord
bok – man die bordelen langsgaat
boodschapper – schurk die eerst bedreigt, dan uitvoert
cliënt – iemand die een verplichting of overeenkomst heeft met een Dief
Dief – leider van een groep misdadigers
duf – je kop houden
famielje – groep mensen die een Dief absoluut vertrouwt
gelikt – gepakt
gloeier – aantrekkelijk (wat heeft zij een gloeier!)
gritzenaar – heler
grootje – pooier
haaien – belangrijke mensen
hai – roep om aandacht of van verrassing
kaars – man die van jongens houdt
klikken – gebeuren
knikkeren – de wacht houden
kraai – iemand die schaduwt, in de gaten houdt
linkmiechel – te vertrouwen/hart op de goede plek
mcimes – vermoord
mes – (huur)moordenaar
mestharses – dwaas
mies – moeilijk
mol – iemand die Dieven verraadt
nije – introducé
oppikken – herkennen/snappen
plek – loon/toestemming
punter – smokkelaar
roedeloper – wachter die omkoopbaar is of voor een Dief werkt
sloppers – mensen die in de sloppenwijk wonen

stijl – manier waarop je zaken doet
strop – vrijheid
tag – spion die ergens undercover werkt
telster – hoer
tiefes – problemen
trap – weigeren/weigering (trap ons niet!)
vissen – voorstellen/vragen/uitkijken naar (ook: vluchten voor de gardisten)
vlammig – kwaad (werd er vlammig om)
zorgen – verstoppen (zorg voor je spullen)

Dieren:

agamotten – schadelijke insecten die kleding aantasten
anyi – zeedier met korte stekels
ceryni – klein knaagdier
enka – klein gehoornd dier, gehouden voor zijn vlees
eyoma – zoutwater bloedzuigers
faren – spinnen en aanverwante dieren
gorin – groot gehoornd dier, gehouden voor zijn vlees
harrel – klein diertje, gehouden voor zijn vlees
limek – wilde, vleesetende hond
mulloek – wilde nachtvogel
rassoek – vogel die gehouden wordt voor het vlees en de veren
ravi – knaagdier, groter dan een ceryni
reber – dier dat wordt gehouden voor vlees en wol
sapvlieg – bosinsect
sevli – giftige hagedis
skimp – eekhoornachtig diertje dat voedsel steelt
zill – klein, intelligent zoogdier dat soms als huisdier gehouden wordt

Planten/voedsel

bol – (ook 'rivierschuim') sterke drank gemaakt van tugor
brasi – groente met grote bladeren en kleine knopjes
chebolsaus – rijke vleessaus gemaakt van bol
crotten – grote, paarse bonen

curem – zachte, nootachtige specerij
curren – ruw graan met sterke smaak
dal – lang fruit met bitter, oranje vruchtvlees en veel zaden
gan-gan – bloeiende struik uit Lan
ikker – stimulerend middel, ook wel gebruikt als liefdesdrank
jerras – lange gele bonen
kreppa – smerig ruikend medicinaal kruid
marin – rode citrusvrucht
monyo – bolgewas
myk – hallucinerend middel
nalar – scherp smakende wortel
pachi – harde, zoete vrucht
papea – peperachtige specerij
piorre – klein, klokvormig vruchtje
raka/suka – stimulerende drank van geroosterde bonen, afkomstig uit Sachaka
simba – riet
sumi – bittere drank
telk – oliehoudend zaad
tenn – graan dat kan worden gekookt, gebroken of tot meel gemalen
tugor – wortelgewas
vare – bessen waar wijn van wordt gemaakt

De Geallieerde Landen

Elyne – lijkt op Kyralia wat betreft cultuur en welvaart, maar heeft een aangenamer klimaat
Kyralia – land waarin het Magiërsgilde gehuisvest is
Lan – bergachtig land met krijgsstammen
Lonmar – een woestijnachtig land waar de strenge Mahga-religie de wet voorschrijft
Vin-eilanden – de meeste zeelieden komen hiervandaan

Andere termen

badhuis – onderneming met privé- en gezamenlijke baden
bolhuis – café waar bol verkocht wordt en kamers per uur worden verhuurd

brouwhuis – bolbrouwerij

incal – vierkant embleem, zoals een familiewapen, op mouw of manchet genaaid

kebin – ijzeren staaf met haak om mes uit handen van aanvaller te slaan, gedragen door gardisten